1934.	대전 출생
1947.	대전 신흥국민학교 졸업
1950.	대전 중학교 졸업
1953.	대전 고등학교 졸업
1959.	서울 의과대학 졸업
1959~1963	서울 대학병원 수련
1963.	군입대 군의관 대위 경주대전 육군병원 정형외과 과장
1966.	군제대
1966~1967	미팔군 노무자 병원 정형외과 과장
1967.	의학박사 서울대학교
1967.	도미
1967~1972	미국정형외과 수련
1973.	미국정형외과 전문의
1972~1999	정형외과 개업
2006.	임낙중 글모음 I
2007.	임낙중 글모음 II, 행복
2011.	임낙중 글모음 III, 인류의 운명

인류의 운명

임낙중 글모음 III

박정애 집사님 혜존

저자 임낙중

KOREAMonitor®

2011년 7월 1일 초판 1쇄 발행

지은이 : 임낙중
펴낸곳 : 코리아 모니터
주소 : 7203 Poplar St., Annandale, VA 22003
www.koreamonitor.net

주문처 : 코리아 모니터 출판인쇄
전화 : 703-750-9111
팩스 : 703-750-3141

책머리

이천칠년에 내 글 모음집 제이권 행복을 출판하고 난후 사년의 세월이 흘렀다.
제삼권 출판을 주저했던 이유중에 하나는 세상에 하도 잡 글이 범람하여
내 글도 그 중에 하나로 세상 사람들이 생각하지 않을까 겁이 났기 때문이었다.
내 글 모음집 제삼집이 세상에 빛을 본 까닭은 장세영씨 때문이였다고 해도 과언이 아니다.
일년전 그분을 우연히 만나 실은 우연이 필연이지만, 내 수필집을 그분에게 전했다.
그 분이 이독 삼독 나중에는 내 글 내용을 내게 외어 보이며 진심으로 좋아하는 그분의
모습을 보고 나를 이해하는 분이 있다는 사실앞에 내 원고를 그냥 묻어 둘 수가 없었다.
전에도 내글을 사랑해 준 분들이 있었지만 그분처럼 나를 감동 시킨 분은 없었다.
나는 그분에게서 책을 다시 낼 용기를 얻었다.
내가 글을 전문으로 쓰는 사람이 아니기 때문에 글이 조잡할 지도 모른다.
그러나 진실을 전하고 싶은 마음은 누구에게도 지고 싶지 않다.
사람은 모두 평등하게 태어 났다고 한다.
그러나 세상에는 지식 신앙 사상등에 어쩔수 없는 여러 계칭이 있고
내 글도 그 계칭 모두가 동의하기를 기대하지는 안는다.
내 글을 통하여 나를 알아 주는 사람이 단 한사람이라도 생긴다면
나는 그것으로 보람을 느낄 것이다.
책 발간에 한 가족처럼 보살펴 주신 코리아 모니터 임석구 사장님께 심심한 감사를 드린다.
이 책의 저자는 내 이름으로 되어 있지만
내 모든 움직임 하나 하나 뒤에는 아내의 그림자가 담겨 있으니
이책은 아내와 함께 엮은 인생의 여정이다.

임낙중 글모음 III

인류의 운명

임낙중 글모음 III

제1장 나와 삶

제2장 단상수상

제3장 영원한 이별

제4장 건강과 나

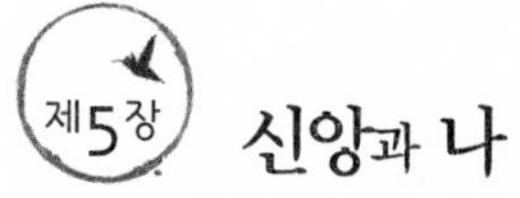

신앙과 나

제6장 Essay

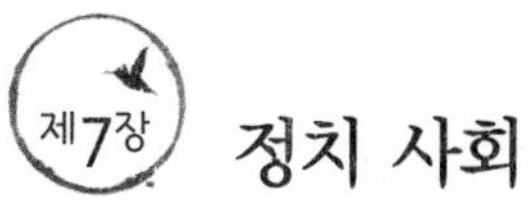

정치 사회

제1장 나와 삶

술과 골프 | 01

직장암 치료를 받은 후로 방사선 치료 때문인지 화학요법 때문인지 알 수가 없으나 복통과 설사를 일으키는 음식이 몇가지 생겼는데 술도 그중의 하나다.

원래 태생이 소화기관이 튼튼한 편은 아니었으나 흥이 나거나 오랜만에 찾아 온 친구를 만나면 몇 잔의 술은 마다하지 않았고 술에 몹시 취해 본 경험도 있으며 취하는 맛을 모르는 바도 아니다.

반주로 한두 잔의 붉은 포도주가 심장에 좋다는 의학적 보고가 알려진 후로 나도 반주를 하고 싶은데 내 장이 허락을 하지 안는다. 하는 수 없이 반주를 즐기는 친구들을 보면 부럽다. 사실은 포도주가 심장에 좋다고 하는 설도 정설은 아니고 앞으로 또 변할지도 모를 일이다.

포도주의 역사는 신석기 시대로 까지 소급해 올라 간다. Mary Voigt가 이란의 고산 지대에서 발견한 여섯개의 항아리에서 포도주 찌꺼기를 발견했는데 그 항아리가 기원전 5400년 내지 5000년이 된다고 하니 포도주의 역사를 짐작할 수 있다.

인류가 정착하고 농사를 지으며 도자기를 굽기 시작했을 때부터 포도주를 만들었을 것이라고 추측하는데 기원전 6000년경 에집트와 근동 지방이 발상지가 아닌가 생각한다. 피라밋안에 포도주 항아리가 많이 발견 되었다.

에집트에는 일찍부터 포도주의 신이 있었고, 희랍에는 Dionysus신 로마에는 Bacchus신이 있었으며 구약에 155번 신약에 열번 포도주에 관한 말이 나온다고 한다.그중 유명한 것은 예수 그리스도가 결혼 연회장에서 물로 포도주를 만든 기적이다.

중세기에 약 천년간에 걸쳐 포도주가 수도승들에 의하여 포교와 더불어 전파되었고 유명한 Don Perignon도 수도승이였다고 한다.

한국의 개신교중에 술을 금하는 교파가 많았고 금주에 관한 논쟁도 많았다. 잠언에 술을 경계하는 말이 있지만 술을 마시면 안된다는 말씀은 성경에 없는 것 같다.

불교에서는 재가 신자를 위한 계율 五戒중에 술을 마시지 말라는 계가 들어 있는데 술이 마음을 흐리게 하기 때문이라고 한다.

미국에서는 1919년 헌법 개정으로 금주법을 제정했다가 1933년 다시 그법을 폐지했다. 금주법의 결과 밀주제조, 술 밀수입, 술 암거래 등등 범죄가 창궐했기 때문이였다. 한때 암흑가에 군림하던 시카고의 마피아 두목 Al Capone을 모르는 사람은 별로 없을 것이다.

St. Valentine's Day Massacre라고 해서 자기와 이권을 다투던 깽들을 모주리 총살했던 사건이 있었다. 말년에 신경 매독으로 고생하다가 죽었지만 요는 금주법은 그런 부작용을 야기한다는 것이다.

최근 조사에 의하면 가톨릭 교도 81%와 개신교 교도 64%가 술을 마신다고 한다.

술의 종류가 하도 많아 포도주 하나만 해도 전문가들이 많다. 어느해 어느나라 산 포도주가 향기가 어떻고 값이 어떻고 내가 잘모르는 예기들을 많이 듣는다.

나같은 촌사람 입에는 옛날 어머님이 집에서 담근 동동주 맛이 제일이다. 포도주가 맛이 없다는 말이 전혀 아니니 오해 없기를.

더운여름 운동하고 나서 드는 시원한 맥주의 첫 잔은 인생에 하나의 클라이막스다. 나머지는 도토리 키 재기라 대체로 술은 술이다.

중국의 명주 마오타이냐 수카치 위스키 시바스 리갈이냐 또는 정종이냐 소주냐 하는 문제는 마시는 사람의 취향에 달렸다. 같이 마시는 친구와 분위기가 술의 가격보다 더 귀하다고 나는 생각한다.

달아 달아 밝은달아 이태백이 놀던 달아로 시작하는 노래에서 이미 낯익은 이백[699~763]은 세계적으로 알려진 당나라의 술 시인이다. 두보[712~770]도 술을 즐긴 시인이였지만 이백이 술에는 한수 위였다.

이백은 뱃놀이를 하며 술에 취하여 물위에 비친 달을 잡으려고 배에서 뛰어 내려 최후를 마쳤다는 고사가 있을 정도니 하는 말이다. 이고사의 사실 여부는 모르겠으나 천여편이나 되는 그의 시중에서 한편을 소개한다,

兩人對酌山花開 둘이서 잔을 나누는데 산 꽃이 피네.

一杯一杯復一杯 한잔 한잔 또 한잔.

我醉欲眠 卿且去 취해 잠이 오니 그대는 가소 .

明朝 有意 抱琴來 아침에 생각나거든 거문고 들고 오소.

고금을 통하여 예술가중에 술을 즐기는 사람이 많다. 그들의 예민한 정서와 마음의 갈등을 술로 달래고 술로 잊으려 하는 것이다. 장인으로서 자기 작품에 대한 좌절감도 술 없이 풀기 어려울 것이다.

과음하면 간, 위, 취장 등에 염증이 오고 장기간의 과음이 간, 식도, 인후 등의 암 발생율을 높인다. 음주후에 교통사고, 자살, 그리고 살인 등을 저지르는 사고가 더 생긴다. 알코홀 중독의 해독에 관해서는 더 말 할 나위도 없으므로 생략한다.

요컨데 술에도 적당히 마시면 약이 되고 과하면 독이 되는 중용의 도가 적용된다.

직장암 수술후 나는 술을 마시지 못하는 장애자가 되었다. 술은 Social Lubricant라고 불릴 만큼 인간상호간의 만남을 부드럽게 하는 사교의 활력소인데 나는 이 소중한 술을 포기할 수 밖에 없다.

암에서 살아 남은 것 만도 감사하여야 할 터인데 불평을 하다니 염치도 없다라고 나 스스로를 타이른다.

인생에 몇가지 안되는 즐거움 가운데 하나인 술을 단념하니 인생이 그만큼 메마르다. 특히 오래간만에 만나는 친구와 맹숭맹숭하게 시간을 보내기가 힘들 때가 있다. 다행이 골프를 친다면 골프장으로 같이 나가 시간을 보내기가 쉬운데 골프도 안치는 친구라면 시간을 같이 보내기가 고달프다.

그래서 오래간만에 만난 옛친구에게 골프를 치는지부터 물어 본다. 방안에 앉아 술도 없이 흘러간 얘기로 여러 시간 버티는 재주를 타고 나지 못한 나는 힘이 든다.

이런 때는 전화기만 들면 종일 대화를 해도 끄떡도 않을 뿐 아니라 오히려 힘이 나는 아내가 부럽다.

나이 탓이겠지만 이제 한두 시간만 앉았다 일어나려면 무릎이 굳어 아이쿠 소리가 저절로 나온다. 그렇다고 종일 음식을 대접할 수도 없다.

옛날 같으면 낚시, 등산, 아니면 바둑으로 시간을 얼마든지 보낼 수 있고 안되면 밤새 화투라도 칠터인데 그런데에는 흥미가 없어졌다. 늙으니 노는 것도 별로 흥이 나지 않는다.

내가 사는 시골에는 변변한 음식점도 없으니 나가서 대접할 만한 곳도 마땅하지 않다. 집에서 음식을 마련해야 하는데 주름진 아내를 보고 음식 차려 달라고 하는 말을 차마 입에 올릴 수가 없다. 친구가 찾아 온다는 기별이 오면 아내 눈치만 보게 된다.

만나는데 의미가 있다고 내가 곧잘 말하곤 했는데 이제 한잔 술도 나눌 수가 없고 늙어가는 것이 죄인양 친구가 찾아와도 대접할 길이 없다 보니 사람 구실을 못하는 것 같다.

논어에 有朋 自遠方來 不亦樂乎라는 말은 많이 회자 되는 말이다.

먼데서 옛친구가 찾아 오면 무척 반가운데 말은 곧 동이 나고 술은 마실 수가 없고 아내 눈치를 보아야 하니 친구가 골프마저 안친다면 반가운 것은 마음 뿐이다.

햇빛 | 02

생애 처음으로 겨울 삼개월을 플로리다에서 보냈다.

몇 주간 와 있은 적은 있었지만 몇 달을 와 있은 적은 이번이 처음이다.

메어리랜드를 떤날 때에 매주 만나던 교회 친구들을 한동안 못보는 것이 섭섭한지 아내의 표정이 시무룩 했지만 억지춘향 나를 따라 올 수밖에 없는 눈치다.

몸이 차츰 느려지고 몸 여기저기 아픈 데가 생겨 추위가 싫어 진지도 몇해가 지난지라 플로리다에 작은 거처를 마련하는 용단을 지난 봄에 내렸다. 아직 장거리 운전을 할 수 있을 때 집을 마련해야지 하는 마음의 조급한 독촉이 있었다.

기르던 Orchid 등의 화분들, 옷, 식량, 책등을 실으니 큰 왜곤에 가득 차서 뒷 창을 완전히 가렸다.

아내와 교대로 운전해서 래이크랜드까지 천여마일을 당일로 달려왔다. 추위에서 도망쳐 온 것이다.

젊을 때는 하얀 눈이 좋았다. 늙으니 눈이 보기에만 좋다. 눈 때문에 집안에 갇혀 추위에 웅크리고 있어야 할 뿐 아니라 눈 설거지도 귀찮다. 눈은 낙엽과 더불어 내 나이를 더욱 느끼게 해서 이제는 반갑지가 않다.

따뜻한 햇빛과 푸른 초원은 내 나이를 잊는데 도움이 된다. 기온 상승으로 내 사지가 더 유연하게 움직이기 때문이다.

추우면 날씨를 원망하게 되고 우울해지며 그러지 않아도 불평이 많은 내 성격을 짜증스럽게 만들어 Grumpy old man이 되니 나도 내가 싫어 진다.

Sun block을 바르며 골프를 치고 골프장에 달린 오렌지를 따 먹으면 그 맛이 북쪽에서 사먹던 오렌지 맛과는 사뭇 다르다.

래이크랜드에 얼마전 생긴 한인 교회에 주일이면 나간다.

남목사 설교도 좋고 점심과 Fellowship 시간도 즐긴다. 캐나다를 위시한 북쪽 애기도 들을만하다.

플로리다에 오면 내가 몇해 더 젊어 진 것같은 느낌을 갖는다. 따뜻해서 젊게 느껴 진다면 좋지 않은가.

아리스토텔레스의 말을 빌리면 이런 행복은 동물적 행복이라 하지만 감각적 또는 동물적 행복도 구태여 버릴 필요는 없다. 영적 행복이 첨가되면 물론 더 좋겠지만 말이다.

남쪽에 집을 한채 더 가지는 비용을 고려한다면 Snowbird도 사치라고 할 수 있으니 그런 사치를 누리지 못하는 사람들에게는 미안스럽다.

옛날 황제들은 冬宮과 夏宮이 있어 철따라 움직이는 것이 대단한 사치에 속했지만 지금은 수백만이 겨울이면 남쪽으로 이동하니 별 사치는 아니다.

그래도 지구상에 기아선상에 있는 인구가 수억이나 된다고 하니 사치라고 생각하는 사람도 있을 것이고 빈축을 살 수도 있을 것이다.

남쪽에 집을 한채 유지하는 비용을 계산해 보니 일년에 만불에서 이만불 사이가 될 것 같다. 내가 그비용을 아낀다고 해서 저 세상으로 가져갈 것도 아니니다 싶어 작은 집을 마련했다.

앞으로 내가 골프를 칠 수 있고 남의 손을 빌리지 않고 Daily Living을 할 수 있는 세월이 아마 십여년 밖에 안된다 싶으니 더 이상 미룰 수가 없었다.

칠년전 직장암 진단을 받았을 때 몇해나 더 내가 햇빛을 볼 수 있을까 노심초사한 생각을 하면 비용 때문에 망서리는 것은 어리석다고 생각했다. 내가 안쓰고 유산을 조금 더 자식들에게 남겨 준들 그것이 아이들에게 이가 될지 해가 될지 모르는 일이다.

그동안 오렌지 나무, 무궁화 나무, 장미 등을 뜰에 심었고 가꾸었다. 겨울 삼개월을 남쪽에서 보내고 나니 집을 마련 하기를 잘했다는 생각이 든다.

메리랜드에 있었으면 주로 집안에 틀어 박혀 봄을 기다리느라 울적한 나날을 보냈을 것이다.

겨울인데도 매일 같이 골프를 친다는 것이 내가 무엇인가 하는 것같아 좋았다. 뉴욕, 미시간, 캐나다 등지에서 내려 온 동창들을 만나 보니 좋았다. 아들, 며느리, 손주들이 와서 놀다 가니 힘이 들지만 좋았다.

내가 느리고 우유부단하여 결단을 잘 못내리는 성격인데 남쪽에서 겨울을 나기로 한 결단은 잘 내린 것같다. 소가 뒷걸음 치다 쥐를 잡았다고나 할까.

한치앞을 못보는 것이 인생이고 새옹지마의 고사대로 전화 위복이 일상사이니 앞으로 어떤일이 일어날지 또 내가 어떤 말을 할지 모르지만 지난 삼개월간 즐긴 햇빛에 감사하고 싶다.

햇빛은 지상에 존재하는 모든 생명과 에너지의 근원이다. 따라서 예외 없이 인간의 육체적 그리고 정신적 건강의 원동력이기도 하며 감정적 영향도 지대하다.

물리적으로 햇빛의 기본 단위는 Photon이라고 하고 파동과 입자의 성질을 가졌다고 설명하지만 이 방면에 전문가가 아니고서는 무슨 의미인지 못 알아 듣기는 매 일반이다.

오히려 물과 탄산가스와 햇빛이 식물의 광합성에 의하여 당[糖, Sugar]을 만들고 동물은 이식물에서 모든 에너지를 얻어 생명을 이어나갈 뿐만 아니라 Fossil fuel도 얻어 쓰고 있으니 과학적으로 설명하자면 해 혹은 햇빛이 신이다.

희랍 고대 철학자 Diogenes에게 Alexander대왕이 내가 너를 위하여 해줄 수 있는 일이 없겠는가 하고 물었을 때 대왕께서 제 앞에 햇빛을 가리고 계시니 비켜 주십시요라고 했다는 일화가 전해 내려 온다.

햇빛은 Diogenes에게도 소중했으니 하물며 나 같은 촌부야 말해 무엇하랴.

03 | 뉴욕 나들이

뉴욕에 사는 셋째 아이 용진이가 맨해튼에 집을 샀다.

가서 보니 집이 이십일칭에 있는데 센트럴 파크가 내려다 보이고 그 넘어 멀리 대서양 바다가 보이며 남쪽으로는 엠파이어 스테이트 빌딩을 위시하여 마천루들이 한눈에 들어와 장관이었다.

집 값을 물어 보지는 않았지만 내 시골 집의 몇 배가 될 것이고 최근 러시아 석유재벌 블라바트닉씨가 구입한 일억오천만불 짜리 집에 비하면 초가 삼칸 값일 것이다.

부유한 미국에서도 자기 집을 가진 사람은 인구의 69%[2006년도 통계] 밖에 안된다.

무 주택자가 보면 내 집을 가진 것만 해도 부러울 것이고 자기 집을 가진 사람은 자기집보다 더 좋은 집을 가진 사람을 부러워 할 것이다.

내 기억에 남은 옛날 할아버지 집은 안채에 방 셋에다가 사랑채에 대문과 방이 둘 달린 초가집이었고 겨울에는 흙바닥 부엌에서 밥을 지으면 온돌방이 동시에 데워 졌으며 칙간은 마당 건너 따로 서 있어서 겨울에 바짓가랭이 내리고 쭈그리고 앉아 일을 보려면 찬 바람에 방딩이가 시려웠고 어렸을 때 얼마 동안은 밤에 무서워 어른이 보초를 서준 기억도 난다.

처음에는 등잔을 썼으나 전기가 들어와 내가 얼마나 좋아 했는지 모른다.

내가 자란 아버지 집은 대전 역전에 방이 네개 달린 기와집이었는데 수세식이 아니라 냄새 처리는 안되지만 집안에 달려 있어 쭈구리고 앉아 있어도 찬 바람은 면했다.

온수는 없었지만 수도물과 목욕탕이 있어 할아버지 처소에 비하면 크게 승격을 한 셈이었다. 내가 미국에 오면서 칼라 텔레비를 처음으로 사들였고 작은 냉장고가 있었다.

내가 사는 집은 수세식 화장실에 난방 냉방이 자동이고 냉장고도 세대나 된다.

사대에 결쳐 거처와 살림이 모두 나아진 셈이다. 할아버지 보다 아버지, 아버지 보다 나, 나 보다 내 아이가 물질적으로 잘 산다는 얘기를 지금 하고 있는 것이다.

내 손주까지 쳐서 四代가 차츰 잘 사는 이유가 문명의 급진적 발달에 주로 있다는 것을 설명하려는 것이며 내 집안이 성공했다는 자랑의 의미는 아니다.

용진이는 자기 Firm에서 Partner다.

내가 한국에서 군 복무와 전문의 수련 과정 등을 다 마치고 미국에서 다시 수련 과정을 되풀이 하다 보니 서른여덟에 개업을 했는데 용진이는 나보다 젊은 나이에 파트너가 되었다. 수입도 나와 같은 시골 의사와는 비교가 안된다.

할아버지는 사십여 마지기의 논밭과 초가집 한채와 소 한마리가 전 재산인 소농이였고 아버지는 고학으로 치과 전문을 마치고 개업해서 나를 의사를 만들었고 나도 의사로 개업해서 아이들 넷을 길러 대학을 보냈다.

사대가 조금씩 낫게 산 셈이다. 할아버지는 서당을, 아버지는 치과 전문을, 나는 서울의대를, 용진이는 하바드에 시카고 대학을 나왔으니 학벌도 사대째 나아진 셈이다.

용진이는 다섯살 난 이네스와 세살 된 알레그라 두 딸을 유치원에 보내는데 일년에 일인당 이만사천불의 등록금을 낸다.

할애비인 나나 저희 아버지가 못다닌 유치원을 다니니 발전인지는 몰라도 유치원 과정이 꼭 필요한 것인지 학비가 왜 그리 비싼지 나는 잘 모르겠다.

내가 보기에는 주로 같이 노는 것을 배우는 것 같은데. 그 밖에도 피아노와 발레 개인 교습을 받는 데다가 승마까지 배우는데 그런 것 안 배우고도 사는데 큰 지장이 없었던 나는 어쩐지 마음이 불편하다.

그래도 五代의 경제적 그리고 사회적 지위가 상향선을 그려 왔다고 할 수 있겠다.

그러나 행복을 포함하여 정신적 세계의 관점에서 볼 때 오대 중 어

느 대가 더 행복할까.

나는 쉽게 대답을 할 수가 없다.

나는 네살에 말을 시작했다고 하니 정확한 음정과 박자로 여러 곡의 노래를 부를 수 있는 세살 짜리 알레그라에 비해 저능아라고 생각하는 사람도 있을 것이나 나는 전문의로서 아무 지장이 없었고 은퇴후에는 동서양의 종교와 철학에 관해서 배우려 노력하고 있다.

직업상으로 땅만 파던 할아버지, 사람들의 입 안만 드려다 보던 아버지, 사람의 뼈를 주로 다루던 나, 뉴욕에서 기업들의 병합과 파산을 다루는 용진이 그리고 자라나는 손녀들 중에 누가 더 행복하다고 최종 판단을 내릴 수 있을까.

할아버지는 이조말 서당을 다니다 만 농부로 생을 마친 분이지만 내게는 동몽선습을 가르친 분이다. 육척장신에 힘이 장사였는데 한 번도 누구와 다투거나 시비하는 장면을 본 기억이 없고 불평 불만하는 모습을 본 적이 없다. 겨울 여름 방학마다 내려가 같은 방에서 할아버지를 모시고 있었기 때문에 나는 누구보다도 할아버지를 잘 안다고 생각한다.

내가 가까이서 지낸 분중에 인격이 가장 훌륭하다고 생각하는 분이 내 할아버지이다. 도대체 그 분처럼 세상 욕심이 전혀 없는 분을 그 분 외에 내 평생 만나 보지 못했다.

내가 주제 넘게 비교한다면 아버지는 욕심을 제어하기 위하여 주야로 성현의 말씀을 익히느라 여념이 없었고 할아버지는 천성이 착해서 전혀 노력이 필요 없어 보였다.

아버지는 내게 매를 대셨고 할아버지는 전혀 나를 벌하지 안했기 때문에 나의 두 분 평가에 관해 내게 편견이 생겼는지도 모르겠다는 점을 나는 시인한다.

아버지는 매일 새벽에 몇시간 주로 사서삼경과 불경을 읽고 요가 단전호흡 등 심신단련을 게을리 하지 않았다.

덕분에 나는 동양문화에 대한 귀 동냥을 하며 자랐고 후에 서양문화와 기독교에 관해서는 내가 아버지보다 많이 노출되었다.

아버지는 욕심이 많아 나의 부족한 점을 자주 지적했고 나는 그것이

억울하다고 생각한 적이 많았다.

나는 일제시대, 육이오, 군사독재를 모두 겪었고 미국에 건너와 동서양의 두 문화를 고루 배웠으며 덕분에 세상을 보는 눈이 밝아진 데 대하여 자부심을 가졌고 그 점 감사하며 산다.

나는 아버지 처럼 심신수양에 몰두할 의지력이 없지만 넓은 종교적 철학적 편렵을 즐기고 있다.

용진이는 나의 불찰로 동양 문화에 접할 기회가 별로 없었고 자기 전공외에 종교나 철학에 관심을 가질 기회도 적었다. 그도 나처럼 예능방면에 개인 지도를 받지 못해 그의 정서적 발전에 내가 등한 했던 것을 미안하게 생각한다. 그의 성장기에 내가 같이 놀아 주지 못했고 나의 아버지 처럼 많은 훈계도 주지 못했다.

손녀들은 일찍부터 여러가지 개인 교습을 받고 저희 부모들이 모든 풍요를 제공해 주며 매를 모르고 자유롭게 자란다.

외견상 우리 오대가 비교를 할 수 없을 정도로 점차 잘 살게 되었다.

그러나 뉴욕에서 하루를 보내고 돌아 오면서 용진이와 손녀들이 외형적 발전에도 불구하고 그만큼 더 행복할까 하는 미심쩍은 생각에 잠겼다.

할아버지 보다 아버지, 아버지 보다 나, 나 보다 용진이, 용진이 보다 손녀들이 더 행복할 지에 대하여 자신이 없었다.

밥을 굶는 절대 빈곤만 면할 수 있다면 막걸리나 소주나 맥주나 양주나 취하기는 마찬가지이고 행복감은 술의 종류나 가격과는 별로 관계가 없다.

문명과 경제적 풍요가 인간의 행복에 어떻게 영향을 미치는지, 인간의 행복은 정말 마음에 달린 것인지 하는 의문에 잠긴채 조용한 시골 집으로 향했다.

아수라장같은 생존 경쟁으로 며칠씩 잠을 설치면서 고투하여 이기고 긴장하고 사느니 좀 덜 벌고 덜 쓰고 아이들 과외도 줄이고 가끔 인생을 관조하며 마음이 평안스러운 인생을 사는 편이 낫지 않겠는가라는 말이 목구멍까지 올라 오는데 차마 입밖으로 꺼내지 못하고 발 걸음을 돌렸다.

04 | 길어야

길어야 십오년 짧으면 오년? 한 밤중에 잠이 깨고 나서 다시 들지 않아 앞으로 남은 내 나이를 생각하다 떠오른 한마디다.

시계를 보니 네시간쯤 잤는데 백수 노인이 꼭 더 자야 할 이유도 없다. 나이를 먹으면 잠이 깊이 들지 않고 자주 깬다는 사실을 옛날에는 미처 몰랐었다.

인류의 종말도 길어야 이백년 짧으면 백년이라는 생각이 뒤이어 떠올랐다. 긍정적이고 건설적인 생각도 많으련만 하필 남은 인생이 몇 해나 되는지 하는 유쾌하지 못한 생각이 떠오른 것은 내 의식 구조가 그러니 도리가 없고 진행하는 의식의 흐름에 내 몸을 띄워 보낸다.

옛날처럼 점쟁이에게서 길어야 십오년 짧으면 오년 이란 말을 들었다면 기분이 어떠했을까. 아마 기분이 썩 좋지는 않았을 터이지만 꼭 믿지도 않았을 것이다.

길어야 십오년이란 생각은 점쟁이의 말이 아니고 내 스스로 생각해 낸 만큼 더 끈질기게 뇌리에 남아 있을 것이다.

십오년이라는 세월은 내가 산 세월의 오분의 일이고 오년이면 십오분의 일에 불과하다. 어떻게 보아도 길지 않은 세월이다.

이르시되 내가 진실로 너희에게 이르노니 하나님의 나라를 위하여 집이나 아내나 형제나 부모나 자녀를 버린 자는 금세에 있어서 여러배를 받고 내세에 영생을 받지 못할 자가 없느니라.[눅18~29,30]

우리가 살아도 주를 위하여 살고 죽어도 주를 위하여 죽나니 그러므로 사나 죽으나 우리가 주의 것이로다.[옴14~8]

육신의 생각은 사망이요 영의 생각은 생명과 평안이니라.[롬8~6]

성경에서 세 말씀을 인용하였는데 내 믿음이 깊어 이 말씀에 대한 확신이 있으면 내 남은 인생이 길든 짧든 전혀 문제가 되지 않을 것이다.

짧으면 오년 운운하며 나이에 마음을 쓰는 것은 바꾸어 말하면 기독교에 입문은 쉬어도 신앙의 확신이 생기기는 어렵다는 애기도 된다.

왜 부족함이 전혀 없는 하나님이 인간에게 집, 아내, 형제, 부모등을 다 버리기를 원하는지 왜 그들을 버리면 현세에서도 몇 배를 받고 영생을 얻는지 하는 의문을 버리지 못하는 것이 인간이다.

의심없는 믿음이 가능한 것인지 또는 얼마나 어려운지.

내가 교회를 몇 해를 다녔지만 나는 아직도 의문을 해결하지 못하고 있다. 그러면서 왜 교회를 나가느냐고 묻는다면 나는 다음과 같이 그 이유를 요약할 수 있다.

하나는 좋은 사람을 만나는 것과 또 하나는 어쩌다 병든 신도들에게 내가 도움이 될 기회가 있다는 것 두 가지다. 성령, 방언 등등은 아직도 내게는 낯선 말이다.

살아도 주를 위하여 살고 죽어도 주를 위하여 죽는다는 말은 나를 완전히 죽이고 주님을 받아들이라는 말인데 나는 나를 아직도 죽일 수가 없다. 나를 완전히 주님께 맡길 수도 없다. 자꾸만 마음 안에서 내가 고개를 쳐든다.

죽음은 生老病死 즉 四苦의 하나다. 세상의 모든 존재[色]를 관찰해 보면 계속 변하지 않는 것은 이무 것도 없기 때문에 이 사실을 無常이라 일컫는다.

모든 것이 무상하다면 나라는 존재도 변하지 않을 수 없으니 변하지 않는 自我가 있을 수 없다. 변하지 않는 자아가 없다는 사실에서 無我라는 말이 생긴다.

무상은 주관적인 관념이고 연기에 의해 일어나는데 연기란 이세상 모든 변화는 반드시 말미암아 일어 난다는 것이다. 원인이 있어서 결과가 생긴다는 것이 연기설이다.

이것이 붓다의 가르침을 요약한 것이다.

무상 무아 연기로 요약되는 붓다의 사상은 이들 단어의 문자적 이해로 인간이 고통에서 해방되고 해탈하는 것이 아니고 마음을 비우고 집착을 버리며 깨달음에 이르는 과정을 거쳐야한다.

마음을 비우고 집착을 버리는 과정에도 그 정도에 따라 단계가 있을 것이고 서서히 깨닫는 것을 점수[漸修]라고 하고 문뜩 깨치는 것을 돈오[頓悟]라고 한다.

고백하건데 나는 교회에 다니면서도 불교 서적을 놓지 않는다. 불교의 가르침은 나 스스로를 관조하라고 가르치기 때문에 다른 신을 섬기는 것은 아니다. 해탈과 열반을 기술 하라면 나도 일가견이 있다고 생각하지만 내가 멸도니 열반의 경지가 어떤 것인지 결코 알지를 못한다.

시간이 많이 흘렀다. 불을 키고 시간을 보니 잠을 깬지 두시간이나 지났다. 다시 잠들기는 틀린 것 같아 침대를 밀치고 일어났다. 누구와 만날 약속도 없고 출근 할 데도 없으며 운동 삼아 걷는 골프는 오늘 못 치면 내일 치리라 생각하니 꼭 일어나야 할 이유도 없다.

일과라면 아침에 인터넷으로 한국과 미국의 뉴스를 보고 정원 손질하는 것이 고작이니 누가 보기에는 팔자가 늘어져 보일 것 같다.

그러나 시도 때도 없이 매주 한두 차례 복통과 설사로 고통을 받고 Colostomy Bag을 비우느라 화장실을 드나든다.

지난 반년동안 여러차례 수술을 받고도 결국 Ureteral Stent를 집어넣었고 해마다 스텐트를 갈아 넣기 위하여 병원 출입을 해야만 한다. 목 디스크병 때문에 오른쪽 손이 자주 저리다.

한동안 앉았다가 일어서려면 힘이 들어 저절로 입에서 끙하는 소리가 나온다. 노년에 무릎을 짚고 일어나며 끙 소리를 내시던 아버지 생각이 절로 난다.

내가 더 살아야 할 이유 또는 의미를 누가 묻는다면 같이 늙어 가는 아내를 혼자 두고 가기 싫다든지 손주들 크는 것을 좀 더 지켜 보고 싶다든지 등등 몇가지 댈 수 있겠지만 아마 죽지 못해서 산다는 말이 더 정확한 표현일지도 모른다.

수필을 더 쓰다가 가겠다는 것도 나쁘지 않은 구실이다.

어려서부터 살생을 싫어 해서 웬만하면 파리도 잡지 않는 성격이니 더 살 의미가 없더라도 내 생명을 내 손으로 끊는 일은 없을 것이다.

사실은 가끔 좋은 때도 있으니 죽지 못해 산다면 좀 한 쪽으로 치우친 말이고 천명에 순종하여 사는 날까지 산다고 하는 편이 맞을 것 같다.

넉두리 | 05

나는 1977년에 집을 새로 지어 입주했는대 그 때 심은 나무들이 자라서 해를 가려 집이 어두워 졌다. 나무가 얼마나 빨리 자라는지를 정원 설계사나 나나 짐작을 못했던 것이다. 어쨌든간에 나무를 베어낼 수 밖에는 딴 도리가 없었다.

내 능력으로 쓸 수 있는 16인치 전기 톱으로는 직경 18인치의 나무 이상은 내 재주로는 벨 수가 없고 그나마 나무 한 그루 잘라서 청소까지 하는데 약 일주일이 걸린다. 겨울에 땔 화이어 플레이스 장작도 얻고 신체 운동도 할 겸 해마다 몇 그루의 나무를 나는 베었다.

마당 한 가운데 서있던 Ash tree는 직경이 25인치가 넘는 거목인지라 지난 수년간 내 손으로 벨 수가 있을까 궁리만 하고는 감히 손을 대지 못하고 있었다.

어쩌면 내가 벨 수도 있을 것 같은데 거기에 따르는 위험을 생각지 않을 수가 없었기 때문이었다.

나무가 멋이 있게 생겨서 베기가 아까웠던 것도 주저했던 이유의 하나였다. 방안에서 크는 화초들이 햇빛이 필요하니 나무를 처리해 달라는 아내의 독촉을 받고도 차일 피일 미루고 있었더니 기다리다 지친 아내가 나무 자르는 사람을 불렀다.

스물이 갓 넘은 젊은이와 그의 아내로 보이는 여자 그리고 멕시칸 인부 셋이 와서 작업을 시작한지 두어시간 만에 그 큰 나무가 자취를 감추었다.

앞마당이 훤해져 시원했고 아직 왕성하게 크는 나무를 자른 것이 미안했지만 무엇보다도 삽시간에 그 큰 나무를 해치우는 젊은 힘에 압도되어 속으로 내 나이를 한탄했다.

나는 24인치 톱을 쓸 체력도 없지만 체력이 있다 해도 그 나무를 베고 치우는데 몇 주가 걸렸을 것이다. 나도 이십대에는 그런 톱을 다룰 수 있었을 것이고 몇시간 안에 그만한 노동을 할 수 있었을 것이다. 나

도 젊어서는 테니스 단식을 네시간 이상 치고도 멀쩡하지 않았던가.

근육은 인체 안에서 가장 부피가 큰 조직이고 전성기가 지나면 매년 10온스씩 줄어 든다고 하니 내나이 쯤 되면 30파운드의 근육이 줄었을 터라 무슨 힘을 쓰겠는가 물을 필요도 없다.

그러나 거동이 불편한 친구를 생각하면 내가 걸어 다니는 것만 해도 감사하고 슬퍼 말자고 자위했다.

뉴욕에 사는 아들이 주말에 들렀다. 함께 골프를 쳤다. 내가 거의 두 번을 쳐야 그 아이가 쳐 논 티샷 있는데 까지 공이 갔다. 아이가 멀리 치니 기뻤으나 내 공이 너무 짧아 부끄러웠다.

작년까지는 십팔홀을 걸었는데 금년에는 아홉홀로 줄였다. 내 늙는 것이 눈에 보인다.

이미 세상을 떠난 친구도 있고 병상에서 신음하고 누워있는 친구도 있으니 골프를 치는 것만 해도 감사해야 한다고 나를 타일렀다. 나이에는 장사가 없다더니 그 말이 맞다.

운전면허를 집에 두고 면허 없이 차를 몰고 나가기도 하고 치과 예약을 잊기도 하며 레인지에 국을 끓이다 화재가 날 뻔한 일도 있다. 차 열쇠를 찾지 못해서 집안을 뒤집어 놓거나 차 열쇠를 차 안에 두고 차를 잠그고 낭패한 적도 있다.

잘 아는 사람을 만나서 이름이 생각나지 않으면 참으로 민망스럽고 말하는 도중에 하려던 말을 갑자기 잊어 당황하는 일도 있다. 책을 읽다가 문장이 길어지면 문장의 앞부분을 잊어 다시 되돌아가 읽는 경우도 생겼다.

치매의 시작이 아닌가 하고 겁이 덜컥 날 때도 있지만 아무하고도 상의하고 싶은 생각은 없다. 치매라는 진단을 받은들 어떡하겠다는 것인가.

뇌에는 약 천억개의 뇌신경 세포가 있고 그들을 지원하는 일조 가량의 glia란 세포가 있다. 사람 뇌의 무게는 평균 일점사 킬로그램이고 이십세가 지나면 매년 일 그램씩 뇌의 무게가 줄어 드는데 약 이십만개의 뇌신경세포가 매일 사라진다는 계산이다. 남은 뇌신경세포도 크기가 작아 지기도 하고 myelin이라는 보호막을 잃어 기능이 둔해지니

뇌의 기능 즉 기억력이 감퇴할 수밖에 없다. 뇌의 표면에 있는 조직을 뇌피질이라고 하는데 뇌피질 아래 Hippocampus라고 하는 조직이 있다. 이 조직을 Memory Gateway라고 부르는 이유는 사람이 얻는 모든 정보가 이 뇌조직을 통과해야 기억으로 저장이 되기 때문이다. 치매에 걸린 환자들은 뇌피질 뿐만 아니라 이 히포캄퍼스에도 보통 노화 때보다 심한 손상이 온다.

기억력은 대개 25세 전후부터 줄기 시작하며 50세까지 약 20프로의 기억이 줄고 80세까지는 70프로의 기억이 사라진다고 한다. 나이가 들어 기억이 90프로 없어진 상태와 참선을 통하여 모든 집착을 버리고 마음을 비운 상태와 어떻게 다를까.

과거의 기억이 없어지면 自我가 없는 無我와 닮은 경지이겠으나 불교에서 말하는 無我는 이성과 의식 활동이 정상으로 남아 있는 상태에서 마음을 비워야만 하는가 보다.

내가 알기로는 종교는 대개 영혼의 존재를 강조한다.

기억이 사라진 노인이나 치매환자의 영혼은 어디에서 쉬고 있을까. 본인 모르게 천국에 가서 쉬고 있을까 아니면 영혼도 잠을 자고 있을까.

평균수명이 낮았던 시대에는 칠십노인을 보기 드물었고 노후 인생에 관해서 말하거나 쓰는 노인도 드물었다.

의학의 발달로 노인들이 늘어가고 있으니 젊음이 힘이고 힘이 옳다는 생각에 반기를 들고 노년기 인생도 인생의 일부라는 것을 알려야 한다고 생각한다.

양로원에서 종일 텔레비전 앞에 앉아서 끼가 되면 먹을 것을 받아 먹으며 죽는 날을 기다리든가, 천국에 올라갈 기도만 하고 있든가, 고물쓰레기를 자처하며 혼자서 신세 타령만 하고 살 수는 없다.

노인도 소리를 힘껏 질러 노인에게도 젊은이 처럼 인생이 있다는 것을 부르짖고 싶다.

06 | 이천팔년 칠월

미국 소고기를 먹느니 청산가리를 먹겠다고 말한 모 탤런트의 말이 보여주듯이 한국에서 일어나고 있는 촛불 시위의 배후에 있는 좌파들 그리고 김대중과 노무현 정권이 십년간 심고 기른 K.B.S.와 M.B.C.등 방송계에서 하는 말과 행동이 꼭 김일성과 김정일 정권의 억지 떼와 너무나 닮아 무서운 생각이 든다.

미국 소고기 수입 반대 불법 시위를 막는 전경들이 데모 군중에게 얻어 맞는 장면을 보고 이명박 정권의 무능함에 실망했다.

육이오 동란이 난지 벌써 육십여년의 세월이 흘렀으니 외국군의 장기 주둔에서 예상되는 반미 정서를 이해하지만 소고기 수입 반대는 대의명분이 약하다.

실은 보수 정권의 타도를 목적으로 하는 데모를 진압하지 못하는 정부의 무능력에 놀랐고 이를 방관하는 보수 세력들의 개인주의적 몸사림에 실망했다.

오십세가 넘은 금강산 관광객 아주머니를 관광 구역을 좀 벗어났다고 저격 살해한 정권에 대해서는 한마디 항의나 촛불 시위를 하지 않는 좌파들이 평소 민족이니 우리끼리니 통일이니 부르짖는 목적이 무엇인지 알만하다.

우리에게 식량만 있으면 문제가 없다고 한 북한 신문 기사를 보았다.

자기들이 핵무기를 보유하고 있으니 먹을 식량만 있으면 자기들이 원하는 대로 남북 통일이 문제가 없다는 말로 들린다.

일년에 사억 내지 오억불이면 충분히 먹을 곡식을 사서 국민을 기아에서 구할 수 있는데도 불구하고 남한의 좌파 덕택으로 얻어 먹으면서 그 열배가 넘는 수십억 불을 들여 핵 폭탄을 만들고는 그것을 선군 정치라고 찬양하고 있다. 그 핵 폭탄이 우리를 위협하는 데도 통일이 되면 우리의 것이 될 것이라고 좌파들은 선전하고 있다.

원수를 사랑하라고 하지만 핵 폭탄으로 우리를 겨누고 있는 자를 같은 민족이라고 해서 사랑할 수가 있을까. 골퍼 안소니 김은 한국의 피를 받은 미국 시민이다. 그가 경기 중 상위에 들면 텔레비전 앞에 앉은 내 가슴이 뛴다. 엘피지에이 한국 선수의 경우도 마찬가지이다.

피는 물보다 진하다는 말 외에 설명할 말이 없다. 그러나 칼이든 핵무기든 나를 위협하는 자에게는 동족이든 아니든 관계없이 정당 방위의 권리를 행사하는 길 밖에는 없다.

소고기 수입을 문제 삼아 정부를 뒤집으려는 나라는 한국 밖에 없다. 만일 미국 국민이 한국 자동차나 전자 기구 수입을 가지고 대대적으로 반한 데모를 한다면 미국에 사는 한국 교민들은 불안해서 미국에서 더 이상 살지 못할 것이다.

이런 저런 이유로 한국 좌파 나아가서 한국 마저도 정담이가 떨어졌다. 한국의 정치에 대하여 안타까워 하던 마음이 될대로 되라지 하는 단념의 심사로 변해 가고 있다.

한국 선수를 응원하는 흥분과 경제 성장에 대한 찬미와 정떨어지는 한국의 정치 사이를 오가는 재미 교포가 나만은 아닐 것이다.

오일 값이 올라 개스가 갤론당 사불을 오르내리고 부동산 값이 폭락했으며 달라 값이 내려가고 다우 지수가 만천대를 겨우 받치고 있다. 한마디로 미국 경제가 침체하고 덩달아 세계경제의 전망이 어둡다.

2003년에 시작한 이라크 전쟁으로 지금까지 미국은 약 육천오백억불을 전쟁 비용으로 썼다고 추산하고 있다.

참고로 한국 전쟁에 쓴 미국의 전비는 지금 시세로 삼천이백억불, 남북 전쟁은 사백오십억불, 미국 독립 전쟁은 십구억불, 이차 대전에는 사조 천억불을 썼다.

부시 대통령의 실수는 이라크전이 단기간에 해결될 것이고 따라서 전쟁 비용도 오백억불이면 되리라고 오산한 것이다.

사실 그 정도 비용으로 이라크 문제가 해결 되었으면 부시 대통령은 더 인기 있는 훌륭한 대통령으로 역사에 남을 것이다. 복잡한 회교도 종파간에 얽히고 얽힌 얼룩과 갈등을 충분히 연구하지 않고 침공한 이라크전으로 인하여 앞으로 얼마나 더 전쟁 비용이 들어갈 지 아

무도 예상할 수 없고 늘어나는 적자로 인하여 미국 경제의 앞날은 어둠에 쌓여 있다.

어떤 예언가들은 미국이 로마 제국처럼 망할 날이 올것이고 이미 사향길에 들어섰다고 말한다. 미국이 지고 있는 부채만 보아도 그 예언이 맞을 지도 모른다.

여하튼 부시의 오산으로 인한 실책 때문에 민주당에서 차기 대통령이 나올 가능성이 높아졌고 미국 역사상 처음으로 흑인이 대통령 후보로 당선되었다.

공화당 후보자 맥케인은 인품이 정직하고 좋으나 고령인데다가 카리스마가 부족하다. 인격적으로 내가 존경하지만 그런 사람이 대통령에 당선되기는 어렵다.

오바마는 말이 비단결 같고 카리스마가 넘쳐 흐르는데 사상이나 정책상 미지수가 많다.

한 여론 조사에 의하면 어떤 지역 흑인들은 90프로가 오바마를 지지한다고 한다.

흑인들의 이러한 일방적 지지는 인종 문제가 지나치게 선거에 개입되고 있다는 얘기다. 특정 인종의 지지로 당선되는 대통령의 처신이 어떤 제약을 받을 가능성을 배제하기는 어렵다. 자기를 당선 시킨 집단을 냉대하기도 어렵고 편애하기도 어려울 것이다.

한국의 정치도 지방색이란 고질 때문에 참다운 민주 정치가 불가능하다는 것이 알려진 사실이다. 90프로라는 몰표가 과거 선거에서 여러번 광주에서 나왔다. 정상적인 민주주의 선거에서는 90프로 지지율이란 있을 수 없는 숫자다. 90프로 지지율은 독재 정치나 부정선거 혹은은 지방색이나 인종 문제가 개입될 때에나 보는 현상이다. 왜냐 하면 90프로가 반대하는 정책을 내걸고 선거에 나설 후보자가 없기 때문에 이론상 반대당이 다 합쳐도 10프로의 지지밖에 받지 못한다는 것이 이상한 것이다.

미국에 흑인 대통령이 나오면 미국 정치사에 발전을 의미하겠으나 아무런 부작용이 없기를 빈다.

둘째 아이가 드디어 짝을 찾았다. 마흔네살이 되도록 스테디 데이트도 없었다가 제 짝을 찾았으니 내 집에 큰 경사가 났다. 늦게 짝을 찾은 것이 신기하고 반가워서 신부감이 좋고 나쁘고는 별로 관심이 없었다. 물론 좋은 신부감이였다.

그 동안 좋은 색시들을 여럿 보였으나 어른들이 끼어서 그런지 전기 스파크가 일어나지 않는다는 구실로 성사가 되지 못했다.

신체 건강한 남녀 사이에 그놈의 스파크가 어째서 일어나지 않는지 나로선 이해가 안되어 답답했었다. 이제 네 아이가 모두 짝이 있으니 나도 옛날 어른들 말씀대로 편히 눈을 감게 되었다.

자식을 짝지워 주지 못하고 세상을 떠나면 조상 뵐 낯이 없다는 생각이 아직도 우리 세대에는 남아 있다. 어떤 전통적 생각이나 풍습은 이성이나 이론을 초월하는 경우가 많다고 하는 한 예다. 자식을 짝을 지워야 부모 책임을 다한 것 같은 기분말이다.

십일월에 결혼식을 올리겠다고 하니 석달이 남았다. 나이가 나이니 만큼 서둘수록 좋다. 사십이 넘은 아들 결혼식 절차에 나섰다가는 간섭이 될 것 같아 입을 봉했다.

선물로 반지와 수표 한장을 전해주고 축하 편지 한장을 썼다. 다음 세대로 넘겼으니 생물학적으로는 내 인생은 끝난 셈이다.

케케 묵은 생각이라고 흉볼 사람도 있겠지마는 내 아이가 짝을 만난 것은 조상님의 음덕이고 하나님의 덕분이라고 생각했다. 살다 보면 때때로 유교, 기독교, 불교, 샤머니즘등이 짬뽕으로 튀어 나오는데 어쩔 수 없는 인간의 약점이다.

시계탑 최신호를 펼치니 타계한 동문을 위한 조사와 수필이 전체 기사의 상당한 부분을 차지했다.

서글펐지만 미국에 이민와서 사는 동문들이 고령화 하는 증거다. 아무도 막을 수 없는 것이 세월이다.

1960년대에 시작하여 1200여명의 서울 의대 동문들이 미국에 이민와서 자리를 잡은 사실은 한국 동란의 역사적 사건의 결과로 생긴 일이며 되풀이 될 수 없는 역사다.

그 역사적 의의는 후세에 누군가가 정리하겠지만 나의 지금 위치는 어떤 것일까.

내가 만일 한국에 남았거나 미국에서 수련을 마치고 돌아 갔더라면 하는 가정을 가끔 했고 그런 꿈도 가끔 꾼다.

내가 한국식 처세술에 밝아 한국에서 성공했다면 지금쯤 수백베드 병원의 원장으로 앉아 있거나 명예교수등의 직함을 가지고 목에 힘을 주고 회전의자에 앉아 있을 지도 모른다.

내게 그런 능력이나 자질이 없는 것을 내 자신이 잘 알고 있지만 상상해 보는 자유는 있을 것이니 얘기를 계속하겠다. 그런 직함이나 지위를 한 때 부러워 한 적도 있었다는 것을 솔직히 고백한다. 소의 꼬랑지보다 닭 벼슬이 탐이 났던 것이다.

지금은 한국에서의 그런 미련을 씻은지 오래 되었지만 아직도 조상곁에 뼈를 묻히지 못할 일이 섭섭하다는 센티멘트는 남아 있다.

실은 한국에 살아도 새로운 묘지법 때문에 영구히 조상곁에 뼈를 묻기는 어렵게 되어 버렸다고 하니 미련을 버려야겠다. 죽은 다음에 갈 곳을 아는 자 없으니 어디에 묻히든 모두 만날지도 모를 일이다.

가끔 집 근처 묘지를 지나칠 때마다 나도 아마 저곳에 묻히겠지하고 생각하면서 한국에 있는 선조들의 산소가 눈앞에 어른거린다.

그러나 자식 손주들이 미국 땅에 뿌리를 박았으니 내가 미국에서 퍼져나갈 내 가족의 시조라는 점에서 긍지를 가져야 한다고 나를 타이른다.

한국이나 일본처럼 단일 민족으로 사는 장점도 있고 중국 소련 그리고 미국처럼 섞어서 사는 나라의 장점도 있다. 내 현재의 처지를 나의 운명으로 받아 드린다.

서울 복판에서 촛불 시위로 난장판이 된 이꼴 저꼴을 곁에서 보지 않으니 좋고 그런 와중에서 자란 한국 낭자들이 엘피지에이에 나가 등치 큰 서양 여자들과 맞서 싸우는 것을 보면 참으로 자랑스럽다.

북경 올림픽에 참가하는 선수들이 공기 오염 때문에 마스크를 써야 할지도 모르겠다는 소식을 듣고 인류의 종말이 다가오고 있는 것은 아닌지 하는 걱정과 함께 2008년 칠월에 느끼는 소감을 글로 옮긴다.

두달이면 직장암을 수술 받은지도 구년이 된다.

내가 암 수술을 받았을 당시 만약에 신이 앞으로 네 생명을 구년간 더 연장해 준다면 받겠느냐고 물었다면 나는 얼른 감사합니다라고 절하고 받았을 것이다.

07 | 북경 올림픽

내 만 칠십사세 생일을 삼개월 앞두고 북경 올림픽 대회가 열렸다. 내가 십년 넘게 쓰던 쏘니 아날로그 텔레비전은 내가 즐겨 보는 터너 클랴식 영화를 보는데는 별 지장이 없었다.

수년전부터 시장에 나오는 플라즈마나 앨시디 텔레비전을 살까 하는 생각이 고개를 쳐들 때마다 잘만 나오는 기계를 버린다는 것이 어쩐지 낭비같고 지구 오염을 내가 보태는 것 같아 고장 날 때까지 쓰자고 나 자신을 달래였다.

그동안 잘 버티던 내 결심이 무너 진 이유가 있다.

첫째 이유는 내 나이를 의식한 것이다.

삼대 성인의 한 분인 공자는 칠십삼세에 생을 마감했으니 나는 공자보다 오래 산 셈이다. 육십이세에 돌아간 아리스토텔레스나 소크라테스보다도 나는 이미 오래 살았다. 그런 성현들과 비교하는 나를 방자하다고 탓하는 분도 있겠지만 실은 내가 그 분들을 존경하기 때문에 그 분들의 수명을 살펴 보았고 그러다 보니 그런 생각을 하게 된 것 뿐이다. 내가 붓다만큼 수를 한다면 올림픽을 한번 더 볼 기회가 있겠다는 생각도 하였다. 물론 그 나이까지 내 눈이 잘 보이면 하는 전제가 붙는다.

아내가 들으면 방정맞은 소리를 한다고 탓하겠지만 북경 올림픽 중계가 내가 즐길 수 있는 마지막 중계가 될 수도 있다는 생각이 나서 기왕이면 High Definition과 Digital로 보아야 되겠다는 욕심이 개회식이 가까워 올수록 나를 초조하게 만들었다. 그래서 오염이니 낭비니 하는 생각을 접고 개회식 전날 부랴부랴 나가서 삼성 엘시디를 사들고 와서 아내와 끼어 맞추었다.

뉴욕 사는 아이가 소식을 듣고 아내 생일 선물이라고 하면서 텔레비전 산 돈을 놓고 갔다. 새 텔레비전이 더욱 보기 좋았다.

화면이 먼저 것 보다 두배나 크고 영상이 실물보다 더 선명해서 올림픽을 보기 위하여 텔레비전를 바꾼 내 결정이 옳았다고 아내에게 큰 소리를 쳤다.

둘째 이유는 내 시력이 점점 저하하여 전 텔레비전은 화면이 흐리게 보였다. 화면이 흐리니 보는데 스트레스를 받았다.

차, 스피커, 컴퓨터등을 수년에 한번씩 신형으로 바꾸듯이 결국 텔레비전도 디지털로 바꾸었다. 지구 한 쪽에서는 굶고 있는데 신형으로 수년마다 바꾼다는 것이 죄스럽기는 하나 나도 별수 없이 추세를 따라 산다.

육십여년이 넘었지만 처음 텔레비전을 보았을 때 퍽 신기하였고 나도 가지고 싶었다. 십이인치 흑백 텔레비전을 처음 집에 들여 놓았을 때 흥분을 기억한다. 내가 미국에 오던 해에 선친 환갑 기념으로 천연색 텔레비전을 사드렸는데 그만큼 귀하고 값 비싼 시절도 있었다. 차츰 화면이 커지고 High Definition, Plasma, L.C.D.등이 등장했다. 한국 삼성이 이 방면에서 일본 쏘니를 눌렀다.

텔레비전이 고장이 나서 버린 적은 단 한번 뿐이고 나머지는 기능은 멀쩡한데 구형이라고 해서 버렸다. 버릴 때마다 오염이나 낭비를 의식해서 죄의식을 느꼈다. 이번에도 36인치 쏘니를 버리지 못하고 차고 한구석에 모셔 놓았다.

결국 쓰레기로 나갈 것을 그렇게 모셔 두는 내 자신이 딱하다. 아마 육이오 동란 출신들의 습관중의 하나이리라.

나는 북경 올림픽 중계를 현장에 가서 보는 것보다 더 잘 보면서 이것이 나의 마지막 올림픽이 될 것인지 아니면 한두번 더 볼 수 있을런지 잠시 생각에 잠긴다.

내가 세상을 언제 떠나든지 간에 사년마다 올림픽은 열릴 것이고 행사는 더욱 호화 찬란할 것이며 기록은 계속 경신될 것이고 경기 종목은 자꾸만 늘 것이다.

사람들은 더 크고 좋은 텔레비전으로 중계를 볼 것이다.

인류가 핵전쟁, 종교전쟁, 오염으로 인한 자멸, 별과의 충돌 등으로 지구상에서 사라지지 않는다면 그렇다는 애기다.

천국은 지상보다 좋고 영원하다고 하니 북경 올림픽이 마지막 올림

픽이 되든 앞으로 올림픽을 몇 번 더 보든 말든 상관이 없겠지만 나처럼 그런 확신이 없는 사람은 문제가 된다.

Beach Volley Ball 중계를 본다. 젊은 여자 선수들이 공중으로 솟아올라 강스파이크를 넣는 탄력 넘치는 몸매를 보면 젊은 육체의 살아있는 힘을 느낀다.

그들의 젊은 힘이 부럽다. 이제는 그런 동작의 흉내도 내지 못한다.

Mike Phelps 그리고 박태환 선수를 응원하면서 나도 모르게 흥분하여 무아지경에 빠진다.

두어번 더 올림픽을 보고 싶은 욕심이 과욕일까하고 슬그머니 욕심이 고개를 쳐든다.

재혼 | 08

요즘 배우자에게 내가 죽거든 재혼하라고 혹은 재혼해도 좋다고 흔히 말할 만큼 세상은 많이 변했다.

이 말은 내가 결혼하던 시절까지만 해도 한국에서는 원수를 사랑하라는 예수님 말씀 다음으로 하기 어려운 말이였을 것이다.

이혼과 재혼이 다반사가 된 요즘 젊은이들은 수절과 개가에 대한 옛 어른들의 생각을 아마 이해할 수 없을 것이다. 출가하면 시집 귀신이 되라고 하는 말로 무두가 세뇌되었던 시대였다.

내가 죽거든 재혼하라는 말을 농담으로 하기도 하지만 이말 뒤에 깔린 심리를 살펴 본다.

우선 자기 배우자를 사랑하기 때문에 재혼해서 행복하기를 바라는 사랑의 표시일 수 있다.

또 자기 배우자의 반응을 떠보고 싶은 심술이 숨어 있을 수도 있으며 자기는 배우자가 재혼을 해도 질투하지 않을 것이라는 또는 자기는 관대하다는 위선의 과시일 수도 있다. 마음 속에서는 재혼하지 않기를 바라면서 재혼을 권하여 자기가 희생하는 척 하는 것은 분명 위선이다.

또한 내가 배우자의 재혼을 빌 만큼 사랑하고 관대한데 감히 재혼을 할 수 있을 것인가 하는 심리 작전도 숨어 있을 수 있다.

자기가 죽고 난 다음에야 배우자가 무슨 짓을 하든 상관이 없다고 생각하고 말로나 인심을 쓰자는 마음으로 그런 말을 하는 계산이 밝은 허무주의자도 있고 그런 말로 배우자의 마음을 움직여 배우자를 심리적으로 묶어 두려는 게임을 하는 사람도 있을 것이다.

자기가 죽고 난 다음 배우자의 재혼 여부는 배우자가 결정할 문제이니 빈 말이나 선사하자는 계산도 가능하다.

내가 죽고 나면 재혼을 하라는 말 뒤에는 위에 언급한 여러가지 심리가 말하는 사람의 마음속에 정도의 차이를 가지고 깔려 있다.

지금 하고 있는 재혼얘기는 육십대를 넘은 미망인과 상처한 사람들의 얘기라는 것을 말해 둔다. 요즘 젊은이들 중에는 재혼을 결혼의 연장 내지 부수 조건 정도로 생각하는 사람도 있을 것 같아 조건을 다는 것이다.

얼마전 내가 잘 아는 분이 페암으로 세상을 뜨면서 자기가 죽거든 삼주 이상은 기다릴 필요가 없으니 좋은 사람 만나서 재혼하라는 말을 남겼고 미망인이 그 말을 따랐는지는 몰라도 얼마 안가서 연하의 남자를 만나서 같이 산다.

또 한 분은 남편이 암으로 세상을 떠나자 얼마 안가서 젊은 남자와 정분이 나서 동창들간에 화잿거리가 되었다.

고인이 된 남편들이 내가 친하게 지냈던 사람일수록 고인의 생각이 나서 재혼했거나 정분이 난 미망인들을 진심으로 축복해 주지 못하는 내가 구시대 사람인가 아니면 옹졸한 사람인가 판단이 잘 서지 않는다. 가끔 짝 잃은 사람들의 재혼 문제를 가지고 왈가왈부를 하느라 열을 올리기도 하는데 토론 내용을 요약하면 대체로 다음과 같다.

세상이 변하여 과부의 수절을 찬미하는 도덕과 윤리는 빛을 잃었고 열녀나 수절이라는 단어도 고어가 되어가고 있다. 하나님이 영원히 지워 주신 짝이라는 결혼 서약은 바람 결에 날라가는 바람 소리 정도로 생각하는 젊은이들이 늘어 가고 있다.

노년에 새 남편을 얻는다는 것은 한번도 지겨운 남편 치닥거리를 두번 다시 자청하는 것이니 먹고 살 경제력만 있으면 왜 사서 고생 길로 들어 가느냐고 재혼을 반대하는 의견도 있다.

남녀를 서로 잡아매는 성 홀몬의 활동이 식은지라 경제적 이유가 아니고는 노인 치닥거리의 부담이 너무 크다는 것이다.

여자들은 혼자 사는데 큰 지장이 없는데 반해서 남자들은 혼자 사는데 많은 어려움을 겪으며 통계상으로도 홀애비들은 수명이 짧다.

여자들은 하다 못해 자식에게 얹혀 살아도 부엌 일 등을 돕고 손주들을 돌보지만 남자들은 그런 쓸모가 없어 괄세 받기 쉽다.

재혼은 재혼하는 본인들만의 문제가 아니다. 네 자식 내 자식 문제가 생기고 네 주머니 내 주머니 문제가 생기며 그리고 전처나 전남편의 친구와 친척과의 관계등이 복잡하게 얽혀 결코 쉬운 항해가 아니다.

나는 당신밖에 없어 하면서 둘사이 정분이 너무 좋아 절대로 재혼을 못할 것 같은 사람이 혼자가 되면 의외로 재혼도 잘 하고 재혼 생활도 잘해서 주위 사람들을 놀라게 혹은 눈살을 찌푸리게 하는 일이 종종 있다.

고기도 먹어 본 사람이 잘 먹는다던가.

우리 부부도 가끔 한쪽이 먼저 세상을 떠나는 경우에 닥칠 재혼 문제를 가지고 탐색전을 벌인다. 혼자가 되면 당신같은 미인을 쫓아 다닐 녀석들이 많을거야 라고 내가 운을 떼면 아내는 곧 받아서 당신은 글도 쓰고 존경한다는 여성도 많으니 찾아와 꼬시겠지 하고 공격해 온다. 아내가 나같이 얼굴에 주름이 조글조글한 여자를 누가 거들떠나 보겠어요 라고 도전을 해오면 나는 나처럼 고개 숙인 남자를 무엇에 쓰려고 달라붙겠어 라고 대꾸한다.

나이 삼십이 넘으면 배우자 선택 조건에 돈이 첫째라고 하고 내 나이 쯤 되면 돈이 전부라고도 하니 나같은 사람을 어느 여자가 붙겠어 라는 말도 대꾸중의 하나다.

이런 말대꾸가 진심의 전부가 아니라는 것은 바보라도 알 것이다.

어떤 대꾸를 하든간에 주의사항이 하나 있다. 당신이 죽으면 절대로 재혼하지 않겠다는 말을 상대방이 듣고 싶어 한다는 것을 잊어서는 안된다는 것이다. 재혼을 않겠다는 단순한 의사표시외에 나는 당신만을 사랑하니까라든가 당신같은 아내 혹은 남편을 이 세상에서 다시 구할 수 없을 것이니까 또는 당신말고 다른 사람을 품에 안다니 생각만 해도 닭살이 돋는다 든가와 같은 말을 보태면 금상 첨화다.

아내는 흐트러지는 법이 없이 절대로 재혼은 않는다고 말해 왔고 나는 아내의 말을 믿든가 믿고 싶어 했다.

최근에 아내와 같은 화제로 설왕 설래를 했다. 아내 말이 변이 생기지 않는 한 재혼을 하지 않겠다고 했다. 그 전에는 재혼은 절대로 않겠다고 했었다.

아내의 말에 변이 생기지 않는 한이라는 단서가 처음으로 붙었다. 경우에 따라서는 재혼을 할 수 있다는 말로 들린다.

무심코 튀어 나온 진심인지 실수로 새어 나온 진심인지 내가 알 수는 없으나 아내의 말에 변화가 생긴 것은 틀림이 없다.

변이 생기지 않는 한 이라는 말이 무엇을 의미하는지 물어 보자니 내 자존심이 허락하지 않는다. 원숭이도 나무에서 떨어진다는데 아내의 마음이 변한 것이 아니고 아내가 말 실수 했기를 속으로 바랬다.

아내가 아들 넷을 낳아 잘 키웠고 며느리 손주들의 눈이 살아 있는데 내가 불만스러운 남편이었다고 생각하더라도 아내가 재혼할 가능성은 현실적으로 희박하다는 것을 나는 안다. 어려서부터 꼬박 교회에 다니는 아내지만 재혼 문제에 아내의 신앙을 들먹여서 재혼은 불가하다는 논리를 전개할 만큼 비신사적 행위를 하고 싶지는 않다. 내 싸움에 종교의 힘을 빌리고 싶지 않다는 얘기다.

다만 우리 두 사람 사이의 사랑을 믿고 아내가 절대 재혼할 여자가 아니라고 장담을 할 수가 있을까 하는 것이 문제다.

열 길 물속은 알아도 한 길 사람의 속은 모른다고 했고 약한 자여 너의 이름은 여자라고 하는 말을 들어 보지 못하였는가.

불세출의 천재 세익스피어보다 내가 머리가 부족한 사람임을 인정한다면 아내의 재혼의 가능성을 인정하고 백기를 들어야 하지 않을까.

내 글을 읽는 분 중에 아내의 재혼에 대하여 내가 신경을 많이 쓴다고 생각하는 분이 생길지도 모르겠다는 노파심에서 한마디 않을 수가 없는데 사실은 아내가 재혼해서 행복할 수만 있다면 내가 아내를 축복해 줄 아량쯤은 나도 가지고 있다. 적어도 이성적으로는 그렇다는 얘기다.

돈 욕심에 의한 사기와 협잡에 걸려 들지 않고 사랑을 찾는다면 이란 단서를 달고 하는 말이다.

아내가 먼저 떠나는 사고가 생긴다면 나도 재혼을 고려해야 할 처지가 생길 가능성을 상상해 본 일이 없었다고 거짓 말을 하고 싶지는 않다. 그것은 마치 내가 마음으로도 간음한 적이 없다고 부인하는 행위와 같은 위선일 것이다.

변이 생기지 않는 한이라는 새로운 아내의 단서가 아내의 진실이라면 아내의 솔직성에 감사한다. 동시에 그 단서가 쉽게 잊혀지지 않으니 아내가 말을 하다가 헛나온 실수였기를 바라는 이 바보의 욕심을 글로 옮긴다.

일체유심조라는 성인의 말씀이 생각난다.

09 | 어머니 날

뉴욕과 워싱톤.디.씨.에 사는 아이들이 가족들을 데리고 어머니 날에 온다는 전화를 받은 아내가 흥분해서 동분서주 우왕좌왕 갈팡질팡 했다. 아들 며느리 손주들이 잘 침실, 화장실등 청소하랴 음식을 준비하랴 비상이 걸린 것이다.

언제나 아이들이 온다는 전화는 비상 벨 인데 동시에 대청소 혹은 특별 검열 날이다.

아이들이 둥지를 떠난 후로 노인 둘이서 살기 때문에 평소에는 집안 청소에 신경을 끄고 산다. 누가 들릴 일도 없고 몇 주가 지나가도 그날이 그날이니 게을러서 라기보다 필요성을 느끼지 않아서 그렇다.

나도 아이들이 온다는 기별이 오면 우선 반가운데 칠십이 넘은 아내가 상전행차를 준비하듯 뛰여 다니는 모양이 안타까워 한마디씩 한다. 평소 우리 사는 대로 보여 줍시다는 의미의 말인데 실은 내가 아내의 대청소에 적극적으로 협력하기가 귀찮아서 작전상 하는 소리인지도 모른다. 대개 그런 경우 나는 아내에게 혼이 난다. 오십년 가까이 살다 보니 아내는 내 속셈을 꿰뚫고 있어 나는 본전도 못 찾는 것이다

아내는 며느리들에게 좋은 주부가 어떻게 사는지 모범을 보여주고 싶고 며느리에게 흠잡히기가 싫은 것이다. 그러자니 화장실 변기가 번쩍 번쩍 할때 까지 아내는 닦고 문질러야 직성이 풀린다.

그런 상황에서 아내에게 배가 고프니 점심을 달라고 부탁을 했다. 아내는 상기된 얼굴로 화장실 청소를 하러 가면서 나보고 부엌에 가면 전기 레인지에 국수 삶을 물을 올려 놓았으니 하이로 올리라는 명령을 내렸다.점심으로 국수를 삶아 줄 터인데 자기는 청소에 바쁘니 부엌 일을 거들어 달라는 뜻이었다.

마지못해 부엌으로 내려가 보니 전기 레인지 위에 두 냄비가 나란히 올라앉아 있고 둘 다 얕은 불에 켜 있었다. 나는 생각없이 둘 다 하이로 스위치를 돌려 놓고 거실에 가서 텔레비전을 켰다

조금 있으니 음식이 타는 냄새가 거실에까지 진동을 했다 부엌으로 달려가 탄 냄비를 열어보니 스파게티 소스였다. 물 냄비만 하이로 올릴 것을 두냄비 다 하이로 올렸으니 스파게티 소스가 견디어 낼 재간이 없다.

아내가 뛰어 내려 왔다. 나는 꿀 먹은 벙어리 신세가 되었으니 무슨 말을 하겠는가.

아내의 얼굴이 벌개지더니 "어린 아이도 아니고......., 어느 냄비가 물 냄비인지 확인을 하고 스위치를 돌릴 것이지......., 그 간단한 일도 맡길 수가 없으니......" 언성이 차츰 높아 졌다.

나이 들면서 아내의 언성이 차츰 높아져 가는 것을 내가 모르고 있었던 것은 아니다. 늙으면 남자가 죽어 지내야 한다는 새 도덕율을 따르다 보니 언제서 부터인지 아내의 언성이 한 옥타브쯤 높아졌다. 여자의 음성이 집밖으로 나가면 그 집안이 어떻게 된다고 하는 어른들 말씀이 아직도 내귀 언저리에 남아 있는데.

00퀀 놈이 성 낸다고 실수는 했지만 나도 화가났다.

첫째 아이들 온다고 아내가 내 점심보다 화장실 청소에 더 신경을 쓰는 것이 못마땅 했고 둘째 늙는 것도 슬픈데 남편보다 자식을 더 소중히 여기기 시작하고 나는 밀려나는 것 같아서 화가 났다. 질투해서가 아니라 집안에 내 권위가 무시당하는 것이 섭섭한 것이다. 나더러 간 큰 남자라고 하겠지만 화가 나는 것은 어쩔 수가 없다.

앞으로 당신이 실수할 때 나도 가만히 있지 않을거야 라고 가라앉은 목소리로 침을 놓았더니 그제야 아내가 수그러 들었다. 부엌에서 벌어지는 실수는 아내 가 나보다 압도적으로 많다는 사실을 내가 암시했고 아내는 바로 알아 차린 것이다.

아이들이 도착했고 그들 앞에서 아무 일도 없었던 것처럼 우리 내외는 표정 관리에 신경을 썼다.

교회에 나갔더니 어머니에 관한 설교가 있었고 이어서 노래 어머님 마음을 합창했다. 노래 일절이 끝나기 전 하늘아래 그 무엇이 높다 하리요라는 구절에 이르러 누가 먼저라 할 것 없이 사람들은 흐느끼기 시작했다.

돌아가신 어머님 얼굴이 떠오르면서 내 목이 매어 노래가 끊기었다. 눈앞이 흐려지며 아무것도 보이질 않았다. 손수건으로 내 눈을 닦고 흐느껴 우는 아내에게 손수건을 건넸다. 노래 반주는 계속 들리는데 목소리는 죽었다 살아났다 다시 죽었다.

예배실이 온통 울음 바다가 되였는데 나이가 든 사람 일수록 더 슬피 우는 것 같았다.

아내도 네 아이의 어머니. 자식을 키워보니 돌아가신 장모님의 사랑이 떠올라 뼈가 저렸으리라.

그 누구도 어머니의 사랑을 갚을 수가 없다. 그래서 예로부터 내리사랑이라고 하여 불효의 죄를 덜려고 했고 때때로 울음 보따리를 털어 그 죄를 덜려고 한다.

목사님 설교와 신도들의 찬송 모두 훌륭했지만 정작 모두를 울린 것은 어머님 은혜라는 노래였다.

때때로 혼자서 어머니 생각을 하다가 내 불효를 뉘우치며 남몰래 눈물을 흘리는 일이 있지만 길어야 몇초 동안인데 오늘 처럼 공개장소에서 울어 보기는 참으로 오랜만이다. 아마 국민학교 졸업식장에서 졸업식 노래를 부르면서 그렇게 울었던 것같다.

할아버지 할머니 초상때에 아버님이 엎드려 그토록 통곡하시던 기억이 난다. 내가 나이가 드니 이제서야 그때 아버지의 통곡을 알 것 같다.

아내도 어머니다. 아침에 스파게티 소스를 태웠다고 내게 퍼붓던 아내를 내가 독하다고 생각했던 생각이 아내도 어머니라는 생각앞에 봄눈 녹듯이 녹았다. 어머니는 자식을 위해서 얼마든지 독해질 수있다.

골프장에 있는 어미 거위가 내가 새끼곁으로 다가가면 새끼를 막아서서 캭하고 소리를 내며 눈을 부라리던 모양이 생각난다. 어미 거위는 제 새끼가 위험하다 싶으면 제 생명을 돌보지 않는다.

내가 세상에 나가 온갖 몹쓸 짓을 하고 다녀도 나를 끝까지 버리지 않을 분이 있다는 믿음이 어머니의 사랑이다. 내가 못나면 못난대로 잘나면 잘난대로 나를 사랑하는 분이 세상에 있다는 믿음이 어머니다.

천상에서도 나를 지켜주시고 계시다고 믿는 어머니.

이 다음 세상을 떠나면 제일 먼저 만나고 싶은 어머니.
나이 칠십이 넘어서도 생각날 때마다 눈물부터 나는 어머니.

단상 수상

수자상 [壽字相] | 01

칠십고개를 넘고도 몇 해가 지난 내 동기들은 육십대 후배들을 보면 한참 일할 나이들이라고 말하고 오십대 후배들을 만나면 참 좋은 때라고 한다.

사람들은 자기 나이를 잊고 살다가 자기보다 젊은 사람들을 보면 자기 나이를 기억하는 때가 많다. 사십대의 판검사영감이나, 교수들을 보면 내 몇째 아이 나이로군 하면서 기가 막힌 표정을 한다.

내가 아주 어렸을 때 본 할아버지 환갑 잔치 장면이 기억에 떠오른다. 마당에 큰 차일을 치고 마당 가득 멍석을 깔고 잔치를 벌렸는데 시골 마을에서 난생 처음 보는 기생을 둘이나 불러와 노래와 춤으로 할아버지 환갑을 축하 하는 장면을 보면서 어찌나 신기했던지 지금도 사진을 보는 것처럼 눈에 선하다.

그 당시 평균 수명이 사십세 조금 넘었으니 환갑이란 대단한 경사여서 아버지는 돼지를 잡고 기생까지 불러 마을 생기고 나서 최대의 잔치를 열었다.

봄이면 초근목피로 연명하던 시대라서 온 마을이 실컷 먹고 취하는 잔치란 요새 젊은이는 그 의의나 분위기를 상상하기 힘들 것이다.

요즘 환갑 잔치 하는 사람은 보기 드물다. 육십이면 너무 젊어 잔치하기가 챙피하다고 느끼는 모양이다. 평균 수명이 길어져서 그런지 풍속이 달라지는 건지 잘 모르겠다. 아마 전자이기 쉽다.

갓 수련이 끝난 삼십대의 의사를 보면 아이같아 보이고 나도 그런 때가 있었던가 싶다. 권위가 있다는 사십대의 의사나 교수를 보면 한숨이 나오는데 내 늙은 것이 한심스러워서다.

그 나이에 권위라고 목에 힘주고 앉은 모양이 웃읍기도 한데 너무 어려서 우스운 것이지 그의 실력을 의심해서가 아니다.

어느 사이에 내가 이렇게 늙었단 말인가. 내가 어렸을 때 이웃 마을에 칠십 노인이 살아 있다고 해서 구경을 간 적이 있었는데 내가 바로 구경 갔던 그 노인의 나이가 된 것이다. 이제는 백세나 넘어야 사람들이 구경도 가고 화제가 될까.

팔팔한 이십대 여인을 보면 다른 세계에서 온 여인처럼 보인다. 나와 아무 상관이 없는 사람으로 보이고 그도 나를 소가 닭 보듯이 남자로 보지 않는 것 같아 섭섭하다. 나도 한때 잘 생겼다는 말을 들은 것 같은데.

금강경에 수자상[壽字相]이라는 말이 있다. 사람의 마음안에 있는 나이에 대한 생각과 집착을 의미하는 말이다.

늘어 가는 주름, 굽은 등, 쳐지는 아랫 배, 줄어 드는 이빨, 아픈 무릎, 멀어가는 귀, 흐려지는 시력 등등 나이에 관련된 변화에 대한 고뇌, 번뇌, 집착을 수자상이라 한다.

불교에서는 我相, 人相, 衆生相과 더불어 이 수자상을 마음에서 비우지 못하면 보살이 되지 못한다고 한다.

아는 것와 행하는 것이 다르다는 것을 성현들이 누누히 경고한대로 나는 마음에서 수자상을 비우지를 못한다.

태어난대로 살지 못하고 성형외과를 자기 집처럼 드나들며 얼굴을 고치는 여성들이 늘어가고 있다. 죽어 심판을 받을 때 얼굴을 너무 고쳐 하나님이 알아보지 못해서 천국 갈 사람이 지옥으로 떨어진다는 농담이 유행할 정도다. 나이에 신경을 쓰기는 이들 여성보다 내가 나을 것도 없다.

언제부터인지 젊은이들이 있는 곳을 슬슬 피하고 늙은이 모인 곳을 찾아 간다. 교회에 가도 노인들 좌석이 따로 몰려 있다.

Not older but better라고 추켜주는 것은 고마우나 그냥 old로 마음이 편하다. Dirty old라는 소리만 안들으면 된다.

자고 나면 몸이 가뿐하다는 말은 옛 말이고 아침에 눈을 뜨면 관절은 굳어 있고 여기가 안아프면 저기가 아프다. 아는 병이라 불평하지도 안는다. 불평하다 보면 엄살쟁이 소리 듣기 안성맞춤이다.

침대에서 내려올 때 첫걸음을 조심한다. 혹시 어지러워 넘어질까 해서다.

한국에 다녀 온 분이 마른 오징어를 선물로 가져 왔다. 옛날 생각이

나서 입에 넣었는데 내 드문드문 남은 이 가지고는 중과 부적이었다. 제한 시간 없이 입안에 오물거리다 보니 한마리를 일주일 두고 먹었는데 아마 세계 기록일 것 같다. 나도 한때 마른 오징어 서너마리 쯤은 한자리에서 해치운 때가 있었다. 머지않아 갈비구이와 오징어를 이별할 날이 올 것을 생각하니 쓸쓸하다.

날씨가 추워지니 저녁에 이불속에 들어가도 발과 하체를 비벼 녹혀야 찬 기운이 가시며 잠이 든다. 내 근력이 좋던 시절에는 고분고분 하던 아내도 언제 부터인가 엉덩이에 뿔이 났는지 사사건건 지지 않으려 들기 때문에 내가 피하며 산다. 수자상 얘기를 하느라 넉두리가 길어졌다.

교회에 나가도 내 나이 또래끼리 만나는데 겉으로는 모두 멀쩡해 보인다. 그러나 갑자기 결석한 분을 수소문해 보면 병원에 실려 갔거나 집에 누어 있다고 한다. 멀쩡한 것은 겉뿐이고 모두 언제 쓰러질지 모르는 허수아비들이다.

예외가 없는 법은 없으니 속까지 멀정한 친구도 있기는 있다.

유전인자가 좋아서 이겠지만 아직도 일을 계속하는 친구도 있고 심지어 재혼이지만 쳐녀 장가를 간 친구도 있다.

老病死의 고통을 더 얘기한들 젊은이들은 알 길이 없고 늙은이 끼리는 다 아는 얘기이니 흥미가 없을 것이라서 이만 해 둔다.

나도 내가 당하기 전까지는 나 노는데 바빠서 노인네를 강건너 불 보듯 했고 부모님을 돌보지 안했으니 지금 그 불효를 후회한들 아무 소용이 없다. 부모님들은 내가 걱정할까 봐 숨기고 사신 것이다.

세상사가 다 그렇다. 당해 봐야 알고 당한 뒤에는 이미 늦었다.

미리 알아도 뾰족한 수가 없는 경우가 많은 것도 사실이지만 말이다.

한편 암으로 심장병으로 혹은 치매로 고생하는 친구도 많으니 쓰러지지 않고 살고 있는 순간 순간이 기적이요 축복이라고 감사하며 산다.

칠십년 이상 쓴 기계가 그만하면 만족해야지 더 이상 바라는 것은 과욕이라는 생각도 한다.

내가 수자상을 다 비우지 못하니 죽을 때에 짹하고 죽는다는 참새 흉내라도 내야겠다 싶어 나도 한마디 해 본 것이다.

한마디 부르짖고 가겠다는 것이고 그 것이 아직 살아 있다는 표시도 되겠다.

壽字相을 비우라니 참으로 좋은 말씀이다. 내가 실천을 못한다고 해서 말씀이 좋은줄을 모르는 것은 아니다.

Japanese Beetle | 02

아내가 정원을 좋아 한다. 그래서 우리집 정원이 제법 커졌고 뒤에는 작은 채소밭도 있다.

봄에는 상추, 부추, 여름에는 호박, 토마토등 무공해 채소를 먹는 재미가 쏠쏠하다. 힘이 들고 얼굴이 햇볕에 타기는 해도 잠도 잘 오고 밥맛도 있어 텃밭을 놓지 못한다.

집에서 키운 상추와 오이 등 체소와 시장에서 사다 먹는 것과는 맛이 비교가 되지 않는다. 나도 앉아서 얻어 먹기만 할 수가 없어서 가끔 아내의 조수로 근로 봉사를 한다. 밭은 작아도 항상 소출이 남아 아는 분들과 채소를 나누어 먹으니 인심 좋고 배푸는 기분 또한 좋다.

아내는 장미를 비롯하여 철마다 화초를 주위에 심어 채소밭도 예쁘게 꾸며 놓았다.

수년전부터 Japanese Beetle이 잎이 연한 화초와 꽃잎을 닥치는대로 갉아 먹어 제모양을 가진 꽃을 볼 수가 없다. 특히 장미꽃은 대궁이만 남는다.

일본 사무라이 갑옷같은 외양을 하고는 인정 사정 없이 공격을 하는데 공들여 키우는 꽃들은 말 그대로 Sitting Duck이다.

나는 일본 가미까제 특공대의 공격을 보고 있는 기분인데 이놈들이 번식력이 대단해서 중공군의 인해전술까지 겸했다.

쟈파니즈 비틀 트랩[trap]을 여러개 사다가 나무에다 매달아 놓았다. 트랩은 비닐 주머니안에 암놈 비틀의 향과 비틀이 좋아하는 꽃향기를 발라 놓은 것으로 비틀들이 그 향기를 따라 주머니안에 들어가면 다시 나오지 못하게 가두는 것이다.하루에도 수백 내지 수천마리가 잡힌다.

나도 한때 여자라면 사족을 못쓰던 시절이 있었던 만큼 곤충이라도 암내를 이용하여 잡아 죽이는 인간의 꾀에 대해서는 양심이 찔리는 데가 있고 앞으로 천벌을 받지 않을까 두렵기는 하지만 애써 공들이고

나서 꽃 한송이 구경 못할 판국이라 눈 딱 감고 싸지도 않은 트랩을 여러개 사다가 걸어 놓은 것이다.

Japanese Beetle은 Japanese라는 이름 때문에 한국사람에게 무의식적으로 증오심을 불러 일으킨다.

드디어 트랩 가지고도 성이 차지않아 내 손으로 나가 잡는 백병전 내지 전면전에 돌입했다.

비틀이 먹고 있는 꽃잎이나 잎사귀 아래에 물 그릇을 한손으로 받쳐 들고 다른 손으로 비틀을 물그릇 쪽으로 밀어 넣으면 비틀은 물그릇에 빠진다.비틀은 제딴에는 약아서 위험이 닥치면 자진해서 땅에 떨어지는 호신술을 쓰는데 이를 이용하여 물 그릇을 그 밑에 가져다 대고 비틀을 건드리기만 하면 제가 물 그릇에 자진해서 떨어진다.

낮에는 사람이 접근하면 날라 도망가기도 하지만 아침 저녁에는 잘 날지 못하여 잡기가 쉽다. 특히 교미하는 중에는 삼매경에 빠져 있기 때문에 낮에도 정신을 놓고 있어서 거의 백발백중 잡힌다.

나도 비틀 잡는 선수가 되어 매시간 나가 잡으니 하루 수백 마리를 잡는다.

자파니즈 비틀은 1916년 일본에서 수입한 Iris bulb에 larva가 함께 끼어 미국으로 이민을 왔다고 추측하고 있으며 메인주에서 처음 발견된 후 동부에 널리 퍼졌고 원산지가 일본이라 Japanese Beetle이라고 이름지었다.

이 비틀이 좋아하는 화초 종류가 삼백 종류나 되는데 제일 연하고 맛있는 것부터 먹기 때문에 장미꽃은 견디어 나지 못한다. 또 껍질이 단단해서 미국에서는 천적도 없고 번식율도 높다.

일본에는 천적이 있어 미국에서처럼 자유를 구가하지 못한다.

나는 나 스스로를 객관적이고 공정한 판단력을 가진 사람이라고 믿고 있고 한일간의 적대 감정에 대해서도 온건파에 속한다고 자처한다. 일본은 임진외란외에도 역사적으로 왜구라하여 수백년간 한국 민족을 괴롭혔고 한일합방으로 한국을 식민지화 했으므로 한국인의 일본에 대한 적대감정은 당연하다.

그러나 인도주의의 물결이 번지기 시작한 이차대전 전까지는 열방

강대국들의 식민지 쟁취 경쟁은 하나의 예외가 없는 유행이였다.

약육강식이 자연의 섭리요 강자 혹은 승자가 정의라는 생각이 유행하던 시대적 사조였기 때문에 약소 국가를 침략하는 것이 불의가 아니였고 침략 당한 나라가 못났기 때문이라고 생각했다.

일본이 한국의 부동항이 탐이나서 호시탐탐하던 러시아를 전쟁으로 물리치고 수백년간 한국을 자기들의 속국으로 다루던 중국을 싸워 물리친 후 세계열강은 일본의 한국에 대한 권리를 인정하고 있었다.

당시 한국은 누대의 쇄국 정책으로 한국을 도울 우방이 없었고 왕실 살림까지도 일본에서 돈을 빌려 써서 거금의 빚을 지고 있었으며 신식 군대는 일개중대 밖에 안되어 궁마저 지키지 못하고 민비 참살까지 당하는 처참한 형편이였다. 이런 형편에 한국을 식민지로 만든 일본만 미워할 것이 아니라 한국 사람 스스로도 반성을 하여야 한다.

지금 일본에 살고 있는 일본인은 한국을 침략한 군국주의자들의 후손들이지 한국을 침략한 당사자가 아니기 때문에 죄의식이 별로 없다.

할아버지의 죄를 손자가 대신 뉘우치는 사람도 있지만 할아버지의 죄를 왜 내가 갚아야 하느냐 하는 손자도 있을 것이고 그것을 나무랄 수만은 없다.

일반적으로 일본사람이 예의 바르고 경우 바르며 책을 많이 읽는 민족으로 알려졌고 부지런하여 다른 많은 결점에도 불구하고 한국과 중국을 제외하고는 국제적 인기가 좋은 편이다.

내가 이런 말을 했다고 해서 나를 친일파로 몰아 매도하는 한국동포도 있겠지만 나는 객관적 판단에서 이탈하고 싶지는 않다.

경제적으로 그리고 군사 외교적으로 압박해 오는 세계 제이의 강대국인 중국을 견제하려면 한국은 일본과의 유대를 강화하든가 아니면 중국의 경제와 외교적 속국이 되든가 택일의 난처한 지정학적 위치에 있다.

이미 북한은 내용적으로 광산 권등 중국 의 손에 넘어간지 오래이고 이점은 미국도 어쩔 수 없는 기정사실로 받아 드리고 있다.

이런 국면에서 일본을 감정적으로 원수의 나라로만 대하여 얻는 국익이 무엇인지 나는 한국 국민에게 묻고 싶다.

일본사람들은 간사하고 교활하다는 편견을 가진 한국사람이 많은데 역사적으로 근거가 있는 말이지만 내가 일본 불교학자들이 저술한 책을 읽으며 그들의 학문적 깊이에 경의를 표하지 않을 수 없었다. 불교가 주로 한국에서 건너갔고 임진란 때에도 한국의 문물이 많이 건너갔지만 지금은 한국의 불교학자들이 쓴 책들을 보면 주로 일본학자들이 쓴것을 옮겨 놓은 데 불과하다.

그럼에도 불구하고 잠재의식적으로 일본을 미워하는 나를 Japanese Beetle 소탕전에서 발견하고 감정이 이성을 앞선다는 어느 철학자의 말이 떠올랐다.

내 심리속에는 일본에 대한 질투와 시기도 섞여 있으리라고 믿는다.

나는 미물 곤충이라도 이유없이 살생하는 것을 반대 하는 사람인데 자파니즈 비틀만은 잡으면서 밉다는 생각을 했다.

살생을 하지말라는 계율은 불교에서는 재가 신자에게 설하는 다섯가지 계율에서 첫번째 계율이다. 미운 생각까지 하면서 이 계율을 어겼으니 평소의 내가 아니다.

五戒란 둘째가 도둑질을 하지 마라, 셋째가 음행을 하지 마라, 넷째가 거짓말을 하지 마라, 다섯째가 술을 마시지 마라 등이다.

오계는 붓다가 직접 만든 계율은 아니지만 붓다의 뜻을 따라 지은 것이고 인과 관계로 미루어 보아 살생이 짓는 업의 크기 때문에 첫 계율이 된 것이다.

내가 애지중지하는 화초를 지키기 위하여 범하는 살생이 넓은 의미에서 정당 방위냐 또는 내 정원에 대한 집착이냐 하는 문제와 이 살생이 얼마나 악한 업이 되느냐 하는 문제에 대한 정답을 지금은 잘 모르겠다는 말로 미루는 수 밖에 없다.

모든것이 마음의 짓이라는 붓다의 말씀에 따르면 한편 일본에 관대한 척 하면서 다른 한편 자파니즈 비틀을 잡는데 정도에 지나친 미움을 막지 못하는 이 중생의 업이 결코 좋은 업이 될 수는 없다.

기독교에서는 인간은 너 나 할것 없이 모두가 죄인이라고 하는데 작은 내 정원 하나 지키는데도 살생을 하게 되니 인간은 모두가 죄인이라고 하기보다 사는 것이 죄라고 하는 편이 더 정확하지 않을까.

실은 Jap. Beetle에게도 타의로 세상에 태어난 죄와 그리고 배가 고파 장미 꽃잎을 먹었으니 배고픈 죄밖에 더 있겠는가.

03 | 기부

때로는 하루에도 몇통이나 기부 청탁의 전화와 우편물을 받는다. 청탁 전화는 아주 집요해서 전화 도중에 예의를 지키면서 끊어 버리기가 쉬운 일이 아니다. 청탁 편지는 아주 간곡해서 거절하자면 내가 몰인정한 인간이 된 기분이 들어 속이 상한다.

그러나 청탁을 다 들어 주다가는 불원간 내가 파산이 되겠으니 마음을 모질게 먹지 않을 수 없다. 내가 미국에 수십년을 살았지만 미국의 기부문화에 익숙하지 않는 까닭에 더욱 민감한지도 모르겠다

미국은 기부를 많이 하는 나라로 알려져 있다. 미국인은 국민소득의 약 이프로를 헌금하며 기부금을 세금에서 공제 받기 때문에 정부가 제도상으로 헌금을 장려 한다고도 말할 수 있다.

2002년도 미국인의 기부 총액이 1840억불이었다고 한다.

한국에는 기부보다 부조 문화가 발달하여 친인척이나 친구등의 관혼 상제에 부조를 많이 한다. 한국에서는 박애 정신보다 혈연, 학연, 지연등 사람의 인연을 더 중시하는 문화 때문일 것이다.

영양 실조로 두눈이 움푹 들어 가고 뼈가 앙상하게 남은 어린 아이의 사진이 실린 편지에는 한달에 이십불이면 그 아이가 기아에서 벗어 난다는 얘기가 적혀 있다.

범죄와 싸우다가 순직한 사람들의 가족을 위하여 그 사람들 덕분에 안심하고 사는 우리가 그들의 가족을 도와야 하지 않겠느냐는 간곡한 호소도 있다.

암이나 치매의 치료 법을 발견하기 위하여 불철주야 애쓰는 연구 사업을 도와 달라는 간곡한 호소도 있다.

인간이 저지르는 오염으로 죽어 가는 지구의 생태계를 앉아서 보고만 있을 것인가 라고 묻는 편지도 있다. 영원히 지구에서 사라지는 멸종 동물을 보호하여야 하지 않겠는가 하고 양심에 호소하는 편지도 있다.

장애인의 복지나 미국의 안보를 위하여 희생한 재향군인의 복지도 중요하고 국비가 아니고 기부금으로 충당하는 올림픽 선수단의 비용도 도와야 한다.

선거 자금 장학금 호음리스를 위한 구호금도 중요하고 당장 나 사는 마을의 소방서와 엠뷸런스를 운영하는데도 돈이 필요하다.

기부의 종류를 다 열거하려면 지면이 부족할 것이다.

2002년도 미국의 기부금 현황을 보면 교회 헌금이 일위로 35프로이고 Health and Human Service가 15.5프로, 교육이 13프로였다.

1999년도 통계에 의하면 미국 교회당 29만여불을 모금했고 직원 수당으로 매 교회당 평균 12만불을 썼다.

1997년 통계에 의하면 기부금의 80프로를 부유층 18프로가 냈다고 하니 여유가 있는 사람이 기부도 한다는 말이다.

기부 청탁의 편지중에 내 마음을 움직인 편지는 책상 한구석에 따로 갈라 놓았다가 며칠후 다시 읽고 생각해 본다. 이런 과정 끝에 쓰레기통에 들어 가지 않고 살아 남는 편지에 한해서 수표를 끊는다.

편지를 쓰레기 통에 쳐 넣을 때는 내 나름대로 구실이 있다.

예를 들면 미국 정부가 얼마나 Veteran사업에 관대한데 내가 그들 복지 사업에 보태야 하나 또는 미국은 본인만 노력하면 가난한 집 출신이라도 얼마든지 공부를 할 수 있는 나라이고 나같은 외국인도 빈주먹으로 와서 공부를 하였는데 내가 장학금을 내어 두뇌나 노력이 부족한 학생까지 도와줄 필요는 없지 않는가.

가난 구제는 나라에서도 못한다는데 내가 얼마나 돕겠다고 나서겠는가 등등이다.

나는 세금을 꼬박 꼬박 내고 있고 교회 헌금도 내 형편 따라서 성의껏 내고 있는데 더 이상 주머니를 풀었다간 나중에 돈 걱정에 쫓기지나 않을지 하는 걱정과 불안도 있다.

Homeless의 50프로가 알콜이나 약물 중독자들이고 20내지 25프로가 정신 질환 환자라는 통계도 있으니 그들이 필요한 것은 근본적인 의학적 치료이고 한두끼 식사나 옷이 아니다라는 것도 하나의 구실이다. 실제로 그들을 수용소에 수용해도 대부분 거리로 도로 뛰쳐

나오는 것도 사실이다.

또 대세는 거스릴 수 없나니 내가 얼마간 기부를 낸다고 지구 온난화를 막을 수 있겠는가 하는 비관론에 주저 앉기도 한다.

북한 동포를 돕자는 것이 유행이 되어 대한민국의 세금이 백억달라나 북한으로 건너갔고 교회 헌금도 많이 넘어 갔다. 보낸 돈이 핵무기나 유도탄 만드는데 쓰이지 않았다면 얼마나 아름다운 동포애의 발로가 되었을까.

굶는 동포는 그대로 죽어 나가고 김정일 정당 정권의 고위 간부들은 호의호식 하고 있는데 내 돈을 보태고 싶지는 않다. 자꾸만 이북에 퍼주기를 외치는 좌파의 선전을 못들은 체하고 마음을 모질게 먹기도 힘들다.

Warren Buffet은 2007년도 구월 현재 세계 삼위 가는 부자다.

2006년 유월에 자기 전재산의 83프로인 300억달라를 Melinda and Bill Gate재단에 기증하기로 약속했다. S & P 500 안에 드는 회사 CEO들의 년 평균 수당이 구백만 달라인데 Warren Buffet는 10만불로 자기 연봉을 자기 스스로 정해 놓은 검소한 사람이다.

그에 관한 많은 일화는 생략하고 많은 돈을 사회에 환원하는 그의 인간의 크기에 경의를 표하고 나의 기부에 관한 소심한 글에 부끄러운 생각을 금할수 없다. 그런 사람과 비교하는 것 자체가 웃기는 얘기니 이만 해 둔다.

어떤 자선 단체는 수표를 보내면 청구서를 곧 다시 보낸다. 건망증이 심한 나는 수표를 보낸 사실을 잊고 또 수표를 보냈다. 기억을 못한 나의 실수지만 속은 것 같아 화가 났다.

또 자선단체 끼리 정보 교환이 있는지 몇 군데 수표를 보내면 기부 청탁 편지가 갑작이 몰려 온다.

청탁 전화에 걸려들면 기부금 모금 이유가 구구절절 옳은 말이기 때문에 거절하기가 괴롭고 힘들다. 자연히 전화를 피하게 되고 혹시 전화를 받게 되어 내가 주인이면서 주인 부재중이라고 거짓말을 하려면 얼굴이 화끈 거린다. 정당한 거짓말도 있을수 있는가.

若見諸相非相 即見如來은 금강경의 한 구절이다. 여러 상이 상이 아

닌 것을 깨달으면 바로 부처를 본다는 것이다. 제상중에 我相이 첫째 인데 아상이란 나, 나의 소유,나를, 내게등 나에 게 관련이 있는 모든 집착을 의미한다.

我相을 非相이라는 것을 깨닫는다면 나는 모든 고통에서 해방된다는 해탈에 이를 것이며 얼마 되지 않는 布施[가부]가지고 신경을 쓰지않을 것인데 그러지 못한 내가 답답하다.

입은 옷을 헐벗은 사람에게 벗어 주라는 성경의 말씀을 몰라서 실천하지 못히는 것이 아니다.

평범한 보통 사람으로 살면서 中을 잡아 사는 것이 쉽지 않다.

내 수중에 돈이 떨어지면 나는 춥고 배고플 것이고 나는 남에게 손 벌리는 성격도 아닌데 누가 나를 도우랴 하는 불안에서 헤어나지를 못하고 오늘도 청탁 편지를 뒤적이고 있다.

04 | 크리스마스 카드

은퇴 전에는 크리스마스 카드를 보낼 곳이 많다 보니 쓰는 데도 여러 날이 걸렸다.

달랑 보낸 사람 싸인만 있는 카드를 받으면 좀 무안하기도 하기 때문에 나는 싸인만 한 카드는 안보내면 안보냈지 보내지 말자고 마음먹었고 다만 몇줄 이라도 적다 보니 카드 보내는 일이 때로는 잠을 밑지기도 하는 연말의 큰 행사가 되었다.

우편국 통계에 의하면 미국에서만 일년에 이십억장의 크리스마스 카드를 우송한다고 하니 비용도 만만치 않다.

차츰 꾀가 나서 서로 카드를 보내지 않기 운동을 벌렸더니 반응이 좋아서 교환하는 카드 수가 많이 줄었다. 예를 들면 망년회나 크리스마스 파티에서 만나는 사람끼리는 카드 교환을 생략하자는 제안을 수년간 했더니 처음 몇해는 위반자가 심심치 않게 생겼으나 이제는 카드 교환을 않는 것이 예사가 되었다.

E-mail로 카드를 대신하기도 하고 은퇴하여 사회활동도 줄다 보니 보내야 할 카드 수가 해마다 줄어 든다. 금년에 보낸 카드가 스물을 넘지 않으니 그만큼 내게 세상이 작아졌다고 해도 되고 멀어졌다고 해도 된다.

카드를 보낸 분들의 명단을 보면 반드시 더 친한 분에게만 보낸 것도 아니고 중구난방 두서없이 생각 나는대로 보낸 것 같다.

내가 카드를 빠뜨려서 섭섭한 친구도 있겠지만 이제 신경이 무디어져서 아니면 기진맥진 더 쓸 기력이 없어 카드를 쓰다 말았다.

카드 대신 E-mail을 받으면 서운한 생각이 드는 친구도 있는데 보낸 이의 친필이 그립기도 하고 컴퓨터가 편지보다는 차갑게 느껴지기 때문이겠지만 내 편견일 수도 있겠다.

1843년 영국에 John Calcott가 처음으로 크리스마스 카드를 인쇄했다고 하고 1822년경 벌써 크리스마스 카드를 많이 교환하여 우편국이 바빠졌다고 한다.

1875년 보스톤에 Louis Prang이 크리스마스 카드에 처음으로 Merry Christmas & Happy New Year라고 프린트 하였고 그래서 그가 크리스마스 카드의 아버지라고 불린다.

요약하면 크리스마스 카드도 하나의 풍습이고 그 역사가 그리 길지는 않다.

예수 그리스도의 탄생일에 관해서는 기록이 없기 때문에 정확한 날자를 모른다.

기원후 221년에 Sextus Africanus가 그의 Chromatographia에 기술하기를 예수가 12월 25일에 탄생했다고 전해 내려 온다고 했다.

서기 245년에 신학자 Origen이 성탄 축하는 Pharaoh의 생일 축하와 같은 행위라고 비난했고 생일 축하는 죄를 지은 인간들이나 하는 짓이라고 까지 말한 것을 보면 그 당시 성탄 축하는 미미했던 모양이다.

기원후 350년 로마 주교 Julius Choose가 12월 25일을 성탄일로 택하였고 성탄절로 축제를 올린 것은 서기 354년이였다. 성탄절을 축제로 삼은 이유는 연말연시에 성행하는 이교도들의 축제와 경쟁하기 위하여서 였다고 한다.

예로부터 구라파와 중동에는 연말연시에 큰 축제가 성행했었다. 예를 들면 4000여년 전부터 Mesopotamian들은 Marduk을 경배하는 축제를 벌렸고 Germany에서는 Oden신, Persia인은 Mithra신, 로마인들은 평화와 부유의 신 Saturn을 12월 25일 중심으로 축제를 올렸다.

청교도인 영국의Oliver Crommel은 크리스마스 축제를 금했다. 미국도 독립전쟁후 크리스마스를 영국의 구습이라 하여 별반 지키지 않았다.

보수파들은 크리스마스 축제가 이교도에 뿌리를 두고 있다고 생각했고 선물 교환 축제등이 크리스마스 정신에 위배된다고 생각했다.

서기 1659년에서 1681년사이에 보스톤에서는 크리스마스 축제를 불법화 했다.

1819년 best selling작가 Washington Irving이 크리스마스에 대한 얘기를 써서 크게 인기를 끌었고 그래서 그를 Reinventor of Christmas라

고 부른다.

1870년 6월26일 미국에서 크리스마스가 공휴일로 선포되었다.

카드와 선물을 교환하고 크게 축하하는 성탄절의 역사를 보면 지금 너무나 당연하게 여기는 명절에도 우여곡절이 무상했다.

성탄절을 주로 상업적으로만 이용하는 장사치도 많고 환락과 유희를 즐기는 기회로 이용하는 사람들도 많다.

장래 E-mail이 크리스마스 카드를 밀어 내고 카드가 역사적 유물로 남을지도 모른다.

세월은 그토록 무상하고 무자비하다.

금년 내게 날라온 카드는 내 전성기에 받던 카드수의 몇분의 일도 안된다. 내 스스로 세상과 문을 닫았기 때문이기도 하고 내가 별 볼 일 없는 노인으로 변한 탓이기도 하지만 몇장 안되는 카드를 창가에 진열해 놓고 옛날 크리스마스의 흥분을 회상한다.

카드가 해마다 점점 줄어 들지만 섭섭할 것은 없다.

모두가 사람이 만든 풍습이고 바로 노자가 말씀한 人爲가 아닌가.

꿈 | 05

짝사랑하던 여인과 우연히 마주쳤다. 그 여자 앞에서는 고개를 들어 바로 쳐다보지도 못할 뿐아니라 말이 막혀 속만 태우던 여인이였는데 오늘은 이상하다.

친한 친구를 대하듯 말이 술술 달아 나오고 사랑의 행위도 평소 아내에게 하듯이 가벼운 키스로 시작해서 자연스럽게 농도 짙은 애정행위로 진전되었고 그 여인도 적극적으로 나를 돕고 있지 않는가.

서로 말도 나누지 못히던 여자인지라 전에 보았을리가 없는 젊은 그녀의 풍만하고 부드러운 육체가 나를 끌여 들였고 한단계 한단계 클라이막스로 달아 오르는 그녀의 몸에서 여자의 원초적 환희의 신음소리와 경련과 전율이 파도처럼 밀려와 내 피가 끓어 올랐다.

나를 빨아 드리는 그녀의 몸은 매끄러웠고 나는 그녀의 단 꿀을 빠느라 온몸이 땀으로 젖었다.

이럴 리가 없는데 무엇인가 잘못 되었구니 하는 생각이 드는 순간 아뿔사 나는 꿈에서 깨어났다. 꿈이 좀더 길었더라면.

꿈에 본 꽃 봉우리 같은 그 여인도 지금은 나처럼 늙었을 것인데 내 잠재 의식안에 저장된 모습은 그 옛날 나를 애태우던 이십대의 모습 그대로였다. 그동안 내 잠재의식 안에 숨어 있다가 꿈에 튀어 나왔을 것이다.

꿈을 깨고 나니 아내에 대한 죄의식이 먼저 찾아 들었다. 나는 아내를 사랑하고 아내와 살을 섞은 오십년의 인연을 귀하게 여기고 있는데 아내를 배신하는 꿈이 가능하다니.

하나님 앞에서는 모두가 죄인이라는 말씀을 수 없이 들었고 때로는 그 말씀에 고개를 숙이고 때로는 그 말씀에 고개를 갸우뚱 하는 것이 내 신앙의 현주소 인데 이 꿈에서 저지른 내 행위는 죄인가 아닌가. 내 의식 세계는 깨끗해도 내 잠재의식안에 죄를 지을 욕심이 남아 있었다면 인간이 모두 하나님앞에 죄인이라는 말이 맞다는 증거일까.

꿈 속에서 느꼈던 달콤한 여운이 아직 몸에서 가시지 않았다.

모든 집착에서 떠나라는 부처님의 가르침에도 불구하고 나는 한동안 침대에서 움직이지 않고 꿈을 되새기고 있었다.

七十而從心所欲不踰矩 공자의 말씀인데 나이 칠십이 되니 마음 내키는 대로 행동을 해도 잘못되는 일이 없다는 뜻이다. 나이 칠십이 넘어 꿈에 저지른 행동은 해당이 되지 않을지 모르겠다. 잠재 의식의 세계는 의식 세계보다 무한히 크므로 양심의 감시를 벗어나는 것을 어찌하랴고 변명 할 수 있다.

나는 꿈에서 한 살림 더 차린 것 같은 도둑 심보가 생기는 것 같아 얼른 지우려 애썼다.

나는 성경 불경을 읽으며 마음을 비운다고 애를 썼는데 내 잠재의식 속에는 내가 미치지 못하는 깊은 바다 같은 영역이 있는가 보다. 신앙이나 정신 수양으로 지워지지 않는 신비한 세계인지도 모른다. 인생의 황혼에 짝사랑 했던 여인을 만나 한을 풀었으니 신이 내린 보너스라 생각해도 무방할 것인가 아니면 참회의 눈물을 흘려야 하는가. 나는 어리둥절 했다.

어쩌다 아내 모르게 생긴 돈을 감춰 놓고 쓰는 경우가 있드시 이번 꿈 얘기는 아내에게 하지 않기로 했다. 아내도 그런 꿈을 꾸고 혼자 간직하고 있을지 모르는 일이 아닌가.

이 꿈을 글로나마 세상에 알리는 것이 내게 백해무익이라는 계산이 이미 나와 있지만 내가 알고 하늘이 아는 일이니 속세의 불이익을 감수할 각오로 쓴다.

아내에 대한 내 마음이 이 꿈으로 인하여 조금도 변한 것이 없다는 사실을 아내가 믿지 않을 것도 내가 모르는 바가 아니다.

늙는다고 다 나쁜 일만 있는 것은 아니구나 싶어서 혼자서 웃었다.

뱀 | 06

정원에서 일하던 아내가 나를 불러냈다. 아내가 가리키는 곳을 들여다보니 구렁이 두마리가 뒤엉킨 나일론 망에 얽히고 섥혀 빠져 나오지를 못하고 있었다.

재작년 겨울 눈이 많이 오던 해에 사슴들이 먹을 것이 없어 정원 꽃나무 잎을 다 뜯어 먹었다. 그 때문에 작은 관목 꽃나무가 여러 그루 죽었다.

그 대비책으로 작년 가을에는 나일론 망을 사다가 꽃나무를 모두 덮었는데 그 망 일부를 거두어 들이지 않고 마당에 뭉쳐 두었더니 뱀이 망 속으로 파고 들어 간 것이다.

들여다 보니 뱀이 망에 엉키고 또 엉키어 손을 쓰기가 어려운 형편이었다. 뱀만 보면 징그러워 손을 대기 싫은 것도 사실이였다.

뱀은 미끄럽고 몸이 유연하니 그물에서 빠져 나오겠거니 하고 잊기로 한 것이다.

다음날 아침에 아내가 또 부르기에 나가 보니 두마리 뱀은 몸을 전혀 움직이지 못하는 죽기 직전의 상태이었다. 나일론 망의 가는 줄이 목까지 조여 질식 상태에 빠져 있었다.

만지기가 징그러운 뱀이지만 살려놓고 보자는 생각 때문에 갑자기 용기가 났다. 의사의 직업의식이 작동한지도 모른다.

나무 잎을 긁는 갈퀴 발사이에 뱀머리를 끼어 고정을 해 놓고 뱀 몸에 수십차례 얽히고 감긴 나일론 줄을 가위로 한줄 한줄 잘랐다.

처음에는 뱀이 버둥거려 작업이 힘들었지만 얼마 있으니 뱀들이 잠자코 있어서 작업이 순조롭게 끝났다. 두마리 뱀이 잠시후에 정신이 드는지 숲속으로 기어 들어갔다.

뱀이 자기들을 도우려는 우리의 마음을 알아 차리고 버둥거리기를 멈추었는지 기진맥진하여 잠잠해졌는지 알 도리는 없다.

다음날 아침 뒷마당으로 나가는 문을 열고 나가니 그 전날 살려준

뱀이 바로 문 앞에 또아리를 틀고 있고 또 한미리 뱀도 멀지 않은 곳에 있었다. 작대기로 쫓아 내면서 아내에게 한마디 했다.

"저희들 살려 줘어 고맙다는 인사 하러 온 모양이야." 아내가 동감하는 듯 미소로 답했다.

뱀이 고마운 줄을 알만한 지능이 없다는 것을 나는 상식으로 안다. 그러나 감사한 줄을 정말 아는지 모르는지 장담할 수 있을 만큼 내가 뱀의 속을 안다고 할 수는 없다. 또 그것을 내가 과학적으로 증명할 수도 없다.

흥부가 부러진 제비 다리를 고쳐주고 그 제비가 물어다 준 박 씨를 심어 큰 복을 받았다는 얘기와 비슷한 얘기는 동서 고금을 통하여 수없이 많다. 동물에 대한 무고한 살생의 방지와 자비의 장려를 위한 우화일 것이다.

그럼에도 불구하고 보기만 해도 징그러운 뱀을 반시간 동안의 노력 끝에 내 손으로 살렸다는 생각이 뱀이 나를 고맙게 생각할 것이라는 생각을 낳게 했다.

환자가 내 손을 거쳐 쾌유되었을 때 느꼈던 기분을 오랫만에 맛보니 은퇴하고 나서 내가 Miss하는 것이 무엇인지 알겠다.

금강경의 한 구절이 생각났다.

實無衆生 得滅度者 붓다가 수 많은 중생을 구제하고도 내가 滅度한 중생은 아무도 없었다라고 한 말씀이다.

멸도 혹은 구제를 했다고 하는 마음까지도 없어야 부처가 된다는 말이다.

내가 뱀을 살렸다고 공을 세우는 마음이 일어 난다면 나는 평범한 중생에 머믈 수 밖에 없다.

집단장 | 07

지금 내가 살고 있는 집은 1977년에 새로 지어 이사를 왔으니 서른 두해를 살았다.

말하자면 우리 내외의 드림 홈인데 집이 자그만 해서 어떻게 생각하면 내 꿈이 너무 소박했던 느낌이 나지만 원래 사치를 좋아하지 않는지라 아담한 내 집에 불만은 없었다.

그동안 정이 든 만큼이나 구석 구석에 먼지도 끼고 군데 군데 빛깔도 바랬으며 낡고 닳기도 했고 물이 새서 천정이 얼룩진 곳도 있다.

그러나 눈을 감고도 내 몸 한 구석 처럼 어느 구석이나 찾아 갈 만큼 익숙해진 거처라서 또 내 손길이나 눈길이 닿지 않은 화초 한 포기도 없는 집이라서 내 삭신이 허락하는 한 지키다 가려고 마음 먹은 지 오래다.

몇해마다 사는 집을 바꾸는 사람이 있는데 한편 새집으로 자꾸 바꾸는 것이 경제적으로 유리하다는 것을 나도 잘 알지만 나는 자주 이사 다니는 것이 싫어 미련을 부리고 눌러 앉아 있다.

아내에게 싫든 좋든 조강지처를 버리지 않는 것도 바로 이 내 성격 때문이라고 농담도 하지만 실은 아내가 나를 버리지 않았다는 것이 더 정확한 표현일 것이다.

내 사상도 보수이고 행동도 느리니 거처에 관해서도 보수인 모양이다. 부엌과 화장실에는 수십년된 호마이카 카운터 탑이 그대로 있고 해 묵은 카펫이 깔린 방마다 케케묵은 냄새가 풍겨 늙고 시대에 뒤진 나를 보는것 같아서 갈아야 하겠다고 벼르고 벼르다가 드디어 집단장 [Remodeling]을 하기로 하였다.

마음속에 몇 해를 더 살겠다고 집을 고치는가 하는 강한 저항을 이번에는 눈을 딱 감고 밀어 부쳤다.

노인들을 상대로 등을 쳐먹는 Contractor도 많다는 소문을 들어온 터라 시공자를 구하는데 서부터 신경을 써야 했다. 화장실부터 집안을 차례로 뒤집어 놓았는데 삼십 여년 쌓인 먼지가 전쟁터에 포연처럼 집안을 덮었다.

큰 가구는 인부들이 옮긴다 해도 전자기구, 깨지기 쉬운 장식품, 그리고 자리매김이 필요한 물건들은 주인 손을 거처야 하니 공사중에 집을 비울 수가 없었다.

그동안 쌓인 고물들을 쓰레기로 버리는데 Sentimental Value나 애착 때문에 버리는 일이 일종의 스트레스였다.

은퇴할 당시 육십여개나 되는 골프와 테니스 우승배를 십여개로 줄였는데 그마저도 지하실 구석에서 사람의 눈길도 못받을 신세가 될 것 같아서서 다시 그 반을 버렸다.

그 상을 탔을 때의 기쁨과 흥분은 어디로 가고 전시효과도 장식효과도 없는 천덕구니가 되었으니 무상이 따로 없다. 아내나 나나 못살던 예날의 습성이 남아 있어 버리지를 못하는지라 지하실과 클러짓에 산적한 고물들을 밴으로 수 없이 쓰레기장으로 실어다 버렸다.

새단장을 한 방을 드려다 보면 와- 하는 감탄사와 함께 돈이 좋구나 하는 세속적인 생각이 문득 떠오르고 뒤따라서 법정스님의 텅 빈 충만이 떠올라 두 상념이 서로 충돌한다. 속물 근성과 色即是空의 갈등 속에서 번뇌하다 가는 인생이여 하고 혼자서 불러 본다.

곰팡이 냄새가 나고 빛 바랜 낡은 욕실을 쓰다가 새욕실을 쓰며 느끼는 기분을 즐기는 나의 속됨을 어찌할까.

영화나 그림에서 본 호화찬란한 욕실과는 비교할 수도 없이 소박하지만 내가 쓰기에는 과분한 생각이 들어 욕실에 들어 가기가 송구스러웠다.

Counter top, Hardwood floor, Cabinet, Area rug 등등을 고르느라 아내와 함께 다닌 시간과 에너지는 얼마나 되며 서로 취향이 달라 물건 고르는데 다투기는 또 얼마나 했는지 모른다.

집 단장을 하는 동안 이방 저방으로 옮겨 다녔고 전기톱 소리 못 박는 소리 그리고 먼지때문에 때로는 발 붙일 자리가 없었고 조용한 시간을 가지기가 어려웠다.

집을 고치는 동안 친구나 아이들의 방문을 사절했고 골프출입도 삼갔으니 두어달 동안 인생에 공백이 생긴 셈이다.

한편 버릴 것은 버리고 먼지를 다 털어 내고 집 화장을 하고 나니 삼십여년간 집에 손질을 않은 내 게을러 빠진 죄를 속죄한 기분이 나서 기뻤다.

삼십여년 사이에 변한 건축 재료도 많아 어짜피 바꿔야 하고 바꾸고 나니 상쾌했다.기만불이 들어 갔지만 저 세상에 가져가지 못할 것을 집 단장에 써서 남은 시간 편하게 사는데 도움이 된다면 나쁠 것이 없다.

사실은 내 동료들에 비하여 좀 후진 거처에서 그동안 살았는데 분위기를 바꾸어 보고 싶었던 생각이 전부터 있었고 이번에 그 소망도 이룬 셈이다.

황희 정승이 천정에 비가 새는 작은 초가에서 청빈낙도를 즐겼다 해서 내가 존경했었지만 내가 집단장을 하고 나니 내가 그 분처럼 살만한 인격이 되지 못한 것을 인정하지 않을 수 없다.

오바마 대통령 뜻대로 사회주의 사회가 되고 계속 정부가 돈을 물쓰듯 풀면 얼마 못가서 돈의 가치가 떨어질 것이니 집에나 돈을 투자하자는 속셈도 있었다.

사람도 병든 관절을 인공관절로 바꾸고 막힌 혈관을 뚫어 스텐트를 넣거나 대치하며 성형수술로 이뻐 보이고 젊어 보이게 할 수 있지만 집을 고치듯 늙은 세포를 젊은 세포로 대치할 수있는 기술은 아직 요원하다.

줄기세포 요법이 앞으로 어떻게 발전할 지 기대해 본다.

우여곡절 끝에 집을 말끔히 새로 단장하고 나니 새 단장이 불가능한 늙은 내 몸이 더욱 초라하다.

08 | 올챙이

아내가 채소 밭에 물을 주려고 담아 놓은 물통에 들어 앉은 작은 개구리를 발견했다. 그 때가 2010년 오월 말이었다.

뚜껑이 있는 물통에 어떻게 개구리가 들어 갔는지 수수께끼였는데 알고 보니 물통 손잡이에 안으로 통하는 구멍이 있어 수수께끼가 풀렸다.

며칠동안 개구리가 개골개골 울어대더니 통 안에 개구리가 식구가 늘어 세마리가 되었다.

오랫만에 듣는 개구리 울음 소리가 옛적 한국의 농촌 풍경을 내 기억에 떠올려 나는 나대로 추억을 즐겼다. 실은 숫놈이 암놈을 불러 드린 Love-call이었던 것을 둔한 나는 나중에서야 알았다.

일주가 좀 넘게 지나고서 아내가 물통안에 올챙이를 발견하고는 큰 일이나 난 것처럼 탄성을 질렀다. 뛰쳐나간 나도 저절로 탄성이 나왔다.

수수백마리의 모기 새끼보다 조금 큰 올챙이들이 헤엄을 치고 있었다. 내가 올챙이를 본지가 아마 육십여년이 넘었을 것이다. 노니는 올챙이를 보고 어렸을 때의 고향이 보이고 반가움이 동심으로 돌아 간다.

길이가 오밀리미터가 될까 말까 한 작은 등치안에 그런 에너지가 어데서 나오는지 쉬지 않고 헤엄쳐 다니는데 헤엄을 잘 못치는 나로서는 신기하기만 했다.

신비로운 생명력 혹은 신의 조화라는 표현 이상 할 수 없는 나의 무능을 탓할 뿐이다.

얼마후 올챙이들을 지켜 보던 애미 애비 개구리들은 자취를 감추었다. 올챙이를 네모난 플라스틱 통에 옮기고 그림자 드는 나무 밑에 그 통을 반쯤 묻었다. 주먹만한 돌을 몇개 씻어 통안에 넣고 풀잎도 따다 넣었다. 외견상 올챙이 집으로는 손색이 없었다. 아내가 솜씨를 발휘한 것이다.

아내나 나나 때로는 하루에도 몇번 그 통안을 들여다 보았다. 과연 그 통에서 올챙이들이 개구리로 자랄 수가 있을까 하는 호기심과 걱정이 날이 갈수록 자랐다.

하루 세끼 챙겨 먹어도 빌빌하는 나에 비하여 올챙이는 무엇을 먹고 그리 힘이 나는지 신기하기만 했다.

걱정이 기우로 변하여 올챙이 먹이를 걱정하던 나머지 나는 아내 몰래 사탕 한 알을 통안에 던져 넣었다.

나중에 알고 보니 아내도 멸치 가루를 그 안에 뿌렸다고 한다. 아내 얘기를 듣고 나도 내가 사탕 알 집어 넣은 것을 아내에게 실토했다. 혹시 사탕 알 때문에 올챙이에게 변이 생길까봐 그때까지 말을 않고 있었던 것이다.

멸치 가루를 뿌리자 올챙이들이 갑자기 더 활발하게 헤엄친다고 하며 아내 말로는 올챙이가 멸치 가루를 좋아 한다고 단언을 하는데 나는 동의하는 척만 했다. 그럴 듯 한 말이기도 하다. 여하튼 올챙이는 자라고 있었다.

볼 일이 있어 셋째 아이가 있는 뉴욕에 삼일간 가 있는 동안 올챙이가 어떻게 지나는지 제일 궁금했다.

올챙이도 정이 드나 싶어 혼자서 웃었다.

어느새 큰 놈은 일전찌리 주화의 반만하게 컸다. 우리집에 들리는 사람마다 붙들고 나는 올챙이 자랑을 했고 끌고 가 올챙이를 보여 주었다.

그분들도 나처럼 신기하게 생각했는지 또는 나를 싱거운 사람이라 생각했는지 나는 모른다.

손주 자랑은 돈을 놓고 하라고 한다. 아마 내 체면을 보고 올챙이를 보아 주고 내 얘기를 들어 주었을 것이다.

나는 해마다 여름 한 달을 Florida로 피서를 간다. 그 곳에 작은 수영장이 딸린 집이 있고 잘 아는 신박사 골프장이 있어서 거의 매일 첫번으로 나아가 새벽 골프를 치는 재미가 있어 수년전부터 연례 행사가 된 것이다. 나는 아침 잠이 없어서 내게는 안성맞춤이다.

오이 호박 토마토 등이 주렁주렁 열려 있는 텃밭을 뒤로하고 떠나기가 섭섭했는데 금년에는 올챙이를 떼어 놓고 가는 것이 무엇보다 마

음에 걸렸다.

그나마 다행인 것은 뉴욕에 사는 셋째 식구들이 우리가 집을 비우는 동안 한 열흘 쯤 와서 있겠다는 것이다.

여름 방학 중에 손녀 아이들이 승마, 테니스, 수영 등 레슨을 받는데 그 비용이 뉴욕의 반도 안된다고 해서 나 있는 데로 와서 있겠다는 것이다.

아이들이 와서 있으면 올챙이들이 고아 신세를 면할 것이고 전화로 내가 안부를 물을 수가 있다.

전화로 들은 며느리 말이 뒷발 앞발이 생기드니 어느날 갑작이 올챙이들이 사라졌다고 한다.

며느리 말이 사실이라면 다 자라 개구리가 되어 나갔다니 얼마나 흐뭇한 지 모르겠다. 떠나는 장면을 보지 못한 것이 섭섭했지만 개구리로 세상에 나가 잘 살기를 비는 마음은 변함이 없다.

마음 한 구석에 혹시 쥐나 고양이가 다 잡아 먹은 것은 아닌지 하는 의혹이 고개를 내밀고 있었지만 불길한 생각은 잊도록 하자고 마음 먹는다.

개구리는 올챙이 때 생각을 못한다는 데 그들은 나를 기억하지 못하겠지만 그래도 나는 기뻤다.

금강경의 한 구절이 생각났다.

實無衆生 得滅道者라는 구절이다. 붓다가 수많은 중생을 열반으로 인도하였지만 나는 한 사람도 열반으로 구제한 사람이 없다고 말씀한 것이다.

올챙이가 개구리 되는데 내가 한 일은 아무것도 없다.

은행나무 | 09

지금은 대도시의 일부가 되였지만 내 국민학교 시절 때만 해도 대전시 용운동 모리는 사십호가 채 못되는 작은 소농들의 마을이였고 마을에서 제일 키가 큰 나무는 할아버지가 열여섯살 때 심었다는 은행 나무였다. 그 나무는 마을 한쪽에 마을 상징처럼 우뚝 서 있었다.

그 나무에서 떨어진 은행을 주워다 제사 상에도 올렸고 내가 처음으로 은행 맛도 배웠다. 그때 할머니 말씀이 자기가 심은 은행 나무에서 난 은행을 먹는 사람은 드물다는 것이었다.

당시 평균 수명이 사십여세였으니 이십년 내지 삼십년을 자라야 열매가 열리는 은행을 자기가 심고 자기가 따먹기는 쉽지 않았을 것이다.

할아버지의 은행 나무가 있는 자리에서 한 십리쯤 거리에 있는 다른 마을에 숫나무가 있다는 말을 듣고 어린 나는 신기하게 여겼다. 그러나 내가 확인한 얘기는 아니다. 가을에는 그 은행 잎의 노란 단풍 빛깔에 반해서 책 갈피 안에 예쁜 잎을 골라서 끼워 넣었다가 어쩌다 펴 볼 때 그 은행 잎을 발견하고는 몹시 반가웠던 기억이 난다. 은행 잎의 부채살 모양의 디자인은 독특하고 예뻐서 나무 잎중에서 최우수 디자인상을 조물주에게 드렸으면 싶다.

이런 저런 사연으로 은행나무와 친해 졌고 내가 은행나무와 다시 인연을 맺은 것은 내가 의과 대학을 들어간 후였다.

서울 의대 본관에서 병원으로 넘어가는 언덕 길에는 은행 나무가 줄을 서서 있었다. 가을이 오면 그길이 샛노란 은행 잎으로 덮이고 길 양쪽에서 있는 은행 나무 사이로 얼굴을 내민 파란 가을 하늘과 어울려 온 누리가 노랑과 파랑으로 가득 찼었다.

내가 주변이 없어서 연인과 함께 그 좋은 배경을 이용하지는 못했지만 마음으로는 연인과 함께 그 길을 걷는 꿈을 수 없이 꾸었다. 그 꿈을 결코 이루지 못했지만 그래서 그 은행 나무들을 더욱 잊지 못하는 가 보다.

미국에 온 후 내 집을 처음 짓고는 Nursery로 은행 나무부터 찾아 나섰다. 내 손으로 심어서 키워보고 싶었고 은행을 따 먹을 때까지 살아 보고 싶었다. 내 키보다 좀 큰 은행나무 다섯 그루를 사다가 내 손으로 심었고 물도 정성껏 퍼다 주었다.

내 욕심 만큼 빨리 자라지는 않았지만 꾸준히 자랐고 가을이면 대학에서 보았던 그런 예쁜 빛깔에는 미치지 못해도 노란 은행 잎이 마당을 덮으면 나는 옛날 대학 언덕 길을 걸었던 기분을 냈다.

신토불이라 하더니 은행나무 잎도 의과대학 은행나무 잎만큼 곱지 않구나 라고 속으로 생각했다. 그런 노랑 빛을 기대하는 내가 과욕을 부린다고 자책도 했다.

인삼도 한국 인삼이 약효가 좋다고 하고 옛날 먹던 황태나 연평 조기의 맛도 지금 맛 볼 수 없지 안는가. 좀 흐린 노랑이지만 옛날 밟던 은행 잎이라 상상하며 만족하기로 하였다.

내 생전에 은행이 열리지 않는가 보다 아니면 다섯 나무가 다 숫나무 인지도 모르지 하고 단념하기 시작했다.

심은지 이십칠년이 되던 해 가을 아내가 흥분을 감추지 못하고 "Surprise"라고 웨치며 은행이 담긴 사발을 내 앞에 내 밀었다.

통통하게 살찐 은행 알을 보자 내 가슴이 뛰었다. 나는 정신 없이 뛰어 나가 은행을 주었다.

첫 손주 보듯 내가 심은 나무에서 은행을 본 것이다. 참기름에 살짝 볶아서 입안에 넣으니 야근야근 구수하고 고소했다.

이억칠천만년 전 은행잎 화석이 발견되어 은행나무가 지구에서 가장 오래 산 나무임이 증명되었고 은행 나무의 선조들은 공룡들이 지상에 번성하던 때 그들을 지켜 보던 유일한 나무인 것이다. 육천오백만년 전 유성과 지구가 충돌하여 공룡이 멸종할 때도 은행 나무는 살아 남았다. 은행나무는 다른 친척벌이 되는 나무가 없는 나무로도 알려 졌다. 서양 사람들은 일본명을 따라 Ginko라고 부르는데 우리가 은행이라는 이름을 빼앗겨 서운하다.

은행 나무는 병충해에 강해서 살충제가 필요 없으며 내성이 강하고 뿌리가 깊어 바람과 눈에도 강하다. 그래서 그런지 병들거나 의젓하지 않은 은행나무를 본 기억이 별로 없다.

눈 덮인 겨울에 독야청청하다고 옛 선비들이 좋아하던 소나무도 좋으나 병든 소나무를 많이 보아서 그런지 나는 은행 나무가 마음에 든다.

이차 대전말 미국이 히로시마에 원자탄을 투하 했을 때 폭파 중심지에서 일점일 킬로미터 지점에 사원이 있었다. 물론 그 사원은 완전히 잿더미가 되었는데 그 사원 마당에 서있던 은행 나무 네그루가 살아 남았다.

사원을 다시 더 크게 짓기 위하여 그 은행 나무들을 베어야만 했다. 그러나 은행 나무를 살리기 위해 사원 설계를 바꾸어서 지었다. 지금도 그 은행 나무들이 원폭 기념물로 살아 있다고 하니 참으로 가슴이 훈훈해지는 얘기다.

은행잎은 여러가지 약재로 쓰이는데 주로 혈액 순환을 돕는 작용을 이용하는 것이다. 치매, 록내장, 耳鳴, 다리에 나는 쥐 등에 치료제로 쓰이는데 은행 잎에 관한 의학 논문이 수백편이 된다고 한다.

나는 산책할 때마다 은행이 열리는 암 나무를 한번 더 쳐다본다. 이제 나이를 먹어 까마득한 나무 꼭대기를 올려 보려면 내목이 굳어 뒤로 제껴지지를 않는다.

눈도 전 같지가 않아 낮은 가지에 매달린 은행 알만 겨우 보인다.

때로는 그 듬직한 등치가 입고 있는 믿음직스럽게 단단한 나무 껍질을 쓰다듬는 것으로 만족한다. 늙은 어머니가 다 큰 아들을 쓰다듬듯이 말이다.

내가 세상을 떠난 뒤 아니 인류가 지구상에서 사라진 뒤에도 은행나무는 남아 있다가 저의 후손에게 내 얘기를 전해 줄 것만 같다.

10 | 착각

이천십년 동계 올림픽에서 김연아 선수의 Figure Skating중계를 보다가 잠을 설쳤다. 인간이 도달할 수 있는 운동과 예술의 극치를 보았고 김연아의 눈물이 내 눈으로 옮겼다.

인간의 그런 지극한 성취를 한국 민족의 한 사람이 해낸 데에 대한 흥분과 자긍심에 나는 한 동안 취해 있었고 때문에 다시 잠들 수가 없었다.

빙상 속도 경기에서도 한국 선수들이 메달을 걷어 올렸다. 생각은 내가 미국에 건너온 1967년 이전의 한국으로 달음질 쳤다.

국민 소득이 백불인지 그 미만인지 통계조차 정확하지 않았던 시절이었다. 미군들이 먹다남은 음식을 부대에서 가져다가 끓인 꿀꿀이 죽을 먹었고 미군 부대에서 나오는 소위 양키 물건은 돈 있는 사람들이 주로 쓰던 시절이었다.

콩나물 국과 된장으로 영양 실조로 병들지 않고 그런 시절을 살아남아 한국이 세계에 위세를 떨치는 날을 보게된 행운을 감사한다.

육이오 전쟁은 내가 살던 고향과 내 집을 잿더미로 만들었고 산은 뗼감으로 나무를 베는 바람에 벌거숭이가 되어 큰 비만 오면 홍수로 논밭이 떠내려 갔다. 가난하다 보니 부정 부폐가 극심해서 관리라면 파출소 순경도 무서웠고 뇌물로 되지 않는 일이 없었으며 어느 직장이든 들어 가는데 빽이 첫째이고 실력은 뒷전이었다. 나는 절망끝에 조국을 떠났고 희망을 찾아 미국으로 왔다.

못되면 조상 탓 한다고 그 당시 사람들은 닥치는 대로 탓했다. 공자 때문에 나라가 망했다고도 했고 일제하에서 얻은 식민지 근성 때문에 나라가 안된다고도 했다. 이조 오백년간의 당쟁 때문에 민족성이 나빠졌다고도 했고 제사, 조상 숭배, 반상 계급, 풍수지리, 무속등 우리 것은 모두가 나쁘다고 탓했다.

종교를 위시하여 동양의 문물은 무두 나쁘고 서양의 것은 다 좋아 보였다. 자존심과 자부심이 땅에 떨어져 심지어 비율빈 사람을 부러워 했다.

내가 미국에 건너온지도 사십여년이 흘렀고 미국 그리고 서양 문물에도 어느 정도 익숙해 졌다.

그동안 한국은 한강의 기적을 거쳐 천지 개벽과 같은 발전을 했다. 엽전은 체질이나 체격 그리고 문화적 배경 때문에 안된다고 체념하던 운동 경기에서도 국력의 신장과 함께 세계 무대에 두각을 나타내기 시작하였다.

특히 올림픽 Figure Skating에서 금메달을 딴다는 것은 꿈에도 상상하지 못했던 일이다.작은 한국이 세계 제일의 조선국이 되고 자전거를 일본에서 수입하던 나라가 자동차 제조로 일본과 맞서 미국에 여기저기 공장을 세웠다.

구공탄을 때던 때가 어제 같은데 이제 한국이 다른 나라에 원자력 발전소를 지어 준다고 하고 전자 제품을 세계곳곳에 팔 뿐 아니라 세계 제일이었던 일본과 경쟁을 하고 있다.

국력 성장과 함께 한국인의 체격이 커지고 불가능이라고 여기던 운동 경기에서도 한국 민족의 우수성을 과시하게 되었다.

한 때에는 당나라 문화가 세계에서 가장 찬란했고 사라센 문화도 그랬으며 로마가 지중해를 중심으로 여러 국가를 지배했듯이 알렉산더 대왕이나 몽고의 징기스칸도 여러 대륙에 군림했다.

한때 세계를 가장 앞섰던 에집트나 메소포타미아 문명은 어디로 사라졌는가. 그들의 후손들은 조상들의 유적들을 관광으로 팔아 먹고 살고 있다.

이들 국가나 문화의 흥망 성쇠가 어떤 단일 요소가 원인이 되어 이루어 지는 것은 아니다.

한국 민족이 못살던 당시 공자 탓이라던 사람들이 지금에 와서 무어라 하는지 알 수는 없으나 경제적 급성장을 해마다 거듭하고 있는 중국이 한 때 처박아 두웠던 공자를 다시 찾아 내어 공부하고 내세우는 것은 대단히 흥미 있는 일이다.

한국의 경제 부흥과 기독교 교세 확장과 연관시키는 사람도 있지만

이천년 기독교 역사를 가진 구라파 제국들의 흥망 성쇠를 살펴 보면 신앙을 부의 增減과 연결 지을 수는 없다. 신앙이 깊어도 가난한 국가나 민족의 예는 얼마든지 있다. 민족이나 국가의 흥망은 수많은 내적 그리고 외적 원인과 인간이 어쩔 수 없는 요소가 작용한다.

그 예로 한강의 기적이 박정희 대통령의 영도하에 발전한 것은 틀림이 없지만 그 분이 기적의 유일한 요소는 아니였다.

경제 계획은 이승만 장면씨 때부터 구상한 것이였고 국민의 교육 수준이 높았으며 많은 인재들이 미국에 와서 교육을 받았기 때문에 임자를 만나면 발전할 국가의 기초 혹은 바탕이 있었다.

그러나 경부 고속 도로 건설, 월남파병, 포항 제철등의 중공업 건설 등등은 박정희 대통령이 아니였으면 성취할 수 없는 업적이다.

이 사업들을 당시 야당하는 인사들이 사사건건 얼마나 반대하고 데모를 하였는지 기억하는 사람들은 알고 있다.

그 때 그렇게나 결사 반대 하던 인물들이 나중에 대통령도 되고 경제 발전 덕으로 잘 산 사실은 역사의 Irony다.

미국이 대외적으로 중동 문제로 시달리고 국내적으로 경제 침체와 건강 보험 문제로 몸살을 앓고 있어 울적하던 차에 한국에서 날아 오는 올림픽 우승 소식들은 내가 한국 민족이라는 긍지와 자부심을 고무하여 한마디로 신바람이 났다.

암울하고 절망적이었던 내 청춘 시절과 현재 한국의 젊은이들을 비교하면서 그들에게 축복을 보낸다.

체격차에서 오는 핸디캡을 극복하고 엘피지에이에서 눈부신 활동을 하는 한국 여자 선수들이 내게 본보기가 되어 나같이 적은 체구를 가진 사람도 희망을 잃지 않는 교훈이 되었다.

내 나이 칠십오세. 골프장에 나가는 것만 해도 감사해야 할 처지인 것을 잠시 잊고 나도 한국 사람이니 골프를 잘 쳐야 할 것 같은 착각에 잠깐 빠졌다. 보통 때보다 더 허리를 돌리고 힘껏 골프채를 휘둘렀다.

보기 싫은 슬라이스가 나면서 다른 홀로 공은 날라 갔다. 착각은 잠시이고 나는 제 정신으로 돌아 왔다. 착각은 자유다. 이것이 나의 변명이다.

인생은 어짜피 다 착각속에서 사는 것이 아니겠는가.

미군을 따라 다니며 껌이나 쵸코렛을 받아 먹고 자란 한국 민족이 내가 눈을 감기전에 세계제일의 민족이라는 착각에 잠시 빠졌다고 해서 죄가 되지는 않을 것이고 그런 착각에 빠질 수 있는 날이 온 것을 나의 축복으로 여긴다.

역사는 돌고 돌며 세계 제일의 로마도 멸망했다. 그들도 한때 자기네들이 세계 제일의 민족이라고 자부심이 얼마나 강했을까.

若見 諸相 非相 即見如來

우리가 보는 모든 현상이 진정한 모습이 아니라는 것을 깨달으면 부처가 보인다라는 금강경의 말씀이다.

11 | 욕[辱]

젊었을 때에는 사는게 욕이란 말에 별 관심이 없었고 실감도 나지 않았다. 젊은이의 꿈과 흥분 등으로 바빴기 때문일 것이다.

전쟁 또는 역사 소설속에 전투에 진 장수들이 굴욕을 당하며 구차하게 사느니 자결을 하는 장면을 읽으며 눈물을 흘렸었는데 소설이나 영화에나 나오는 얘기려니 생각했다.

정조를 여자의 생명처럼 소중히 여기던 시절에 유린 당한 정조를 욕으로 여기고 목숨으로 바꾸는 얘기도 흔히 있었고 그런 얘기가 내게 감동을 안기기도 했다.

개업중에는 식물 인간이나 치매 환자가 되어 대소변을 가리지 못하는 환자를 보면서 사는게 욕이구나 하는 생각을 잠깐씩 했고 안락사에 관한 토론에 참여도 했지만 나와 별 상관이 없는 강 건너 불보듯 혹은 남의 얘기 하듯 했다

내 나이 칠십 하고도 중반을 넘으니 친구들이 시도 때도 없이 쓰러져 앰뷸런스에 실려간다.

교회에 나가서도 전에는 보이지 않더니 수족을 못쓰거나 말을 더듬는 환자들이 자꾸만 눈에 들어온다. 개 눈에는 똥만 보인다는 격으로 눈에 보이는 것들이 달라진 것이다.

몇일 전 어느 모임에 나갔다가 한 친구가 자다가 세상을 떠났다는 소식을 접했다. 그 자리에 함께 있던 친구들이 이구동성으로 그 친구 복있는 죽음을 했다고 했다. 모두가 고통없는 죽음을 부러워하는 눈치였다.

나이가 들수록 자식이나 배우자에게 무거운 짐이 되면서까지 목숨을 부지하는 신세가 되기를 원치 않는다. 이제 그것이 남의 일이 아니라는 것을 피부로 느낀다.

걱정해야 뾰쪽한 수가 없지만 나 같으면 그런 경우 어떻게 할 것인가 하고 안락사의 정당성 여부를 가끔 심각하게 생각해 보는데 늙어

가는 과정의 하나로 생각한다.

내 친구중에는 아직도 연구실에서 젊은이 못지않게 연구에 몰두하고 있는 친구도 있고 아직도 환자 진료에 바빠서 나처럼 비생산적 사색에 빠질 시간이 없는 친구도 있으며 교회에서 봉사 활동하느라 하나님게 영광을 돌리느라 눈코 뜰 새 없이 바쁜 친구도 있다.

정치에 중독이 되어 죽는 날까지 국민의 행복이 어떻고 통일이 어떻고 하며 크게 노는 것처럼 보이는 친구도 있는데 그러면서 돈 욕심은 누구 못지 않은 사람이 대부분이라 저 세상에 갈 때는 어떻게 가져 가려는지 궁금하다. 이런 사람들은 대개 거짓말 하는 것이 습관이 되여 자기가 거짓말 하는지도 모르고 사는 것이 보통이다. 치매 파킨슨병 루게릭병등 불치의 병으로 세상과 발을 끊고 사는 친구들도 있다.

욕[辱]이라는 한자는 辰이라는 자와 寸이란 자의 합성한 자다.

옛날에는 별을 보고 제 때임을 판단하여 씨를 뿌리고 모종도 했는데 辰은 별 또는 때를 의미하고 寸은 법을 의미하여 辱은 때를 잘못 판단하여 농사를 그르치면 죽음을 면치 못한다는 의미의 글자가 된 것이다.

사는 게 욕이다 또는 오래 사는 게 욕이다라는 말이 점점 현실로 나타나 실감이 난다. 늙어서 신체의 기능이 점차 망가져 가는 애기이므로 추한 묘사가 될 수 밖에 없겠다.

언제부터인가 소변 줄기가 힘이 없고 때때로 두 줄기로 갈라져 나와 잠깐만 한눈을 팔면 소변이 변기 밖으로 나간다 .

그런 범인을 잡는데에 전문인 아내의 눈을 피하는 것은 전혀 엄두도 못낸다. 현장을 들킬 때마다 나는 고양이 앞에 쥐다. 무슨 변명을 하겠는가.

또 방광을 다 비운 것 같아 하의를 올려 입고 나면 뒤늦게 남아 있던 소변이 흘러 내의를 적신다. 심하면 아내에게 들키고 무안을 당하는데 자존심이 상할 수 밖에 없다. 아내의 꾸중은 당연하기 때문에 못들은 척 하는 외에 내가 취할 묘안이 있을 수가 없지만 욕인것은 틀림 없다.

어렸을 때 꿈에서 깨어 나면 요가 젖은 일이 있었다. 어머니는 아무

말씀을 아니하셨지만 얼마 동안 쥐 구멍이라도 있으면 숨고 싶었다.

아이들이 할아버지 할머니는 냄새가 나서 싫다고들 했다.

지금도 양로원에 가면 방에서 그 냄새가 난다. 노인들이 용변을 잘못 가리기 때문일지도 모른다. 나도 오래 살면 손주들이 냄새 난다고 할지 모른다.

건망증이 심해지면서 나는 분명히 그 말을 했다와 나는 그런 말을 들은 적이 없다를 가지고 아내와 가끔 목이 터져라 하고 싸운다. 내가 잊고 말을 아니 했는지 아내가 듣고도 잊었는지는 하늘만이 알고 있겠지만 서로 지지 않으려고 다툰다.

둘중에 하나가 틀렸을 확률은 반반인데도 또 한쪽이 일부러 항복을 해도 손해 볼 일이 없는데도 몇푼의 자존심 때문에 싸우고 자기의 건망증을 인정하기 싫어서 싸운다.

외출할 때도 무엇을 빠뜨리든가 잊고 나와 한동안 가다가 차를 돌릴 때마다 실갱이가 벌어진다.

차 열쇠를 못찾아 약속 시간에 대지 못한 일도 한두번이 아니다. 작고 큰 여행마다 같은 문제로 흥이 깨진다. 즐거워야 할 나들이가 욕이 된다.

재미있던 골프도 비거리가 줄고 정신 집중이 쉬이 무너지니 젊은이들 앞에 기가 죽고 치고난 후 아픈데가 늘어 재미가 전만 못하지만 그나마 놓으면 끝이다 싶어 매달리고 있다.

동창회 골프에 나갔다가 소낙비가 억수로 퍼부어 내의까지 흠뻑 젖어가며 공을 치던 기억이 어제같은데 이제 가랑비만 뿌려도 나서기가 싫고 마음속으로 비맞고 폐렴이라도 걸리면 죽을지도 모른다는 공포가 앞선다.

어느 겨울인가 머틀비츠에 골프 여행을 갔었다. 눈보라가 치던 날이었다.

기왕 팩키지로 돈은 이미 지불했고 안치면 손해보는 판국이라 고개도 쳐들 수 없는 눈보라 속에서 라운딩을 마쳤는데 그때의 그 용맹이 그립다.

초가을인데 벌서 발이시려 두꺼운 다운 이불을 둘씩이나 덮어야 잠이 든다. 아이들은 티셔츠 바람으로 뛰어 다니는데 터틀넥에다 털 스웨터까지 입고 점잔을 빼고 있으니 점잔을 빼고 싶어 빼겠는가.

얼마전 집안 카펫을 하드우드로 바꾸었다. 뜯어 낸 카펫 한쪽을 혹시 쓸 일이 있을까 해서 말아서 지하실로 옮겼다. 혼자서 끙끙거리고 옮기고는 한 삼주 고생했다. 백파운드 쯤 되는 것을 옮기다가 허리가 나갔으니 부끄러워 누구에게 하소연도 못했다.

금년들어 두번째 허리를 다쳤는데 앞으로 백파운드 이상 무게는 영원히 작별해야 겠다고 결심을 하고 나니 불구자가 된 기분이다. 교회 같은 공공 장소에서도 들어 옮길 일이 있으면 여자들이 일하는 것을 뻔히 보면서 슬슬 피해야 하니 여자들 앞에서 내 꼴이 말씀이 아니다.

교회 장로 한분이 중풍으로 입원을 해서 문병을 갔다. 마침 그 분이 물리치료를 받고 있었는데 지팡이를 짚고 걸음마 연습을 하고 있었다.

손녀아이의 걸음마 연습을 보며 소리치고 박수 치던 생각이 났다. 노인의 걸음마 연습에는 박수도 나오지 않고 말문도 막혔다. 같은 방에서 여러 노인들이 물리치료를 받고 있었는데 모두가 표정없는 석고상 같았다. 그 나이에 무슨 신바람이 나겠는가. 나라도 그렇게 무표정했을 것이다. 무슨 영화를 보겠다고 안움직이는 손발을 억지로 움직이려고 애를 쓰는지.

인간이 두발로 서서 걷기 시작한 사실은 인간의 진화사상 회기적인 사건이라고 한다. 그 때문에 두 손을 자유로 사용하여 인류의 문화를 이룩했으니 말이다. 그래서 갓난 아이의 걸음마 연습에는 손뼉을 치지만 노인의 걸음마 연습은 욕이 될 수도 있다.

한 발자욱이라도 더 하고 격려해야 할 의사이면서 그 나이에 걸음마를 배워서 무엇을 성취하겠다고 하는 비관적 생각이나 하는 나는 좋은 의사는 못되는가 보다.

중용에 喜怒哀樂之未發 謂之中이란 말이 있다. 이를 희로애락의 감정을 들어내지 않는 것이 中이라고 해석한다면 욕을 당해도 감정을 나타내지 않는 것이 중이라는 말이 된다.

또 희로애락이라는 감정을 애당초 일으키지 않는 것이 중이라고 해석할 수도 있다. 마음속에 감정이 일어나지 않는 것과 일어나도 들어

내지 않는 것은 표면상 같아 보일지 모르나 내용은 다르다. 내가 말하고 싶은 요점은 늙어서 표정이 없는 것도 중이냐는 것이다.

공자는 칠십삼세에 세상을 떠났으니 늙어서 겪는 욕을 일부 겪었을 것이다. 그러나 그가 聖人[성인]인 만큼 겪지 않아도 다 이해했다고 보는 것이 옳을지 모른다.

나는 집안에서 계단을 오르내리면서 언제 굴러 떨어질지 몰라 난간을 꼭 잡는다. 그래도 때로는 무릎이 아프고 다리에 힘이 빠져 휘청거린다.

붓다는 生老病死를 四苦라고 했으니 노인의 욕됨을 안 분이였다고 생각한다. 그 분은 팔십까지 살았으니 노인의 욕을 다 겪었겠지만 이미 젊었을 때 깨달았을 것이다.

논어에 七十而從心所慾 不踰矩라는 말이 있는데 나이 칠십이면 하고 싶은대로 해도 道에서 벗어나지 않았다라는 뜻이다.

우스개 소리를 하자면 나같은 사람도 칠십이 넘으니 미인을 보아도 아름답다거나 귀엽다는 생각은 나지만 욕심은 생기지 않는다.

칠십이 넘은 공자가 원숙한 인격이 가추어져 노력 없이도 君子의 도를 행할 수 있게 되었다는 말이지만 보통 사람도 그 나이가 되면 기운이 쇠하여 무슨 큰 일을 저질르겠는가.

늙는다는 것은 욕이다. 이 욕을 붓다의 무상[無常]으로 혹은 유가의 중용[中庸]으로 또는 하나님께 영광을 돌리며 극복할 수도 있을지 모른다. 또 성현의 말씀을 알지 못하더라도 나이 칠십이 넘으면 대개 탐욕과 기운의 불이 꺼져가기 때문에 욕을 참고 견디며 산다. 또 설혹 참지 못한다 해도 어쩌겠는가.

늙는게 욕이라고는 하지만 실은 辱은 慾이라 할 수도 있다.

사람이 욕심을 부리니까 욕이 되는 것이다. 이 세상에 자동차든 무슨 기계든 칠십년을 쓰고도 고장 안나는 것을 본 일이 있는가.

아무리 질긴 옷이라도 몇해나 입겠는가 생각하면 내 옷[몸]을 칠십여년이나 입고 다닌 것을 신에게 감사해야 할 것같다.

나도 미래를 꿈꾸던 젊은 날이 있었건만 거울에 비친 주름진 백발노인이 스스로 딱하다.

성[SEX] | 12

내가 성적 강박[Obsession] 관념에 포로가 된 때가 있었다. 머리 속이 성에 관한 생각으로 가득 차서 떠나지 않았고 그런 내가 정상이 아닌 것 같은 두려움 때문에 하루 하루를 우울하게 보냈다.

중학교 여름 방학 동안 시골에 가 있곤 했는데 한번은 작은 어머니가 뒷마당 샘터에서 목욕하는 장면을 우연히 훔쳐 보게 되였고 그후 죄의식으로 고민을 했다. 세상 여자는 모두 매력적으로 보여 아무래도 내가 정상이 아닌 것 같아 고민을 했다.

당시 강한 성적 충동에도 불구하고 성범죄를 범하지 않은 것은 기적인 동시에 행운이라고 나는 생각한다. 아마 무안을 몹시 잘 타는 내가 거절을 당하는 것이 두려워서 손을 내밀지 못한 것이 한가지 이유일 것이고 폭력을 모르는 내 성격도 한 이유일 것이다. 만일 그때 내가 성 범죄를 저질렀으면 요즘에 인생을 나락에 빠뜨리는 수 많은 성범죄 신부나 목사처럼 내 운명이 달라 질 수 있다는 사실에 놀란다. 나와 그들과는 백지 한장 차이이며 그래서 그들과 같은 신세를 면한 나를 행운아라는 것이다.

그 때는 모든 인간 관계가 성과 관련이 있다고 풀이했고 사람은 Sex재미로 산다고 생각했다. 어떤 심리학자가 남자는 깨어 있는 시간의 구십프로를 성에 관한 생각을 한다고 했는데 나도 그런 때가 있었다.

엄한 아버지가 무서워 내가 탈선을 못했는지 성적으로 분출구가 없기 때문에 성적 강박 관념이 생긴 건지 내 판단 능력 밖의 일이다. 요즘처럼 성이 개방된 된 사회에서 내가 자랐다면 내 성적 강박증이 생기지 않았으리라고 나 혼자 생각 해 볼 뿐이다.

결혼하고 나니 성적 긴장과 그에 관한 잡념이 사라졌고 나는 행복했다고 믿는다. 결혼후부터 육십대 초반까지 나는 임신과 분만 기간 일부를 제외 하고는 아내와 동침하며 성행위를 거른 기억은 별로 없다. 나는 어느 모임에 가든 성 애기를 끄집어 냈고 내가 변강쇠나 되는 것

처럼 자랑을 일삼았다.

그 시절 내 음담으로 피해 본 분들에게 이 기회를 빌어 사과 드린다.

Kinsey보고에 의하면 미국인의 년 평균 성교수는 18~29세에서 112회이고 30~39세에서 86회 그리고 40~49세에서 69회라고 한다.

결혼후에도 아름다운 여인을 보면 공상 상상 백일몽에 빠지는 버릇은 남아 있었다. 마음으로 하는 간음도 간음이라는 성경 말씀에 따르면 나는 죄인중에 죄인이다.

"나는 너희에게 이르노니 여자를 보고 음욕을 품는자마다 마음에 이미 간음하였느니라 만일 오른 눈이 너를 실족케 하거든 빼어버리라". [마 5;28~29]

불교에서도 신도들이 지켜야 할 五戒중에서 살생 도적질 거짓말 다음에 邪淫이 들어 간다.

내가 육십육세에 직장암 치료를 받으며 죽을 고비를 몇번 넘겼고 그 후로 성 강박증이 안개 걷히듯 사라졌다. 그리고 섹스 없이도 인간이 함께 살 수 있을 뿐만이 아니라. 행복할 수도 있다는 것을 배웠다.

항암치료를 받으며 몸은 극도로 쇠약했고 패혈증 백혈구 감소등으로 목숨이 풍전등화로 깜빡일 때 성에 대한 관심은 無로 돌아갔고 내가 다시 태어났나 보다. 회복중에도 인생에서 섹스가 차지하는 의의 의미 그리고 가치를 새로운 지평에서 바라보게 되었다.

성은 그 뿌리가 종족 보존을 위한 번식이 목적이고 성을 통하여 얻는 쾌락은 이차적인 부산물이지 목적이 결코 될 수가 없고 되어서도 안된다. 성의 쾌락을 경시하자는 말은 아니고 우선 순위를 분명히 해두자는 것이다. 이 간단한 진리를 깨닫는데 오랜 세월이 걸렸으니 나는 어리석은 사람이다.

성이 종족 보존의 행위일 뿐이라는 性觀은 톨스토이뿐 아니라 보수적 종교의 견해이기도 하지만 이제 이해가 간다.

성을 인간의 본능이고 쾌락의 도구이며 최대한의 쾌락을 즐기자는 공리주의적 성관을 나는 작별했다. 내가 전에 가졌던 공리주의적 성관은 지나친 극단이며 윤리적으로 부적절 하다.

인간의 성을 연구하는 Sexology역사는 아주 짧다. 19세기에 시작한 이학문의 리더는 독일이었는데 그 당시에 성이 비교적 개방된 불란서와 보수적인 독일사이에 성범죄를 어떻게 처리할 것인가를 해결하려는 목적으로 독일에서 이 학문이 시작한 것이다.

나치 정권이 들어서면서 중단된 이 학문이 이차 대전후 미국에서 활발해지고 1980년대 에이즈성병의 유행이 도화선이 되어 더욱 활기를 띄였다.

성행위를 위한 교본은 고대부터 있었지만 성의 과학적 연구의 역사는 이처럼 짧다. 1837년에 파리시내의 매춘이란 책이 출판 되었는데 이 학문의 첫 도서라고 한다. 1897년 Homosexuality가 영국에서 출판되었다.

프러이드가 인간의 성적 발달 과정을 Oral, Anal, Phallic, Latency and Genital등 네 단계로 나누어 발표했다. 그후로 Kinsey박사 그리고 Masters and Johnson등의 연구가 세계적으로 알려졌다.

이들 연구는 주로 인간의 성을 통계적으로 조사한 논문들이고 인간의 성에 관한 철학적 고찰에 대한 연구는 아니다.

나도 젊을 때는 여러 체위도 실험해 보았고 바이아그라등 약물도 써보았다. 내 나이에 그런 것들은 부질없는 짓이다. 짧은 흥분을 위하여 약의 부작용, 방광염, 굳은 관절을 동원하는 중노동, 부족한 lubrication문제등 치루어야 할 대가가 너무 크다. 차라리 골프 등산 정원 가꾸기를 즐기겠다.

전에는 크고 작은 모든 부부싸움을 잠자리에서 쉽게 해결을 보았는데 이제는 대화로 푼다. 마치 암사자에게 군림하는 숫사자처럼 군사적으로 부부 관계를 유지하던 시대에서 도등한 위치에서 대화로 설득하는 외교적 관계로 발전한 셈이다.

아내가 속국이 아니라 우방으로 변한 것이다.

생리학적으로 설명하면 성 홀몬의 혈중 농도가 높았던 시절에는 암수 양쪽이 모두 육체적 매력에 끌리어 눈이 먼다. 성 홀몬 농도가 낮아지니 육체적 매력 대신 정신적 인격적 매력이 부각되고 열정 대신 존경심이 부부관계에 중요한 요소가 된다.

정과 법으로 살게 되었고 주름진 모습에서 허무 연민 자비가 싹튼

다. 섹스 없이도 부족함이 없는 조용한 행복도 있다는 것을 둔한 나는 늦게서 알게 되었다.

교회에 가서 영적이란 말을 많이 듣는데 이제 욕심 덩어리 육체에서 해방되어 영적 사랑을 시작하게 된 것이다.

섹스 없이는 못 살아에서 섹스 없이도 잘 살아로 변한 원인이 성 홀몬의 혈중 농도 때문인지 영적 성장 때문인지 쉬운 말로 늙었기 때문인지 판단을 보류하는데 실은 나도 알쏭달쏭 잘 모르겠다.

확실한 것은 사람은 끊임 없이 변하고 배우며 산다는 것이다.

어떤 고목은 고목대로 운치가 있다는 것을 젊은이들은 알기 어려울 것이다.

우승 | 13

교회 주최로 구역회 대항 장기대회가 있었다. 대회 육주 전에 회원들에게 알렸기 때문에 준비 기간이 얼마 되지 않았다. 모두 십칠개 구역이 있고.연령별로 구역을 짰는데 내가 속한 회는 회원이 육십오세 이상으로 구성되었다.

구역회장을 맡고 있던 나는 우리 나이에 무슨 장기대회인가 하며 처음부터 부정적이었다.

그럴 수밖에 없는 것이 우리 구역은 육십오세 이상이 구역원이라고는 하나 회원 대부분이 칠십세가 넘었고 팔십노인도 있으니 이들이 무슨 연습을 할 수 있을까 하고 아무리 궁리를 해보아도 묘안이 떠오르지 않았다.

회원중에 소프라노 가수가 있었지만 마침 항암 요법을 받고 있어서 합창 지도와 지휘를 부탁할 수가 없었으니 합창은 불가능 했다.

무용도 가르칠 선생을 구하는 문제가 있을 뿐만 아니라 노인들의 몸이 무용 연습에 따라와 주느냐가 더 큰 문제였다.

그렇다고 기권을 한다면 비협조 무능 또는 싸워 보지도 않고 물러나는 패장의 꼴이 될 것같아서 이런 누명을 막을 명분을 찾어야 겠는데 좋은 생각이 나지 않았다.

회원들이 모여 궁리를 하는데 한 분이 자기가 과거에 연극 연출을 한 경험이 있으니 연극을 해보면 어떻겠느냐고 뜻밖에 제안을 했다. 물에 빠진 사람은 지푸라기라도 잡는다더니 모두 귀가 솔깃했다.

반신반의 갑론을박 하다가 회원들의 의견이 연극을 해보자는 방향으로 모아졌다.

여러가지 기발한 의견이 쏟아져 나오기 시작했다. 마음들이 동심으로 돌아가 흥분하기 시작하였고, 심지어 발표 날까지 어떻게 우리 팀이 연극을 한다는 것을 비밀로 보안 유지를 하여 딴 팀이 우리 아이디어를 훔치는 것을 막을 수있느냐를 토의할 정도로 노인들이 열성을 보였다.

연극 제목이 정해지자 한 회원이 연극 배경이 될 커튼을 자기가 만들겠다고 자원을 했는데 침대 시트에 그림을 그려 만들겠다는 것이다. 왕년에 미술을 전공한 분이니 믿어도 잘못 될 수가 없다고 생각했다. 극중에 성경 구절이 다섯번 나오는데 각각 그 구절을 맡은 사람이 외는 동시에 거기에 살을 붙이고 싶으면 얼마든지 창작하여 보태라고 했다. 즉 여러 연기자들이 대사를 만드는 것이다.

연기와 시나리오를 연습하는 과정에 모두 참여하며 수정에 수정을 거듭하는 동안 모두가 자기가 주연 배우나 된듯 의욕과 열성을 보였다.

대회 당일 먼저 심사위원 소개가 있었다. 대부분 젊은이 들이었다. 나는 내심 저런 젊은이들이 예술 심사를 할만한 경륜이 있을까 하는 걱정이 앞섰다. 우리 팀의 예술성을 알아보지 못할까 하는 걱정부터 한 것이다.

우리는 나이를 잊고 열연을 했다. 평생 처음 무대에 선 친구들도 있지만 그래서 더 진지하게 연기를 했을 것이다.

인생은 연극이고 모두가 배우이니 안해서 그렇지 못할 연기가 어디있겠는가.

사탄역을 맡은 분은 팔십의 고령에도 불구하고 넘어지는 장면을 연기하는데 몸을 돌보지 않고 어찌나 젊은이 처럼 바닥에 나둥구는지 의사인 나는 그가 다칠까 봐 걱정하였다.

노인 뼈가 얼마나 쉽게 부러지는지 나는 잘 알기 때문이다.

모두 열여섯 팀이 참가하여 열연을 했다. 의상도 화려한 한복으로부터 반 노출 까지 다양했고 노래와 춤은 프로급도 있어 속으로 우리 팀 우승이 가능한지 불안하기도 했다.

심사 결과를 기다리는데 나이에 어울리지 않게 가슴이 두근거렸다. 상이 탐나서 가슴이 두근거린 것은 아니고 내가 참가한 연극이 인정을 받고 싶다는 자존심이 내 가슴을 뛰게 했다.

나이가 들어 죽은 줄 알았던 자존심과 경쟁심이 살아나 나이를 잊고 흥분했던 것이다. 산전 수전을 다 겪고 인생 무상을 알만한 노인들인데도 자기들의 연기를 세상이 알아 주기를 바라는 심정은 전혀 늙지 않았다.

우리 구역회의 우승이 알려지자 우리 회원 전원이 일제히 전류가 흐른듯 벌떡 일어나 서로 얼싸 안았다. 참으로 오래간만에 맛본 감격이었다. 심사 위원들이 우리를 알아 보았구나 하는 자만심이 부끄러워 졌다.

흥분이 가라앉자 그동안 열심히 준비하고도 입상을 못한 젊은이들에게 미안한 생각이 나서 기쁨의 과대표현을 자제했다. 교회에 들어서면 더 점잖을 빼던 노인들이 우승에 취해서 뛰는 모습이 보기 좋았다.

승리에 도취한 순간은 극히 짧았지만 그런 클라이막스가 없는 인생은 오아시스가 없는 사막이고 그런 클라이막스는 인생에 열 손가락으로 꼽을 만큼 드물고 귀하다.

대회가 끝나고 돌아오는 길에 인간의 정서와 연극, 예술에 대한 인간의 열정 그리고 신앙과 예술의 관계 인간의 자존심 등등을 사색하는 즐거움을 만끽했다.

부상의 크고 작음은 전혀 문제 밖이였고 회원 모두가 아카데미 주연상을 탄 것처럼 들떠 있었다.

늙은 고목에도 꽃이 피는가.

14 | 황성옛터

지난 사월 메리랜드 서울 의대 동창회 골프 토너멘트를 치르고 회장 턱으로 신상균 회장이 저녁을 냈다.

식사 후 가라오께 시간에 노래로 흥을 돋았고 내 차례가 와서 나는 황성 옛터를 불렀다. 가수 이애리수가 전수린 작곡 왕평 작사인 이 노래를 불렀는데 빅타 레코드 회사가 처음 취입한 것이 1932년 삼월 이었으니 내가 세상에 태어나기 이년 전이다.

이 노래의 원 이름은 荒城의跡이였다.

이애리수는 세브란스 의전을 나온 의사와 사랑에 빠졌는데 애인의 가족들의 반대에 부 딛치자 손목 동맥을 끊어 자살을 기도했다. 결국 애인과의 결혼에 성공했고 가정을 꾸미고 살다 2009년에 생을 마치었다.

내가 자랄 때만 해도 이조 시대의 잔재가 남아 있어서 유행 가수라 하면 딴따라라 하여 광대들과 같이 여기는 사람이 많았으니 의사를 둔 가족들 편에서 유행가수를 며느리로 삼을려고 하지 안했을 것이고 또 그 시대에 부모의 뜻을 거슬러 가면서 결혼을 관철 하기란 거의 불가능에 가까웠으리라.

이애리수가 부른 유행가 중에는 라인강, 신아리랑, 서울의 노래 등이 있지만 그 노래들을 부르던 사람들은 아마 다 저 세상으로 이미 떠났을 것이다.

노래 황성옛터는 일제의 침략으로 조선이 식민지가 되어 만주 등지로 망명 유랑 하던 수많은 동포와 고국에 남았지마는 일제의 폭정하에 신음하던 동포들이 모두 희망을 잃고 허무와 절망속에서 헤매던 심사를 노래했기 때문에 그 노래는 삼천리 강산에 선풍처럼 번져 하루 아침에 힛트곡이 되었다.

일제에 항거하던 조선 민족의 정서를 담은 유행가중에는 백년설의 나그네 설음 김정구의 눈물젖은 두만강 등 수없이 많았다. 나는 팔일

오 후에서야 이 노래들을 배웠고 내 십팔번이되었다.

내가 동창회에서 황성옛터를 고른 이유는 내 나이로 보아 이노래를 부를 기회가 앞으로 많지 않을 것 같은 느낌 때문이었고 얼마전 가수였던 이애리수가 세상을 떠났다는 소식을 신문에서 읽었기 때문이었다.

또 내 세대가 세상을 떠나고 나면 이노래를 기억하거나 부를 사람도 없을 것만 같아 내가 이 노래를 불러서 이 노래와 이 노래를 부른 가수에게 작별인사를 하고 싶었기 때문이기도 했다.

내 자식들 세대 모임에서 이 노래를 들어 보지 못했는데 원래 유행가란 유행기간이 지나고 나면 영원히 망각의 Black hole로 사라지는 것이 보통이 아니겠는가. 내가 불르던 노래중에서도 낙화유수 그리고 석탄 백탄 타는데 하는 노래도 사람들의 입에서 떠나갔다.

나는 축음기도 없는 환경에서 자랐고 피아노나 바이올린같은 기악을 배울 기회는 더더구나 없었다. 요즘 아이들은 상상하기 어렵겠지만 그 때는 모두가 가난하게 살았고 축음기는 지금으로 말하면 백만장자의 집에서나 볼 수 있었다.

1925년 십일월에 발매한 일본 축음기 조선소리에 한국 최초의 레코드판이 나왔는데 앞뒤로 김산월의 이풍진 세상과 도월색의 시들은 방초가 실려 있었다. 유행가는 나같은 보통 사람 또는 서민들의 정서를 발산하는 가장 가까운 마당이었고 내가부른 유행가도 천곡이 넘을 것이니 그에 공들인 시간과 노력이 얼마나 될지 짐작이 간다.

부끄럽게도 한때 내가 유행가 가수가 되려는 꿈을 꾼 적도 있었는데 그런 꿈을 꾸어 보지 않은 사람은 많지 않을 것이다. 그만큼 유행가 가수는 선망의 대상이었다.

백년설, 고복수, 남인수, 김정구, 이나영, 신카나리아 등등 나를 황홀경에 몰아 넣었던 이름들이 떠오른다. 내가 살던 고향에 가극단이 오면 나를 달고 다니기를 좋아 하시던 어머니 따라가 듣던 그들 하나 하나의 모습이 눈에 선하다.

내가 황성옛터를 수수백번 불렀고 세상에 그토록 유행했던 노래인데 이미 그 노래를 아는 이가 별로 없고 내가 세상을 떠난 다음에는 아마 이 노래가 있었다는 사실조차 기억하는 사람이 아무도 없을 것이다.

그 노래와 함께 뜨거웠던 가수의 인기도 작사자와 작곡가의 명성도 그 레코드로 돈을 번 레코드 회사도 망각의 허공으로 살아지고 열창했던 수많은 대중과 그 노래가 뜰 수밖에 없었던 민족의 사연 그리고 나라를 빼앗긴 민족의 울분과 허무감도 다 망각속으로 사라질 것이다.

허물어진 성과 푸른 방초는 몇백년을 더 남아 있을 지도 모르지만 노래는 가고 나도 또한 갈 것이다.

목소리에 기름끼가 빠져 소리가 갈라지고 갈라지고 노래하는데도 숨이 가쁜 나이지만 오래간 만에 혼신의 힘을 다 해서 황성옛터를 불렀다. 노래 일절에서의 흥분을 가라앉히고 목청을 가다듬었다.

성은 허물어저 빈터인데 방초만 푸르러
세상이 허무한 것을 말하여 주노라
아아 외로운 저 나그네 홀로 잠 못이루어
구슬픈 벌레 소리에 한없이 눈물 저요.

내 노래를 들은 청중들은 무아경에 빠졌던 내 정취를 짐작이나 했을까. 큰 박수의 메아리도 잠시일 뿐 황성옛터는 영원한 정적속으로 사라졌다.

제3장

영원한 이별

01 | 장례

고별 예배가 있던 날 밤에 그리고 장지에서 봄비를 맞으며 하늘도 슬픈 가보다라고 생각했다. 영리한 문상객들이 장인의 죽음을 호상이라 하면서 유족들을 위로했다.

아흔일곱 해를 이승에 머믈다 떠났으니 저승 길이 너무 이르다고 불평할 염치는 없지만 보내는 마음이 섭섭하기는 매 알반이였다. 육십 인생이나 구십인생이나 번갯불같은 찰나이기는 마찬가지 이고 이별의 슬픔도 마찬가지 이다.

돌아 가시기 두어달전 장인은 양로원으로 옮겼다. 마지막 수년간 장인은 눈과 귀를 다 못 쓰게 되었고 운전을 못하게 되어 집안에 갇힌 신세가 되었다. 그러나 처남이 장인을 양로원에 모신 직접적 동기는 처남이 모시기가 힘들었기 때문이 아니고 장인이 양로원에 가겠다고 자청했기 때문이였다.

장인이 진정 양로원에 들어가기를 원했는지 노인들이 흔히 하는 죽고 싶다는 입버릇처럼 마음에 없는 넋두리로 했는지는 아무도 알 수가 없다.

사랑하던 아들의 관심을 끌어 보려고 그랬을 수도 있다. 아무 쓸모가 없게 된 늙은이를 보살피느라 여러해 여행 한번 멀리 못가고 집에 붙어 애쓰는 아들과 며느리를 자기 치닥거리에 매인 속박에서 풀어 주고 싶은 마음에서 양로원행을 결심했는 지도 모른다.

더 살아야 자식에게 짐이 될 뿐인데 그렇다고 자기 목숨을 쉽게 끊을 수도 없고 양로원행이 자식의 짐을 더는 유일한 길이라고 판단했을 런지도 모른다. 양로원이 어떤 곳인지 잘 모르고 현실도피로 그런 결심을 했을 수도 있다.

장인은 아무도 아들 딸 외에는 찾아 뵙는 사람이 없는 외로움을 빼고는 외견상 아무 불편이 없는 아들 집을 나가겠다고 떼를 써서 아들 속을 썩였다.

퇴근후에 들리는 아들과의 짧은 만남이 세상에서 유일한 낙이였다.

친구들은 모두 세상을 떠난지 오래였다.

이십여년전 첫아내를 잃었고 재혼의 흥분도 잠시였다. 이십여년의 재혼 생활의 후반기에는 별거를 했다. 아들집에서는 낮에는 큰 집을 혼자서 지키고 외로웠으나 privacy는 있었다.

장인이 들어간 양로원에는 한국 노인이 많았고 한국인 직원도 많았으며 한국 음식이 나와 한국 노인들에게 평판이 좋은 양로원이라 아들이 어렵게 방을 얻었다.

장인이 양로원 생활에 만족했던 것은 처음 몇일 뿐이였고 곧 불평을 늘어 놓았다.

병원의 병실같은 방이라 privacy가 전혀 없고 대소변을 실수해도 체면이 말이 아니였다. 낯선 사람들의 시중이 마음에 들리가 없었다. 나이차 학력차등 모든 것이 못마땅한 roommate와 적응하지 못했다.

한마디로 의사요 교수였던 장인의 자존심이 무식한 장똘뱅이들과 어울리거나 적응하기에는 나이가 너무 많았다. 한번은 우울증이 있던 roommate에게 두들겨 맞아 손가락이 부러지고 얼굴에 멍이 여러군데 들었다. 항의 해 보아야 노인끼리 싸운 걸 어찌하겠느냐고 반문 할 정도일 것이니 별 수가 없다.

눈과 귀가 간 장인에게 오락 시설은 있으나 마나였다. 아직도 정신이 성한 장인은 마음은 의사요 교수인지라 다른 노인들과 오락에도 섞이지 못하고 외톨이가 되었다.

장인은 양노원에서 나가겠다고 떼를 쓰기 시작하였다. 양노원 직원들이 자기들을 싫어서 나가겠다는데 장인을 좋아 할 리가 없고 그럴수록 정내미가 더욱 떨어지고 장인에게 양노원은 감옥과 다름이 없었을 것이다.

눈을 감으면 경응 대학 대표 선수로 박수와 환호속에 정구장을 누비던 장면, 재색을 겸비한 첫 아내와 연애하고 결혼하던 장면, 재일 젊은 나이에 경응 대학에서 박사 학위를 받던 장면, 대한 외과학회 회장으로 경응 모교에 들려 환영 받던 장면, 큰 아들 성수가 서울 고교 이학년때 익사 했을 때의 비통했던 장면, 첫 아내를 간염으로 잃었던 슬픔 등

이 주마등처럼 희미하게 때로는 선명하게 장인의 의식을 거쳐 갔다.

결국은 흙으로 돌아가는 것을, 나도 갈 때가 되었나 보다 라고 장인은 생각했을 것이다.

한번은 난데 없이 북한을 다녀 와야겠다고 해서 그 이유를 물으니 연세 의대 병원 수술장에 있던 여간호사가 육이오때 월북을 했는데 그 간호사가 장인을 사모한 것을 장인이 알고 있고 죽을 날도 얼마 남지 않았으니 만나 보고 싶다는 것이다. 진담인지 헛 소리인지 나는 판단이 서지 않았는데 장인의 태도는 퍽 진지했다. 노인의 말은 진담이라도 헛소리로 들리기 쉬운 것도 사실이다.

담당 간호사의 말로는 양로원에 들어 오는 노인들이 처음에는 나가겠다고 반항하는 것이 보통이고 적응하는데 시간이 걸리니 걱정 말라고 가족들을 안심시켰다. 가족들은 그 말을 믿었고 믿고싶어 했다.

장인이 세상을 떠나기 몇일 전에 양로원에 들리니 장인 밥상에 손을 대지 않은 음식이 그대로 남아 있었다.

걱정이 되어 간병인에게 물으니 장인이 그 전 끼니는 잘 드셨다고 했다. 아마 감병인들의 상투적인 답변이었을 것이다. 가족들은 그 말을 믿었다.

마지막 몇일 장인은 아주 조용한 환자로 변해 있었다.

양로원 직원 말대로 good boy로 변해 있었다. 나는 아무 말이 없는 장인을 보고 One flew over the cuckoo's nest라는 영화에서 Jack Nicholson이 역을 맡았던 Mr.Murphy생각이 났다.

장인은 더 살아 있을 의미를 잃었고 생을 포기하기로 결심을 했을 것이다. 음식에 손을 대지 않으니 곧 기운이 쇄진하고 기운이 쇄진하니 조용해졌을 것이다. 먹지 않으면 생명의 불꽃은 저절로 타 없어지고 일단 기운이 쇄진하니 생각했던 것보다 편안하게 몸에서 생명이 빠져 나가는 것을 장인은 느꼈을 것이다.

조금 더 지나면 영원한 망각에 빠지는 걸까 아니면 하늘나라에 가서 아내 큰아들 그리고 친구들 모두를 만날까 그런 생각에 빠져 들었을 것이다.

장인은 입을 꽉 다문체 음식을 거절했고 억지로 입을 벌려 떠 넣으면 사래가 들려 괴로워 했다.

사래가 계속 하더니 호흡장애가 왔고 병원으로 옮긴지 몇시간 만에 숨을 거두셨다.

만일 양로원에 가지 않았더라면 백살을 넘겼을지 모른다.

장인은 심장 등 중요 기관이 건강했다. 하지만 구십칠세나 백살이나 무슨 차이가 있으랴.

의학적으로 死因은 Regurgitation으로 인한 폐렴이지만 내 생각에 정말 사인은 살고 싶은 의욕의 상실이였다.

육체와 정신이 모두 노쇄한 사람은 양로원에 몇해를 있어도 아무 문제가 없다.

장인처럼 정신은 멀쩡한데 눈과 귀가 가고 때때로 대소변을 가리지 못하는 형편이 되면 인간의 자존심과 존엄성이 상처를 받을 수 밖에 없다. 내가 그런 처지에 있다 해도 더 살고 싶은 의욕을 잃었을 것이고 목숨을 중단할 수만 있다면 그렇게 했을 것이다.

먹고 자는 것으로 만족할 수 있는 노인들을 위해 양로원은 꼭 필요한 제도이고 가족을 위해서도 불가결한 곳이다.

실은 내가 장인을 모셨더라면 하는 생각도 했었다. 그러려면 우선 내집을 팔고 다른 집으로 옮겼어야 했다. 내 집은 이층 집이고 욕실이 모두 이층에 있어 거동이 불편한 노인이 살 수 있는 구조가 아니고 또 삼십여년 정이 들어 집을 팔고 떠나기가 어려웠던 것이 우리가 장인을 모시지 못한 첫번째 변명이다.

나도 칠십이 넘은 노인이고 암과 투병하고 나서는 매일 골프를 치는 것으로 내 건강을 유지하고 있었는데 구십 노인을 내가 모시려면 내 일과를 포기하여야 하고 거의 full time으로 봉사하여야 한다. 한마디로 내가 더 살겠다는 이기심 때문에 내가 장인을 모시겠다고 나서지 못한 것이 두번째 변명이다.

구실은 더 있었다.

장인에게는 더 젊고 튼튼한 아들과 며느리가 있는데 우리가 희생할 이유가 있는가 라는 타산이 또 하나의 구실이었다.

내가 미국에서 살다 보니 친부모를 말년에 모시지 못했다. 내가 친

부모도 모시지 못했는데 장인을 모실 수야 없지 하는 유교적 상대주의적 도덕관도 하나의 구실이 되었다.

장인이 돌아가신 후 생각해 보니 내가 장인을 위해 한 일이 아무 것도 없다.

그렇게 해서 나는 죄인이 되었다.

어떤 죄 값을 치를지 나도 모르지만 피할 생각도 없고 피할 수도 없을 것이다. 나도 불원간 양로원에 들어가 장인이 겪은 고난을 겪을 수도 있고 죽은 다음 불효죄로 벌을 받을지도 모른다.

나는 참으로 냉정한 사람이고 죄를 짓지 않고 살 수 없는 인간의 숙명을 타고 났으며 그 죄 값을 지고 갈 수밖에 없는 인간이다. 나는 촛불이 다 타고 심지마저 마지막으로 쓰러지는 장인의 인생의 終章을 지켜 보았다.

장인의 죽음을 모두들 호상이라고 위로하여 주었지만 잘 돌아가셨다는 말인지 적시에 돌아가셨다는 말인지 나는 헷갈렸다.

장인은 스스로 생을 마감한 것이다. 비를 맞으며 장지에서 발거름을 돌리는데 다음은 내 차례라는 생각이 들었다.

너도 가고 나 또한 가야지 하는 "아, 목동"이라는 노래의 노랫말이 떠올라 입 안으로 불렀다.

비가 조용히 내리고 있었다.

하늘도 무심치 않다더니.....

동기 동창 | 02

내 재미 의대 동기 동창이 오십이명이었다. 2006년에 윤만중, 유준석 두 동기가 세상을 떴다.

두 친구가 모두 나보다 체격도 크고 건강했으며 성격도 원만하여 그리 쉽게 떠나리라고는 상상하지 못했다.

말년에 나와 암으로 동병상련하다가 떠난 탓에 내 느낌이 남다르다.

윤만중 동기는 학생 때부터 함석헌씨 모임에 드나 들었고 술 담배는 입에 대지도 않았으며 나와는 서울대학병원 인턴을 함께 하면서 한방을 썼기 때문에 잘 알지만 나중에 결혼한 여성외에는 데이트 한번 한 적도 없는 고진이다.

유준석 동기는 법이 없어도 살 착한 호인이였고 의대 시절 남산 근처에 있던 숙소가 서로 가까워 가끔 만나서 얘기를 나누던 친구다.

사람이 착한 것과 평소 건강이 수명과 아무 상관이 없는 것 같다. 무엇 때문에 이 두 친구가 먼저 떠났는지 아무리 생각을 해보아도 논리나 이론으로 설명을 할 수가 없다.

우리 재미 동기생 52명중 2006년도에 신이 데려가기로 결정한 정원이 두명 이었는데 심지 뽑기로 두명이 뽑혀서 갔다고 생각하는 편이 이해하기가 쉬울 것 같다.

우리 나이가 모두 칠십이 넘었으니 2007년도에도 통계학상 두명쯤 배당이 나올 것같은데 내년에는 누가 뽑힐까 생각하니 혹시 살생부에 내 이름이 올라가 있지 않은지 하는 걱정이 없는 것은 아니다.

한 편 살아 남은 친구들은 금년도 활당에 빠진 행운을 기뻐하고 축하해야 할 것이고 신에게 감사해야 할 것이다.

얼마전 동갑네 모임에 갔더니 앞으로 남은 세월이 십년이냐 십오년이냐 하며 갑론 을박을 하고는 그동안 모아 둔 돈을 필경 다 쓰지 못하고 세상을 떠날 것이니 아끼지 말고 다 쓰고 죽자는 결론에 도달했는데 저축이 없는 노인이 들으면 욕 먹을 소리가 될 수도 있겠다. 죽기

전에 고작 할 수 있는 일이 돈 다 쓰고 가느냐 아니냐 하는 정도니 한심스럽고 그 마저도 탁상 공론으로 끝나고 말것 같고 실천 여부는 미지수다.

넉넉잡아 평균 십년을 더 산다고 쳐도 새차를 한대 내지 세대를 더 사서 탈 세월이고 Happy Birthday노래 소리를 십여차례 더 들을 세월인데 그것도 몸이 건강해야 가능하다는 단서가 붙는다. 산 사람은 그래도 포도주를 마시며 농담 반 진담 반으로 이런 얘기를 큰 소리치며 떠들 수가 있다.

이제 동기생이 딱 오십명이 남았는데 그 중에 가끔 소식이라도 주고 받는 동기는 반도 안되고 나머지 친구들은 동창 모임에 얼굴을 보이지 않아 1959년 졸업 당시의 얼굴만 희미하게 기억에 남아 있을 뿐이다.

늙은 꼴 안보고 젊은 모습만 기억에 남아 있으니 그런 점에서는 나쁘지 않다고 할 수 있겠다.

이 친구들은 한 교실에서 육년을 같이 공부한 인연을 가졌지만 살아서는 다시 못 볼지도 모르겠고 아마 그럴 확률이 더 높을 것 같다.

얼굴 보기가 힘든 친구들에게도 그럴만한 이유가 있을 것이다. 벌써 몸이 부실해서 모임에 나오지 못하는 친구도 있고 너무 출세 했거나 돈이 많아 사회 계층이 달라져서 따로 노는 친구도 있으며, 신앙이 너무 깊어 하나님을 섬기기에 바빠서 혹은 친구를 만날 필요가 없어져서 안보이는 친구도 있을 것이다.

또 본인 생각에 너무 출세에 뒤졌거나 기대에 못미쳐 열등감 때문에 사람 만나기를 피하는 친구도 있을 것이다.

나는 그런 친구들의 마음을 이해할 것 같고 조금도 비난하는 의도에서 이 말을 하는 것은 아니니 오해 없기를 바란다.

내가 나온 고등학교 재미 동기 모임도 있다. 열댓명이 있지만 모임에 나오는 친구는 대여섯명 정도다. 고교 동기들은 경력도 제각각이라 의대 동기 모임과는 분위기가 다르다.

교수나 사장도 있고 세탁소 주인, 햄버거 샵 주인, 그로서리 가게 주인, 부동산 업자 등등 내가 잘 모르는 전선에서 잔 뼈가 굵은 역전 노장들과 어울리면 듣는 인생 여정이 흥미롭다.

이 모임은 좀 더 거칠고 원색적인 어린 시절로 돌아 가는 모임이다. 서툰 영어로 고달펴진 귀를 어려서 부터 귀에 익은 충청도 사투리로 달래고 이자식 저자식 육두 문자를 쓰며 가면을 벗어 던지면 벌거숭이로 목욕탕에 몸을 담근 편안함이 있다.

이 모임에도 의대 동창과 마찬가지로 너무 튀거나 쳐진 동기들의 얼굴은 보이지 안는데 아마 너무 잘낫거나 못낫다고 생각하는 사람들의 방어 기전일 것이다.

너무 출세를 해서 모임에 나오지 않는 사람은 괜찮지만 자기가 모자란다고 생각하고 나오지 않는 친구는 딱하다.

제일 건강해 보이고 팔팔하던 유승덕 동기가 지난달 갑자기 세상을 떴다.

고교 시절 권투를 했고 같이 여행을 하며 젊은이 처럼 뛰어 다닌 친구였는데 부인이 한국에 다니러 간 사이에 적적해서 혼자 술을 마시다 복통이 생겨 병원에 입원하고는 불귀의 객이 되었다고 한다.

내 생각으로는 천국가는 서열이 제일 낮은 친구였는데 심지를 잘못 뽑은 것 같다는 해석 밖에는 할 수가 없다.

인명재천을 통감했다. 밤새 안녕하셨습니까 하는 인사가 심각한 인사가 되는 나이가 되었다.

제일 오래 살면 부주를 내기만 하고 한푼도 돌려 받지 못하니 손해라는 농담을 듣고 웃었던 때가 어제 같은데 이제 그 농담을 웃어 넘길 수가 없을 만큼 심각해졌다.

한 십여년 전만 해도 칠십노인을 보고 저 나이에 무슨 재미로 살까 하고 속으로 의아해 했는데 내가 그 나이가 되고 보니 그 때나 지금이나 내가 생각하는 과정이나 방법은 변한 것이 없다. 생각하는 내용과 제목은 좀 변해서 지금은 나이 타령, 노년과 자식들에 관한 것들이 차츰 느는 것 뿐이다.

몸은 말을 안듣지만 이성에 대한 관심도 남아 있고 감정도 희로애락 고루고루 있을 것은 다 있다.

사람은 숨이 넘어가는 순간까지 “I am not dead yet.”라고 항변하며 사는 것 같다.

한국에 갈 기회가 생기면 코 흘리던 국민학교 동창들도 만나 보고 싶은 생각이 난다. 신흥국민학교 코흘리개들이 어떻게 변해 있을까.

발 걸음이 점점 무거워 느려 질수록 옛 동창들을 만나 보고 싶지만 필경 Day Dream으로 끝날 것 같고 가속이 붙은 세월은 사정 없이 흘러 나이테만 한금 더 늘었다.

종교 얘기는 잠시 접어 두고 금년에는 누가 살생부 정원을 채울까 하고 조금은 불안한 것을 보니 이승에서 개처럼 살아도 저승보다는 낫다는 속담이 맞는지도 모르겠다.

양로원 | 03

내 운전중 차 뒷좌석에 앉았던 친구 부인이 아내와 하는 대화를 엿들었다. 자기 남편이 심각하게 부탁하기를 자기가 치매등 중병이 걸려 자력으로 Daily living을 유지할 능력이 없어지면 주저말고 양로원에 보내 달라고 했다는 것이다.

아마 아내를 사랑해서 병구완의 고역을 면해 주려는 배려에서 그런 말을 했는 가보다 라는 생각을 했다. 그러나 사랑하는 환자를 돌보는 희생에서 행복을 느끼는 사람도 있으니 육체적 노역을 면제 해 준다고 해서 상대방이 반드시 행복하지는 않을 것이라고 혼자서 생각했다.

나이가 나이인 만큼 부부중 하나가 멀지 않아 중한 장애자가 될 확률이 높을 것이다. 내외가 해로하다가 비슷한 시기에 세상을 같이 떠나는 예는 극히 드무니 누구나 그런 복을 기대할 수는 없다.

내가 먼저 장애자가 될 경우 아내가 자기 정성껏 나를 보살펴 준다면 나는 복이 있는 사람이고 나를 불가피해서 양로원에 보낸다 해도 나는 아내를 원망하지는 않을 것이다. 그렇다고 해서 나를 양로원에 보내 달라고 먼저 부탁하지는 않을 것이다.

아내가 먼저 장애자가 될 경우에도 내 능력이 다하는 날까지 아내를 돌볼 것이고 내 가 기진 맥진할 때에는 자식들의 처분에 의존하는 수 밖에 없을 것이다.

미리 약속이나 부탁을 한들 그대로 되는 것도 아니고 비가 오면 오는대로 바람이 불면 부는대로 사는 수밖에 없는데 구태여 약속을 해서 마음에 부담이나 압력을 주고 싶지는 않다.

정든 강아지나 고양이도 버리지 못하는데 평생 살을 맞댄 부부간에 그런 약속을 하는 것이 어울리지 않을 것같다.

최근에 골프를 치면서 들은 얘기를 옮긴다. 모처럼 휴가를 내서 다니러 온 아들이 심각한 표정을 하고는 아버지 드릴 말씀이 있다고 하더란다. 자기가 장남이니 알아 두어야 하겠다면서 첫째 사후에 화장을

원하는지 아닌지를 묻고 둘째 장지를 마련해 놓았는지를 묻더란다.

아버지 소원대로 해드리겠다는 갸륵한 효심에서 울어난 질문인 줄 알지만 내 듣기에 마음이 섬뜩했다.

죽음은 누구에게나 예외 없이 찾아오고 나이 칠십이 넘은 우리 또래들은 각오가 되어 있을 법도 하지만 자식들이 우리 장례 절차에 관한 얘기를 꺼내면 어쩐지 거북할 것 같다.

나 같으면 이렇게 대답했을 것 같다. 장례, 제사를 위시하여 모든 예절은 살아 있는 사람을 위하여 만든 것이라는 공자 말씀을 나는 평소에 옳다고 생각했다. 나의 장례 절차도 살아 남은 아내와 자식들이 그들의 체면과 형편에 따라 무리한 부담이 되지 않는 한 살아남은 그들이 원하는 대로 하라고 말하고 싶다.

내가 원하는 대로가 아니고 그들이 원하는 대로 하라는 것이다. 내가 원래 불을 무서워 해서 화장을 꺼렸으나 죽은 시체가 무엇을 느끼겠는가 생각하니 화장도 마다 않으리라.

장례 보험에 들라는 광고 편지를 가끔 받았지만 다행히 자식들이 제 밥벌이를 하니 장례보험은 들지 않았다.

장인이 입원한 양로원을 방문했다. 건물이 깨끗하고 음식도 좋아 보였으며 간호사와 보조원 수 도 많아 보였다. 방은 이인용으로 보통 병원 병실과 다르지 않았다. 내가 개업 당시 환자 진료차 다니던 양로원에서 나던 고약한 양로원의 독특한 냄새는 나지 않았다.

각 층마다 중앙에 위치한 큰방에는 대형 텔레비전이 놓였고 군데 군데 조화로 장식이 잘되어 있었다.

노인들이 반쯤은 휠체어에 앉아 있었고 모두 텔레비전을 향해 앉아 있었으나 잘 들리지 않는지 무표정했고 시선도 초점이 흐려 보고 있는지 졸고 있는지 알 수가 없었다.

일하는 직원들이 인사를 잘하고 태도가 싹싹했다. 환자에 대한 친절보다 환자 보호자들에게 잘 보이려는 것이겠지 하고 내 속으로 생각했다. 환자들중에 치매 환자가 많다 보니 일하는 사람들이 환자들을 일률적으로 유치원 아이 다루듯 다루었다.

의과대학 교수에다 한때 날리던 정구선수였던 장인이나 주정뱅이

건달이였거나 치매로 식물과 같은 표정의 할마씨나 똑같이 취급 받는다. 평등은 평등이나 식물성 평등이다.

개인으로 인정을 받지 못하니 모두 같은 바보로 취급을 받을 것이고 그러다 보면 끝에 가서는 모두 같은 바보가 될 것이다.

현대 양계장의 모습이 떠 올랐다. 양계장 건물이 훌륭하고 계절과 관계 없이 온도와 습도를 일정하게 조절해 주며 영양가가 높은 사료를 먹이고 닭들은 편하게 놀고 지내지만 양계장의 닭은 생각할 수록 불쌍하다. 이 세상에 태어나 푸른 하늘 한번 못 보고 세상을 떠난다. 아무리 시설이 좋아도 감옥은 감옥이다.

옛날 시골에서 텃밭이나 들판으로 밀려 다니며 벌레도 잡고 나르기도 하던 닭들은 행복했을 것이다. 햇볕도 쏘이고 푸른 하늘도 보고.

얼마 안가서 장인은 자꾸만 양로원에서 나가겠다고 했고 아무도 자기를 의사로 대우해 주지 않는다고도 했다.

내가 양로원에서 일하는 보조원이라도 자기를 알아 주지 않는다고 불평하는 의사 환자가 있으면 웃었을 것이다.

처남이 장인을 모시고 있었을 때에도 집을 나가겠다고 해서 양로원으로 옮겨 드렸던 것인데 장인이 정말로 양로원을 나가고 싶은 건지 그냥 투정인지 알 수가 없었다. 올해 구십육세가 넘은 장인이 모시던 자식 내외에게 나가 살겠다고 불평과 투정을 해서 처남이 견디다 못해 평판이 좋은 양로원을 찾아 모신 것이다.

어찌 되었든 나도 자유를 찾는 인간의 본성이 내게 남아 있는한 그리고 내가 살림을 꾸릴 수 있는 한 나는 양로원에 있을 수가 없을 것같다.

나이와 관계 없이 내가 생각하는 자유, 마음을 나눌 수있는 친구, 한 그루 화초라도 키우는 재미, 작더라도 나만의 공간 이런 것들을 내게서 빼앗어 버리면 나는 그 이상 속세의 내가 아니다.

사람은 양계장의 닭 신세가 되어 인간의 존엄성을 잃으면 존재 가치가 없는 죽은 목숨이 된다.

내가 사는 집을 간수하고 정원을 가꾸며 내 손으로 내가 먹는 것을 꾸려 먹는다는 것이 점점 힘에 부치기는 해도 양로원을 가 보고 나니 이런 내 생활이 바로 나의 복인 것을 알겠다. 내가 식물인간이 되기 전

에는 양로원은 나의 죽음과 같은 것이다.

내가 병원에 입원할 때마다 독방에 있었고 가족들이 지성으로 보살펴 주었으며 한국 음식을 날라다 먹었는데도 병원이 감옥처럼 답답해서 앞당겨 퇴원하곤 했다.

2009년도 에 미국 양로원 수가 약 만칠천이고 침대 수가 181만 이라고 하고 80프로 이상 찬다고 한다. 비용도 일인당 년 평균 육만 칠천불이고 입원 육개월이 지나면 대개 Medicaid가 그 비용을 부담하고 있다고 한다.

비용이 대충 년 천억불이 넘으니 양로원은 거대한 기업이다. 미국에 85세 이상의 인구가 오백만이 넘으니 양로원은 엄연한 현실이다.

양로원은 식물 인간에게 꼭 필요한 곳이고 먹고 자는 것으로 만족하는 동물 인간에게도 필요한 곳이다.

그러나 자기의 생각이 남아 있는 인간이 있을 곳은 못된다.

지금 내가 양로원이 싫다는 글을 쓰고 있지만 언제 양로원에 던져질지 아무도 모를 일이다.

양로원에 가지 않고 짧게 앓다가 훌쩍 세상을 뜨는 것이 복이겠지만 누구나 그런 복을 타고 나지는 안는다.

오래 살다가 양로원 인생을 겪는 것이 축복은 아니니 적어도 죽음을 두려워 하지는 말자고 내게 타일렀다.

죽음과 양로원중 택일을 하라고 한다면 나는 어느 편을 택할 것인가 생각하면서 잘 꾸민 양로원 건물을 멀리하는 내 발걸음이 무거웠다.

결국 죽지 못해 산다는 말도 일리가 없는 말은 아니다.

자살 | 04

최근 통계를 보면 한국에서 일년에 만이천명이 자살로 죽는다고 한다. 한국에서 사망 원인의 네번째가 자살이라고 하고 하루 평균 33명이 자살로 목숨을 잃는다고 한다.

세계적으로는 매년 백만명 이상이 자살로 사망하며 이 숫자는 전쟁, 테러, 그리고 살인을 다 합친 사망자 숫자보다 많다.

원래 사람들이 자살을 보고하기를 꺼리기 때문에 실제 숫자는 그 두배가 될 것이라는 추산이다.

미국에서도 일년에 약 오만명이 자살로 사망하며 여러 해에 걸친 베트남 전쟁으로 사망한 군인 숫자와 맞먹는다.

성경에 기록된 자살 예로는 마태복음에 나오는 배신자 유다의 자살과 그보다 천여년 전에 필리스틴 포로가 되느니 죽음을 택하겠다고 하여 칼에 엎어져 죽은 사울왕, 그리고 자살과 살인을 겸한 삼손, 그 밖에도 세 건이 더 있다.

기원 사세기에 성 아우구스티누스는 자살에 관하여 그의 의견을 적은 바 있다. 기독교 신앙을 가진 여성이 순결을 지키기 위하여 자살을 하는 경우에 그 자살이 신의 눈에 정당하게 보일지도 모른다.

그러나 그는 강간이 여성의 순결을 빼앗지 못한다고 생각하는데 그 이유는 순결은 마음의 상태이지 육체의 순결을 의미하지 않는다고 생각하기 때문이다. 몸을 버렸어도 마음의 순결을 지켰다면 자살할 까닭이 없다는 말이다.

그는 살인을 하지말라는 계명은 자신의 생명도 포함한다고 보았기 때문에 자살은 이 계명을 어기는 것이며 이 사실을 알면서도 자살을 하려면 신이 자살을 명하는 경우에 한해서 하라고 하였다.

카톨릭 신학자중 가장 뛰어난 성 토마스 아퀴나스는 자살을 반대하는 세가지 이유를 들었다.

1. 자살은 자연의 순리를 어기는 것이다. 모든 생물은 생명을 보존

하려는 것이 자연의 순리다.

2. 자살은 자기가 속한 사회안에 자기의 의무를 저버리는 것이다.
3. 신만이 인간의 생사를 정해야 한다. 자살은 자기의 죄를 더 큰 죄로 덮으려는 행위다. 자살은 참회가 불가능하므로 가장 큰 죄가 된다.

자살에 관한 위 두분의 견해는 기독교의 기본적 입장을 잘 요약하고 있다. 근래에 안락사 문제가 대두되면서 자살은 한층 더 복잡성을 띄게 되었다.

사는 것이 참기 어려운 고통으로 변하고 회복 가망이 없는 말기 환자나 심한 치매 환자, 그리고 식물성 환자들을 인위적으로 생명을 연장하는 것이 신의 뜻이고 인도적인 처사냐 하는 것이 심각한 논란의 초점이 된 것이다.

안락사의 정당화가 자살의 부정적 관점과 맞물려 있다고 볼 수 있기 때문에 신이 아닌 인간이 안락사를 인정하는 것이 종교적으로 용납 되느냐는 것이다.

자살을 정신과적 관점에서 볼 수도 있다. 자살자의 87~98%가 Underlying Mental Disorder가 있다고 하고 정신 분열증 , 우울증, 조울증, 알콜이나 약물 중독등 정신 질환별로 분류하여 연구 조사한 문헌들을 볼 수 있다.

금년 사월 노무현 전 대통령이 가족과 측근들의 부정 부패를 자살로 청산하였다. 적어도 본인에게는 깨끗이 청산이 된 셈이다.

양심의 가책으로 생긴 갈등과 괴로움, 자기를 존경하고 따르던 국민을 배반한 부끄러움과 사죄를 그렇게 청산한 것이다. 이 청산에는 모든 법적 사회적 책임과 의무가 포함된다.

전직 대통령으로서의 의무와 책임 때문에 자살이 적절한 해결책이 아니라고 말하는 사람도 있지만 죽은 사람에게는 논리가 통하지도 않고 아무런 의미도 없다. 죽음은 세상과의 모든 관계를 끊기 때문이다.

모든 것이 無로 돌아가고 모든 시비가 사라진다고 믿고 자살을 택한 것이다.

소크라테스는 말하기를 죽음은 인생의 가장 큰 축복이라고 했다.

여배우 장모씨가 연예계에 살아 남기 위해 성 상납 등의 부조리에 견디다 못하고 자살을 했다. 성 상납은 흔히 있는 일이지만 당하는 사람의 민감도는 천차 만별일 것이다.

성 상납을 받아버릇한 사람에게는 성접대가 하나의 유흥과 특권에 불과하겠지만 어떤 여성에게는 목숨을 끊을 만큼 심각한 수치와 고통이 될 수도 있다.

자살이 가장 큰 항의요 복수가 되기도 하는 것이다. 한국의 경제 성장이 전세계의 주목을 받고 있지만 한국의 성문화의 현주소는 아직도 반성이 필요하다.

여배우 최모씨의 자살은 우울증의 배경이 더 뚜렷하였던 것 같다. 인기 운동 선수와의 결혼 생활은 파란이 많았지만 자신의 높은 인기와 경제적 여유 등을 고려해 보면 정신과적 치료로 위기를 쉽게 피할 수 있었을 것 같이 보인다.

안모씨의 자살에 자기가 개입된 사채업자라는 시중 소문에 죄의식을 느껴 자살했다는 표면적 이유가 사실이라면 우울증이 자살의 주 원인일 수 있으며 적절한 치료로 자살을 방지할 수 있었을 것 같다. 나의 의견은 전문의의 의견이 아니므로 양해를 구한다.

어느 통계에 의하면 자살의 30 내지 70%가 우울중 때문이라고 하는데 이 중에 많은 사람들을 정신과적 치료로 구할 수가 있을 것이다. 심한 우울증에 빠진 사람에게는 세상은 캄캄하고 Tunnel끝에 전혀 빛이 보이지 않는 것이다. 가까운 주위 사람 등이 나서서 정신과 의사의 도움을 받게 하는 상식이 아쉽다.

자살을 주제로 한 명작 소설은 많다. 사랑의 자유를 억압했던 사회일수록 금지된 사랑으로 부터의 해방의 길은 자살일 수 밖에 없었던 경우가 많았다.

내 나이 한국 사람치고 학생 시절에 젊은 베르테르의 슬픔을 읽으며 눈물을 흘리지 않은 사람은 드물 것이다. 결혼한 여인을 죽도록 사랑하는 베르테르가 택할 수 있는 길은 총구를 자기 머리에 대는 길 밖에 없었을 것이다.

세익스피어의 로미오와 줄리엣의 사랑과 비극도 수많은 젊은이를

울렸다.

톨스토이의 안나 카레니나, 프로벨의 보봐리 부인은 간통이 죄악시되던 시대에 유부녀의 정사와 자살을 소재로 한 고전이다. 성이 개방된 현대 젊은이들은 이 작품들을 이해하기 어려울지도 모른다. 이들의 자살은 우울증으로 설명하기는 어려운 점이 있다.

한국이나 일본에서는 전통적으로 자살을 미화한 예가 많았다.

백제의 반월성이 라당 연합군에 의하여 함락하던 날 의자왕을 모시던 삼천 궁녀들이 백마강 낙화암에서 몸을 던져 죽은 고사를 한국 사람들은 노래로 시로 찬미했다.

사의 찬미를 불렀던 소프라노 윤심덕이 관부 연락선에서 현해탄에 애인과 함께 몸을 던져 생을 마친 동반 자살도 당시 청춘 남녀에게 많은 감동을 안겨 준 로맨스다.

한일 합방 을사 조약이 체결되자 자결한 충정공 민영환을 위시하여 많은 열사들도 국민의 추앙을 받았다.

사랑 때문에 스스로 목숨을 끊은 처녀 총각의 한을 무당의 힘을 빌어 플어 주는 의식도 유행 했었다.

이웃 일본은 그의 무사들의 자살 문화가 세계에 알려져 있다. 일찍부터 일본의 사무라이들은 사죄와 항변의 표시로 활복 자살을 택하였고 사람들은 이를 찬미하였다.

그 전통이 남아 이차 대전중에는 가미가제 특공대가 생겨 작은 비행기로 폭탄과 함께 미국 군함에 자폭했던 것이다. 또 오끼나와에 미군이 진주했을 때 수많은 일본 군인이 집단 자살을 결행하였고 많을 주민들의 자살도 강요하였다.

유시오 미시마는 노벨 문학상 후보자로 세번이나 올랐던 일본 작가였는대 1970년에 행한 그의 활복 자살은 세계적인 층격이였다.

1905년 요동 반도에서 일로 전쟁을 육전에서 승리로 이끈 노기 대장은 명치천황의 장례 행열이 궁성을 떠나자 자기 아내와 함께 목욕재개를 하고 먼저 아내의 목을 친 다음 자기도 활복하여 천황의 뒤를 따랐고 그는 軍神으로 추앙을 받는다.

유명한 연예인중에 자살한 사람 몇이 떠오른다. 오슨 웰스, 조지 샌

더스, 탈리 우드, 엘비스 프레슬리, 마릴린 몬로 등이다. 예술에 대한 좌절감과 자기 인기에 대한 불안감 그리고 무절제한 사생활과 과로와 약물 과용등이 자살 원인의 일부라고 추측할 뿐이다.

화가 반 고, 소설가 헤밍웨이등의 이름도 떠오르는데 예술가의 격정도 관계가 있을지 모른다.

요즘 테러리스트라고 불리는 Suicide Bomber와 한국 독립 운동 당시의 의사나 열사와 분류상 같은지 아닌지는 여기서 논하지 않겠다. 다만 회교의 교리와 동양의 충효와의 유사점과 차이점이 문제가 될것 같다는 생각이 든다. 국가를 위하여 자살을 할 때 순국이라 하고 신앙을 위하여 죽을 때 순교라 하여 대의를 위하여 목숨을 받칠 때에 자살은 이름이 바뀐다.

순교나 순국이 자기 개인보다 큰 다수를 위한 희생의 궁국적 표현이지만 역사적으로 옳지 못한 편에 서서 아까운 생명만 낭비한 예가 얼마든지 있다. 히틀러를 위하여, 김일성을 위하여, 또는 탈레반이나, 1978년 Jim Jones를 따라 집단 자살한 사람들 등 예를 들자면 무척 길어질 것이다. 베트남에서 분신 자살한 많은 승려들의 죽음이 순교 순국일까.

몇가지 통계자료를 소개한다.

이차 대전후 세계적으로 자살율이 60%가 증가했다. 이 증가의 원인도 얘기할 기회가 있을 것이다. 확실한 것은 문명의 발전이 인간의 행복을 증진하지 않는 다는 것이다.

중국을 제외하고는 세계적으로 남자의 자살율이 높아 28대7이라고 한다. 중국은 전반적으로 여성의 지위가 낮아 여자의 자살이 많다는 해석이다.

팔십세가 넘은 노인들의 자살율은 평균 자살율의 여섯배나 된다. 고독과 신체 장애가 중요한 요소인 것은 쉽게 상상할 수 있다.

자살자의 약 이활이 알콜의 폭음과 중독 때문이라고 한다. 소련에서 보드카 값이 오르면 자살이 주는 것은 이 때문이다.

세계적으로 자살은 13번 째의 사망 원인이고 미국에서는 여섯번째 사인이며 한국에서는 네번째 사인이다. 자살 수단은 나라마다 다른데

미국은 총기에 의한 자살이 52%나 된다. 물론 총이 많기 때문이다.

같은 나라에서 빈부의 차이와 자살율과의 상관 관계는 없다고 한다. 그러나 국민 소득이 오르면 자살이 증가하는 것 같다.

먹을 것을 걱정할 정도로 소득이 낮으면 신경 정신이 먹는것에 집중하여 다른 일은 모두가 뒤로 물러나 이차적이 된다.

한마디로 죽을 생각을 할 여유가 없다. 나는 육이오 전쟁을 치르며 그런 상황을 경험하였다. 메뚜기, 뱀, 우렁 등 무엇이든 먹었고 먹을 수 있는 뿌리나 풀도 닥치는대로 먹었다. 먹을 걱정만 없으면 행복할 것만 같았다.

배고픔이 다른 모든 걱정을 밀어냈다. 일단 먹을 것 걱정이 해소되면 그때는 다른 걱정이 밀려온다. 더 맛있는 음식을 찾고 세상이 무료함을 불평하며 흥분할 거리를 찾고 타락의 길로 빠지기 쉽다.

재산이 불수록 탐욕이 늘며 아무리 벌어도 탐욕을 따라 잡지를 못한다. 꽁보리밥 한덩어리에 감지덕지하던 사람이 산해 진미에 만족하지 않고 마약, 술, 도박, 섹스 등에 빠진다.

세상을 호령하고 싶은 권력욕, 명예욕 등 새로운 욕심도 생긴다. 붓다의 말씀대로 탐욕과 집착을 버리고 마음을 비우면 자살의 동기 자체가 없어지겠지만 그런 경지에 이르는 사람이 몇이나 되겠는가.

쇼펜하우어의 말을 옮긴다.

"Horror of Life outweigh the horrors of death, human beings commit suicide."

세상이 나를 위하여 존재하지 않기 때문에 세상은 내 마음대로 돌아가지 않는 것이 정상이다. 따라서 누구나 적어도 한두번쯤 죽고 싶다고 할만큼 좌절과 난관에 봉착한다. 나도 사춘기 때 그런 경험이 있었지만 내가 죽으면 부모님이 얼마나 애통할까 생각하니 눈물이 나서 혼자서 울다가 포기했다.

정신이 건강할 때는 자기의 죽음이 자기를 사랑하는 사람들에게 미칠 피해 혹은 슬픔을 생각하는 마음의 여유가 있다. 신앙이 깊은 사람이면 자살이 하나님께 죄를 짓는 행위라는 생각을 가지고 있는 한 자살이 파고 들어올 틈이 없을 것이다.

그러나 최근 김제 한국 기독교 장로회 난산교회 강희남 목사가 자살한 경우를 보면 사상이 신앙보다 강할 수도 있는 모양이다. 그는 세차례나 김일성 주석 조문을 가려 시도하다 구속 복역 까지한 목사다. 공산 주의가 기독교 신앙을 용납하지 않는다는 사실을 우익 진영의 허위 선전쯤으로 알고 있었던 모양이다.

범민련 남측본부 명예 의장으로 있고 이명박정부의 대북 정책 전환을 요구하는 단식 투쟁을 벌리고 민중 항쟁으로 살인마 이명박을 내치자고 부루짖었다. 결국 투쟁 끝에 목메 자살을 하였는데 주체 사상이 목사로서의 신앙을 이긴 것이라고 말할 수도 있다.

세습제 독제의 북한을 따르는 좌파 내지 종북파를 나는 이해할 수가 없지만 북한의 세뇌 공작의 기술과 효과만은 내가 존경하지 않을 수 없다.

하나만 더 소개하려 한다.

페암으로 삼개월 이상 살기 힘들 것이라는 선고를 받은 팔십이세의 남자가 여러해 동안 자기 혼자서 수발을 들던 칠십구세의 치매 환자인 자기 아내를 버리고 갈 수 없다고 생각하고 목졸라 죽인 다음 자기도 자살을 시도했다는 얘기다.

나는 그 얘기를 읽는 동안 눈물을 흘렸다. 나는 그 노인을 비평할 용기나 지혜가 없다. 나도 그의 나이에 다가가고 있고 아내나 나 둘중에 누가 나머지 반쪽을 짊어지고 갈지 모르는 판이다.

많은 분들이 자살을 했고 그분들이 지금 어디 가서 있는지 알 길이 없다. 그러나 어디가서 있든지. 그분들의 명복을 빌고 싶다.

삶의 고통에 맞서 싸우는 자가 용감한 자인지 삶을 인위적으로 끊어 운명 결정에 참여하는 것이 용감한 것인지 하는 판단은 각자의 몫이다. 삶과 죽음을 하나로 본다면 사는데도 죽음 못지않게 용기가 필요하고 삶을 끊는데도 삶 못지않게 용기가 필요하다.

어느 편이 올바른 길인지 위에 계신 분에게 일단 맡겨 두자.

05 | 작별인사

잘 아는 분이 간 경화증으로 이제 가망이 없다는 기별을 받았다. 병이 얼마나 위중한지 들어서 아는 터인지라 이번 병문안이 그 분 살아생전 마지막 대면이 될 것 이라는 예감을 지울 수가 없었다. 내가 의사라서 냉정한 판단을 내린 결과인지는 몰라도 이런 경우 누구나 가지는 예감이었을 것이다.

문을 들어서자 내게는 익숙한 병원 중환자실의 독특한 냄새가 나를 먼저 맞는다. 전에 왔을 때 나던 새 집 냄새는 간데 온데가 없고 갑자기 숨쉬기가 갑갑해 졌다.

이개월전에 들렸을 때만 해도 환자는 달려 나와 문을 열어 주며 밝은 미소로 우리를 반겼는데 그런 모습은 영원히 과거지사가 되었다

안으로 들어가니 환자가 깊은 안락의자에 깊숙히 앉아 있었다. 고개를 돌리지 않고 초점이 흐린 눈으로 우리를 맞았다. 무표정이라는 표현이 언어상으로는 가장 가까운 표현이겠으나 건강한 사람의 무표정은 사람의 피부를 그렇게 얼어붙게 하지 않는다는 것을 나는 안다. 무서운 생각이 들었는데 나중에 생각하건데 환자가 무의식중에 정을 끊고 떠나려는 것이였는지도 모른다.

평소 염색으로 검었던 머리카락은 제 나이를 도로 찾아 윤기없는 백발로 변했고 의치를 뽑아낸 볼은 움푹 파여서 얼굴은 나이보다 앞섰다.

화장을 포기한 여자의 얼굴은 여자의 얼굴이 아니다. 나이를 감추려는 욕망을 상실한 여인의 표정은 열반 정적의 성스러운 모습이 아니고 차고 무섭기까지 하다. 그의 표정속에서 우리를 반기는 반가움보다 자기의 몰골을 우리에게 보이는 것이 달갑지 않다는 인간의 거의 본능적 방어를 나는 읽었다. 병의 위독함에 비하여 의식이 아직 너무 맑은 것이다.

평소 남달리 깔끔해서 아무 때에 들려도 방금 대청소를 끝낸 집 같았고 실내 장식이 어느 전문가 못지 않게 꾸며져 있어서 나는 감히 흉

내 낼 엄두조차 나지 않았었다
그러던 분이 자기 혼자서는 완전히 몸을 가누지 못하고 남편이 수발드는 것을 보고만 있어야 하니 그 심정을 헤아릴 수 있다.
내 Colostomy Bag이 몸에서 떨어져 나와 대변이 새고 몸이건 옷이건 억망이 되는 사고가 가끔 생긴다. 너무 황당하다 못해 순간적으로 세상이 싫어진다. 인간이 대변 주머니라는 현실에서 크게 벗어나지 않는다는 겸손함을 나는 잊지 않고 산다.
자기 배설물을 자기 스스로 처리 못하는 것만큼 좌절감과 모멸감을 주는 일도 많지 않다. 보통 사람이 소화하기 어려운 우울감을 안겨준다. 그래서 나는 그분의 심정을 이해하기가 조금 쉬울 것이라고 생각한다.
그 밖에 목욕하고 옷 갈아 입는 일, 손톱 발톱 깎는 일, 물 마시는 일까지 남의 손을 빌려야 한다는 것이 얼마나 답답한 일인지 이해가 간다. 살아 있는 목숨이 눈만 떠있고 거동을 못한다는 것이 죽음보다 나은 것인지 아닌지는 대답하기가 어려우나 큰 차이는 없을 것 같다.
흔히 죽음이 임박한 사람의 마음은 이미 이 세상을 떠나 있기 때문에 사람들을 이방인 대하듯 낯설게 대한다. 이를 가리켜 죽음을 앞두고 정을 뗀다고 말한다. 심지어 자기 피붙이에게 까지 정을 떼고 가는 사람도 있다.
죽음을 앞에 놓고 사람들은 각각 다른 모습으로 변한다. 정을 떼고 가는 사람도 있지만 깊은 신앙으로 승화하는 사람도 있다.
曾子言曰 鳥之將死 其鳴也哀 人之將死 其言也善[착할선]이라는 논어의 한 구절에서 증자는 새는 죽음을 앞두고 울음이 슬프고 사람은 죽음을 앞두고 말이 착해진다고 하였다. 동서양을 막론하고 죽음을 앞둔 사람은 진실을 말한다고들 한다. 영화나 소설에서 죽어가는 사람의 증언을 진실로 인정하는 사건들을 많이 본다.
어떤 사람은 죽어서 하나님곁으로 간다고 즐거운 표정으로 가기도 하고 조용히 열반에 들기도 한다. 사후 세계에 대한 확신이 있는 사람과 그렇지 않은 사람과 죽음을 앞에, 둔 사람의 태도가 다를 것이고 우울증에 빠졌느냐 아니냐에 따라 표정이 다를 것이다.
내가 수년 전 죽을 고비를 넘기면서 같은 값이면 죽음을 초월한 의

연한 태도로 인간의 착한 마음을 살아 남는 사람들에게 보여 주자는 생각을 하였다. 기왕에 세상을 떠나는 판에 좋은 모범을 보이는 것이 옳을 것 같아서 그런 생각을 한 것이지 사후에 어떤 형태의 보상을 받고 싶어서 그런 것은 아니였다. 그러는 것이 더 멋있고 아름답다고 생각했을 뿐이었다.

그러는 편이 옳아서 라기보다 그렇게 하고 싶어서 행동한다면 주의주의적[主意主義的]이라고 하겠지만 내가 세상에 모르는 일이 너무나 많을 때에 내가 취할 수 있는 선택은 내 의지를 따라 하는 도리밖에 없다.

여러 종교 중에서 선택하는 것도 의지요 동시에 도박이랄 수 있지만 Death Bed에서 취할 수 있는 태도도 의지요 도박일 수 밖에 없다.

수년 전 가까이 살던 의대 동기가 폐암으로 사투를 하고 있었는데 친구들의 병문안을 사절하고 있었다. 가까스로 허락을 얻어 찾아가니 고통 때문에 괴로운 표정으로 내게 고맙다는 손짓을 겨우 했다.

나는 그가 세상을 뜨기전에 그를 꼭 보고 싶어 어렵게 찾아 갔지만 그를 보니 내가 그의 처지라도 친구 만나기를 거절했을 것이다. 육체적 고통이 어느 한계를 넘으면 모든 것이 귀찮아 지고 빨리 죽어 고통에서 벗어나고 싶은 생각밖에 없다는 것을 나는 잘 안다. 내가 경험했기 때문이다.

같은 해에 세상을 떠난 또한 친구는 운명 수일 전에 전화로 조용히 작별 인사를 내게 했다. 나는 전화를 받으면서 가슴이 내려 앉는 것 같았다. 나는 그가 조용한 목소리로 내게 작별인사를 하는 그의 침착함에 지지 않으려고 무척 애를 썼다. 심한 고통만 없으면 그렇게 조용히 갈 수도 있다. 사약을 마시고 조용히 떠난 소크라테스 처럼 말이다.

문병을 마치고 기억도 나지 않는 의미 없는 말을 남기고 허둥지둥 문밖으로 나왔다.

돌아오는 차안에서 내가 그 분을 위해서 해 드릴 수 있는 일은 이 세상에서 아무것도 없다는 말만 속으로 되풀이 했다.

돌아가시기 전에는 다시 문안 드리지 못한다고 아니 다시 문병을 가지 않겠다고 내 마음에 약속했다. 내가 병문안 드린 것이 그 분에게 고역이였음을 내가 알기 때문이였다.
 차가 내 차선을 벗어 날까 두려워 핸들을 꽉 잡은 내 손에 땀이 베었다.

06 | 부고

코 흘리게 친구, 중고등학교나 의과대학 동기와 동창, 그리고 일가 친척 친구들의 부고를 받을 때 또 내가 사랑하거나 미워하는 정계 연예계 등의 저명 인사들의 부음을 들을때 정도의 차이는 있지만 짧게는 몇 순간 길게는 몇 달 동안 고인의 생각에 잠기고 어떤 감회에 빠진다.

좋든 나쁘든 고인과 내가 맺은 인연의 색과 깊이에 따라 감회가 다르다. 옛날에는 아주 가까이 지냈는데 헤어진 후로 잊고 지냈다가 부고를 받고서야 생각이 났고 그간 무심했던 나를 뉘우치는 경우도 있고 갑작스레 부고를 받아 보니 문상을 가야 할 곳인데 도저히 갈 형편이 안되어 내 팔자 타령만 하는 경우도 있다.

죽은 사람이 누구인지 얼굴도 기억이 잘 나지 않아도 한 교회에 나오는 분이라서 교우들과 몰려 조문을 가는 경우도 있다. 시시비비를 가리자는 뜻으로 하는 얘기는 아니고 문상도 꼭 가야 될 곳을 못가는 수도 있고 안가도 될만한 곳인데 갈때도 생긴다는 얘기를 하고 있는 것이다.

부고를 받을 때마다 나도 반드시 세상을 떠나야 한다는 절대적 필연성을 마음으로 다지는 기회가 된다. 사람은 죽을 수밖에 없다는 사실에 예외가 없지만 평소에 이 사실을 잊고 살다가 부고가 이 사실을 일깨워 준다. 하기사 잊는 재미마저 없으면 이 모순 투성이 세상을 어떻게 살겠는가.

세상에 났으니 죽어야 한다는 진리를 잊고 산다는 것이 다행한 한편 부고는 죽음이라는 진실을 내 마음에 일깨워 주어 내 마음이 받아 들이게 하는 이차적 효과가 있다.

사람은 죽는다는 사실을 피하고 싶어 하지만 나도 부모님이 다 떠나신 후부터는 죽음과의 숨바꼭질을 단념하고 친구처럼 대하기로 하였다. 내 차례가 언제인지는 모르지만 올테면 와보아라하고 반쯤 기다리고 있다.

내 나이 칠십도 한참 넘다 보니 받는 부고가 해마다 늘어 세상이 차츰 적막강산이 된다. 신이 나와 가까운 사람을 선택적으로 선호해서 데려가는 것 같은 착각도 가끔 생긴다.

사실 내가 아는 사람을 다 빼가고 나면 나 혼자 남아서는 별 볼 일도 없고 더 살 재미도 없을 것이다.

세상이란 각 개인에게는 알고 지내는 사람간의 작은 사회라고도 말할 수 있을 것이다. 인간 관계를 떠난 나머지 세상은 살아 가는데 나와 별 접촉이 없기 때문이다.

어떤 사람은 죽음 따위를 생각하지 말고 영원히 살 것처럼 살라고 타일르고 어떤 사람은 오늘이 인생의 마지막 날인 것처럼 살라고 한다. 전혀 반대의 충고 같은데 자세히 보면 같은 의미를 가진 말이다. 모두 죽음을 의식하면서 살라는 말이다.

의대 동기 유인경씨가 금년 들어 부고의 첫 테잎을 끊었다. 그는 같은 실습반에 속했던 의대 여성 동기였기 때문에 학창 시절의 여러 추억들이 떠오른다.

그 당시만 해도 시골 뜨기인 나는 남녀간에 내외를 하느라고 같이 실습을 하면서도 서로 인사도 나누지 않고 지내다 보니 내가 그를 몹시 불편하게 만들었다.

그 당시 남학생들 일부는 속으로는 여학생이 좋으면서 겉으로는 놀리거나 무시하는 척 혹은 무관심한 척 하며 여학생들을 괴롭혔는데 아마 우리 학급이 유독 심했던 것 같다. 그 점을 기회가 있으면 꼭 사과하리라 마음먹고 있었는데 그 기회가 오기전에 그가 세상을 떠났다

이제 그 빚을 갚을 길이 없다. 여자가 수명이 길다는데 먼저 떠난 것이 의외였고 나도 언제 떠날지 모른다는 느낌이 더 깊어졌다.

아내의 사촌 올케[박근수선생님의 영부인]의 부고를 받았다. 마침 그 다음날 요석후유증으로 스텐트를 넣는 수술을 내가 받는 날이라서 문상을 포기했다. 얼마후 늦게나마 묘소에 참배를 갔다. 아내가 보통 사촌 올케간 이상으로 가깝게 지낸 이유는 같은 이화약대 선배일뿐 아니라 그분이 다재다능해서 언제 들려도 짧은 시간안에 훌륭한 요리상

이 나오고 살림살이에 요긴한 좋은 충고를 들려 주었기 때문이였고 규모가 대단해서 우리가 처음 미국에 정착할 때 부엌 도구나 아이들 옷 등을 모아 두었다가 주셔서 요긴하게 쓰기도 한 일화 등 기회 있을 때마다 우리에게 물심양면으로 베풀었기 때문일 것이다.

묘지에 새로 입힌 잔디가 아직 자리를 잡지 못해서 몸살을 앓고 있는데 항상 우리 내외를 반갑게 맞이했던 얼굴은 보이지 않는다. 들고간 장미는 누구를 위하여 피여 있는지. 나도 세상을 떠나고 나면 무엇이 남을까 하는 생각에 내 발걸음이 무거웠다.

마이클 잭슨의 부음은 텔레비전을 통하여 알았다.

그의 인기와 지명도를 내가 묘사한다는 것은 부질없는 일이지만 그의 사망 과정은 의혹과 불명예로 얼룩졌다.

나는 그의 화려한 무대생활과 하늘을 찌르는 인기로 많은 사람들을 즐겁게 향응한 그의 공로를 높이 칭송하는 동시에 무수한 성형 수술로 망가진 그의 얼굴, 그의 불행한 사생활, 많은 빚, 아동 성추행 등의 소송 등으로 그의 인생이 결코 행복하지 못 했던 것을 애처롭게 생각한다.

허무하게 마감한 사십년의 짧은 생애 앞에 그나 나나 죽음이라는 평등한 Equalizer의 노예라는 염숙한 사실을 실감한다.

부고를 받을 때마다 나는 고인의 나이를 묻는 습관이 있다. 나보다 젊으면 안됐다 젊은 나이에 라고 하고 나보다 십여년 위이면 살만큼 사셨네라고 하며 동갑내면 내 차례가 가까워 오는구만 한다. 순전히 내 나이를 기준으로 하는 판단이므로 매해 기준이 바뀌는 것이 문제다.

금강경에 나이에 대한 상념 즉 수자상[壽字相]이 있으면 보살이 될 수 없다고 했는데 내가 아직도 나이에 신경을 많이 쓰는 것을 보니 나는 속물을 벗어 나지 못한 모양이다.

부고를 받을 때마다 내가 죽음곁으로 한발씩 다가가는 느낌을 가지는데 이것이 인간으로 하여금 죽음을 맞을 준비를 시키는 과정인 것 같다. 교회에서 듣는 많은 죽음에 관한 얘기는 다른 제목으로 써보기로 한다.

이만해서 금년 일년치 부고는 다 받았다고 셈을 끝내고 싶지만 아직도 수개월이 남았고 앞으로 얼마가 더 날라 오든 나는 속수무책이다. 죽음에 익숙해 지는 과정이라고 생각하고 감사히 받을 것이다.

07 | 줄초상

뉴욕에 사는 셋째 아이 식구들이 이천구년 Memorial day long weekend에 내려 왔다. 셋째 아이 내외와 우리 부부가 Better ball로 골프 시합을 했는데 우리가 이겼고 젊은이를 이긴 것이 내심 자랑스러웠다.

기분이 좋아 집에 돌아 왔는데 최종진 동기회장으로 부터 전화가 왔다. 민병덕 동기가 세상을 떠났다는 소식이었다. 온화하고 말을 아끼며 몸이 불편한 것을 내가 본 적이 없는 건강한 친구였다. 큰 소리를 내는 일이 없고 돌다리도 두들기고 건너 가는 신중한 친구라서 그의 갑작스런 서거는 어처구니 없는 놀라움이였다.

사람이 오는 순서는 있으나 가는 순서는 없다더니 옛말이 헛 말이 아니다.

반상제도에 대한 나의 부정적 견해 때문에 평소 양반에 대한 거부감이 있지만 행동거지가 정말 양반스런 사람을 골르라고 한다면 나는 서슴치 않고 민 형을 택했을 것이다. 나는 그가 한국의 전통적 예의 범절에 벗어나는 소행을 하는 것을 본 적이 없다.

그는 전형적인 군자나 신사를 연상시켰는데 그의 인격이 그의 천성에서 온것인지 충대 총장을 역임한 그의 부친의 영향 때문인지 알 수가 없으나 그가 희로애락을 내놓고 표현하는 것을 나는 보지 못하였다. 그가 육이오 사변때 대전으로 피난을 내려왔기 때문에 고등학교 과정을 나와 함께 천막 교실에서 이수했고 그 바람에 나는 그와 가까이 지냈다.

내가 선친과 그의 부친을 모시고 서울 나들이를 할 기회가 있었다. 횡단도로를 건널 때마다 가는 차 오는 차가 완전히 시야에서 사라질 때까지 기다렸다가 횡단하는 그 부친 때문에 먼저 눈치껏 건너간 나와 선친이 얼마나 기다렸는지 모른다.

민형이 서울의대 동창회장직을 훌륭히 수행하는 것을 보고 민형이 내가 전에 알지 못하던 다른 재능도 가진 것을 알았다.

미국에 건너온 후에 수련 과정의 스트레스 때문에 왕래가 끊겼고 각자 가는 길이 다르다 보니 어쩌다 동창회에 나가서나 잠깐 얼굴이나 볼 뿐이었다.

언제든 또 만나겠지 하고 있다가 또는 설마가 사람 잡는 다드니 그의 부음을 받고 보니 그간 소홀했던 것이 죄스럽고 후회스럽다.

그가 저승으로 떠나 유명을 달리했으니 이제 그를 다시 볼 길이 없다. 나도 모르게 한숨이 자꾸 나오고 일이 손에 잡히지 않는다. 아마 친구 잃은 슬픔과 더불어 나도 멀지 않아 떠나갈 것을 느끼기 때문일 것이다.

답답해서 컴퓨터를 켰다. 여배우 여운계씨가 육십팔세로 별세했다는 소식이 보인다. 신장암이 폐에 전이 되었는데도 끝까지 일에 매달려 편하게 병구완도 못했다고 한다. 그가 일로 고통을 잊으려고 일에 매달렸는지 편히 쉬었으면 더 살았을런지는 아무도 알 수가 없다.

여운계씨의 연기는 전형적인 한국 여인상을 구수하게 잘 그려내어 내가 좋아하던 배우였다. 사미자처럼 톡톡 튀는 연기는 아니지만 어수룩해 보이면서도 속이 찬 연기가 마음에 들었다.

그는 흔히 보는 내 아주머니나 형수 같은 친근감을 느끼게 하고 마음을 편안하게 해주었다.

사재 십억을 불우 이웃돕기에 썼다는 미담도 들린다. 이제 그의 연기도 그와 함께 떠났다.

잠시 후 노무현 전대통령의 자살 보도가 컴퓨터에 올랐다. 그의 사저 뒷산에 있는 부엉이 바위에서 몸을 던져 생을 마감했다고 한다. 나는 그 뉴스가 믿기지가 않아 되풀이 해서 읽고 그래도 시원치가 않아 다른 신문도 읽어본 후에서야 그가 죽었다는 사실을 받아 들였다.

내 생애 중에 뉴스를 믿을 수 없어 내가 꿈을 꾸고 있는 것이 아닌가 하고 생각했던 사건이 하나 더 있는데 그것은 바로 뉴욕 트레이드 센터가 폭파되던 9-11테러 사건이었다.

나는 노무현 대통령 재임시절 그의 정책에 반대했던 사람이지만 그의 자살을 즐거운 마음으로 받아들일 수가 없었다. 그의 직선적이고 강직했던 성격을 내가 인간적으로 존경했기 때문일 것이다.

나는 북한의 사상이나 체제를 잘 안다고 믿기 때문에 김대중씨로 부터 물려 받은 그의 햇볕 정책이 결코 성공하지 못한다고 확신했고 민족이니 동포애 그리고 통일 등등의 미사여구는 순전이 남한의 순진한 국민을 책동 분열 시키려는 사상 전략의 일부라는 것을 처음부터 나는 확신했다.

같은 민족을 사랑한다는 사람이 국군 포로 존재 자체를 부인하고 수십만의 동족을 요덕 수용소 같은 곳에 가두어 놓고 짐승처럼 학대하고 학살하면서 이를 부인할 수는 없다. 우리의 소원은 통일이라고 노래하면서 한편으로 칼 여객기를 공중 폭파하고 천안함을 격침하고는 대한민국의 소행이라고 거짓말을 할 수있는 집단은 이 지구상에 둘도 없다.

그런 김정일 정권을 퍼다 주는 노무현씨를 나는 좋아할 수가 없었다. 굶주리는 동포를 보고만 있으란 말이냐 라는 인도적 호소와 그러면 전쟁을 하라는 말이냐 라는 협박을 가지고 한국의 국민을 심리적으로 주물르면서 사십억달라를 김정일에게 바쳤다.

그 결과 돌아온 대답은 핵 폭탄이였고 보내준 쌀은 군대와 당원을 잘 먹였고 영광은 김정일에게 돌아갔다. 아직도 좌파들은 더 돕지 않기 때문에 천안함 격침과 연평도 포격이 일어났다고 미국과 대한민국 정부를 비난하고 있다.

비수를 속에 품고 추파를 보내는 자를 동포라고 밥을 사주는 어리석은 짓을 나는 못한다. 김대중 노무현 정권 십년간에 전교조 등이 키워낸 남한 인구 삼십프로의 주체파 좌파의 세력은 강력하다. 민주당 민로당과 같은 합법적 활동을 하는 국회의원 뿐만이 아니라 어린 학생들에게 김정일 정권을 찬양하는 사상을 넣어 주는 전교조 선생들을 위시하여 방송 언론계 일부 법조계까지 좌파 또는 종북파가 침투하지 않은 분야가 없다.

그들의 세력이 얼마나 큰지를 보여주는 좋은 예가 죄없는 미국 소고기 파동이다. 삼억의 미국 국민이 매일 먹는 소고기를 가지고 그걸 먹느니 청산가리를 먹겠다는 그런 말을 쫓아 촛불시위로 한국을 위기로 몰아 넣을 수 있을 만큼 좌파의 세력이 강하다.

이 좌파의 핵심 멤버중에는 일사 불란한 북한의 세뇌 공작의 희생이 된 딱한 사람도 있고 어느나라를 가도 있는 못사는 사람들의 불만 계급도 있을 것이다. 그러나 제일 무서운 사람들은 한이 골수에 박힌 사람들이다. 예를 들면 해방이후 좌우 사상전의 와중에 학살당한 가족이 있는 사람으로 이들에게 맺힌 한은 이론을 떠나 무조건 사회나 정부를 파괴하려는 복수심을 품고 있는 경우가 많은데 아마 나라도 그런 처지라면 그랬을 것이다.

또 예를 들면 서출이라고 천대받은 사람들의 한이 얼마나 컸겠는가. 나라도 이놈의 세상 망해 버려라 하는 복수심을 마음 한구석에서 지우지 못했을 것이다. 이런 한들을 숨기고 있는 사람도 자유 민주국가에서는 사회적으로 출세하는데 아무 지장이 없다. 영리한 북한 정권만이 출신 성분을 가장 중요시하여 출신성분이 나쁜 사람은 아주 원천 봉쇄를 하기 때문에 정권이 무너지지 않는다.

자살로 끝을 마친 그의 인간적 고뇌를 생각하면 그가 가엾고 미워할 수가 없다. 그가 직선적이고 결백증이 있기 때문에 자기의 아내와 형의 부정이 자충수가 되어 진퇴양란에 빠지고 더 이상 버틸 수가 없었을 것이다. 그가 전임자 처럼 어떤 경우에도 자기의 과오를 인정하지 않고 거짓말로 감쌀 천재적 수완이 있으며 상대방을 모략으로 뒤집어 씌우는 정치 수완이 있었다면 그는 절대로 자살을 하지 않았을 뿐 아니라 얼마든지 기다렸다가 다시 정권을 잡았을 것이다.

거짓말이 주특기고 권모술수가 정치 능력이며 승리가 정의라는 도덕율만을 믿고 탐욕은 들키지만 않으면 죄가 아니라고 생각하는 한국의 정치풍토에서 그의 자살은 신선한 향기마저 뿌린다.

나는 도덕경에 나오는 曲即全을 상기하며 노무현씨 처럼 곧으면 부러질 수밖에 없지 않는가 라고 생각했다.

노사모 웹사이트에 난 글을 소개한다.

대통령을 지낸 사람에게 육백만불 정도의 뇌물은 오히려 그가 얼마나 청렴결백 했었는지를 증명한다는 내용이었다. 어쩌다 한국이 정치적 부정에 대하여 이토록 불감증에 빠졌는지 통탄할 일이다.

전두환 노태우 전대통령들이 거둔 정치자금은 육백만불의 수십배가 되는 것은 사실이지만 그들은 노대통령 처럼 청렴결백과 부정부패

척결을 강조하지 않았기 때문에 심리적으로 도망갈 구멍이 있고 그 돈이 정치 자금이라는 그 당시에는 용납되었든 명분이 있었다.

또 노대통령은 양심과 죄의식이 강한 분이었을 것이다. 부정한 돈의 액수와 죄의식과의 상관관계는 별로 없다.

육백만불의 만배가 되는 육백억불을 사기친 월가의 메더프의 뻔뻔한 태도에 비하면 스스로 뉘우치고 재판하고 선고 집행까지 한 노무현씨의 행동은 참신하다.

미국 뿐 아니라 세계경제를 파탄시키고 본인들은 수억불씩 챙기고 슬그머니 은퇴한 서브프라임 위기의 장본인들에 비하면 그는 존경을 받을 만한 한국 남아다.

강조하건데 내가 자살을 찬미하는 것이 아니다. 생명의 존엄성과 죽음이 가까운 사람들에게 미치는 타격과 여파 등을 경시해서는 안된다. 또한 자살이 인간 고유의 특권인지 우울증의 병적 결과인지 혹은 신의 부조리에 대한 항의인지에 관해서는 나는 판단을 보류한다.

여하튼 노무현씨는 자살한 유일한 대통령으로 한국 역사에 남을 것이다.

"Death may be the greatest blessing of all human blessings."라고 한 소크라테스의 말을 소개한다.

죽음은 모든 것을 씻는다는 의미도 된다.

세계적으로 하루 약 십오만명이 세상을 떠난다고 한다. 그렇게 많은 사람이 죽어 나가지만 대부분 내가 모르는 사람들이므로 나는 죽음에 대해서 아무렇지도 않게 살아가고 있다.

그러나 메모리얼 주말 휴일에는 아는 분이 셋이나 세상을 떠났다. 잠을 청해도 새벽까지 잠이 들지를 않고 엎치락 뒷치락 했다

돌아가신 분들의 명복을 비는 외에는 나는 아무것도 할 수가 없었지만 말이다.

제4장

건강과 나

01 | 건강

흔히들 건강이 제일 중요하다 라고 말한다. 일생을 통해서 건강이 중요하지 않는 시기는 없지만 젊을 때에는 병에 걸렸을 때 외에는 건강의 중요성을 실감할 기회가 드물고 건강에 대한 관심이 별로 없다.

병이 나도 젊을 때는 언제나 회복을 기대하기 때문이다.

나이가 들수록 보행, 시각, 청각 등 평소 당연시 하던 신체의 기능마져 장애가 생겨 매일 매일의 생활이 부담스럽고 여러가지 질병이 자주 찾아와 괴롭히니 건강이 제일이라는 말을 뼈저리게 느낀다.

늙는다는 것은 모든 신체기관의 기능이 그 Reserve가 감소하는 것이라고도 정의한다. 가령 젊을 때는 평상시에 신장 기능의 십오프로만 쓴다면 늙으면 오십프로를 쓰게 되고 따라서 Reserve가 반으로 줄기 때문에 여유가 적은 것이다. 여유가 적다는 말은 RESERVER가 동이 나서 죽을 가능성이 높다는 말도 된다.

건전한 몸에 건전한 마음이라는 말대로 몸이 성해야 마음도 건전하다. 예외로 종교적으로 신앙이 강해서 육체적 장애를 이겨내는 사람이 없는 것은 아니다. 육체는 곧 흙으로 돌아가고 영혼은 영생한다는 믿음에 사는 결과일 것이다.

나는 이천년도에 직장암 치료를 받을 때 담당 의사로부터 오년내 재발율이 사십오프로라는 선고를 받았다. 그 때 운동으로 골프를 치기로 마음 먹었다. 걷든가 뛰는것도 좋지만 골프는 공을 쫓으며 걷기 때문에 지루하지 않아서 좋다.

매주 네번쯤 치는데 그 정도 골프를 치면 내 골프 실력이 상달할 줄로 오해할 분이 있을 것 같아 한마디 하겠는데 이런 저런 이유로 내 실력은 초보자를 조금 넘은 수준이다.

정식으로 레슨을 받은 적도 없고 내기골프도 치지 않는다. 또 골프를 운동으로 친다는 기본 목적 때문에 성적에 연연하지 않으려 노력했고 잘 치려는 생각이 스트레스가 되는 것이 싫었다. 그러니 골프가

별로 늘지를 않는다. 무엇 보다도 내 운동 신경이 둔한 것이 제일 큰 원인 일 것이다.

계절따라 옷을 갈아입는 골프장 경치와 맑은 공기가 잘 맞은 공만큼 즐거움을 내게 주니 공을 잘 치려는 정신 집중은 해도 좋고 안해도 좋다. 내가 골프를 잘 치고 남을 이기려는 마음은 자아에 대한 집착이기 때문에 바람직하지 않다는 생각은 내 골프 성적에 도움이 되지 않는다.

한 라운드 골프를 걸으면 만보를 걷는 셈이고 자연과 친한 시간을 즐기며 밥맛도 좋아지고 잠도 잘 오니 일석이조다.

잡지나 방송에 건강에 관한 제목들이 홍수처럼 쏟아져 나온다.

건강에 좋다 또는 해롭다는 식품만 해도 수백가지가 넘으니 내가 의사지만 혼동스러운 때도 많다. 개중에는 상업적 광고가 많아 대중들은 어디까지가 진실인지 알 수가 없고 더욱 방황한다.

건강법도 전해 내려오는 동양적인 건강법, 서양 의학에 근거를 둔 건강법 등 많아서 지혜없이는 선택이 어렵다. 또한 건강을 위한 노력이 과도하여 노력 자체가 스트레스가 되는 경우도 생긴다. 좋은 건강법 이라도 그 법을 지키려고 지나치게 노력이 요할 때에 그 스트레스의 해가 건강법의 이득보다 더 클 수가 있다.

내가 어렸을 때에도 한국에서는 점이 유행했고 인기가 있었다. 어머니는 나를 데리고 다니기를 좋아 해서 나도 어머니 따라 점을 많이 보았다. 대부분의 점쟁이 말이 내 수명이 육십여세로 점괴가 나왔다고 했다. 그 당시 한국인의 평균 수명이 사십여세여서 수명 유십여세면 단명이 아니기 때문에 나나 어머니 모두 만족했다.

서당개도 삼년이면 풍월을 읊는다고 점을 치러 따라 다니다 보니 나도 사주 관상에 관하여 조금은 알게 되었다. 거울에 내 상을 비추어 보면 나는 장수 할 상이 못 된다. 내 눈에 정기가 약하고 귓밥이 작고 두골이 납작하여 허하게 생겼다.

요사이 평균 수명이 칠십세가 넘어 섰고 관상이 장수형이 아니라도 팔십을 넘기는 사람이 많으며 인생칠십고래희 라는 말은 옛 말이 된지라 슬그머니 나도 생각이 바뀌어 좀 더 오래 살고 싶은 욕심이 생

졌다.

심장 수술로 혹은 항암치료로 옛날 같으면 이미 지하 관속에 있을 사람이 살아서 돌아 다니며 예정론을 어기면서 살고 있는 셈이다. 나도 그중의 한 사람이지만 현대 의학의 발달 때문에 평균 수명이 연장된 사람이 많다.

나도 의학의 발전에 덕을 보아 앞으로도 더 살지도 모르겠다는 욕심이 꿈틀 거린다. 물론 인간의 수명은 유전인자, 음식, 오염, 스트레스, 정신 생활, 각종 사고, 전쟁, 습관등 관련된 요소가 너무 많아서 몇몇 통계 수치로 해답이 나오는 것은 아니다.

그래서 사람의 수명은 하늘 혹은 하나님이 정한 것이고 건강 관리나 인위적 노력이 헛되다고 생각하는 사람도 있을 것이다.

그러나 수명이 의학과 문화 문명의 발달과 더불어 길어진 것은 틀림이 없으니 한편으로 수명을 하늘이나 신앙에 맡기는 동시에 건강 관리도 게을리해서는 안된다는 데에 수명의 묘미가 있다

내가 아는 목사 한 분이 있다. 모든 것을 하나님이 알아서 하신다고 설교를 하면서 organic food가 아니면 먹지 않고 모 상표의 음료수만 마시며 음식에서 계란 노란자위는 가려 내어 버리는 등 건강을 위하여 빈틈 없이 산다. 그렇게 까지 하면서 사는 것이 신앙인이 바르게 사는 삶인가 하는 의문을 나는 가지고 있다.

나는 해롭다고 알려진 음식 예를 들면 너무 기름진 고기나 중금속 함유량이 많다는 물고기 종류등을 대량 먹는 것을 피하고 대체로 소식하려고 힘쓰며 담배를 피우지 않는 정도로 산다. 비타민이나 오메가3 알은 생각이 나면 먹는다. 그 이상 엄격한 생활은 내게는 스트레스라고 생각한다.

내가 잘 아는 분인데 스테이크를 먹을 때는 나이프로 눈에 겨우 보이는 작은 기름까지 발라내느라 몹시 바쁘다. 김치는 따로 물 그릇을 갖다 놓고 빨아서 먹는다. 내가 존경하는 분이지만 이 점은 아름다워 보이지 않는다.

소식은 일본 사람들이 가르쳐 준 건강법이라고 해도 크게 틀리지 않는다. 체중 조절에는 소식만한 건강법이 없고 따라서 심장에도 좋다.

내 친구중에 하나는 아침 식사로 열댓가지 채소, 과일, 씨앗을 먹는다는데 그 정성에 감복할 뿐이다.

몸에 좋다는 식품과 건강법이 수수백가지 인데 그것을 모두 찾아 먹고 실천하자면 그 스트레스로 인한 해독도 있을 것 같으니 나는 대충대충 살겠다.

실은 수명은 하나님께 맡기고 대충 살겠다고 큰소리 치면서 부페음식점에 가서는 열번 중 아홉번은 과식을 하고 회개하는 사람이 바로 나라는 것을 고백한다.

오래 살아 무엇하랴 자식에게 짐이 되고 내게 욕이 되는 것을 하면서도 더우나 추우나 골프장에 나가는 모순을 나는 벗어나지 못한다.

生死가 서로 모순이니 어떻게 정반대 되는 삶과 죽음이 한몸에 있을 수 있는지 모순이고 有無도 모순이니 있으면 없을 수가 없고 없으면 있을 수가 없는데 있고 없다니 말이 안되는 모순이다.

이 세상에 모순 아닌 것이 없다. 더 살고 싶지 않다면서 더 살려고 바둥거리는 모순, 뇌를 분해하면 물질인데 의식과 사고가 그 안에 있다는 모순, 모순뿐인 세상에서 나는 모순을 피할 수도 없고 피하려고도 않는다.

건강을 위하여 지나치게 애쓰는 것도 모순이요. 아무 노력을 하지 않는 것도 모순이다.

02 | 어지러움 병

내가 젊었을 때에는 노인들이 어지럽다고 호소하면 어지러운 것 쯤이야 아픈 것 보다 낫지 하고 예사로 들었다. 내 의식 세계에 그것이 심각한 병으로 입력 되지를 않았던 것이다.

내가 어지러운 병이 들어 앓아 보니 그게 아니었다. 물론 누구나 자기가 겪는 고통이 제일 견디기 어려운 고통이라고 생각 한다는 것 쯤은 알 나이가 되었으니 크게 이상할 것도 없지만 말이다.

오래 주저 앉아 있다가 갑작이 일어나면 머리가 핑 도는 그런 어지러움만 알고 있었기 때문에 그것이 어지러움의 전부인 줄로 알았던 것이다.

내가 겪은 어지러움 병은 몇일이나 몇주간 세상이 내 주위를 빙빙 돌며 조금만 움직이면 구토가 동반하는데 아픈것 못지 않게 괴로웠다.

실은 웬만큼 아픈 것보다 더 괴로웠다. 아프면 바닥에서 데굴데굴 굴르기라도 할 수 있는데 이 어지러움 병은 고개를 돌릴 수가 없어 텔레비전을 보지도 못하고 구토 구역질 때문에 식음을 전폐할 수 밖에 없었다. 변소 출입도 구역질 때문에 벌벌 기어 다녀야 했다. 이 병을 앓는 동안은 살아 있는 것이 싫어진다.

또 그까짓 어지러운 것쯤 가지고 누워 앓느냐고 생각했던 어른들께 늦게나마 사죄해야겠다고 생각했다. 사죄를 받아야 할 분들이 지금은 돌아가시고 안계시지만 말이다.

만약 몸의 균형을 맡고 있는 뇌의 內耳에 종양이라도 생겨 어지러운 증세가 계속된다면 사는 것이 죽는이만 못 할 것이고 스스로 목숨이라도 끊을 수 있겠다는 생각이 들었다.

괴로우니 자연이 하나님을 찾았다. 괴로움을 이기지 못해 기도가 자꾸만 중단 되었는데 정신을 계속 집중할 수가 없었기 때문이다. 내 믿음 가지고는 괴로움이 사라지지 않았다.

諸相이 非相이라는 금강경의 한 구절을 외워 보았다.

괴로운 이 현실이 實相, 즉 본래의 실재가 아니고 비상이라고 입으로 외워도 어지러움과 구토의 고통은 내게서 떠나지를 않고 나를 괴롭혔다. 내가 깨달음이 모자라 괴로움에서 벗어나지 못하는지도 모른다는 생각도 했다.

기도와 금강경의 구절이 괴로운 시간을 넘기는데 도움이 되지 않은 것은 아니다. 비록 고통이 남아 있었지만 내 의식 세계에서 이들이 내 고통의 일부를 代置해 주었다. 또 지금은 고통스럽지만 나를 지키시고 구해 줄 분이 있다는 믿음, 나를 지금 시험하고 계시다는 믿음, 내가 견디지 못할 고통은 주시지 않는다는 믿음, 나는 알 수 없지만 어떤 뜻이 있어 하나님은 이런 고통을 내게 주신다는 믿음 등 자주 듣던 말씀들이 도움이 되었다.

그 말씀들이 다 맞는 말인지는 나는 아직 모르지만 말이다.

의사 친구에게 자문하니 내 병은 labyrinthitis라고 했다. 발리움이라는 약을 복용했더니 어지러움과 구토가 가라앉기 시작했다. Labyrinthitis라는 병은 머리의 위치가 변하는 것을 감지해서 몸의 균형을 잡아주는 내이안에 있는 작은 기관에 염증이 생겨 몸의 균형 조절에 이상이 오는 병이다.

원인은 바이러스와 세균 감염, 엘러지, 두뇌 손상 등이라고 한다. 그러나 이 병도 그 원인과 치료가 다 해명된 것은 아니다.

수일간 고생하고 나니 빙빙 돌던 세상이 돌기를 멈추었다. 구토가 멎으니 별천지 같았고 고통으로부터의 해방이 신의 역사인지 아닌지는 모르지만 그런 것을 따지기 전에 신에게 감사했다.

이 병이 나를 몇주간이고 괴롭힐 수도 있고 아니 죽을 때까지 괴롭힌들 내가 어찌하겠는가.

앓고 나니 세상은 여전히 제자리를 지키고 있었다.

내 두뇌안에 극히 작은 부분의 염증 때문에 세상이 몇일 동안 돌고 돌았다고 생각하니 實相과 虛相이란 말이 맞고 如夢幻泡影 즉 세상이 꿈, 환상, 거품, 그리고 그림자와 같다는 금강경의 말이 맞는 것 같다.

내가 어지러움 병에 걸린 것이 내 뜻이 아니였고 그 병이 나은 것도

내 힘으로 나은 것이 아니다. 나라는 존재는 완전히 수동적이고 무력했고 내가 신의 존재를 증명할 수는 없지만 나의 무력함은 완벽했다.

그런데 내가 아무 것도 아니니 내가 없는 것인가 하면 내가 없는 것도 아니다. 나는 분명 내가 원하든 원하지 않든 관계 없이 고통을 당했고 기도와 금강경의 구절을 외는 등 고통에서 벗어 나려고 애를 썼으며 내 노력과는 관계없이 빙빙 돌던 세상이 멈추었고 세상이 맑은 하늘처럼 선명해졌다.

돌던 세상이나 선명해진 세상이나 모두 실상이 아니라는 것도 알고 내가 보고 안다 하는 것도 실재가 아니라는 것도 알며 그렇다고 아주 없는 것도 아니라는 것도 안다.

내 육체의 괴로움이 분명 견딜 수 없이 괴로웠는데 그 순간이 지나고 나니 괴로움이 있는 것도 아니고 없는 것도 아니라 생각할 수록 오묘하다.

이 모두가 신의 장난이든 아니든 오묘하기는 매일반이다.

Maintenance | 03

삼개월내지 육개월에 한번 치과에 들린다. 내가 치과를 좋아 해서가 아니라 오라는 대로 가다 보니 그렇게 됐다. 갈때마다 구강 엑스레이를 찍는 것이 못마땅해서 항암치료로 인한 백혈구 감소를 구실 삼아 엑스레이는 자주 못 찍겠다고 항의했더니 엑스레이는 이제 일년에 한번만 찍는다.

해마다 엑스레이를 찍어 이상을 발견할 확률이 얼마나 되는지 내 전공이 아니라 모르겠으나 엑스레이 기계의 본전을 뽑느라고 자주 찍지는 않는지 의심하는 내가 나쁜 사람일까.

나는 잇몸이 약하기 때문에 매일 세번 양치질을 하고 Flossing까지 하는데 시간을 많이 소비한다.

직장암 수술을 받은 후 처음에는 삼개월마다 병원에 가서 씨티촬영 등 여러가지 검사를 받았는데 하루 종일 걸렸다. 이제 그만 와도 된다는 선고를 받고 감사하며 산다.

사실은 설마하고 대장경 검사를 한해 두해 미루다가 암을 키워 큰코를 다친 후로부터 나도 내 몸 Maintenance에 관심을 가지기 시작했고 그제서야 내가 의사라서 병이 걸리지 않는 예외가 아니라 나도 어떤 병이든 걸릴 수 있는 보통 인간이라는 것을 깨달을 만큼 나는 어리석은 사람이었다. 정기적으로 family doctor를 찾아 검진도 받는다.

경제적으로 잘 사는 사람들은 비만증과 그로 인한 병들 때문에 음식의 종류와 양에 대하여 신경을 많이 쓰게 되었다. 비타민, 칼슘 등 영양 보충제도 하도 많아 의사인 나도 혼란스러울 때가 있으니 일반 시민이야 어떠랴. 그 위에 한국 사람들은 몸에 좋다는 것이 어찌나 많은지 이 명단에서 면제되는 동물이 없을 정도다. 암 치료에 듣는다는 식품만 해도 이 지면이 모자란다.

또 영양학 학설도 끊임없이 바뀌어 이롭다고 했다 해롭다고 했다 사람의 신경을 피곤하게 한다. 이래 저래 내가 먹지 못하는 식품 명단이 점점 길어지고 식료품 공부도 계속해야만 한다.

고기는 없어서 못 먹고 닥치는 대로 먹던 옛날이 그립다.

안과만 해도 정기검진 외에 망막 전문의 녹내장 전문의 까지 합해서 일년에 몇번을 들려야 한다. 쓰다 버린 안경이 한 보따리는 되는데 주로 금테 안경이라 버리기도 아깝다.

불면증이 있는데다가 파티에 가서 늦게 까지 있다 오면 그 영향이 몇일씩 가기 때문에 얼마전부터 저녁에 하는 모임은 사절하려 노력한다. 내 몸 Maintenance가 그만큼 어려워진 것이다.

골프 치러 나갈 때 바르는 sun block도 때로는 약을 찾지 못해서 잊어먹고 그냥 나간다. 그럴 때마다 얼굴이 가려운 것도 같고 피부암에 걸리지 않았나 해서 걱정을 한다.

목욕이나 샤워를 하루만 걸러도 불쾌해서 견디기 힘들다. 이것도 빼놓을 수 없는 Maintenance다. 머리는 왜 그리 빨리 자라는지 이발이 귀찮다. 먹는 영양이 다 그리로 가는가 보다. 면도도 매일 해야 한다. 형무소에서 나온 죄수 처럼 보이기 싫은 것이다.

한마디로 나라는 몸덩이 하나 유지하는데 드는 비용과 시간이 내 인생의 반쯤을 차지 하는 것 같다. 자동차를 굴리는데 필요한 maintenance는 내 몸의 Maintenance에 드는 시간과 비용에 비하면 새발의 피다. 하루만 끼니를 걸러도 사람은 축 늘어진다. 나이를 먹을 수록 인간은 추해지고 병이 찾아 든다. 나이 따라 먹는 약이 늘어 나는데 잊지 않고 시간 맞추어 약 먹기가 쉽지 않다.

老病死가 바짝 붙어서 맴도니 Maintenance는 점점 복잡해 지고 힘들어 진다. 의학의 발달로 Maintenance 종목이 늘어난다. 한국 사람은 위내시경도 이년에 한번씩 하라고 한다. 나는 매년 병원에 가서 Ureter stent도 갈아 넣어야 한다. 건강한 아내도 부인과 검진을 해마다 받는다.

Maintenance가 육체에 국한된 것이 아니다.

문명의 이기가 자꾸만 새 것이 나오기 때문에 나 같은 사람은 따라가지를 못해 고물 취급을 받는다.

컴퓨터, 사진기, 이동 전화기등 해마다 신형이 나와 나이 먹은 사람을 어지럽게 만든다. 새 옷을 장만하여 갈아 입고 차도 바꾸어야 한다. 아는 사람들과 계속 교신을 유지하여야 한다.

영적 세계도 계속 영양을 공급하여야 한다.

논어에 吾日三省吾身이란 글이 있다.

하루에 세번 내 몸을 돌이켜 본다는 말이다.

爲人謀而不忠乎 남을 위하여 정성을 다 했는가. 與朋友交而不信乎 친구와 더불어 신의를 지키지 않았었는가. 與傳不習乎 내가 익히지 않은 것을 남에게 전하지 않았었는가.

로마서[14;8]에 "우리가 살아도 주를 위하여 살고 죽어도 주를 위하여 죽나니 그러므로 사나 죽으나 우리가 주의 것이로다."라고 했는데 영적으로 잠시도 하나님을 떠날 수가 없다는 말이다.

사람은 몸과 마음 모두 Maintenance가 필요하며 게을리 하면 양로원에 가거나 일찍 세상을 하직할 확률이 높아 진다.

법정스님 처럼 산중에서 전기, 수도 없이 산다고 해도 Maintenance가 다 없어지는 것은 아니다. 날아 다니는 새나 들짐승도 신이 거저 먹이는 것은 아니고 양식을 구하기 위하여 나름대로 애를 쓰고 새끼를 키우느라 목숨을 걸기도 한다.

諸行無常이라 하여 自我나 我體가 없다라는 붓다의 가르침이 고통을 더는데 도움이 되겠지만 佛徒라도 현대인이 필요한 Maintenance를 다 버릴 수는 없다. 무아라 해서 위, 대장 내시경 등 질병의 예방적 검사를 등한시 할 수는 없다.

Homeless라도 최소한의 Maintenance는 필요하다. 역 대합실이나 지하도도 누군가가 건축했고 누군가가 청소, 환기, 난방 등을 유지하여야 하며 누더기 옷이나 국 한 그릇이라도 누군가가 기증해야 한다. 하늘에서 떨어지는 것은 없다.

인생은 고해라고 한다. 문명의 발달로 사람 살기가 편리해져 가고 있는데 사는데 필요한 Maintenance는 더 복잡해지고 비용도 늘어 여전히 인생은 고해다 라고 투정아닌 투정을 해 본다.

나 대신 나를 위하여 Maintenance를 해줄 사람은 이 세상에 아무도 없다.

04 | No Problem 1

1~28~09

새벽 한시에 시작한 왼쪽 옆구리에 동통이 집요하게 나를 괴롭혔다. 일어나서 걸어도 보고 손으로 배를 마사지도 해보며 생각나는대로 다 해 보았으나 아픔은 나를 놓아 주지 않았다. 거의 매주 찾아 오다시피 하는 대장염으로 오는 동통과는 아무래도 다른 것 같았다. 대장염에서 오는 복통은 꼭 설사가 뒤따르는데 이번 복통은 설사없이 아프기만 한 것이다.

침대에서 여러시간 엎치락 뒤치락 신음하다 아내에게 911을 불러 달라고 손을 들었다. 나는 엠뷸런스로 레이크랜드 병원 응급실로 실려갔다. 응급실에 누워 있으니 불안감이 풀리기 때문인지 아픔이 좀 진정되는 것 같았다.

나를 진찰한 의사는 장폐색 같다고 하며 씨티 스캔을 하자고 했다. 검사 결과 왼쪽 ureter하반부에 칠밀리미터 크기의 요석이 나왔다고 한다.

내가 의사면서 요석을 의심하지 못 했다는 것이 부끄러웠다. 중이 제머리 못 깎는다는 말이 생각났다. 의사도 자신이 아프면 머리가 제대로 돌아가지 않는 것이다.

Dr. Smith는 물을 많이 마시면 돌이 흘러 나올 확률이 사십프로쯤 된다면서 진통제와 항생제 처방과 함께 나를 돌려 보냈다.

겨울에 철새 손님이 많은 이 도시에 유일한 이 병원 응급실은 하루 천명의 환자가 몰려오며 응급실 베드도 백개나 된다. 여기 저기에서 들리는 신음 소리는 지옥을 연상시켰다. 그 신음소리를 빠져 나오니 다시 살아난 기분이었다.

1~30~09

어제 뜸하던 동통이 아침에 다시 찾아왔다. Watson clinic을 불렀다.

그날 당직 비뇨기과 의사는 Dr.Sean Tierney였고 내 증세를 설명하니 바로 클리닉으로 나오라고 했다. 일단 수술날자를 나흘 후로 잡아 놓고 그 날까지 돌이 나오지 않으면 수술을 하자고 했다.

나흘이야 못 참겠는가 싶고 그 안에 돌이 빠져 나오기를 희망하면서 의사의 권유를 따르기로 하였다.

수술 동의서에 서명하면서 수술이 어려우냐고 물으니 자기가 많이 해본 흔한 수술이니 "No Problem"이라고 하면서 나를 안심시켰다. 동의서에 열거한 합병증들은 법적으로 필요한 사항이고 실제로 일어나는 일은 극히 드물다고 내게 설명해 주었다. 내가 외과 의사였기 때문에 더 친절하게 설명해 주는 것 같았다. 나도 수술 동의서에 싸인을 수없이 많이 받은 경험이 있어서 잘 이해한다고 말하고 고맙다는 인사를 했다.

1~31~09

이원호와 한성업 동기들과 요석 발병전에 골프를 같이 치기로 약속한 날이다. 아침에 일어나니 통증이 없다. 오늘의 골프 약속을 지키라고 신이 보살펴 주시는구나 라고 생각하고 즐거운 마음으로 골프장에 나갔다.

14홀부터 아프기 시작했다. 친구들의 흥을 깨기가 싫어서 고통를 감추느라 애를 썼다. 집에 돌아온 후에도 동통이 멈추지 않아 진통제를 먹으며 밤을 새웠다. 수술 날자를 잡아 놓은 마당에 응급실을 또 찾아 가기는 싫었다. 하도 아파 신이 내가 고통을 참을 수 있는 한계를 시험하는 모양이라는 생각을 했다.

2~1~09

닥터 한 내외분이 교회에 나와 보라는 내 초청을 받아들여 교회서 만나기로 한 날이다. 나 자신이 아직 기독교를 공부하는 심정으로 교회에 나가고 있고 내가 기독교를 통해서 구원과 영생을 얻는다는 확신이 없다는 것을 먼저 고백한다. 기독교 만이 유일한 믿음이라고 단언할 확신도 없다. 그래서 무신론자인 닥터 한도 새로 부임한 남목사의

설교가 좋으니 들어 보라는 의미에서 초대한 것이지 그를 그리스도를 믿게 하려는 의도로 내가 초대한 것은 아니였다.

내가 여러번 시도 끝에 처음으로 승락을 받은 터이라 고마운 생각이 남다른데 내가 교회에 나가 그를 마중하지 못한다는 것은 참으로 애석한 일이였다. 하필 오늘 앓아 눕다니 무심한 하나님이다.

남목사는 연세대학교 교목으로 여러해 계시던 분이라 한국내 저명인사들과 교제도 깊고 은퇴후에 뜻이 있어 캘리포니아 모 대학에서 과정 철학을 공부한 분이라서 기독교 Dogma에 얽매이지 않은 내용의 설교와 성경 공부를 통해서 현대 신학에 대하여 내가 많이 배웠다.

나는 현대 기독교에 얼마나 Liberal한 철학 또는 신학 사상이 들어와 있는지 닥터 한에게 보여주는 좋은 기회라고 벼르고 있었는데 허사가 되고 말았다.

아내만 교회로 보내고 혼자서 침대에 누워 생각했다. 세상 만사가 억지로 되는 것이 아니다. 마침 Tampa에서 수퍼볼 경기가 있었다. 나는 누워서 텔레비전으로 관전했다. 실은 내가 겪는 고통 앞에 수퍼볼은 아무 의미가 없었다. 아마 때때로 동통에서 내 신경을 Distract하는 효과는 있었을 것이다. 아프면 세상 만사가 다 귀찮고 나이를 먹을 수록 건강보다 소중한 것이 없다.

2~2~09

밤새 잠을 잤는지 아닌지 분명치가 않다. 잠깐씩 잠이 들었던 것도 같고 계속 아팠던 것도 같다. 아침에 두번 토했는데 아픈 것보다 토하는 것이 더 힘들다. 진통제를 계속 복용하니 장운동이 멈추고 배가 불러 오르면서 토하는가 보다.

아픈것은 참을 수도 있겠으나 토하고 먹지 못하니 심한 탈수가 생길 것이고 내일 수술에 지장이 있을까 걱정이 되었다. 생각끝에 응급실로 찾아가 입원을 자원했다.

2~3~09

여행에서 돌아온 Dr. Tierney가 아침에 병실로 나를 찾아 왔다. 왜 내가 하루 당겨서 입원했는지 지금 동통이 있는지 묻지도 않고는 See you later라고 하고는 나가 버렸다. 내가 좋지 않은 의사에게 걸렸구나 하고 낙담했으나 객지에서 맞는 응급 수술이라 의사의 자질를 알아볼 수도 없고 바꾸기도 쉬운 일이 아니다. 수술이나 잘 되기를 비는 수밖에 없어 보였다.

아는 의사들이 있는 메어리랜드로 가겠다고 고집을 부릴 처지가 아닌 것 같았다. 저녁이 되어서야 내 차례가 되여 수술장에 실려 갔다. 고등학교 생물 실습시간에 실험 판대기 위에 고정해 놓았던 개구리처럼 내가 수술대 위에 고정되는 과정까지는 기억이 난다.

마취에서 깨어나자 662호실로 실려 왔다. 마취와 수술 도중 내 영혼은 어디가서 있었는지 궁금했다.

자의로 소변을 보기 전인데 퇴원하라고 하기에 집에 왔다. 실은 수술이 끝나고 잠에서 깨어나니 이제 살았구나 하는 생각에 너무 기뻐서 서둘러 왔다.

집에 온지 몇시간이 지나도 소변이 나오질 않았다. 아랫배가 점점 불러 올라 왔다. 견디다 못해 밤중에 응급실을 또 갔다. Indwelling Catheter를 꽂으니 피반 소변반 800cc 가 나왔다.

도뇨관을 꽂았으니 집에 가겠다고 했더니 나를 보지도 않은 담당 의사의 싸인이 있어야만 나를 퇴원 시킬 수 있다고 했다. 나를 보지도 않은 의사의 치료비 청구를 하기 위하여 의사가 싸인 할 때까지 나를 잡아 두는 것은 부당한 처사다. 나는 화가 치밀어 올랐지만 의사가 의사상대로 싸우기가 싫어 참고 참았다.

응급실이 커서 당번의사가 셋이나 되었다. 그래서 하나쯤 어디가서 농땡이를 쳐도 서로 봐주는 모양이었다. 반시간쯤 후에 그 의사가 나타났다. 얼굴을 보니 약물 중독자 같았다. 그 의사가 측은하게 보였다.

2~5~09

오늘이 수술 후 첫 follow-up방문날 이였다. Watson clinic에 가서 K.U.B. Xray를 찍어 가지고 Dr. Tierney를 만났다. Dr.Tierney가 내 Xray를 걸어 놓고 두개의 전보다 작은 돌을 보여 주면서 하는 말이 돌을 깨다가 두 쪼각이 거꾸로 逆流하여 renal pelvis로 들어 갔다고 한다.

전신에 피가 다 몸에서 빠져 나가는 것 같았다. 두 다리에 힘이 없어 서있기가 힘들었다. 수술 전 “No Problem”이라고 했고 내가 의사니 좀더 신경을 써서 잘 수술을 해주어 수술 합병증이 없기를 희망했는데.

고의로 수술을 잘못하여 사람을 해치는 의사는 없을 것이다. 기술이 좋은 의사라도 실수는 반드시 생긴다. 그런데 그 실수가 하필이면 내게 생기다니.

Dr, Tierney말로는 세 Options이 있다고 한다.

첫째, Ureteral Stent를 끼고 약 육개월을 기다려 보는 방법이 있는데, 그 동안에 Renal Pelvis에 있는 돌이 흘러 나올 가능성이 없지는 않다.

둘째, 수술적으로 Renal Pelvis에 들어가 돌을 꺼내든가.

셋째, 다시 retrograde ureteroscopy수술로 돌을 꺼내든가. 왜 수술을 하는 김에 다하지 아니 했느냐고 묻고 싶었지만 죽은 자식 불알 만지기라 나는 입을 봉했다. 나도 수술이 뜻하는대로 되지가 않아 애를 먹은 일이 있었으니 그를 미워하지 말자고 노력하는 수밖에.

내가 의사를 잘못 만났다고 생각한 예감이 적중했다. 또 그런 예감이 들었으면서도 의사를 바꾸지 않은 내 탓도 있다.

2~6~09

아직도 심한 혈뇨가 나온다. 체력도 많이 줄었다. 운동이나 골프도 나가지 못한다. 메어리랜드에 돌아가 재수술을 받을 생각을 하니 우울해진다.

피 재생에 간이 좋다고 하여 아내가 소 간을 사다가 요리를 해 주었다. 아내도 내 수술 합병증의 피해자다. 아내의 동분서주가 고맙지만 딱하다.

2~12~09

드디어 소변의 붉은 색이 가셨다. 요석이 부서져 역류해서 신우로 들어 갔을 때 그 것을 꺼내려고 많은 조작을 했을 것이다. 피가 열흘간 많이 나온 것도 그 때문이겠지. 그의 짤막한 수술 기록을 읽어 보았는데 전혀 설명이 없고 돌을 꺼내는 수술을 했다는 정도다. 내가 수술한 의사라도 내 실수를 상세히 기록하여 나 자신을 옭아 매지는 않았을 것이다.

2~20~09

Dr.Tierney를 만나 Maryland로 가져갈 수술 기록등의 사본을 부탁했다. 내가 개인적으로 아는 비뇨기과 의사도 있지만 한번 불에 데이고 나니 재수술은 Johns Hopkins병원에서 받아야 하겠다고 마음을 굳혔다.

3~2~09

어제 아침부터 Vertigo로 고생했다. 어지럽고 구토가 심해서 종일 누워 있었고 어제 하루 물 한 컵과 죽 한 컵을 겨우 넘겼다. 닥터 여 내외분이 병문안을 왔고 지현이가 불고기와 고깃국을 끓여 왔다.

4~28~09

닥터 여의 은퇴로 중국 출신 닥터 리를 Family 닥터로 정했다. 그에게서 처방을 받아 K.U.B.Xray를 찍어 보니 renal pelvis에 있던 돌 두 쪽이 보이지 않았다. 흘러 나왔나 보다하고 속으로 기뻐했다.

Johns Hopkins병원 이재승 선생이 소개한 Dr.Matlaga를 오월 십일일에 보기로 했고 그 때 K.U.B.Xray가 필요할 것 같아 찍었는데 돌이 보이지 않는지라 Dr. Matlaga와의 appointment를 취소할까 하는 생각도 했다.

5~11~09

Bay View병원에 가서 C.T.scan을 찍고 Dr. Matlaga를 만났다. 베이뷰 병원은 합킨스 자매병원이다. 의사는 키가 크고 미남이었는데 컴퓨터로 씨티 사진을 내게 보여 주며 설명을 하였다.

X-ray사진에서 본대로 씨티 사진에서도 Renal Pelvis에는 돌이 없었고 Ureter하반부에 3밀리 크기의 돌이 보였다.

의사는 Retrograde Ureteroscopy로 이 돌을 꺼내는 것이 좋겠다고 하며 수술 날짜를 유월십이일로 잡았다. 돌 사이즈가 작고 방광 근처까지 내려와 있으니 수술이 간단할 것이라고 말했다.

의사의 말을 듣고 삼개월에 걸친 마음 고생이 가시고 오늘부터 잠을 편하게 자게 되었다고 기뻐했다.

5~21~09

어제 저녁부터 왼편 옆구리에 생긴 동통 때문에 밤새 고생을 했다. 마침 전기가 나가서 물도 못쓰고 어려움을 겪었다. 문명국이라는 미국이 전기가 전보다 자주 나가는 것을 보니 미국도 쇠퇴의 길로 들어선 모양이다.

6~12~09

마취에서 깨어 나니 목이 쉬어 있었다. 전신 마취를 여러번 받았지만 마취후 목이 쉰 것은 이번이 처음이다. 회복실로 Dr. Matlaga가 찾아 와서 돌을 꺼내지 못했다고 했다. 이건 또 무슨 청천 벽력인가. Ureteral Stenosis가 있어서 Ureteroscope이 들어가지 않더라고 했다.

수술 중 Stenosis를 전문으로 하는 의사와 상의를 했더니 Stenosis를 제거하는 수술을 하지 않아도 될지 모른다고 말하더란다.

내일부터는 골프를 치겠다고 희망에 부풀어 있었는데 돌은 그대로 있고 더 큰 수술을 받을지도 모른다니 내 인생에 무엇인가가 꼬이고 있다는 불길한 생각이 들었다.

얼마 후 정신이 든 다음 나는 의사에게 이왕에 재수술이 필요하다니 지금 다시 수술장으로 갈 수는 없느냐고 물었다.

내가 개업할 때는 그렇게 한 적이 있었기에 청해 본 것이다. 의사는 안된다고 했다. 그 이유는 다음 수술은 Xray의사가 Nephrostomy를 하고 자기는 그 구멍을 통하여 Antegrade Ureteroscopy를 하는 수술이기 때문에 엑스레이 의사와 수술 날짜를 다시 잡아야 한다는 것이다.

만사 휴의 집에 돌아오는 발길은 무겁고 무거웠다. 갈수록 산이라더니.

집에 가 있으면 수술 날짜는 집으로 통지해 준다고 했다. 또 소변을 보지 못할까 두려워 도뇨관을 부탁해서 두 셋트를 받아 가지고 왔다.

이 못난 사람 때문에 아내의 노고가 크구나 생각했다. 아내도 지쳤을 것같아 중국집에서 볶음밥을 시켜다 먹었는데 소태맛인지라 먹는 둥 마는둥 했다.

6~13~09

점심 때쯤 소변을 자력으로 보았다. 피도 별로 나오지 않았다.

6~15~09

Dr. Matlaga가 유월십구일 휴가를 가기 때문에 그 이전에 재수술을 받기는 어렵다고 단념하고 있었는데 그의 비서로부터 유월십칠일 수술 날자가 잡혔다고 전화가 왔다. 그 소식이 반가워 골프장에 나갔다. 골프장엔 기분이 좋아서도 나가고 나빠서도 나간다.

이제 수술을 한번만 더 받으면 지긋지긋한 비뇨기과 신세를 면하겠다 싶어 세상이 즐거워 졌다. Fox news를 키니 Obama대통령의 건강보험에 대한 시시비 토론이 한창이다. 나는 그의 건강 보험에 대하여 이율배반적 생각을 가지고 있다.

내가 고통으로 고생할 때에는 국민 모두가 의료의 혜택을 받아야 한다는 원칙에 동의 한다. 그러나 자본주의 경제하에서 부지런히 일하고 절약하여 건강 보험에 든 사람과 게으르고 낭비하며 놀고 먹는 사람과 같은 의료 혜택을 누린다는 것은 형평성에 문제가 있다. 또한 엄청난 비용 때문에 현실적으로 국가가 비용을 부담하기는 불가능하고 따라서 의료 혜택을 균등히 전 국민에게 준다는 것은 혜택의 질적 저하를 의미할 수밖에 없다.

첫째 예를 들면 의사의 절대수가 부족하고 그중에서 우수한 의사는 더욱 부족한데 균등한 의료 혜택이란 공상일 수밖에 없다.

둘째 예를 들면 모든 병원 시설을 똑같이 설비할 수가 없다. 좋은 병

원과 그 보다 못한 병원이 차이가 나게 마련인데 같은 의료 혜택이란 공산주의 이론처럼 이론상으로만 가능하다.

법적으로는 북한, 중국, 캐나다, 구라파 여러 나라들이 국가가 국민의 의료 혜택을 책임지고 있다. 나는 결코 그 나라들의 의료 제도를 부러워 하지 않는다.

일단 Socialized Medicine으로 제도가 바뀌면 다시 법을 만들어 되돌아 갈 수는 없다. 나처럼 인생을 대충 마친 사람은 별 상관이 없겠지만 내 자식 혹은 손주들의 장래는 어두워 보인다.

No Problem 2 | 05

6~17~09

아홉시에 수술은 시작했다. 먼저 나를 엎드린 자세로 수술대에 고정했다. 목이 굳어서 엎드린 자세로 오래 못 있는데 바로 마취를 했기 때문에 그 후 기억은 없다.

Invasive Radiologist Dr. Marx가 수술 동의서에 내 서명을 받으며 수술 조작이 간단해서 어렵지 않으니 걱정 말라고 나를 안심시켰다. No Problem이라고 했다.

Dr. Matlage가 회복실에 와서 Antegrade Ureterostomy로 돌을 잘 꺼냈다고 내게 설명을 했다.

그런데 Nephrostomy Tube는 그냥 등에 꽂아 있고 튜브가 오줌 주머니에 연결되어 있었으며 오줌 주머니는 허리에 매달려 있었다.

Nephrostomy Tube가 아직 내 몸에 달려 있는 것을 보니 또 무엇인가 잘못 된 모양이라고 속으로 걱정하면서 퇴원을 했다. 계속 튜브에서 피오줌이 나오는데 콩팥에 구멍을 뚫을 때 혈관을 다쳤겠지 하고 추측을 했다.

Nephrostomy Tube주위에 Spasm이 생겨 아팠는데 아내는 의사에게 물어 보지 않는다고 성화인데 물어봐야 진통제를 먹으라는 말밖에 기대할 수 없을 것 같아 아내의 잔소리를 참아내기로 마음 먹었다.

1~16~09

어제보다 튜브 자리가 더 아프다. 그래도 약속한대로 여선생 생일 축하 만찬을 하는 식당에 가서 참고 앉아 있었다. 만찬이 끝나고 집에 와서 차에서 기어내렸다.

튜브 자리를 몸으로 압박하는 자세로 눕지 않으면 아파서 잘 수가 없었다. 진통제를 먹으면 구역질과 소화불량으로 아픈 것보다 괴롭기 때문에 그냥 버티기로 하였다.

6~23~09

Nephrostomy자리가 아직도 아프다. 소파에 누어 U.S. Open Golf Tournament 중계를 보며 아픔을 잊으려고 애를 썼다. 글 쓰기는 엄두도 못낸다.

6~23~09

Nephrostogram이라고 부르는 사진을 찍는 날이다. 나도 처음 듣는 검사인데 Renal Pelvis에 들어가 있는 Nephrostomy Tube에 Radiopaque Dye[조형제]를 주입하여 Xray를 찍는 것인데 요는 요도관에 조형제가 막히지 않고 방광까지 잘 내려 가는지를 보는 검사다.

검사를 받기 위하여 투시대에 누워서 의사를 기다리는데 내가 잘 아는 김영주 선생이 들어왔다. 반갑게 인사를 나누었다.

Nephrostomy Tube에 조형제를 주입하던 김선생이 조형제가 피하와 근육속으로 샌다고 했다. 콩팥 안에 있어야 할 튜브가 콩팥 밖으로 나와 있어 그동안 피와 소변이 근육으로 새느라고 그렇게 아팠었던 모양이다. 이제 생각하니 왜 내가 잘 때 튜브 자리를 몸으로 압박하면 덜 아팠는지 알겠다. 그 곳을 압박하면 소변이 덜 샜던 것이다. 소변이 샜으니 감염이 되었을 수도 있다.

계속 일어나는 합병증에 기가 막혀 말이 나오지 않는다. 세계 제일이라고 명성 높은 병원에서 No Problem이라더니 연속 Problem이다. 김선생 설명에 의하면 소변이 샌 원인은 튜브를 집어넣은 Dr. Marx가 tube를 적당한 깊이로 삽입하지 않아서 tube끝에 있는 구멍중에 일부가 신장과 피부 사이에 걸렸든가 Dr. Matlaga가 돌을 꺼내면서 tube가 콩팥에서 일부 빠져나와서 그랬든가 둘 중에 하나일 것이라고 했다. 어찌 되었든 사고는 났고 피해자는 나다.

나를 치료하던 의사들이 원망스럽다.

Dr. Kim이 Invasive Radiologist Dr. Auster을 불러왔다. Dr. Auster가 Nephrostomy Tube를 바꾸어 끼고 Ureteral Stent를 삽입하였으며 Nephrostogram을 또 촬영했다. Dr. Auster는 친절했고 나를 위로해 주었다.

좋은 의사도 있구나 생각하며 그에게 감사했다.

두시간쯤 기다린 다음 Dr. Matlaga가 소개한 Dr. Roberts를 만났다. Ureteral Stenosis의 전문가라고 해서 만난 의사인데 만나서 인사가 끝나자 마자 요도관 협착의 수술 방법을 내게 설명을 했다. 수술이 꼭 필요한지 다른 방법은 없는지 하는 설명은 빼고 수술 설명만 해주니 내심 겁도 나고 불쾌했다.

Dr. Matlaga가 수술이 필요할지도 모르겠다고 한 말이 기억에 있지만 수술을 기정 사실로 하고 그 방법을 설명을 해주는 것은 뜻밖이었던 것이다. Dr. Matlaga를 만나본 후에 수술은 결정하겠다고 말하고는 그 자리를 빠져나왔다.

Ureteroscopy를 한 환자의 3 내지 11%에서 Stenosis가 생긴다고 한다. 물론 의사가 만든 Iatrogenic한 합병증이다. 그밖에 도뇨관 주위에 있는 다른 기관을 수술하다 생긴 상처와 Scar로 협착이 생기기도 하고 방사선 치료를 받은 후에 Fibrosis가 생겨 협착이 생긴다는 정보는 인터넷에서 읽어 알고 있었다.

Ureteral Stenosis에 대한 수술은 합병증도 많고 작은 수술이 아니다. 의학 지식이 나보다 적지만 아내도 수술은 가능한 한 미루자고 했다.

수술을 권한 의사의 의견이 옳은지 모르겠지만 작은 돌 하나 때문에 반년에 걸친 여러번의 수술과 그에 따른 고통을 이성적이나 감성적으로 내가 소화를 하지 못했기 때문에 나는 Dr. Roberts와의 대화를 중단하고 돌아 섰다.

번번히 No Problem이라는 말을 듣고 의사를 믿고 내몸을 맡겼는데 내 몸은 발병전에 비해 상처 투성이다. 운명의 장난이라는 표현외에 표현할 길이 없다.

주인공은 죽었는데 서부 전선 이상 없다는 라마르크의 소설이 생각난다. 물론 아무리 간단한 수술이라도 수술 도중 죽을 수도 있었다. 살아 있는 것 만으로도 욥기의 욥처럼 감사하라고 내게 말할 수도 있을 것이다.

지난 반년은 내게 참으로 어두운 세월이었다.

6~25~09

많은 문병 전화를 받았다. 그 중에 요석으로 동통을 경험한 분들이 많았는데 맥주나 물을 많이 마시고 돌이 절로 나온 얘기가 대부분이고 그들은 여러번 수술을 받는 내 경우를 이해하지 못했다.

나 자신이 왜 나는 치료 도중 사고가 자꾸만 나는지 이해하기 힘드니 남들이 이해하기는 더욱 어려울 것이다. 구태어 설명하려고 애쓰지 않았다. 내가 운이 나빴다는 것을 내가 선전하는 것 밖에 안되고 남의 긴 병상 기록이 듣기에 흥미 있는 일은 아닐 것이다.

산프란시스코에 사는 막내가 필라델피아 본사에 출장을 왔다가 들렸다. 집안 식구중에 하나 쯤 내 병력을 알아야겠다 싶어서 아내와 함께 앉혀 놓고 해부 그림을 그려 가면서 그동안의 병 경과를 설명해 주었다.

막내 명진이는 딸이 둘인데 사일간의 출장중에도 제 아내의 짐을 덜어줄 셈으로 제 딸 선미를 데리고 와서 우리에게 맡겼다. 아직 세살이 채 안되는 선미는 낮에 잘 놀다가도 잘 때가 되면 애미 생각이 나는지 잠이 들 때까지 우는 통에 선미를 보살피느라고 아내는 잠을 설쳤다.

아내는 나와 같은 남편을 두어 네 아이를 키우느라 고생을 했지만 요즘 남자들은 여자를 여왕처럼 모시느라고 아이들 키우는데도 많이 거든다. 나쁠 것은 없지만 사내만 넷인 우리집은 밑지는 기분이다.

마이클 잭슨이 작고했다. 하루종일 텔레비전 뉴스에 이 소식이 나왔다. 겨우 오십에 세상을 떠난 재능이 아깝다. 약물 중독 그의 성적 기호 낭비벽등 결코 모범이 될만한 생애는 아니지만 인기 있는 연예인이라서 메디아에서 대서특필이다. 흑인 정치인들이 생전에 가장 친한 친구였던 것처럼 카메라 앞에 나와 떠드는 것도 내 마음에 안든다.

자기의 정치적 인기를 위해 죽은 인기 연예인을 울겨 먹는 무서운 세상 인심을 본다.

6~27~09

땀이 많이 나서 튜브를 고정하고 있는 반창고가 피부에서 분리되고 세균 감염이 될 우려가 있다. 그래서 골프도 치지 않고 샤워도 이틀에 한번으로 제한하여Nephrostomy 자리를 보호하고 있다.

문병온 둘째 내외가 울적한 나를 보고 가라오께를 하자고 제안했지만 나는 흥이 나지를 않았다.

7~4~09

오늘 교회에서 노진준 목사가 L.A.에 있는 세계로 교회로 떠난다는 발표가 있었다. 그가 학문적인 목사이고 Liberal Theology에 조예가 깊어 내 기독교 공부에 많은 도움이 된 분인데 섭섭하기 그지없다.

내 신병의 쾌유를 위해 기도한다는 노목사의 기도도 있었다. 기도가 Ureteral Stenosis를 치유할 수 있다고 믿지는 않지만 영적인 효과가 있을 것이라고 나는 믿으며 노목사에게 감사했다.

지현 내외가 교회로 내 병문안을 왔다. 중국 식당 사천에 가서 점심을 대접했다. 코리안 루트를 찾아서 라는 책을 내게 선물했다. 나처럼 과거 수십년 사이에 바뀌고 있는 한국과 중국의 역사를 모르는 분들에게 일독을 권하고 싶다.

1. 한국 민족과 문화의 시베리아 기원설 즉 알타이 문화설이 완전히 바뀌고 있다.

2. 그 증거로 한반도에서 발굴되는 빗살 무늬 토기는 약 오천오백년이 되었고 시베리아에서 발굴되는 같은 무늬의 토기 역사는 기원전 사천 오백년이며 우리의 조상이라고 일컬어온 동이족이 살던 발해 연안 문명의 발상지에서 나온 같은 무늬의 토기는 기원전 육천년까지도 올라간다고 한다. 다시 말하면 발해 연안 문명이 시베리아 문명보다 더 오래 된다는 얘기가 된다.

3. 중국이 인류 문명의 발상지라고 자랑하던 황하 문명의 약점은 기원전3000년의 에집트와 메소포타미아 문명에 비해 약 천년이 모자란다는 것이다. 홍산문화를 비롯한 발해연안 문명이 기원전 6000년까지 거슬러 올라간다는 것을 발견한 중국 학자들이 발해 연안 문명이 동이족의 문명인 것은 인정하되 동이 민족을 중화 민족의 시조로 갑자기 떠 받들기 시작하였다.

즉 중국이 고구려 조상을 자기들 조상으로 바꿔 치기 하는 운동을 조직적으로 시작했다. 역사를 바꾸는 운동이 1960년대에 시작하였고

중국은 온 나라의 힘을 기우려 세계 역사학계를 뒤집어 놓고 있다. 한마디로 우리는 조상을 빼앗기고 있다.

4. 중국 고고학자들의 대대적인 발굴 작업으로 발해 연안 문명의 유품과 유적들이 대량 발굴되었다. 갑골만 해도 수만점, 옥 제품, 토기, 궁성 터, 묘지, 피라밋 등 다 열거할 수가 없다.

한민족의 조상이 중국 한족의 조상으로 세계 역사에 자리 잡고 있는데 한국은 갈라져 싸우느라 바빠 중국의 공세에 대항할 엄두도 못내고 있다는 사실만이라도 한국 식자들이 알고는 있어야 한다.

소위 동북 공정이라는 것이 무엇인지는 알아야 한다.

7~6~09

여덟시에 합킨스 외래에서 Dr. Matlaga를 만났다. 합킨스 병원에 교수로 있는 이재승 선생이 우리 내외를 마중 나왔다. 시간을 내어 찾아온 이교수에게 깊이 감사한다.

Dr. Matlaga는 나를 방사선과에 의뢰하였다. Ureteral Stenosis있는 자리를 조형제를 사용하여 통과하는데 필요한 압력을 측정하고 협착부위를 확장하는 조작을 시도하자는 것이다. 그것이 실패하면 수술을 하는 수 밖에 없는 것 같다.

끝난 후 이선생이 우리 내외 점심을 샀다. 빚을 지고 산다.

병원에 가서 앉아 있을 때마다 도살장에 끌려온 기분인데 오늘은 이선생 덕에 원족간 기분이었다.

Radiology Appointment가 칠월 십오일로 잡혔으니 그동안 Nephrostomy자리를 감염이 안되게 잘 보호해야 한다.

7~8~09

수술이 절대로 필요하다면 다른 치료를 단념하고 마음은 편할 것도 같다. 혹시 수술을 피할 수도 있다는 희망 때문에 마음이 좌불안석으로 일이 손에 잡히지 않는다. 만일 남이 나와 같은 처지에 있고 나처럼 걱정을 하고 있으면 나는 그에게 수술하면 될 것을 무얼 그리도 걱정하느냐고 말했을 것 같다.

이것이 나와 남의 차이다. 내 손톱 밑에 박힌 가시가 남의 썩는 염통보다 대수러운 것이다.

워싱톤에 사는 이종수 선생에게서 전화가 왔다. 수년전 허리 디스크로 고생하던 부인이 Pain Clinic에서 스테로이드 주사를 맞은 것이 감염이 되어 골수염이 생겼고 그 뒤로 대수술을 여러번 받았다. 그 후로도 통증이 계속되었는데 이개월 전에 다시 스테로이드 주사를 Pain Clinic에서 맞았는데 역시 곪겨 수술을 받았고 집에서 치료를 받고 있다고 한다. 그래서 상의를 하는 전화를 건 것이다.

내가 하고 싶은 말은 환자가 병원이나 의사를 찾아가 치료를 받는 중에 병을 악화하거나 새 병을 얻거나 의사가 만든 합병증으로 고생하는 사람이 나 하나가 아니라는 점이다. 혹 떼러 갔다가 혹을 하나 더 붙여오는 격이다.

7~12~09

노 목사에게 구역장을 못하겠다는 사직서를 냈다. Colostomy Bag을 달고 다니는 것은 내가 견딜만 한데 Nephrostomy Tube까지 달고 다니는 것은 부담스럽고 앞으로 큰 수술을 받을지도 모른다는 생각이 내게는 스트레스여서 구역내 다른 신도들의 복지에 신경을 쓸 여유가 없었다.

능력 있는 분에게 넘겨 주자는 것이 내 사임의 취지였고 이것이 내 신앙의 현주소다. 나는 살신성인과는 거리가 멀다. 나는 내가 살고 난 다음에 남의 생각을 하는 것이 고작이다.

7~13~09

고통이 인간의 정신 또는 정서 활동에 미치는 영향은 고통의 정도와 고통을 받는 사람의 인격과 성격에 따라 다를 것이다. 동통에 대한 감수성도 사람에 따라 달라서 선천적 무통증으로부터 살짝 건드려도 몹시 아파하는 사람까지 고루 있다. 아마 나는 참을 성은 있는 편이지만 통증에는 예민한 편인가 보다.

신장 결석으로 지난 반년간 여러 수술을 받았고 아직도 예후를 알

수가 없으니 우울한 것이 당연하다고 할 수도 있고 내 의지가 약하다고 할 수도 있으며 신앙이 깊지 못하다고 할 수도 있겠다.

불란서의 Blaise Pascal[1623~1662]은 평생 병약했고 삼십구세에 세상을 떴다. 평생 병으로 시달린 그가 누구 못지 않는 과학적 업적과 철학적 사색을 남겼다는 사실은 감동적이다. 파스칼의 얘기가 나온 김에 파스칼의 도박 [Pascal's Wager]을 소개한다. 인간은 아무리 애를 써도 이성의 힘으로 신의 존재 유무를 판단할 수가 없다. 동시에 인간은 신이 존재하든가 존재하지 않든가 어느 한쪽에 인생을 걸 수 밖에 없다.

신이 존재한다는 쪽에 걸었다가 정말로 신이 존재하면 덕을 볼 것이요 존재하지 않아도 밑질 것이 없다. 반대로 존재하지 않는다는 쪽에 걸었다가 신이 존재한다면 그 인생은 신의 분노를 살 것이다.

즉 신이 있다고 믿으면 Everything to gain, Nothing to lose라고 그는 말한 것이다.

신이 존재한다는 쪽에 인생을 걸면 살아서도 좋은 일을 더하려고 노력할 것이고 죽어서도 영생을 얻을 것이다. 소위 Win Win Situation이라는 것이다.

파스칼은 이성, 과학, 종교 등 이 세상의 모든 것을 Uncertainty로 보았다. 파스칼의 도박은 이 Uncertainty를 전제로 한 피할 수 없는 각 개인의 도박이며 결단이라고 했다. 파스칼의 도박에 대한 반론도 많은데 이만 해 둔다.

내가 볼 때 그의 도박은 신에 대한 믿음에서 나온 것이 아니고 신에 대한 풍자의 의미가 강하게 깔려 있다고 나는 생각한다.

여하튼 신에 의존하거나 붓다의 말씀을 쫓는다면 이 고통에서 해방될 수 있는 것일까.

No Problem 3 | 06

7~15~09

오늘이 Invasive Radiology에서 Whitaker Test를 받기로 예정된 날이다. 오늘 마취를 하면 이틀은 골프를 못 칠 터라 어제 십팔홀을 무리하게 걸었더니 아침에 여기 저기 근육이 아프고 개운하지가 않았다.

Invasive Radiology에 Dr. Mullins를 만나서 내 병력을 설명했다. Whitaker test란 좁아진 Ureter를 액체가 통과하는데 얼마의 수압이 필요한지를 재서 협착 정도를 알아 보는 시험이다.

회복실에서 깨어났다. 몸이 약해진 탓인지 구역질이 나더니 토했다. 마취하고 토한 적이 없었는데 생각하며 무슨 부작용인지 걱정했다.

아무도 시험 결과를 설명해 주지 않아 궁금했다. 기다리다 못해 간호사에게 부탁하여 테스트를 한 의사를 페이지 했으나 반응이 없었다. Test결과는 Dr. Matlaga에게 알아 보라는 메세지만 받고 궁금한 채 집으로 올 수밖에 없었다.

마음 속으로 이번 마취하는 김에 빼줄 줄로 기대했던 Nephrostomy Tube는 여전히 왼쪽 등뒤에 매달려 있었고 드레씽을 다시 했는데 보통 반창고로 튜브를 피부에 붙여 놓았다. 보통 쓰는 반창고는 샤워를 하면 붙어 있지 않고 잘 떨어지기 쉽고 물에 젖을 뿐만 아니라 며칠 지나면 반창고 붙은 주위 피부가 가려워 견디기 힘들다.

그래서 Nephrostomy Tube나 Central Line처럼 오래 두고 써야 할 부위는 opsite라는 투명한 반창고를 써야 환자가 샤워도 할 수 있고 피부 자극도 피할 수 있다. 내게 그런 고려를 해주지 않은 것이 섭섭했다. 집에 돌아와 저녁 늦게 전화로 수소문해서 Opsite반창고를 파는 약국을 알아 내고 아내가 가서 사다가 드레씽을 다 바꾸었다.

죄없는 아내까지 피해자가 된 것이다.

7~16~09

입맛, 기운. 기분 세가지가 모두 바닥을 긴다. 운이 좋으면 Nephrostomy Tube를 뺍을 것으로 기대를 하고 오늘 티 타임을 병원 가기전에 해 놓았는데 누워 앓느라고 감쪽 같이 잊고 있었다.

우리 내외와 골프를 치기로 약속이 되 있었던 미세스 여의 전화를 받고서야 티 타임 생각이 났지만 이미 엎지러진 물이라 몹시 황당했다. 몸이 성치 못하니 실수는 늘고 인사도 못 차린다. 종일 누워서 British Open Golf 중계로 시간을 보냈다.

오십구세의 Tom Watson이 리드하고 있다. 나보다 열다섯살이나 아래지만 선수중에 내 나이에 제일 가까우니 나는 그를 응원하고 있었다.

나는 상당한 기간 인간이 정신력으로 육체적 고통을 극복하거나 무감각 해질 수 있는지 하는 의문을 품고 있었다.

요석이나 복통으로 뒹굴면서도 고통을 이겨낼 수 있는 내 정신력의 한계에 대하여 나는 스스로 묻고 또 물었다. 앞으로 또 변할지는 모르나 내가 얻은 결론은 이렇다.

인간은 정신의 힘으로 많은 고통을 참을 수 있다. 그러나 아프다는 감각에서 벗어날 수는 없다. 또 일차적인 육체적 고통을 수반하는 이차적인 정신적 고뇌를 줄일 수는 있다.

인간의 견딜 수 있는 한계를 넘어서는 고통을 경험할 때의 인간의 모습을 내가 표현하려 하는 대신 나는 마태 복음 27~46 말씀을 인용한다.

하나님 하나님 어찌하여 나를 버리셨나이까.

7~17~09

Dr. Matlaga office에 메세지를 남겨 놨더니 회답이 왔다. 내 Whitaker Test결과에 의하면 Ureter협착이 심해서 방광경을 통하여 다시 Ureteral Stent를 삽입해야 한다는 것이었다.

결국 Ureteral Stenosis에 관해서는 수술이나 스텐트 삽입외에는 별수가 없다는 얘기다. 나는 이 소식에 입맛이 떨어졌다.

Dr. Matlaga와 직접 대화는 여간 힘든게 아니다. 통신 기술이 발달하여 Answering Service가 일단계 장애이고 비서진들의 장막이 또한 가로막고 있어 통화가 어려운 것이다.

다른 예를 들면 우리집 전화와 인터넷에 문제가 생겨 여러날 매일 회사에 전화를 걸었다. 전화를 받는 여직원의 말투는 대단히 친절한데 심한 악센트 때문에 통화가 힘들었다. 곧 고쳐준다고 대답은 번지르르 하는데 나와서 고쳐 주는 사람은 없었다.

알고보니 임금 싼 인도로 Out Sourcing하기 때문에 인도에 있는 여직원이 전화를 받는다. 인도에 있는 여직원이 미국에 있는 상사에게 전달을 제대로 했는지 모르겠으나 하여간에 함흥 차사였다.

아내가 언성을 높이고 호통을 수없이 치고 난 다음에야 미국에 있는 직원과 접촉이 되어 직원이 나오고 문제가 해결이 났지만 일주일 이상 스트레스 받은 아내의 신경은 보상 받을 길이 없다. 의료계도 마찬가지라서 큰 병원 의사와 소통하려면 스트레스를 받는데 아픈 것이 죄로 생각하고 참는 수밖에 없다.

내가 장기 환자가 되어 깨달은 것이 한가지 있다. 급사하는 사람을 제외하고 오래 병에 시달리다 죽는 사람은 지칠대로 지쳐서 더 살고 싶은 욕망이 없어진다는 사실이다. 즉 생에 아무 미련 없이 죽음을 받아 들인다는 것이다.

죽음에 대한 두려움 생에 대한 집착 등은 마음과 몸이 어느 정도 건강할 때의 얘기다.

대장을 떼어 내고 Colostomy를 한 후로 나는 한주나 두주에 한번 정도로 복통과 설사로 몇시간씩 고생을 한다. 그럴때면 이렇게 고통스러운 인생을 계속할 이유가 있을까 하는 의문이 고개를 쳐든다.

새로 얻은 병 Ureteral Stenosis로 병원과 의사 사무실을 들락거리고 수술을 여러번 받으면서 같은 생각을 했다.

이 두가지 고통 사이에서 해방되는 시간에 글을 쓰고 정원을 가꾸며 산책도 한다.

내 삶은 고통의 시간과 고통에서 벗어나는 시간이 반복하는 사이클에 불과하다. 고통의 시간이 늘어 나서 어느 한계점을 넘으면 생에 대한 애착을 잃을 것이다.

그 위에 우울증이 겹치면 그 한계점도 변할 것 같다. 팔십살이 넘으면 자살율이 평균의 육배가 된다고 한다. 나이와 노년의 병이 생의 가치나 의미를 無로 이끌고 간다.

나는 사춘기 때 말고는 자살을 하고픈 생각을 한 기억이 없지만 스스로 생을 중단하는 사람의 심리를 이해한다고 생각한다.

내가 내 마음을 안다고 주장하기는 어려우나 현재 죽음에 대하여 두려움 보다는 사후 세계에 대한 호기심이 더 많은지 모르겠다. 그만큼 삶에 대한 큰 미련은 없다.

세상이 나를 잡고 있는 가장 질긴 끈은 부부간의 사랑으로 내가 먼저 떠나면 혼자 살아 갈 아내의 처지가 딱하다는 생각이다. 그 다음이 자식과 손주들과의 끈이겠지만 그들은 나 없이도 아무 지장 없이 살아 갈 것이다.

친구의 정도 중요하지만 나 자신이 가까운 친구가 세상을 떠날 때마다 몇일간 애통도 하고 기도도 하는 정도로 결국 잊지 아니 하였는가.

지금 내가 병원을 여러 차례 들락거려도 진정으로 내 걱정을 해주는 친구는 몇이 되지 아니하고 나머지 친구들은 겉 인사치레 뿐이다. 세상은 그런 것이 당연하기 때문에 그렇다고 섭섭하지도 않다.

That is the way it is 일 뿐이다.

신은 이천년도에 직장암으로 금년에는 요석으로 두번 죽음에 대한 마음의 준비를 할 기회를 내게 주었다. 그 점 나는 신에게 감사한다. 어떤 특정 종교의 신을 의미하는 것은 아니다.

오늘 뉴스에 Walter Cronkite씨가 구십이세로 서거했다고 전한다. CBS Evening news anchorman으로 자기 직분에 충실한 사람이었던 분인데 많은 사람들이 그를 신뢰하고 존경해서 한 때 그가 대통령에 출마하기 만하면 꼭 당선되리라고 생각했다. 그의 인격과 구수한 음성 그리고 믿음직스런 얼굴들이 그를 큰 인물로 만들었을 것이다.

미국에 큰 별이 사라졌다.

나처럼 평범한 의사도 내 별이 따로 있을까. 인간은 꿈과 상상의 날개를 달고 시와 신화를 창조하는 동물이고 물리적 광물질만 떠도는 우주에 신과 예술을 간직하고 산다. 내 별 하나 더 보탠다고 해서 이상할 것 없다. 나도 나의 공상과 상상의 세계가 있으니까.

7~22~09

여덟시에 베이뷰 병원으로 떠났다. 이제 병원 출입에 대한 혐오감도 줄어들고 직원들과 인사도 편안해졌다. 사람은 어떤 환경에도 적응하고 익숙해지기 마련이다.

수술전 Dr. Matlaga가 수술 동의서에 관해 설명을 했다. 요약하면

첫째, Ureteral Stenosis가 호전될 가망은 없다. 내 선택은 Stent를 계속 갈아 끼면서 살든가 Boari flap이라는 수술을 받든가 둘중에 하나다.

Boari flap이라는 수술은 좁아진 Ureter를 잘라내고 방광 벽으로 ureter처럼 튜브를 만들어 대치하는 수술이다.

둘째, 감염등 합병증이 생기지 않으면 오늘 삽입하는 스텐트는 일년에 한번 방광경을 통하여 갈아 넣어야 한다.

셋째, Nephrostomy Tube는 오늘 뽑는다.

오늘 내 담당 간호사들은 퍽 친절했다. 페티는 삼남매의 어머니인데 집에서 채소밭을 가꾼다고 한다. 채소밭 얘기로 수술 전 불안감을 잊었다. 간혹 환자 간호를 천직으로 아는 간호사가 아직도 있다는 것은 다행한 일이다. 페티는 그런 간호사였다.

Nephrostomy Tube를 뽑고 나니 살 것같다. 자유가 그만큼 소중하다.

이십사시간 근신하라는 마취의사의 명을 어기고 정원에 나가 엉금엉금 기어 다니며 잡풀을 뽑았다.

전에 직장암 수술을 받은 후 매 삼개월마다 암 센터에 가서 암 재발 여부를 검사 받았다. 나는 그때 삼개월마다 기다리는 심정을 일컬어 삼개월 시한부 인생이라고 불렀다.

No Problem이라고 자신하는 의사의 말을 믿고 시작한 尿石 치료가 Ureteral Strnosis라는 불구의 신세를 만들었고 나는 해마다 Stent를 갈아 껴야 하는 시한부 인생이 다시 되었다.

사람을 원망하면 할수록 더 미워지고 사람을 미워할 수록 내 마음은 더 상처를 받는다.

그런고로 나를 이렇게 만든 사람들에 대한 원망을 피하는 것이 바

로 나를 위한 것이다.

세상에는 나보다 더 억울한 사람들도 많다는 것을 나는 안다. No Problem이다. 이제 그만 입을 다무는 것이 덕이 되리라.

복통 | 07

직장암 수술과 항암요법을 받은지 칠년이 넘었다. 아직도 암의 재발에 대한 두려움이 불쑥 불쑥 찾아 오지만 평소에는 거이 잊고 산다.

그러나 항암치료의 후유증으로 복통과 설사가 아직도 나를 괴롭힌다. 잦을 때는 사흘에 한번 뜸할 때는 이주에 한번 정도로 나를 찾아온다.

처음에는 세월이 흐르면 낫겠지 하고 믿었는데 이제는 단념하고 산다. 복통과 설사를 유발하는 원인이 과식, 치즈, 우유, 술, 김치, 매운 음식등이다. 그러나 아무리 조심을 해도 내 재주로 완전히 예방하지는 못하고 있다. 내 노력이 부족한 것도 사실이고 내 성격이 그렇게 철저하게 노력하면서까지 살 의미를 찾지 못한 것도 같다.

복통과 설사가 두세시간에서 하루쯤 나를 괴롭히는데 때로는 마루바닥에 몸을 마구 굴릴 정도로 배가 뒤틀린다. 설사는 장이 완전히 비울 때까지 계속 한다.

언제인가부터 이 고통을 내가 암으로 죽지 않고 살고 있는데 대한 신의 과세로 생각하기 시작했다. 물론 이 생각은 내가 혼자서 꾸민 미신이다.

누구나 자기가 겪는 고통이 제일 견디기 어려운 고통이라고 생각하게 마련인데 나도 예외는 아니다. 그러나 정말 힘들 때가 있다. 예를 들면 내가 손님을 초대해 놓고 손님 앞에서 배가 아프기 시작할 때이다. 손님에게 내색을 않고 화장실에 드나 들면서 손님을 치루기가 마치 지옥같이 생각될 때가 있다. 자동차안이나 비행기위에서 아프기 시작해도 그 고통이 더하다. 아픈 중에는 이런 고통을 겪으면서 산다는 것이 죽는 것보다 나을까 하는 의문이 생긴다.

고국 방문을 자꾸만 미루고 여행을 피하게 된 이유도 언제 닥칠지 모르는 복통 때문이다. 내 의학 지식으로 혼자서 궁리도 해보고 아는 전문의와 상의도 했지만 신통한 해결책이 없다.

그런데 조심을해서 한 일주일쯤 복통이 없으면 언제 그런 일이 있었던가 싶게 음식 조심을 게을리 하게 되고 다시 복통과 설사로 고생을 한다. 그럴 때 마다 그 심한 고통을 일주일이면 잊고 먹는것을 탐하는 어리석은 나를 내가 경멸하지 않을 수 없다.

인간에게 망각만한 약이 없으면 고해의 인생을 살아갈 수 없겠지만 나의 건망증은 너무 심한 것 같다. 하지만 바로 이 망각 덕택에 복통이 개인 날은 기고만장 할 수 있는 것이 아닌가.

바울은 [고후 12;7]에서 여러 계시를 받은 것이 지극히 크므로 자고하지 않게 하시려고 내 육체에 가시를 주셨으니 라고 고백하여 육체의 병을 하나님이 내린 경고로 혹은 사람을 겸손하게 만드는 채찍으로 받아 드렸다.

나는 바울의 말중에서 이 구절을 좋아 한다.

복통이 심해지면 앉으나 서나 누우나 아프고 속수무책이니 뜻대로 하소서 하고 몸을 내맡기는 수 밖에는 없다. 諸行無常을 읽었다 해도 창자가 뒤틀리는 데에는 장사가 없을 것 같다. 참고 아픈 표시를 감출 수는 있을지 모르겠으나 無常을 안다고 고통이 사라지지는 않으리라. 의식적으로 고통을 무시하려고 애쓰는 것과 없어지는 것과는 다르다.

고통이 아주 심할 때에는 죽는것은 두렵지 않으니 차라리 죽음을 택하겠습니다 라고 할만큼 심한 고통이 오는데 그런 고통을 영적으로 해결한다는 것이 가능할까.

내가 역사를 통해 아는 순교자들의 죽기까지의 고통을 상상해 본다. 혼절을 되풀이 하면서 정신적으로 지조를 굽히지는 않지만 결코 육체적 고통이 사라지지는 않았을 것이다. 그들 역시 죽음이 고통에서 해방되는 축복으로 믿었을 것이다.

단식의 경우도 그 육체적 고통은 먹을 것이 없어서 굶는 사람의 고통과 같을 것이지만 정신적인 의지가 다를 뿐이라고 생각한다.

고통은 몸에 닥쳐오는 위험에 대처하기 위한 경고 장치 또는 방어기전이라고 한다. 한마디로 몸에 고장이 났으니 빨리 대처하라는 경고인 것이다. 때때로 이경고가 몸의 이상 자체보다 더 심한 병으로 환자를 괴롭힐 수 있다.

복통과 설사가 매일 찾아 온다고 해도 피조물인 나는 항의할수도, 발악을 할 수도 없는 처지다. 즉 복통과 설사가 심해져서 그길로 내 목숨을 앗아가도 나는 속수 무책이다. 창조주를 향해 저주를 할 수는 있다. 역으로 어떤 경우를 당하더라도 감사하고 복종할 수도 있다. 그러나 속수 무책이다.

사흘에 한번씩 평균 세시간 정도 복통이 온다면 내 인생의 이십사분의 일이 복통의 시간이고 그 나머지 이십사분의 이십삼이 복통에서 해방되는 시간이다. 수학적으로는 내게 후한 신에게 내가 감사하여야 할 것이다. 또 내 인내와 내 믿음을 시험할 수 있는 기회를 주신 것을 감사 하여야 할 것이다. 나보다 젊은 나이에 세상을 떠난 친구들도 많으니 복통을 감사하고 벗을 삼아 같이 사는 법을 배우는 길 외에 뾰족한 수가 있겠는가.

이승에 개가 저승의 신선보다 낫다고 한다. 복통과 친구가 되려고 노력하는 편이 적으로 삼고 원망하며 사는것보다 나을 것이다. 어찌되었던 한번 떠나면 영원히 떠나는 모양이니 불평없이 여생을 조용히 있다가 가는 것이 바람직한 태도가 아닌가 한다.

제5장

신앙과 나

알레그라 | 01

나는 장로교에 속하는 갈보리 교회를 다닌다.

시집 살이가 십년인데 시어머니 성을 모른다는 속담대로 장로교회에 나가면서 칼빈 신학을 모르는 부끄러움을 면하려고 한국 장로회 신학대학장이었고 현 한국 기독교 학술원 원장인 이종성 목사의 저서 칼빈을 정독 했다.

인간은 신에 대한 감성[Sensus Divinitatis]과 지성[Intelligentia Numinis]을 가지고 태어 난다고 칼빈은 말했다.

신에 대한 인간의 불순종 즉 죄 때문에 인간이 타락하고 말았지마는 종교적 씨앗[Semen Religionis]과 양심이 인간에게 남아 있기 때문에 하나님을 믿게 된다고 하였다.

칼빈은 예정론에서 "그리스도안에서 하나님은 세상의 시작 이전에 이미 우리를 선택하사 어떤사람은 영생으로 어떤사람은 영원한 파멸로 예정하셨다."고 칼빈은 말했다.

"이는 하나님의 영원 불변하신 섭리에 따라 사람을 은총으로 대하시는 결과로 나타난 것이고 하나님의 주권의 표시다."라고 했다. 즉 예정은 하나님의 주권에 속한다는 것이다.

그러나 전지전능한 하나님이 지옥으로 갈 사람을 미리 선택하셨다는 말은 이성을 가진 인간이 이해하기에는 어려움이 있다. 인간의 머리로는 하나님이 그런 선택을 미리 하는 목적을 이해할 수 없기 때문이다.

아우구스티누스도 예정론에 관해서 칼빈과 같은 생각을 했다. 신의 절대적 권능에 대하여 인간이 왈가 왈부할 수 없으니 예정론에 반기를 들 수 없다는 것을 알지만 나는 의문에서 벗어날 수가 없었다. 다른 말로 하면 인간은 불가지의 신의 섭리에 대하여 의심하거나 물어서는 안된다지만 예정론에 대한 의문은 물러나지 않았다.

알레그라는 금년 세살이 된 내 손녀로 뉴욕에서 다니러왔다.

셋째아이 용진이가 너무 바빠 휴일도 없이 일하는 꼴이 딱하기에 저희 내외가 아이없이 하루 쉬게 하려고 아이들을 우리 내외가 하루 봐주기로 했다.

알레그라를 데리고 교회에 나가서 알레그라를 유년부에 맡기고 우리 내외는 예배에 참석했다. 돌아 오는 길에 알레그라에게 오늘 교회에서 무엇을 배웠느냐고 물어 보았다. 대단한 답을 기대한 것은 아니고 그냥 화제로 올린 것이다.

그랬더니 “God help me. I am not afraid. God love me. I am happy.”라고 또박 또박 거침이 없었다. 나는 불의에 한대 맞은 것처럼 한동안 말을 잇지 못하다가 다시 물었다.

“Are you sure?”웃으며 물었다. 알레그라는 진지한 얼굴로 “I am sure.”라고 한번 더 내게 펀치를 날렸다.

칼빈의 예정론 때문에 고민하고 있던 내게 세살 난 알레그라가 엎퍼 캇트를 날린 것이다.

알레그라의 답이 바로 신앙이 무엇인가에 대한 정답이 아닐까. 알레그라는 신앙이란 낱말의 의미를 모른다.신이 무엇인지 생각해 본 일도 없을 것이다. Love나 Happy의 의미는 어렴풋이 느끼고 있을 것이다. 그러나 알레그라가 아무런 의심이나 주저없이 I am not afraid, I am happy 라고 믿는 것이 바로 신앙이다.

알레그라의 지능 계수가 얼마이든 간에 또 훗날 나와의 대화를 다 잊어버리든간에 주저없이 God love me 라고 말하는 순간만은 그의 믿음은 진실이다.

다음에 커서 “I was so young, I wouldn’t know what I was saying.”이라고 말할지도 모르지만 알레그라의 지금의 대답은 신앙의 정곡을 찌른 것이다.

알레그라의 뇌는 하얀 도화지와 같다. 무슨 그림이든 그리는 대로 남는다. 하나님이 너를 사랑하신다고 하면 사랑이 남고 하나님이 너를 위해 십자가에 못박혀 피를 흘리셨다고 하면 그 그림이 남는다. 그러나 나는 세살난 알레그라가 아니다. 어린 알레그라가 될 수도 없다.

그래서 행복한 돼지가 될 것인가 혹은 고뇌하는 소크라테스로 살 것인가 그것이 문제다. 세상의 지식이 쌓이고 의문이 많아질 수록 I am afraid 그리고 I am not happy 를 벗어나지 못한다면 내가 현명한 사람일까 어리석은 사람일까.

02 | 상식

상식이란 보통 사람이 가지는 일반적인 지식이다. 영어로 Common Sense라고 하는데 공통된 감각 이라는 의미이고 사물에 대한 사람들의 공통된 지식과 견해를 의미한다. 상식은 시대와 문화와 교육에 따라 변하는데 예를 들면 지구가 둥굴고 자전과 공전을 한다는 사실이 요즘 사람에게는 상식이지만 중세기 이전에는 이런 말을 하는 사람은 정신 이상에 걸린 사람으로 몰렸을 것이다.

대퇴골이 부러지면 그 부위나 부러진 모양에 따라서 반드시 수술을 받아야 다시 걸을 수 있는 골절이 있다는 것이 정형외과 의사인 내게는 상식이고 보통 이런 환자는 무조건 병원을 찾는 것이 상식이지만 기도나 민간 요법으로 낫는다고 믿는 사람도 있을 수 있다.

대퇴골 골절중에는 종류에 따라 안정하고 기다리면 낫는 골절도 있으므로 다른 골절도 같은 방법으로 낫는다고 믿는 사람이 생길 수도 있는 것이다. 옛날에는 다 그렇게 치료했지만 그렇다고 다 죽은것은 아니다.

내가 잘 아는 분으로 공부도 많이 하고 지위도 있는 분인데 얼음에 넘어져 척추 골절을 입고 침을 맞으러 다닌 분이 있었다.

침은 통증을 제거하거나 더는데는 대단히 효과가 있기 때문에 환자는 병이 낫는 것으로 알기 쉽다.

척추골절은 척추신경 마비 등 특별한 경우를 제외하고는 시간이 지나면 낫기 때문에 다행히 그분도 무사히 나았다. 그래서 척추 골절을 침으로 치료할수 있다고 믿는 사람도 생기게 된다. 이 얘기는 상식에 벗어나는 일이 반드시 무식한 분에게만 일어나는 일이 아니라는 얘기다.

내 외사촌 하나가 척추 신경 마비가 진행되어 사망에 이르는 불치의 병 A.L.S.라는 진단을 받았다. 여러 의사를 거쳐 대학병원까지 갔는데 치료법이 없으니 물리요법이나 받으라면서 집으로 환자를 돌려 보냈다.

어느 중국인 한의사가 침으로 고칠 수 있다고 아니 자기가 고친 예도 있다고 하니 환자나 가족 모두가 정신이 나갔다. 내 의학 상식으로는 침으로 그 병을 고친다는 말은 사기지만은 물에 빠져 지푸라기라도 잡으려는 사촌을 절망에 빠트리기가 싫어서 침 맞는 것을 말릴 수가 없었다.

아마 내가 말렸어도 막지 못했을 것이다. 거동이 불편한 내 외사촌은 큰 돈을 들여 봉고차를 사서 환자를 실어 나를 수 있게 개조를 하고 매일 그 먼 곳을 침을 맞으러 다녔다.

세상을 떠날 때까지 침을 맞았다.침 때문에 한가닥 희망을 버리지 않았으니 사기치고는 악질적 사기는 아니지만 남은 가족의 경제적 손실은 컸다.

척추신경이 마비되는 병의 종류가 대단히 많고 일부는 자연 치유도 가능하기 때문에 사기 의료 행위가 성행하고 있는 것이다. 또 환자가 호소하는 병징후중에 약 반은 정신적 원인에서 오고 나머지 반도 자연 치유가 되는 병이 대부분이기 때문에 무당의 굿이나 안수 기도, 민간 요법, 정신 요법, 또는 침으로 고쳤다고 주장할 수가 있는 병이 많은 것이다.

이러한 지식이 내게는 상식이지만 많은 사람에게는 상식이 아닐 수 있다. 현대의학이 진단의 정확성과 치료의 효과가 가장 높은데도 불구하고 아직 원인이나 치료 방법을 알지 못하는 병이 수없이 많기 때문에 미신과 심지어 사기꾼 까지도 의료 행위에 끼어 들 수 있는 것이다.

내 사돈의 동생 되는 분이 또한 A.L.S.로 고생을 했다. 단단한 실업가요 지역 사회에서 활발하게 공헌하던 좋은 분이였다. 역시 대학 병원까지 거치고 치료는 단념하라는 말을 듣고 가족들은 절망하였다. 마침 아틀란타에 한국 제일의 침술가라는 분이 와 있었다. 꼭 고칠 수 있다고 하는데에 매달리지 않을 장사는 없다. 올란도에서 여섯시간 드라이브해 가서 삼백불을 치루고 지성껏 침을 맞았다. 이번에도 가족에게 헛고생 한다고 나는 충고를 했지만 그 이상 말리지는 못했다.

집에서 조용히 죽음을 맞이하는 것보다 먼 길을 침 맞으러 정신 없이 다닌 것이 고인에게 위안이 되었을까. 나는 대답할 수가 없다.

암의 경우에는 자연 치유와 같은 기적이 때때로 발생하여 상식을 깨는 예가 있기 때문에 내상식을 고집할 수가 없다.

내가 서울대학병원 수련의로 있을 때에 심한 복통으로 입원한 사십대 남자 환자를 개복 수술을 하고 조직 검사를 했더니 취장암이라는 진단이 나왔다. 가족들에게 일년을 넘기기 힘들 것이라고 예후를 알리고 집에서 편히 보내게 하라고 일렀다. 일년 뒤에 그환자가 건강한 모습으로 나를 찾아 왔는데 나는 반가우면서도 몹시 당황했고 처음으로 기적을 경험했다.

그 후에도 같은 경험을 수차 했다. 그러나 암의 자연 치유와 A.L.S.의 경우는 내 의학 상식에 의하면 다르다.

요약하면 환자는 자기의 상식에 따라 현대 의학의 치료를 받든가 사기 치료를 받는다. 결과로 환자는 자연 치유로 낫든가 병이 진행하여 죽든가 의학의 혜택으로 병이 낫든가 한다.

같은 원리를 개인의 신앙에 적용해 본다. 자기의 상식안에서 신앙을 가지든가 상식을 벗어난 신앙을 가지든가 할 것이다. 가르침이 바른 사대 종교의 하나를 믿더라도 믿음이 상식을 넘어서 초자연적 경지에 이르는 경우가 많을 것이다.

상식이 보통사람이 가지는 일반적이고 공통적 지식이라 하면 인간의 이성으로 판단한 보편타당한 지식을 의미할 것이다. 상식은 지식의 깊이가 전문가의 영역에 미치지 못할지라도 전문가의 지식과 서로 모순이나 갈등이 있어서는 안된다. 예를 들면 감기, 몸살, 일상 음식에 관한 상식이 전문성은 결여하더라도 전문의사의 의견과 달라서는 안된다.

상식에 벗어 나지 안는 신앙이라 하면 이성으로 판단할 때 자기가 속한 사회의 윤리와 도덕을 벗어 나지 안는 범위 안에서 믿는 것을 의미한다. 상식을 떠난 믿음 즉 초자연적 믿음에는 우상숭배, 신비주의, 이성으로 판단할 때 도덕과 윤리를 벗어난 신앙이나, 계시, 방언, 성령 등을 포함하는 믿음을 의미한다.

따라서 상식을 초월하는 신앙에는 사교와 유사 종교도 포함되지만 바른 신앙이라도 상식을 초월하여 초자연적이고 신비주의적 경지를 드나드는 신앙도 포함한다. 계시, 방언, 성령 체험등은 대개 일시적인 경험이고 감각적이고 감정적인 요소가 강한 경험이므로 시간이 흐르면 상식의 세계로 돌아 온다.

좋은 예로 부흥 집회에 가보면 사람들이 방언을 하고 땅에 쓰러지며 성령 체험을 했다고 주장하고 신비스러운 느낌을 여러 가지로 표현들을 하지만 얼마가 지나면 이전의 상태로 돌아오고 사람이 달라진 것이 없는 경우가 많다.

상식을 떠난 믿음중에는 사교나 컬트등 바르지 못한 믿음이 있고 예를 들면 Jim Jones의 People's Temple 이 있다. 그는 신도들을 Indianapolis에서 California로 그리고 Guyana로 옮기고 신도들에게 함께 죽어 다른 유성으로 태어날 것을 약속하였다. 결국 집단 자살을 해서 914명의 시체를 남기는 비극을 역사에 남겼다.

그의 설교가 아무리 좋았다 해도 죽어 다른 유성에 부활한다는 믿음은 상식을 벗어난다.

그의 Apostolic Socialism이 매력적으로 들릴 수 있겠지만 공산주의처럼 인간이 평등하게 산다는 꿈을 나는 상식 밖이라고 생각한다. 인간은 출생, 생김새, 환경, 지식, 인격, 취미등 무수한 요소가 개인마다 다른데 돈만 강제로 똑같이 나눠준다고 낙원이 된다는 생각은 너무 단순한 어린 아이같은 생각이다.

P.T.L. Club 의Televangelist Jim Bakker의 설교는 듣기에 좋았고 나도 한때 그의 시청자 천이백만명 중에 하나였다. 나중에 안 일이지만 그는 횡령, 사치, 간통 등 예수 그리스도의 가르침과는 거리가 먼 삶을 살았다. 번영[Prosperity]이 하나님의 선물이라는 그의 주장이 미국의 부자들에게 듣기좋은 아부성 설교였지만 설교하는 본인이 부귀 영화를 누렸다는 것은 상식에 어긋난다. 그는 비서와 간통했고 일억오천팔백만불이라는 거금을 날렸다.

어느 종교의 영도자든 간에 부귀와 사치를 누린다면 바로 상식에 어긋난다.

1960년대에 미국에 1200개의 Commune이 있었다. Cult수는 미상이다. 이들 집단에 속한 사람들이 행복하다고 주장할 수 있겠지만 그 행복은 정신 병자들의 행복과 대동소이 한 경우가 많을 것이다. 컬트의 정의를 보면 Strange belief and practice라고 한다. 요컨대 상식을 벗어난 신앙을 말한다.

바른 신앙을 가지고 초자연적 또는 영적 세계에 도달한 믿음에 관해서는 내가 잘 모르기 때문에 설명할 자격이 없다. 성경에서 그런 예를 든다면 사도 바울은 상식을 넘어선 믿음을 가졌고 세상사람들이 볼 때 그는 미친사람이었다.

"베스도가 크게 소리하여 가로되 바울아 네가 미쳤도다."[행26:24] "바울이 가로되 각하여 내가 미친 것이 아니요 참되고 정신 차린 말을 하나이다."[행26;25] 라고 하여 베스도는 재판 받는 바울을 미쳤다고 하였다

계시, 방언 등의 초자연적 경험 없이 사도 바울과 같은 최고의 믿음에 이르지는 못할 것이고 그런 믿음에 도달한 사람은 보통 사람에게는 미친 사람으로 보일 것이다. 또 보통 사람에게는 사교에 빠진 사람과 구별이 어려웠을 것이다. 예를 또 든다면 가족, 왕위, 그리고 부귀 영화를 다 버리고 열반에 든 붓다의 세계도 상식을 초월했다.

시장 바닥에서 예수를 믿으시오 라고 외치고 다니는 사람중에 누가 미친자이고 누가 진실로 하나님을 믿는 자인가 알수가 없고 아마 외치는 본인도 모를 것이다.

믿음에도 중용이 필요한 것인가. 마음에 중심을 지키고 상식을 벗어나지 않는 믿음이 바른 믿음인가 혹은 상식을 넘어서 남이 볼 때 미쳤다고 하는 소리를 듣는 그런 신앙에 빠지는 신앙이 바른 신앙인가. 나는 어느 길을 택할 것인가.

나는 내 힘 닿는대로 내 상식을 높이고 상식안에 살며 상식을 벗어나지 않는 믿음에서 살고싶다.

믿음의 빛깔 | 03

닉슨 대통령의 참모였고 1974년 워터게이트 사건에 관련되어 연방 교도소에서 복역하였으며 교도소 선교회 설립자로 세계적 교회 선교에 영향을 끼친 Charles Colson이 쓴 이것이 교회다 라는 책에 실린 얘기를 소개한다.

러스티 우머는 남 캬로라이나 주에서 244번째로 사형을 당한 죄수다. 그는 1954년 웨스트 버지니아 산골에서 오남매중 장남으로 태어났다. 부모는 일찍이 이혼했으며 빈곤과 굶주림속에서 자랐다.

아버지는 아내와 자식을 때리는 술주정뱅이였고 그런 자기 집에 들어 가기 싫어 일찍부터 밖에서 떠돌다 다리밑이나 주유소 화장실에서 자곤 했으며 머지않아 마약이 유일한 피난처가 되었고 학교는 중삼에서 포기했다.

마약과 절도 행위가 계속되었고 십오세에 술집에서 일하는 소녀를 강간한 죄로 징역 일년을 살았고 그 후 소년원을 들락거렸으며 십구세에 절도죄로 교도소에 다시 들어 가기도 했다.

러스티가 아버지처럼 정을 붙인 유일한 사람은 성범죄자요 위조 지폐와 마약 거래에 관련하던 식료품 가게 주인 스카트였다.

둘이서 어느 화폐 수집상을 쏘아 죽이고 아무 집이나 숨어 들어갔다가 그 집에 살던 두 사람을 쏘아 죽이고 그 딸은 부상을 입혔으며 돈과 권총을 훔쳤다.

다음에 어느 편의점을 털고 점원 두 여자를 납치 강간한 다음 하나는 살해했고 하나는 얼굴 반쪽을 총으로 날려 버렸다.

경찰의 추격을 받고 공범은 체포 직전 자살을했고 러스티는 마약으로 환각 상태에 빠져 있다가 체포되어 사형수가 되었다.

남 침례교도인 밥 맥앨리스터는 주지사 홍보 담당관이면서 사형수 선교에 헌신하였는데 그의 전도에 완강하게 저항하던 러스티는 드디어 예수 그리스도를 받아들여 거듭났다.

러스티가 강간 살해한 여자의 남동생이 러스티를 용서하고 감방을 찾아가서 러스티에게 한 말을 인용하면 "하나님께서 저의 분노를 가져 가셔서 망각의 바다에 버리셨습니다. 하나님은 당신을 사랑하시고 당신의 죄를 기억하지 않으십니다. 남을 용서하지 않는다면 예수님을 주님으로 모실 자격이 없습니다."

러스티는 그의 말을 눈물로 맞이했다.

사형 집행일에 마지막으로 할 말이 있는가라고 물었을때 러스티는 "그리스도는 저의 구세주입니다. 저의 유일한 소망은 이 세상의 모든 사람들이 제가 그리스도에게 느낀 사랑을 함께 느낄 수 있게 되는 것입니다."

1991년 사월 이십육일 러그티는 2000볼트의 전류가 흐르는 의자에서 생을 마치였다.

강간, 살인, 강도, 마약등으로 지옥이 된 절망의 인생에서 사형의 집행을 기다리는 러스티의 처지를 상상해 보자.

예수 그리스도가 자기를 대신하여 십자가에 못박혀 피를 흘리시고 자기의 모든 죄를 대속하셨으며 영생을 주셨다는 것을 믿을 때 러스티가 느꼈을 사랑과 은혜를 상상해 보라.

사형수와 같은 극한 상황에 처한 사람에게 오는 신앙의 변화와 평범한 사람에게서 생기는 믿음이 같은지, 만약 다르다면 어떻게 다른지 나는 궁금하다. 절망의 나락에서 갑자기 광명의 하나님을 만나는 경우와 주일학교서부터 차츰 서서히 다져 올라가는 신앙이 같으냐 하는 의문인 것이다.

비유가 될런지 모르겠으나 사람이 감기로 며칠 앓고난 다음에 느끼는 기분과 암이나 폐렴으로 죽을 고비를 거쳐 살아난 사람이 느끼는 심정이 다르지 않을까 하는 얘기다.

죽지 않는 사람은 없다. 그러나 사형수가 아니라도 사형수처럼 죽음을 절박하게 느끼고 사는사람도 있고 별로 평소에 느끼지 않고 살든가 느낄 틈이 없이 사는 사람도 있다.

절망속에 만난 빛과 매일 일상 생활속에 보는 빛이 주는 충격이 같을까.

믿음에 빛깔이 다를 수 있는가.

셋째아이가 맨해튼에 집을 마련하고 이사한 지가 사개월이 넘었다. 몸도 불편하고 등등 핑계야 많이 있겠지만 더 이상 늦추다간 아이가 나를 원망할 것 같아 아들 사는 집을 찾아 갔다. 아이들이 팔리새디움이라는 부페식당으로 우리 내외를 데려갔다.

굴이 싱싱해 보이기에 열개쯤, 그리고 갈비 등 보통 젊은이들이 먹는 분량의 반정도 먹었는데도 집에 오자 복통이 시작했다.

직장암 치료로 생긴 대장염 때문이라고 하는데 한달에도 몇번 복통으로 고생을 한다. 대개 하루 정도 고생을 하고 나면 가라앉는다.

배가 뒤틀리는 고통이 극도에 이르면 나는 이런 생각을 한다.

"전지전능 하시고 우주 만물을 창조하시고 주관하시는 창조주여 나는 아무것도 할 수 없는 무력한 피창조자이오니 님의 뜻대로 하소서. 더 심한 고통을 주시든 이자리에서 나를 데려가시든 님의 뜻대로 하소서. 나는 따를 뿐이옵니다."

나는 최근에 세례를 받았다. 따라서 창조주 혹은 신이라는 호칭을 예수 그리스도로 바꾸는 것이 옳다.

나는 감사하고 찬양하고 주님께 영광을 돌린다는 느낌보다 주님께 굴복 복종한다는 느낌이강한데 이런 감정의 차이는 내가 마음대로 어떻게 할 수가 없다. 예배시간에 자꾸만 우는 사람을 내가 이해하기 어렵고 춤추며 열광적으로 찬송하는 사람옆에서 꾸어다 놓은 보릿자루처럼 서있는 것도 그 때문이다.

왜 내 신앙에는 하나님을 향한 찬양보다 Submission의 빛깔이 지배적인지 또 이것이 내 성장 배경과 관련이 있는지 아니면 내 신앙의 방향이 잘못된 것인지 궁금하다.

하나님 앞에 모두가 죄인이라고는 하지만 러스티와 나는 죄의식의 질과 양에 차이가 있지 않을까 하는 의문과 차이가 있다고 생각하는 자체가 내 신앙이 부족한 증거인지 아니면 정당한것인지도 내게는 의문이다. 내가 아름다운 여자를 보면 욕심이 마음안에 일어나고 가끔 미워하는 하람은 있지만 강간이나 살인을 범한 적이 없으니 예수 그리스도 말씀대로 러스티와 내가 같은 죄인이라는 데에는 쉽게 승복하지 못하는 것이 내 신앙상 하나의 큰 걸림돌이겠으나 그 말씀이 진리인 가에 대한 확신이 내게는 없다.

다시 말하면 나는 경범죄를 짓고 살아 가는데 중죄인 취급을 받고 싶지 않은 것이다. 이러한 내 생각이 교리상 용납 되지 않는다는 것을 내가 모르는 것은 아니다.

내가 암으로 인하여 받는 고통이 내 죄값이라는 생각을 부정하고 싶지는 않으나 의사로서 인간의 질병이 신의 처벌이라는 생각을 받아들이기가 몹시 어렵다.

등교시간에 늦어 담임 선생님에게 꾸지람을 듣는 기분과 급우의 돈을 훔쳐 퇴학 처분을 당하게 된 학생이 담임 선생님의 구명운동으로 처벌을 면한 학생의 감격과 다를 것이고 그것이 나와 러스티와의 차이가 아닐까.

거듭난 러스티의 감격과 눈물을 내가 경험하지 못하고 나는 Submission에 머물고 있는 이유가 죄와 죄의식의 차이인지 믿음의 차이인지 내게는 분명하지가 않다.

믿음안에 회개에서 오는 참회감, 사랑, 감사, 복종 등이 함께 있고 사람마다 각 감정의 비중이 다를 것이다. 어떤 사람은 참회로 가슴이 찢어질 것 같고 어떤 사람은 사랑으로 주체할 수 없는 희열로 넘쳐 춤을 출 것이며 어떤 사람은 순종과 복종으로 테레사 수녀처럼 말없이 봉사할 것이다.

나는 거듭났다고 외치고 방언하고 땅에 쓰러지며 통곡도 하고 황홀하여 춤도 추는 그런 믿음의 경험을 할 수 없을 것 같다. 내 믿음도 믿음이라면 분명히 믿음에는 여러가지 빛깔이 있다.

믿음에 여러가지 색갈이 있기 때문에 여러 교파가 있고 새 교회로 자꾸 갈라져 나가며 목회자마다 설교 내용도 다른 것이 아닐까. 부언하고 싶은 것은 믿음의 색깔을 말하면 오해하거나 혼동하기 쉬운 점이 있는데 바로 해방 신학[Liberation Theology]이다. 기독교 교리에 맑스 공산주의 정치 이념을 섞어 그리스도가 가난한 민중 편에 선것이 정치적으로 가난한 민중 편에 서서 싸우는 것까지도 포함하는 것을 정당화 하려는 신학이다.

남 아메리카에서 일어난 운동이고 한국에서도 정의 구현 전국사제단이란 비공식 카톨릭 신부 단체가 있는데 미국 소고기 파동 천안함 사건 등 때마다 종북파의 입장을 적극 지지한 단체다. 이들의 색깔은 붉은 색인대 내가 말하는 믿음의 빛깔은 그와는 범주가 다른 빛깔이다.

부자지간의 사랑은 천륜이기 때문에 아버지 사랑합니다나 아버지 감사합니다 라고 아버지 면전에서 말씀 올리는 것은 한국 예의에 맞지 않는다는 선친의 주의를 듣고 나는 자랐다.

그래서 그런 말을 해 본 일이 없지만 아버지의 사랑을 내가 느꼈고 나도 아버지를 사랑했다. 미국에 살면서 나도 미국식으로 I love you라고 자식들에게 쓰고 있지만 자식들 면전에서 그말을 할 때는 낯간지러워 말 꼬리가 흐리다.

그러나 주위에서 I love you라는 말을 입에 달고 사는 사람들이 이혼도 쉽게 하는 것을 보고 I love you라는 말의 의미가 내가 생각하는 의미와 다른 것이 아닌가 하고 실망할 때가 있다.

아마 동서양간에 감정 표현의 차이일 것이다. 말이 나왔으니 말인데 시도 때도 없이 계속 키스로 도장을 찍어야 마음이 놓이는 것 같은 서양 사람들을 보면 확실히 우리와 다르기는 다른가 보다.

나는 더웠다 식었다 하는 감정을 신뢰하지 않는 편이기 때문에 감정적 믿음보다는 이성적 믿음을 더 믿는다.

철없던 젊은 날 여자를 미친듯이 쫓던 때와 같은 미칠듯한 사랑을 신에게 느낀 적은 없지만 하나님 앞에 내가 너무 먼지와 같은 존재이니 하나님의 뜻대로 굽어 살피소서 라고 아뢸 따름이다.

하나님을 너무나 사랑한다는 사람과 너무나 감사해서 기도할 때마다 눈물이 비오듯 쏟아지는 사람이 부럽기는 하지만 나는 복종이 내 믿음의 빛깔인 것을 어쩔 수가 없다.

다른 하나님의 은사를 내려 주실 때까지 기다리는 수 밖에 없을 것 같다.

04 | 미신

아인슈타인이 사망 전 해에 쓴 편지에서 모든 종교가 An incarnation of the most childish superstitions라고 썼다는 신문 기사를 읽었다.

미신이란 말을 누구나 알고 있지만 사전을 뒤져 그 정의를 살펴 보았다. 민중서림의 국어 사전에는 마음이 무엇에 홀려서 망령된 믿음에 집착함이라고 정의하고 있다.

웹스터 사전에는 "Any belief or attitude that is inconsistent with the known law of science or with what is generally considered in the particular society as true and rational."이라고 설명하고 있다. 이 정의에서 어느 특정 사회라고 한것은 예를 들면 중세기 구라파에서는 기독교 이외의 신앙은 미신이라고 믿었던 것이 좋은 예다.

또 일부 신교에서 카톨릭교의 염주나 분향을 미신이라고 배척한 것도 좋은 예다. 즉 미신이란 남의 종교는 미신이라고 믿기 쉬운 주관적 판단이 관여한다.

과학적 지식이나 이성적 판단에 어긋나는 신앙을 미신이라고 정의한다면 부활, 윤회, 처녀잉태등의 기적들을 믿는 신앙들은 분명 미신이다. 그런데도 현재 인류의 삼대종교인 회교, 카톨릭교, 힌두교를 미신이라고 내가 말한다면 나를 비난하겠지만 미신의 정의를 정직하게 따르면 내가 틀린 말을 하는것은 아니다.

물론 핍박이나 여론이 두려워서 혹은 관례적으로 이들 종교들을 미신이라고 하지 않는 것은 사실이다. 미신이라는 말 자체에 다른 사람의 믿음을 비하하는 의미가 내포하고 있는 듯한 뉘앙스가 있기 때문에 내 신앙이 미신이라는 말을 들으면 불쾌해지는 것은 사실이다.

과학적 지식에 맞지 안는 미신의 한 예를 들어보자. 성인의 몸에는 약 백조의 세포가 있다. 사람이 살아 있는 동안 이들 세포들이 살아 있고 산소와 영양분을 받아 계속 신진대사 과정을 밟고 있다. 사람이 죽으면 신진대사는 중단되고 세포는 따라 죽으며 부식 과정을 거쳐 분자와 원자로 돌아 간다.

또한 부모의 정자와 난자가 합하여 수정난이 되면 이 수정난이 분열을 계속하여 인간이 되고 성인에게는 약 백조의 세포가 있는 것이다.

몸이 부활한다는 말은 백조의 세포가 다시 생긴다는 말인데 세포는 세포 분열로만 생기기 때문에 의학적으로는 부활이 불가능 하다. 신은 전능하니 세포 분열이 없이 몸이 부활한다고 치자.

나의 경우 수정란에서 시작하여 태아, 젖먹이, 청소년, 장년, 그리고 노년을 거처 여러 과정을 거쳤는데 그중에 어떤 시점의 나로 부활한단 말인가. 회교도들이 믿는 부활에서는 인생의 전성기의 몸으로 부활한다고 하는데 내가 27세의 몸으로 부활한다고 상상해 보자. 나는 27세 때 지금의 내 아내와 데이트를 하랴, 서울 대학 병원에서 레지덴트로 수련을 받으랴, 밤에는 야간 개업을 하는 선배를 도우랴 바쁘게 뛰어다니던 젊은 의사였다. 27세 때의 내가 데이트 하던 내 아내, 내 부모 형제, 서울 대학병원, 한국, 내 야간 근무처 이런 것들을 다 내게서 빼버리고 나면 나는 내가 아니다.

만일 내 영혼만 부활한다면 이는 Hellenistic Immortality이고 회교나 기독교에서 말하는 부활은 아니다. 육체의 부활이 없는 영적 부활을 상상해 본다. 육체가 없으니 감각이 있을 수 없고 감각이 없으니 희로애락이 있을 수가 없으며 속세를 떠났으니 세상의 인연이 끊긴 상태일 터이라 그런 영혼은 바람과 같은 존재일 것같다. 그런 존재는 지금의 나와는 아무 관련이 없는 옛날 애기에 나오는 귀신과 다를 것이 없고 나는 그런 영생은 원하지 않는다.

사람은 사후에 대한 불가사의와 공포 때문에 영생과 부활에 대한 소망과 꿈을 버릴 수가 없다. 부활이라는 말만 들어도 황홀하여 더이상 묻기조차 잊는다. 어떤 형태의 자기로 부활하는지, 부활 후에 가는 곳이 지금 사는 속세와 같은 곳인지, 우주 어딘가에 숨겨놓은 곳인지 생각해 보지도 않는다.

부활 후의 세계를 구체적으로 생각할 수록 부활을 믿는다는 것은 미신이라는 결론으로 되돌아 온다.

그러나 인간의 과학적 지식이 우주의 신비와 비교할 때 대양의 모래

한 알보다 작다는 것을 안다면 과학적으로 설명이 안된다는 이유만으로 미신을 믿지 말라는 논리는 성립이 되지 않는다. 주의할 것은 과학적으로 증명이 되어 있는 인간의 지혜는 수용하여야 하는데 예를 들면 지구가 둥글다든가 죽으면 뇌의 전기 활동이 정지한다든가 등의 과학적으로 확인 된 사실까지 부인해서는 얘기가 되지 않는다.

우주의 무한한 신비 세계중에서 과학이 증명할 수 없는 분야에서는 무엇을 어떻게 믿던 개인의 자유다. 미신이라고 해서 부끄러울 것도 없고 변명도 필요없다. 아무도 그 진위를 모르기 때문이다.

윤리적으로 하자가 없고 믿는 사람에게 좋은 영향을 주는 믿음 즉 공리주의적으로 좋은 믿음이라면 미신이든 아니든 나는 상관이 없다.

과학적으로 증명되는 것만 믿겠다는 사람의 고지식한 태도를 나는 존경하지만 대양의 모래알 만한 과학적 지식에만 집착하고 사는 그의 인생이 답답할 것같다.

과학과 이성의 작은 촛불을 가지고 어두운 신비속을 헤매이는 인생보다 미신을 믿고 마음을 평안히 가지고 사후의 세계에 희망을 가지며 남을 도우며 살 수 있다면 나는 미신을 믿겠다.

미신을 쉽게 믿을 수 있는 것도 소질이고 능력이다. 지능과 지식도 관여 할 것이고 정서적으로도 관계가 있을 것이다.

주의할 것은 정서적으로 불안정하여 쓰러지고 고성을 지르고 하는 믿음은 비록 본인이 행복할 지는 몰라도 바른 믿음이 아니라고 생각한다.

미신을 믿고 믿지 않고는 인간에게 주어진 선택이다. 무신론과 유신론[미신]중 하나를 택할 수 밖에 없는 것이다. 마치 나의 존재가 있다와 없다를 택일하는 문제와 같은 주문이다.

붓다가 설한 또 하나의 선택이 있다. 빠뜨리지 않기 위하여 첨가하는 바다. 있다와 없다 그리고 있는 것도 아니고 없는 것도 아닌 것이 바로 그 것이다.

붓다가 설한 無我는 내가 없다는 절대무는 아니고 眞空妙有라고 표현하는 것이 있다는 것이다.

흔히 나라고 생각하는 따위의 나는 없으나 내가 생각하지 못했던 내가 있다는 것이다. 이 숨은 나를 찾아 내는 것이 불교이기도 한데 보통 말하는 무신론과는 다르다.

유신, 무신, 그리고 진공묘유 중 하나를 택하는 것은 내가 가진 자유다.

05 | 현실도피

현실도피 라는 말은 듣기에 유쾌한 말이 아닌데 용감하다는 말에 비하면 비겁하다는 뜻이 말속에 베어 있는 것 같아서 그런가 보다. 마치 싸움터에서 싸움을 포기하는 장군을 연상 시키는 말이다.

그러나 살다 보면 삼십육계 줄행랑이라고 도망가는 편이 작전상 최선의 선택일 수도 있고 도피와 공격중 어느편이 반드시 선하거나 악한 것이라고 규정하기가 어려운 때도 많다. 실제로 현실도피는 일상생활에서 흔한 인간의 방어 기능이다. 손해를 보면서 양보 하는 미덕도 현실 도피의 일종일 수 있고 속이 상할 때에 술에 취하는 것도 현실도피이며 세익스피어의 비극 햄릿에서 미쳐버리는 Ophelia의 정신병도 바로 현실도피의 좋은 예다. 인간의 궁극적 현실도피로 흔히 범하는 자살의 예는 얼마나 많은가.

까마귀 싸우는 골에 백로야 가지마라 는 시조의 뜻은 못된 적과는 싸움을 피하라는 뜻인데 실은 현실도피를 장려하는 시다.

현실도피란 자기에게 주어진 환경이나 현실에 도전하고 정면돌파로 자기의 운명을 개척해 나갈 용기가 부족하여 피하거나 물러나는 것을 의미하고 사실은 사람들이 흔히 취하는 선택일 것이다.

니체는 초인처럼 정면으로 도전하는 사람을 찬양하였는데 니체에 따르면 도전을 피하는 사람은 비겁한 사람이다.

우리 주위에 현실도피는 흔하지만 쉽게 알아 차릴 수 있는 경우가 있고 그렇지 않는 경우가 있다.

예를 들면 똑같이 매일 골프를 쳐도 자기가 해야 할 일을 다 하면서 골프를 치는 사람이 있는가 하면 자기의 의무는 등한히 하고 현실도피로 골프장에서 사는 사람도 있을 것이다.

예를 하나 더 들면 교회에 나와 살다시피 하는 사람중에 하나님이 좋아서 열심히 봉사하는 사람도 있고 사회적 의무와 가족에 대한 책임을 잊은 채 현실도피로 교회에 나와 있는 사람도 있을 것이다. 영생과 천국을 소망하기 때문에 속세의 일에는 손을 놓는다면 내 생각에는 현실도피다. 물론 백프로 현실도피란 있을 수 없고 얼마만큼 현실을 피하고 싶어 하느냐에 따라 현실도피 여부가 정해질 것이다.

마약, 도박, 여자, 술 등이 현실도피의 쉬운 방편인 것은 긴 설명이 필요하지 않다. 그러나 머리를 깍고 승녀가 되거나 수녀가 되는 것도 현실도피가 될 수 있다고 하면 좀더 긴 설명이 필요하다. 가령 실연을 하고 나서 여승이 되는 경우 현실도피가 동기가 아니라고 할 수 있을까. 견딜 수 없는 정신적 샥을 받은 후 미쳐버리는 경우 그 정신병이 현실도피냐 아니냐는 문제는 더 복잡한 정신과적 기전의 설명이 요할 것이다.

내가 은퇴한지 구년에 접어든다. 나이가 들수록 세상사에 대한 관심이 줄어 드는 데에도 가속이 붙는다. 내가 새 유행가를 배운지 십년이 넘는다. 한 때 내가 아는 유행가가 수백곡이 넘는다고 생각했을 만큼 노래를 즐겨 불렀는데 최근 십년동안 새로 배운 곡이 한곡도 없다는 것은 내가 생각해도 심각한 변화다. 영화관에 가서 영화를 보거나 오페라를 감상한지도 여러 해가 되었다. 어느 모임에 가나 가라오케가 시작되면 내가 욕심을 내어 너무 여러 곡을 부른다고 노상 아내에게 핀잔을 들었는데 요사이는 그 반대가 되었다. 사람들의 화제에 오르는 한국 드라마 방송도 전혀 관심 밖이 되어 보지 않으니 친구들이 나를 이상한 눈으로 쳐다 보는것 같다.

현재 아무런 직업이 없고 백수 건달로 벌어 놓은 것을 곶감 빼먹듯 빼먹고 있으니 누가 보면 내가 사회의 기생충이라 생각할 만하다.

또는 현실도피로 보일 지도 모른다. 그러나 실은 내막을 몰라서 그렇게 보일 뿐이다.

겉으로 내가 멀쩡하게 보여도 텅 빈 껍데기다. 얼마전까지만 해도 번쩍번쩍 들던 오십파운드 쌀 푸대도 이제는 허리 다칠까 겁이나서 혼자서 들 생각을 못한다. 전에 혼자서 옮기던 가구들이 내가 용을 써도 꿈쩍도 않는다. 균형감이 나빠져 평지가 아니면 넘어질까봐 조심을 한다. 살아 있는 것만도 감지덕지하고 살고 있다.

이런 나의 현재 생활이 현실도피냐 아니면 내가 간단히 말하자면 늙

은 것이냐는 나도 잘 모르겠다.

주일날 교회에 나가 좋은 설교를 듣고 찬송을 하는 동안 마음이 평안해 지는데 신앙을 일단 떠나서 이것도 내가 교회에 나가는 이유중에 하나다.

논리적으로 생각해 보면 유신론도 모순 투성이고 무신론도 마찬가지이며 무신론도 일리가 있고 유신론도 일리가 있다고 생각한다. 그러나 신은 논리적으로 증명이 불가능한 존재이기 때문에 신의 존재 여부를 가지고 다투거나 괴로워 할 필요는 없을 것 같다..

예를 들어 우주를 창조하고 섭리하는 신 또는 존재가 있다고 믿는 경우에도 문제는 있다. 이때에 창조주와 여호와 혹은 예수 그리스도가 동일한 신인지 아닌지가 문제가 된다. 그러나 인간이 너무나 무지하고 세상에 불가지가 너무나 크기 때문에 이러한 문제는 영원히 불가사의로 남을 것이다.

따라서 모르는 것은 모르는 것으로 남겨둔 채 교회에 나가는 데에 아무런 갈등이 없이 좋은 설교를 들으려 계속 교회에 나갈 것이다.

이것이 내 신앙의 한계이니 어쩔 수가 없고 무조건적 신앙을 가지지 못하는 나를 비난 하는 사람이 있어도 어쩔 수가 없다.

대신에 남에게 해를 끼치지 않는 한 나와 다른 신앙을 가진 사람을 미워하거나 비난하지 않을 것이다.

교회에 가면 교회안 사람끼리 모두 친절하고 사람이 착해지며 바깥 세상에서 보다 평안하기 때문에 교회를 안식처로 삼아 도피하는 사람도 있을 것이다. 그위에 영생과 천국의 꿈에 빠지면 속세와 점점 멀어져 현실도피에서 벗어 날 수가 없다. 현실도피적 신앙을 나쁘다는 얘기는 절대로 아니다.

좋은 신앙이란 하나님에 대한 믿음과 현실도피와 속세를 위한 사랑과를 어떻게 조화를 이루는가에 달린 것이라고 나는 생각한다.

집에 걸려 오는 전화중에 기부 청탁이나 장사꾼들의 광고 등 성가신 전화가 더 많다. 전화를 멀리 하게 된 이유중의 하나인데 가끔 친구들이 나와 통화가 어렵다는 불평을 들으면 몹시 미안하다.

전화가 성가시어 피하려는 것도 현실도피의 하나인데 그 밖에도 내 현실도피는 무수히 많다.

시간이 나면 운동이 주 목적이므로 카트를 타지 않고 혼자 골프장에 나가는 경우도 종종 있다. 혼자서 칠 때는 사색도 하고 철따라 바뀌는 자연을 더 음미도 할 수 있어 혼자 치는 맛도 있다. 그러나 혼자서 골프를 치는 것도 현실도피가 아닐까 하는 생각이 없는 것은 아니다.

어느 모임에 가든지 자연히 노인들이 앉아 있는 좌석을 찾아 간다. 젊은이 사이에 끼면 화제가 달라 슬슬 눈치를 보게 되고 서로 마음이 편하지가 않다. 세대가 다른 내 애기에 흥미가 없을 것 같아 입을 다물게 된다.

이래 저래 자의반 타의반으로 세상과 차츰 멀어져 간다. 나의 현실도피도 다 내 탓만은 아니다. 아마 암과의 투병도 내 현실도피에 가속을 보탰을 것이다.

물론 암이 아니라도 늙어 갈 수록 세상과 거리는 멀어지게 마련이다.

내가 정말 용기를 내어 멀어지는 세상에 도전한다면 이 대세를 막거나 늦출 수가 있을까.

서양 속담에 사람은 느끼는 만큼 늙었다고 하니 내 나이를 잊고 적극적으로 현실과 싸운다면 현실도피에서 빠져 나올 수가 있을까. 이런 생각을 하는 자체가 내가 현실도피속에 살고 있다는 증거일 것이다.

현실도피라 하지말고 노자의 無爲라 해두자.

무위가 현실도피보다 듣기에 좋다.

06 | 교회와 불경

교회에 다니면서 불경을 읽는 사람이 많지는 않을 것이다. 십계명 중 첫 계명에 "너는 나 외에는 다른 신을 네게 있게 말지니라." 라고 쓰여 있는 만큼 기독교가 배타적인 색채가 강한 것은 사실이다.

그렇기 때문에 불경을 읽는 것만도 이 계명을 어기는 행위라고 생각하는 사람도 있을 수 있다.

물론 현대 기독교는 근본주의[Fundamentalism]로부터 극히 Liberal한 신학까지 다양한 교파들이 있으므로 교파에 따라서는 타 종교를 학문적으로 연구하는 것을 수용하기도 한다. 또한 불교 교리는 신의 존재를 부인하기 때문에 불경을 읽는 것이 다른 신을 믿는 것은 결코 아니다.

그럼에도 불구하고 교회에 다니면서 불경을 읽는 나의 입장을 설명하는 것이 옳다는 생각이 든다. 아무래도 불경을 읽는 다는 것이 오해받을 소지가 있기 때문이다.

이 설명은 기독교를 기복 신앙으로 믿고 있는 신자들이나 기독교를 천국 가기 위한 신앙 쯤으로 믿는 신자들에게 하는 설명은 아니다. 그런 Dogmatic한 신자들은 이미 그들이 가진 신앙에 만족하고 있고 그 만족감으로 마음이 충만하기 때문에 내 설명을 들을려고 마음의 문을 열지도 않을 것이고 설혹 마음을 열고 내 설명을 듣는다 해도 이해할 수가 없을 것이기 때문이다.

기독교 신앙중에 한편으로는 샤머니즘과 구별이 안될만큼 극단적인 기복 신앙이 있고 다른 한편에는 신비주의에 치우치는 신앙이 있으며 또 한편에는 종말론과 천국론에 빠져 현실을 도외시하는 극단적 신앙이 있으니 균형이 잡힌 신앙이 어렵다는 것을 말해 주고 있다.

나는 이 글에서 어느 쪽이 진정한 바른 신앙이고 선인지 판단을 내리려는 의사가 전혀 없다. 기복 신앙도 나는 나쁜 신앙이라고 생각하지 않으며 실은 어느 종교든 간에 처음에는 대체로 기복 신앙에서 출발하였다고 나는 생각하기 때문이다.

원시인 일수록 가뭄에는 비를 내려 주시옵소서라고 빌었을 것이고 병들면 의사를 찾는 대신 신에게 치유를 빌었을 것이다.

따라서 기복신앙은 가장 기본적인 신앙이고 원초적인 신앙이다. 그렇기 때문에 기복 신앙이 나쁜 것이 아니고 기복신앙의 심리를 이용하여 이익을 얻으려는 신앙 지도자의 행패가 나쁜 것이다.

신앙의 동기에 관해서 칼빈은 말하기를 하나님이 인간에게 Semen. religionis를 심어 놓았으므로 인간이 하나님을 찾게 된다고 하였다. 인간이 신앙을 가지는 동기가 하나님이 심어 놓은 것인지 인간의 이성 때문에 생긴 것인지의 판단은 각자에게 맡기기로 한다.

Schleiermacher는 인간의 절대 의존 감정에서 신앙이 나온다고 하였는데 절대 의존 감정이라는 것이 인간의 무능을 깨달은 인간 이성의 판단 결과라고 할 수도 있겠다.

Rudolf Otto는 피조자의 감정에서 신앙이 나온다고 하였는데 피조자의 감정이라는 것도 피조자이기 때문에 창조자를 의식하는 이성의 산물이라고 할 수도 있다.

일반적인 신앙의 동기를 더 논하기 대신 나 자신이 어떻게 교회와 인연을 맺었는지 설명을 해야겠다.

내가 개업을 하던 애버딘이라는 곳에 사십여년전 처음으로 한국인 교회가 생겼다. 아내가 창립 멤버였고 같은 동네에 살던 의사들이 모두 참여하였다. 부모님이 불교를 다른 종교보다 선호하였고 나는 학생 때에 영어 공부 겸해서 성경을 군데 군데 읽은 지식이 나의 기독교에 관한 지식의 전부였으므로 기독교에 대한 호기심과 더불어 좀더 기독교에 관하여 알기 위해 아내따라 교회에 나가기 시작하였다.

십자가에 흘리신 피로 우리의 죄를 씻는다고 하는 같은 설교를 반복하는 목사를 만났다. 내용이 같은 설교를 매주 듣자니 내게 별로 은혜가 되지 않는 것 같아 회의가 생기던 차에 한 아이디어가 떠올랐다.

우리아이 사형제를 위시하여 이십여명의 자녀들이 한글과 한국 문화를 배울 기회가 없는 것이 안타까웠던 터라 내가 자진해서 아이들의 교육을 맡겠다고 자원했다.

한글학교라 칭하고 반을 만들고 혼자서 선생 겸 교장이 되었다.

내 딴에는 아이들 가르치는 일이 내가 예배에 나가는 것보다 더 중요하다고 믿었고 어른들 예배 시간에 나는 아이들 강의에 전념했다. 교육이 예배보다 중요하다는 내 생각은 내 신앙이 약했다는 의미가 될지도 모르겠다는 것을 인정한다.

차츰 사전에 예고도 없이 수업을 휴강하고 아이들을 교회 행사에 참석시키는 일이 자주 생겼다. 교육에 대한 내 열성이 무시당했다는 생각이 쌓여 나는 강의를 중단했고 내가 그만 두니 한글학교는 자연히 없어졌다.

목사와 싸워 내 뜻을 관철하지 않고 내 교육이 푸대접 당한 섭섭한 내 감정 때문에 그만 둔 것을 지금은 후회하는데 그 당시에 목사에게 항의하였다고 해서 내 뜻이 통했을런지는 나도 모르겠다.

목사님 생각에는 한글과 한국의 역사 공부는 하나님 공부에 비하면 별것이 아니라고 생각하는것 같았다.

내가 다시 교회에 나간것은 이천년도 내가 직장암으로 치료를 받기 시작한 후였다. 아내는 혼자서 계속 교회를 다녔기 때문에 내가 발병하자 집으로 병원으로 목사님 심방이 계속되었다. 아내의 새벽 기도와 더불어 신도들의 기도와 방문도 계속 되었다.

그분들의 기도가 내 병을 치유하리라고 믿지는 않았지만 그 분들의 기도가 감사했고 내가 빚을 진 것 같아 보답하고 싶었다.

교회에 다시 나갔다.

암 선고를 받은지 거의 팔년이 되였다. 오년 생존율이 사십오프로라는 선고를 받고 지금 재발 없이 살아 있다는 사실이 기적이라는 생각이 가끔 든다. 나를 위해기도 해준 모든 분들과 신에게 감사하며 산다. 내가 경험한 세상의 지혜로 보면 생로병사를 위시하여 세상 만사가 기도로 되는 것도 아니고 기도로 안되는 것도 아니다.

되고 안되고의 확률은 오십프로이니 기도가 듣는 경우가 오십프로요 듣지 않는 경우도 오십프로다. 그 오십프로를 위하여 사람은 기도하여야 하며 기도가 얼마나 인간의 마음에 용기와 평안을 주는지를 나는 안다. 기도의 효과를 면역학적으로 연구한 보고도 있지만 가장 큰 효과는 기도 자체에 있다고 나는 생각한다. 극한적 상황에서 인간이 할 수 있는 것은 기도뿐이다.

나는 정형외과 의사로서 많은 환자를 치료했다. 나는 절단된 신체의 일부가 저절로 붙거나 부러진 뼈가 일정한 치유 기간을 거치지 않고 붙는 환자를 보지 못했고 어떤 병이든 해부학적, 병리학적, 조직학적 과정을 거치지 않고 치유되는 기적을 경험하지 못했다. 암의 자연치유도 그런 과정을 거쳐서 치유되는 것이지 암이 연기처럼 사라지는 것은 아니다.

눈 먼 자가 보고 걷지 못하는 자가 걷는 기적 등은 psychosomatic medicine에 속한 현상이므로 기적은 아니다.

척추 신경이 절단된 환자가 회복한 예가 없고, 한국의 모 목사가 주장하듯이 죽은 사람이 부활한 예가 증명된 적도 없다.

모든 생체는 세포로 구성되어 있고 죽은 세포는 다시 살아나지 못한다. 이상이 내 기독교 신앙의 현주소다.

조금 더 애기하고 싶다.

나는 오랜 기간 수수께끼 하나를 풀지를 못했다. 왜 아버지 세대까지는 귀신을 믿었는데 나는 귀신을 믿지 않는지 내게는 심각한 수수께끼였던 것이다. 아버지는 자라면서 경험한 수많은 귀신담을 내게 들려주었는데 나는 귀신을 본 일이 없다. 내가 일하던 병원에서 캐스트 일을 돕던 리온이라는 조수에게 이 수수께끼를 물었더니 하도 쉽게 대답을 해서 잊혀 지지가 않는다. 요즘 사람은 약아서 그런 거짓을 아무도 안 믿는다는 것이다.

아직도 미개국에 귀신을 믿는 사람이 많고 문명국에서도 귀신을 백프로 믿던 시대에 쓴 책들을 그대로 믿는 사람이 많다.

또한 현대에는 귀신이 있다고 믿지 않으면서 수십년, 수백년 혹은 수천년전에는 귀신이 있었다고 믿는 모순을 범하면서 동시에 그당시에 쓴 귀신 애기는 사실로 믿는 사람이 참으로 많다.

서산대사와 사명당을 포함한 수많은 임진왜난 당시의 기적, 신라시대에 이차돈의 목이 잘리면서 흘린 이차돈의 흰 피, 불과 이천여년전 알에서 태어 났다는 박혁거세의 기적, 단군 신화 등등 많은 기적을 우리의 조상들은 믿었다. 요즘은 국민학교만 다녀도 그런 얘기는 믿지 않을 것이다.

그러나 기적, 미신, 기복 신앙, 나아가서 모든 종교는 인류가 존속하는 한 절대로 사라지지 않을 것이라고 나는 확신한다. 그 이유중의 하나는 인류의 문화 문명이 아무리 발전해도 인간의 지식은 미지의 세계에 비하여 너무나 작기 때문이다.

인간은 또한 죽음에 대하여 영원히 알 수가 없고 속수 무책이기 때문에 지푸라기라도 잡으려는 물에 빠진 사람에 비할 수 있으니 사람들은 누구라도 나타나서 살려 준다고 외치면 그를 믿고 싶고 또 믿으며 믿을 수밖에 없다.

이와 같은 인간의 타고난 약점을 인정하지 않고 반발하여 무신론을 들고 일어나 몸부림쳐 보지만 어거지 떼를 쓰는 어린 아이와 같이 제풀에 죽고 만다. 악을 써 보아야 죽을 수 밖에 없는 피조물의 운명에서 빠져 나올 수가 없기 때문이다.

무신론자란 무엇인가 의지하고 싶은 마음은 유신론자와 같이 간절한데 신의 존재를 증명할 증거를 찾지 못한데 대한 좌절감을 무신론으로 표현하는 것 뿐이다.

유신론과 무신론은 동전의 앞과 뒤다. 그래서 무신론자 중에도 착한 사람이 있고 교회에 가도 위선자들이 많다. 훌륭한 설교를 들으면 마음이 평안해지고 하나님이 임재하는 것처럼 느껴지며 기도할 때는 하나님이 내 기도를 듣는 것처럼 느낀다. 그 느낌이 하나님이 존재하는 증거가 될 수는 없지만 나는 그 느낌이 좋은 것 만으로 교회에 나가는 충분한 조건 혹은 이유가 된다고 생각한다. 나는 그만큼 약하다. 그래서 나는 교회에 나간다.

내가 알고 있는 천문학과 물리학의 지식으로는 우주안에 하나님이 존재할 수있는 공간 또는 천국이 따로 있을 공간이 없다. 천국이 있을 물리적 공간이 없는데 천국이 존재한다는 모순을 해결하는 길은 천국이 영적 세계에 있어야만 하고 결국 마음안에 있다는 생각이 가장 합당하다.

그런데 뇌세포의 기능이 세포의 사망으로 정지되는 사후에 영적 기능이 어떻게 남아 있을 수 있는지 내 의학적 지식으로는 설명 할 수가 없다. 이성이나 과학으로 설명할 수 없는 이 모순을 돌파하는 길은 신앙밖에 없다.

지상에는 여러 종류의 신앙이 있다. 어떤 계기로 어떤 신을 믿든지 남을 해치거나 자기 신앙을 남에게 강요하지만 않는다면 그 사람에게는 그 신앙이 바른 신앙이라고 나는 생각한다.

기독교는 사랑의 종교이고 나는 예수 그리그도의 사랑의 실천과 말씀을 찬양하고 경배 드린다. 그러나 구약 시대에 일어난 유대 민족의 역사, 삼위일체, 예정론, 성경 무오설 등은 내 지식과 이성으로 이해할 수 없는 부분이 많다. 그동안 내가 목사나 신학 공부를 한 분들에게서 이 의문스러운 부분에 대하여 얻은 답은 나를 만족시키지 못했기 때문에 이제는 지쳐서 더 이상 묻지도 않는다.

그러나 나는 계속 교회에 나가 좋은 설교에 귀를 기울일 것이며 기독교에 관한 의문들을 풀려고 혼자서 노력할 것이다.

당나라 현장[서기 600~664]이 인도 산스크리트어로 된 반야경을 한문으로 번역하였는데 그 분량이 신구약 성경의 이십오배가 된다고 한다. 또 팔만 대장경을 하루 일곱시간씩 읽으면 일독을 하는데 삼십년이 걸린다고 하니 어려운 한문을 배우는 시간을 합한다면 대장경을 일생에 한번이라도 읽은 사람이 있을까 하는 의문이 생긴다. 그만큼 방대하다.

내가 읽은 극히 작은 일부의 대승경전 안에도 무수한 신화와 설화가 나오는데 현대 과학 상식으로 이해할 수없는 얘기들이 많다. 이 점에서는 성경이나 불경이나 다른 점이 없다.

이천년이 넘은 바빌로니아, 희랍, 이집트, 이란 등의 신화와 성경이나 불경에 나오는 신화 기적 들을 어떻게 받아들이느냐는 문제는 각 개인에게 맡기는 것이 옳다고 생각한다.

그러나 한가지 보충 설명이 필요할 것 같아 한마디 한다. 한 예를 들면 붓다의 경우 그가 열반에 든 후 제자들이 그를 神格化하는 과정에서 수많은 신화 와 설화가 생겼다. 붓다의 가르침이나 사상과 이들 신화와는 구별하여야 한다. 이 점은 기독교에 있어서도 마찬가지 이다.

불교 설화중의 하나인 연등 부처의 얘기를 소개한다. 붓다가 세상에 태어 나기 아주 오래전 붓다가 보살로서 수행을 할때 의 부처님은 연등불이였다. 마침 연등불이 지나가는 길에 물이 고인 진흙탕이 있었다. 붓다는 자기 머리를 풀어 진흙을 덮어 연등불이 젖지 않고 지나가게 했고 그 갸륵한 보살 행위를 보고 연등불이 授記를 주었다. "장차 석가족에 태어나 출가하여 반드시 부처가 되리라."고.

이 설화가 비과학적이라고 하여 붓다의 교리도 비과학적이고 믿을 수없다고 생각하는 과오를 범해서는 안된다.

불교처럼 무신론의 종교에서도 교의 창시자를 신격화 하기 위하여 무수한 신화를 후세 제자들이 만든 것을 보면 다른 유신론의 종교에서는 더 말할 나위가 없다.

신격화하는 역사적 과정에서 만들어지는 기적과 신화 때문에 창시자의 위대성이 손상되지는 않는다는 것이 나의 생각이다. 기적을 믿지 않는다고 그리스도의 사랑 자체가 변할까.

용수[서기150~250, Nagarjuna]가 더욱 발전시킨 반야심경의 空의 사상, 붓다의 연기설 그리고 無常에서 유래한 금강경의 諸相이 非相이라는 사상 등은 철학적으로 인간의 눈을 뜨게 한다.

大乘佛敎로 부터 중국에서 발전한 禪佛敎도 영적 세계의 가능성을 보여 준다. 금강경에서 한구절을 인용하여 소개한다.

如來所說法 皆不可取 不可說 非法 非非法. 붓다가 설한 법[진리]은 취할 수도 없고 설명할 수도 없으며 법도 아니고 법이 아닌 것도 아니다. 라는 뜻이다.

이 한 구절만 보아도 붓다의 가르침은 사색의 심연에 우리를 안내한다. 붓다의 가르침은 어느 신을 믿으라거나 찬양하라는 것과는 관계가 없이 각자 자신의 마음을 파고 드는 길에 관한 가르침이기 때문에 어느 종교와도 공존할 수 있다.

따라서 교회에 다니며 불경을 공부하는 것이 모순된 것이 아니다. 오히려 신앙이 Dogmatic해질 가능성을 막아준다.

나는 불경 공부를 하면서 하나님에 대한 죄의식으로 갈등을 느끼지 않는다.

내가 기독교 신앙이 모자라서 그렇다고 비난한다면 나는 기꺼이 그 비난을 받아 들이겠다. 그 이유는 내 신앙이 얼마나 깊은지 내가 알 수 없기 때문이다. 오직 신만이 판단할 수 있는 사항을 가지고 나를 비난하는 것은 내게 아무런 의미가 없다.

신앙과 사색은 서로 배타적이 아니며 신앙과 철학도 항상 배타적인 것은 아니므로 기독교의 신앙과 불교의 사색이 모순 없이 함께 있을 수 있다고 나는 믿는다.

내가 앞으로 born again하든가 붓다처럼 열반에 이르면 내 생각이 변할지도 모른다. 그러나 나는 알지 못하는 일들이 너무나 많아 더 배우고 또 더 알고 싶다.

중세 암흑 시대를 위시하여 독단에 빠진 많은 기독교 신자의 전철을 밟지 않기 위하여서라도 불경을 읽는 것이 도움이 되리라고 생각한다.

혹자는 신앙은 무조건 믿는 것이라 하고 어떤 사람은 알고 믿는 것이 바른 신앙이라고 한다.

나는 완전한 신앙이라는 불가능한 목표를 향하여 간단 없이 노력하는 과정이 신앙이라고 믿는다.

07 | 팔년후

수술 오년 후까지 암 재발율이 사십오프로라는 담당의사의 말을 듣고 몹시 낙담을 했었는데 어언간에 팔년의 세월이 무사히 흘렀다. 그동안 나를 담당했던 합킨스 암센터 의사가 세번이나 갈렸다. 별 일이 없는 한 이제 그만 와도 된다고 하는 말을 들었을 때 한편 믿기지가 않았다. Follow-up에서 해방되면서 나는 기쁘면서 불안했다. 다시 돌아오는 일이 없었으면 해서였다. 감옥에서 해방. 식민지에서 해방, 정치적 탄압에서 해방, 병의 고통에서 해방, 암의 공포에서 해방 등등 해방도 종류가 많다는 생각이 든다.

지금도 설사와 변비 그리고 복통이 시도 때도 없이 나를 찾아와 괴롭히기는 하나 수술과 방사선 치료등 항암 요법의 후유증이라고 의사들이 말하고 음식 조심 외에는 별 수가 없다고 하니 이 고통은 내가 평생 지고 갈 짐이라 생각하고 나보다 더 무거운 짐을 지고 가는 많은 불쌍한 사람들을 생각하며 혼자 속으로 불평을 말아야지 하고 노력하면서 산다.

'여러 계시를 받은 것이 지극히 크므로 너무 자고하지 않게 하시려고 내 육체에 가시 곧 사단의 사자를 주셨으니-----."[고후12~7]

나는 복통으로 괴로울 때면 이 말씀을 한 바울에게 감사한다. 고통은 인간의 한계를 알게하고 나를 낮추게 하며 인생의 허무를 일깨워준다.

나이 칠십이 넘은 사람치고 한 두가지 고통을 안고 살지 않는 사람은 예외일 것이니 내 몫으로 받은 고통이 내가 견디어 나갈만 한 고통인 것을 감사한다.

처음에는 아내 따라 나가던 것이 습관처럼 되어 나는 매 주말 교회에 나간다. 나의 신앙이 앞으로 어떻게 변할지 모르지만 지금의 내 신앙 현주소를 적어 두고 싶다.

우선 성경에 나오는 기적에 관한 내 생각을 얘기하고 싶다. 기적의 정의가 다양하지만 알기 쉬운 정의는 과학적 원리에 어긋나는 사건이나 현상 즉 초자연적인 것 특히 신의 행위나 역사를 말한다. [Webster사전에서]

구약 창세기에 하나님이 우주와 인간을 포함한 모든 생물을 창조한 기적에서부터 소돔과 고모라를 멸망시킨 기적, 출애급기에 노예 생활에서 탈출하는 유대 민족을 위해 홍해가 갈라지는 기적 등 구약에 75개의 기적 얘기가 나온다. 신약에는 성모 마리아가 성령으로 잉태하여 예수 그리스도를 낳는 기적, 예수 그리스도가 혼인 잔치에서 물로 포도주를 만든 기적, 장사한지 사흘만에 예수께서 무덤에서 부활한 기적 등 45개의 기적이 기록되어 있다고 한다.

여호와나 하나님은 전지전능하고 무소불능한 신이라는 것을 전제하기 때문에 신구약에 나오는 백이십개의 기적을 다 믿어야 하며 All or Nothing의 법칙에 따라 어떤 기적은 믿고 어떤 기적은 믿지 못하겠다는 논리는 성립되지 않는다. 그 이유는 하나님에게는 불가능이 없다는 전제와 성경 해석이 성경 무오설에 메어있기 때문이다.

하나님이 가라사대 빛이 있으라 하시매 빛이 있었고 라는 기적을 읽으면서 태양의 빛이란 핵의 융합과 분열로 발생한다는 빛의 물리학적 발생 원리를 생각하고 있으면 마음에 혼동이 생긴다.

결론부터 말하면 성경에 나오는 기적들을 나는 믿을 수가 없다. 과학적으로 증명이 불가능한 미지의 세계가 무한으로 크다는 사실을 잘 알고 있고 과학이나 자연을 초월하는 현상이나 신의 역사 즉 기적이 얼마든지 가능하다는 것을 나는 부인하지 않는다.

기적을 가능하다고 믿으면서 성경에 나오는 기적은 믿기가 어려운 이유를 설명하면

첫째, 구약 창세기의 창조 신화는 바빌로니아 창조 신화와 닮았고 바빌로니아 창조 신화가 더 다양 하다고 한다. 구약의 창조 신화가 바빌로니아나 이집트의 창조 신화에서 유래한 고대 신화중의 하나라면 단군 신화와 같은 신화의 하나로서 그의미를 찾아야 한다. 나는 박혁거세가 알에서 나왔다는 설화도 같은 이유로 믿지 않는다. 즉 이들 창조 기적들은 고대 문화가 만들어 낸 설화이고 역사적 기록이 아니다.

또한 박혁거세의 卵生說이 한민족의 유일한 난생설이라면 역사적 사실의 가능성을 추구해 보고 싶을지 모르겠으나 난생설이 고대 문화 도처에서 나온다면 그 난생의 眞僞를 가리려고 애쓰는 사람은 없을 것이다.

알에서 사람이 생길 가능성을 부인하는 것이 아니라 역사적으로 박혁거세가 알에서 나오지않았다는 것을 내가 확신하는 이유를 설명하는 것이다.

고대의 위인들은 알에서 낳았거나 아버지 없이 하늘이 점지했다는 설화가 많다. 부계사회에서 아버지의 권위에서 위인이 된 아들을 벗어나게 하기 위하여 지어낸 설화라고 한다. 이렇게 생긴 많은 설화중에서 어느 특정 신화나 설화만을 선택적으로 믿기는 어려은 일이다.

수많은 불교 설화나 이솝 우화 그리고 많은 신화 들은 역사적 사건이 아니라 신화나 설화로서 존재 가치를 인정 하여야 한다.

둘째, 내가 가까이서 모셨던 분중에서 내가 가장 신뢰했던 분중 한 분이 내 선친이다. 술, 담배를 하지 않는 분이였고 유불선 공부에 일가견이 있는 분이였다.나를 스물일곱에 났으니 나와 나이차는 삼십년이 채 안된다. 충남도에서 주례를 제일 많이 선 분으로 알려 졌는데 십남매를 슬하에 두었고 치과 의사로서 명성을 쌓았으며 인격적으로 존경할 만 한 분으로 알려졌기 때문이였다.

내가 긴 소개를 한 이유는 그 분이 귀신의 존재를 믿었으나 그 분이 귀신을 믿은 이유가 성격이나 인격에 무슨 결함이 있어서가 아니요 그 당시 지식인 으로서의 지식이나 경험이 부족해서가 아니였다는것을 강조 하기 위해서다.

나는 선친의 귀신 목격담과 경험담을 무수히 들으며 자랐다. 당시 한국은 후진국이였던 만큼 아버지 세대들은 한결같이 귀신의 존재를 믿었고 시골 농촌의 겨울 사랑방에서는 밤늦게까지 귀신 애기가 주된 화제였다. 그 세대들은 귀신뿐만 아니라 도깨비, 기적, 산신령 등을 모두 믿었다.

선진국 서양에서도 1792년 불란서 의사 Phillip Pinel이 정신병원 환자들을 인도적으로 치료하기 시작할 때까지는 정신병 환자들을 마귀가 들었다 하여 쇠사슬로 묶어 놓았고 구타를 일삼았다.

마귀가 사람의 몸 안으로 들어가 정신병자가 되는 것이 아니라는 것이 세상에 알려진 것이 이백년 밖에 되지 않았고 어떤 곳에서는 지금도 귀신의 짓으로 여긴다.

반세기 전까지도 선진국 일본에서 천황을 신으로 받들었고 북한에서는 지금도 수령을 신격화하고 숭배하는 사실을 보면 인간이 얼마나 어리석은지 상상을 초월한다. 다시 강조하거니와 인류가 최근까지 귀신, 기적, 마귀등을 모두 믿었고 믿지 않는 사람은 정신이 이상한 사람으로 여겼다.

선친보다 불과 삼십년 뒤인 내 세대에서 적어도 내 주위에 있는 사람중에는 귀신을 믿는 사람이 없다는 사실이 놀랍다. 일단 어떤 형태로든지 세뇌를 받은 사람을 제외하고 그렇다는 말이다.

물론 지금도 기복 신앙에 빠져 그것이 진정한 신앙인 줄로 아는 사람들도 많고 일부 회교도들처럼 순교하면 천당 간다는 꿈을 안고 자폭하는 사람들도 있다.

알라신을 위하여 세계 문화 유산인 아프가니스탄 불상들을 대포를 쏘아 파괴하는 탈레반도 있다.

이천년전 성경이 쓰여진 시대적 배경과 그시대 사람들의 의식 구조가 나보다 한세대 전 한국의 시대적 배경과 사람들의 의식 구조와 비슷하다는 것을 인정하면 성경에 나오는 모든 기적은 이해가 저절로 된다. 즉, 내가 자라면서 선친에게서 들은 귀신과 도깨비 얘기와 성경에 나오는 기적 얘기와 다른 점을 나는 찾기 어렵다.

내가 계룡산이 가까운 대전에서 자랄 때 문객으로 드나 들던 국산 토종 종교인들이 들려준 기적 얘기들을 다 옮길 수는 없지만 수많은 정감록 예언자들의 예언중에 하나를 소개한다.

당시 한국은 국민 소득이 백불도 안되는 가난한 나라였는데 장래 한국이 세계 각 나라가 조공을 받치는 나라가 된다는 예언들을 했다.

나는 미친 사람의 말로 들었다. 오늘날 한국이 세계 백구십여 국가중에 십수위로 발전한 것은 그 예언이 얼마 만큼 맞았다고 할 수 있다.

애기가 옆으로 흘렀는데 단 몇십년 전 대부분의 한국 사람들은 귀신을 믿었고 기적을 믿었으며 죽은 사람이 살아 났다는 사건이나 사람이 알에서 태어났다는 애기나 짐승과 결혼하여 애기를 낳다는 애기쯤은 예사로 믿었다. 어렸을 때는 나도 그렇게 믿었다.

인간은 너무나 약하고 죽음을 피할 수 없는 운명인 것을 자각하기 때문에 부활과 같은 기적에 대한 동경이 얼마나 강한지 상상할 수없다. 그래서 나는 기적을 바라는 또는 믿는 사람을 비웃지 않는다.

시의 세계가 현실에서 멀다 해도 시로서 존재 가치가 있는 것처럼 인간이 꾸민 기적도 존재 의미가 있고 인류 문화의 소산으로 귀중하게 여긴다.

나는 질병 치유의 기적은 설명이 어느 정도 가능하다고 생각한다. 동통 ,구토, 실명, 난청 등의 모든 질병의 징후들은 질병을 앓을 때에 나타나지만 순전히 마음의 고장에서 나타나기도 한다. 예를 들면 히스테리 환자에게는 아무런 신체적 이상없이 사지에 마비, 실명등 어떤 징후이든 간에 올 수 있다.

스트레스등의 처리에 잘 적응하지 못하여 정신적 원인으로 생기는 병을 Psychosomatic 또는 Psychophysiologic Illness라고 하는데 내과 환자의 사십프로가 이런 환자라고 전문가들은 말하고 있다.

정신적인 원인으로 인한 이런 병들은 암시, 기도, 심지어 무당의 굿으로도 병이 낳을 수가 있다. 즉 이들이 일종의 정신 요법이 되는 것이다. 이때 기도한 후 병이 낳으면 기도로 병이 낳았다 하고 기적이 일어났다고 한다.

내가 군의관으로 후송병원에 근무할 때 앉은뱅이 환자가 후송되어 왔다. 정형외과를 전공한 나는 그 환자를 군 복무를 기피하려는 꾀병 환자로 알고 아마 평생 처음으로 남에게 주먹질을 한 적이 있었다.

정신병도 병이라는 것을 그 후에 알았다. 전쟁터에서 갑자기 눈이 머는 병사도 있다 검사해보아도 아무 이상이 없는데 보이지를 않는 것이다. 이런 환자를 걷게 하거나 보게 하면 기적이 되는 것이다. 이런 병들은 꾀병이 아니기 때문에 때려서 치유되지는 않는다.

결론적으로 암시요법이나 정신요법은 기적처럼 보일 수는 있어도 기적이 아니다.

또 암의 자연 치유를 기적이라고 부르는 경우가 많은데 옛날부터 암의 자연 치유의 예는 보고 되어 왔다. 의학적으로 치유 기전이 장차 밝혀지리라고 믿지만 사람들이 생각하는 그런 기적은 아니다. 일부 면역학적으로 그 기전이 알려 지고 있지만 더 연구가 필요하다.

흑사병, 콜레라 등 전염병을 신의 벌이라느니 마귀의 소행이라고들 했지만 의학의 발달로 그들이 세균에 의한 전염병이라는 것이 밝혀진 것처럼 암의 치유 기전도 알게 될 것이다. 옛 사람이보면 장기 이식으로 살아 가는 수많은 환자가 더 놀라운 기적일 것이다.

셋째, 성경학자도 아닌 내가 이글을 쓰면서 부담을 느낀 것은 사실이나 이 글이 신학 논문도 아니고 수필이므로 용기를 냈다.

마태복음[1:18]에 적힌 성모 마리아의 성령 잉태의 말씀은 신자나 불신자 간에 많은 회의의 초점이 되어 왔다. 내가 의학을 전공 하였기 때문에 더 관심이 있었을 것이다.

누가복음[1:35]에도 "---성령이 네게 임하시고-----"에서 동정녀 잉태의 구절이 적혀 있다. 그런데 마가나 요한 복음에는 이에 대한 언급이 없다.

1945년 이집트 Nag Hammadi에서 발견된 도마 복음에도 이 얘기가 없다 .

나는 세가지 가능성을 생각했다.

1. 성령 잉태설이 빠진 복음서의 저자는 당시 그 설을 알지 못했거나 듣지 못하였다.

2. 저자가 성령 잉태설을 알고 있었으나 그 설이 당시 흔한 설화였기 때문에 기록할 가치를 느끼지 못 했거나 그 설이 믿기지가 않았거나 해서 기록에서 뺐다.

3. 예수 그리스도 사후에 그를 신격화하는 과정에서 성령 잉태설을 저자가 삽입했다.

이 세 가능성중에 어느 것이 정답일까. 나는 정답을 증명할 증거가 없으므로 답을 피하겠다.

원래 역사적 사건의 진실을 밝힌다는 것이 불가능 하다는 것이 평소

나의 신념이다. 예를 들면 1963년에 암살 당한 케네디 대통령 암살의 배후도 오리무중이 아닌가.

또한 적어도 삼십여명의 일본 낭인이 저지른 민비 시해의 진상이 많은 목격자가 있었음에도 불구하고 여러 설만 난무할 뿐이다.

진실을 알기가 어렵지만 발 없는 말이 천리를 간다고 소문만은 빠르다. 이천여년전 처녀 잉태설의 소문이 성경 저자의 귀에 미치지 않았다는 것은 상상하기가 어렵다.

도마 복음을 모르는 분을 위하여 몇자 적는다. 그 서문은 다음과 같이 시작한다. "These are secret sayings which living Jesus spoke and Didymas Judas Thomas wrote down."

이 복음은 예수의 말씀을 받아 적은 것이니 성령 잉태설이 빠질수도 있을 것이라는 것을 인정한다. 기원 삼세기경 Hippolytus가 비난한 이단 서적 목록중에 도마복음이 들어 있었기 때문에 도마복음이 실제로 발견되기 전부터 이 복음이 존재한다는 사실을 학자들은 알고 있었다.

그러다 1945년 이집트에서 한 농부가 케낸 항아리 안에서 열두권의 papyrus coptic의 도마복음이 처음으로 발견된 것이다. 도마복음을 포함하여 모든 이단 서적을 다 없애라는 교회의 명령을 거역하고 이 사본이 살아 남은 것은 기적적인 일이다. 이 복음의 제작 년대는 학자간에 의견이 구구하여 기원후 오십년에서 이세기간 이라고 하며 발견된 사본의 제작 년대는 기원후 340년 경으로 알려져 있다. 이 복음에 실린 백열넷 예수의 말씀은 일부는 사복음서에 실린 예수의 말씀과 일치하고 일부는 다르다고 한다. 약 반은 사복음서에 없는 내용이라고 하며 신학적으로 이 복음이 요한복음과 같다고 한다.

예수의 부활과 예수가 행한 기적에 관한 얘기는 없고 예수 자신을 Son of God 라고 불렀다는 얘기도 없다고 한다.

1977년 미국인 James Robinson이 도마복음을 영문으로 출판하였다고 하며 몇 구절을 소개한다. "Jesus is a spiritual model and offering everyone the opportunity to become the annointed one as he is christ." "If you bring forth what is within you,what you have will save you."

"Kingdom of god is within you."

전 미국 대통령 Thomas Jefferson은 신약 성경중에서 초자연적 사건 즉 기적과 부활에 관한 기록을 빼고 예수 그리스도의 말씀만 모아 책을 만들고 Life and Morals of Jesus Nazareth라고 이름 지었는데 일명 Jefferson Bible이라고 한다.

그런데 이Jefferson Bible이 도마 복음과 내용이 비슷하다.

T. Jefferson이 John Adams에게 보낸 편지에 성경에서 예수 그리스도의 말씀 만을 모으고 Platonics[플라톤의 사상],Stagirites[아리스토텔레스의 사상],electics[희랍 철학의 한사상], Gnostics[영지주의], scholastic[중세 철학의 한 사상]을 다 제거해야 한다고 주장했다.

예수 자신의 말씀외에 여러 해석과 애매모호한 설을 다 빼버리고 Most sublime and benevolent code of morals만을 남기는 일을 내가 실천해서 46 페이지의 작은 책으로 줄이고 Philosophy of Jesus of Nazareth라고 이름지었다고 했다.

제퍼슨을 비난하는 사람들은 그가 Club을 바꾸는 대신 클럽의 Rule book을 바꾸었다고 평했다.

여하튼 그는 부활과 기적을 빼버리고도 기독교 신앙이 가능하다는 모범을 보였다. 나는 나외에도 나와 같은 생각을 한 사람이 있다는 사실이 몹시 반갑다. 나도 성경에 기록된 기적을 믿지 않고도 교회에 다니는데 대하여 별로 갈등을 느끼지 않는다.

내가 성경의 기적을 믿지 않는 사실을 광고하고 다니지 않는 이유는 이단이라고 비난 받는 것이 두려워서가 아니다. 그런 신앙을 남에게 설득할 자신이 없고 나와 다른 신앙을 가진 사람들의 신앙을 흔들 필요성을 절감하지 않기 때문이다.

신앙은 개인적인 것이며 신앙상의 고집이나 편견은 쉽게 고칠 수가 없다는 것을 나는 잘 알고 있다.

나는 예수 그리스도의 말씀을 믿고 사랑을 믿으며 그가 실천한 사랑의 발자취를 따르려 노력하고 그가 인류의 위대한 스승으로 믿는다.

기적과 영생을 믿어야 구원을 받고 말씀만 믿어서는 구원을 받지 못할까 하는 의문을 나도 하지 않은 것은 아니지만 이런 의문의 답은 각

자가 지고 갈 멍에가 아닐까.

기적 얘기는 빼고 예수의 말씀만 모은 도마복음서가 있고 Jefferson Bible이 있다는 사실은 나와 같은 생각을 가졌던 사람이 나 한사람이 아니라는 말이라서 내게 큰 의지가 된다,

부활 영생 천국은 내가 보지도 못했고 볼수도 없으니 만일 있으면 좋고 없어도 할수 없다는 것이 나의 생각이다. 이들은 나의 희망사항이고 이들의 존재를 믿으려고 노력을 계속 하겠지만 성공할지는 미지수다.

실은 어떻게 죽어 다 썩어 없어진 사람이 부활하고 어디가서 영생하는지 또 무슨 재미로 지루한 영생을 보낼지 구체적으로 그림을 그려보려고 하지만 전혀 감이 잡히지를 않는다. 나는 며칠만 먹지않고 골프같은 운동을 못하고 사색을 즐기지 못하면 좀이 쑤신다. 그 위에 천국에 가서 아내 마저 떠나면 그런 천국이 정말 좋을지 모르겠다.

나는 집에서 불교 유교 등 동양문화를 공부하고 있다. 내 발병후에는 아내따라 교회를 나갔다. 그러다 보니 나와 같은 신앙이 생겼는지도 모르겠다.

나는 교회에 나가 착한 교우를 만나는 즐거움이 있고 좋은 설교를 듣는 기쁨이 있으며 기도하는 시간에 마음의 화평을 얻는다. 기적을 믿지 않는다고 해서 죄의식이나 갈등을 별로 느끼지 않는다. 나는 신앙의 다양성을 믿으며 나와 다른 신앙을 미워하거나 경멸하지 않으려고 노력하고 있다.

또한 신앙의 자유가 있는 미국에 살 수 있다는 것이 얼마나 감사한지 모른다.

얘기를 간추려 보면 기독교는 유대교에서 나왔고 유대교의 신은 이집트나 비빌로니아신 과 닮았다는 사실은 종교의 발전 과정을 암시해주고 있으며 어느 특정 종교가 하늘에서 내려왔거나 땅에서 솟아난 것이 아니라고 나는 믿는다.

지구가 우주의 중심이고 지구가 편평하다고 믿었으며 신, 귀신, 그리고 기적 등을 백이면 백사람이 다 믿었던 시대에 쓴 책을 수백 또는 수천년 후의 사람에게 계속 믿으라는 것은 무리가 있다.

예수 그리스도의 말씀은 그런 기적 없이도 아름답고 착하고 좋다.

이론적으로 이미 죽어 있어야 할 내가 살고 있다는 것이 기적인가 아니면 하나님의 은사 인가 혹은 내 명이 길어서 인가 또는 저 세상에 가서도 나를 보살피고 있는 부모님의 은덕 때문인가 아니면 내 건강 관리와 발달한 현대 의학의 덕인가 혹은 그 모두의 덕인가.

확실한 것은 직장암 발병 후 팔년이 지났는데 내가 아직 살아 있다는 사실과 모든 것이 감사한 내 마음이 있다는 것이다.

08 | 불공평

이천칠년도에 자영업을 제외하고 년 수입을 직업별로 조사한 바에 의하면 판사는 구만구천불, [백불 단위는 사사오입]치과의사가 십오만불, 국민학교 교사가 오만불, 목사가 사만사천불, 가정부가 이만불 등 대체로 수입이 이만불에서 이십만불[마취과 의사] 사이였다.

같은 해 타이거 우즈의 수입이 일억이천만불, 필 미클슨이 오천만불, 애플 사장 스티븐 잡스가 육억사천만불이였다.[백만불 단위는 사사오입]

같은 해 국가별 국민소득은 일위인 카탈이 팔만구백불, 미국이 사만오천팔백불, 한국이 이만사천팔백불, 북한이 천구백불, 우간다가 구백불, 콩고가 삼백불이였다.

지루하게 숫자를 열거한 이유는 소득면에서 세상이 공평하지 않다는 얘기를 하려는 것이다.

같은 지구상에 살지만 콩고 국민의 년 소득은 카탈 국민의 이백칠십분의 일밖에 안된다.

나도 육이오 사변후 한국인 국민 소득이 백 내지 이백불이었던 시절에 살아 본 경험이 있기 때문에 가난한 살림이 어떤지를 잘 안다.

애플사 사장의 수입이 미국 목수 수입의 약 만오천배이니 비교 자체가 무리지만 어쨌던 이 한 예만 보아도 세상이 공평하다고 생각하는 사람은 드물 것이다.

사람은 출생부터 공평하지 못하다. 에이즈 병이 창궐하여 세상에 태어날 때 이미 병을 가지고 태어 나는 아이들, 아내를 넷까지 허용하고 여자는 학교에 보내지 않으며 얼굴을 가려야 외출하는 등 남녀 차별이 심한 나라에서 태어나는 여성들, 마약이나 알콜 중독자의 자식으로 태어나는 사람등 사람의 출생 성분은 천차 만별이다.

도대체 우리가 세상에 태어날 때 아무도 우리의 의사를 물어 보지 않았다. 태어나 보니 세상은 불공평했다라는 표현이 맞다고나 할까.

물이 인체성분의 반이 넘고 생존에 절대 불가결한데도 물의 자연적 혜택도 차이가 많다. 지구상에 십억이 넘는 인구가 안전한 식수의 혜택이 없다고 한다. 이십사억의 인구는 목욕 등 개인 위생에 필요한 물의 공급이 부족하다고 한다.

건강의 혜택도 마찬가지로 불공평하다. 의사인 나도 원인을 다 파악할 수 없는 선천적 기형만 해도 책 한권에 다 싣지 못할 만큼 많다. 발가락 손가락 기형으로 부터 인간의 신체 부위중에 기형이 없는 부위가 없다. 신체 장애 뿐 아니라 정신 장애까지 합치면 건강상으로도 사람은 공평하게 태어나지 않는다.

보는 사람마다 한번 뒤돌아 보지 않을 수 없는 미인으로 태어나는 사람이 있는가 하면 아무도 거들떠 보는 사람이 없는 추녀도 있다. 한 어머니 뱃속에서 나온 형제자매 사이에도 불공평은 있다.

인간 외의 동물들은 불공평을 알 만한 지능이 없을 것이니 인간만이 불공평에 대한 불평 불만을 품는 둥물일 것이다. 동시에 인간만이 가진 정치와 종교는 이 인간의 불평과 불만에 관계가 깊다

정치는 인간의 불평 불만을 제도적으로 제거해 보려는 인간의 고안에 따르는 형식이고 혁명은 국민의 불평 불만을 선동하거나 군중 심리를 이용하거나 하여 폭력으로 정권을 빼앗는 것이다. 공산주의 혁명도 그 한 예일 것이다.

정권이 바뀌어도 새로운 권력 계급이 생기고 권력을 쥔 사람의 얼굴만 바뀔 뿐 지배와 피지배 계급의 불공평은 그대로 남아 영속한다.

정권욕 때문에 혁명을 하거나 정치를 하는 사람도 한결같이 사회의 불공평을 시정하겠다는 표방아래 정치도 하고 혁명도 한다. 그렇지 않은 정직한 정치가도 간혹 있겠지만 시간이 지나면 부패하고 타락하는 것이 인간의 속성이다.

민주주의가 발전했다는 미국에서도 국민의 불평불만을 선동하여 표를 얻어야 권력을 잡는다.

모든 메디아를 동원하여 국민의 귀를 만족 시키되 뒤에 발목을 잡힐 만 한 구체적인 약속은 가능한 한 피하고 국민을 공평하게 잘 살게 해

줄 것 같은 꿈을 심어 주면 된다. 한마디로 말의 마법사가 이긴다. 클린튼 전대통령도 그런 재주가 뛰어난 분이다. 그의 말을 듣고 있으면 속에 있는 불만을 쓰다듬어 주고 듣는 동안 기분을 들뜨게 하는데 뒤에 생각해 보면 구체적 내용은 없다. 말의 마술사에 걸려드는 것이다.

어떤 사상이나 국가도 국가 발전에 기여하고 국민에게 많은 혜택을 준 예는 있지만 국민의 모든 불공평을 해결해 준 경우는 없고 해결해 줄 수도 없다는 것이 내 생각이다.

어떤 변화든지 새로운 지배 계급을 낳고 불공평의 해결은 새로운 불공평을 낳을 뿐이다. 불평불만을 보편적이고 평화적으로 해결하는 방법중에 종교가 있다. 역사적으로 많은 전쟁에 종교가 개입된 것은 사실이나 근본적으로 전쟁을 장려하는 종교는 드물다.

기독교의 경우 어떠한 역경도 인간의 지혜로는 그 뜻을 헤아릴 수없는 하나님의 뜻으로 받아들이고 하나님은 사람이 극복하지 못할 고난을 내리시지 않는다고 믿으며 역경을 극복하는 용기를 얻는다.

지상에서의 고난은 순간적인 것이고 사후 영생이 기다리고 있으니 불공평, 불평, 그리고 불만은 견디지 못할 것이 없다.

윤회설을 믿는 힌두교도들은 자기에게 닥치는 고난을 전생에서 자기가 저지른 죄의 업보로 믿기 때문에 불평이나 불만을 업보로 푼다. 또 현세에서 좋은 업을 쌓아 다음 세상에서 좋은 운명을 타고나려고 노력을 한다.

따라서 남의 것을 빼앗고 해치는 대신에 무저항, 선행, 평화를 택한다. 심한 빈곤에도 불구하고 인도에 공산 혁명이 없었던 이유는 이 신앙 때문이였다고 말하는 사람도 있다.

욕심과 집착을 버리고 마음을 비워 자기안에 부처를 찾고 열반에 들라는 붓다의 가르침을 따르면 불평 불만과 고통에서 해방될 것이다. 유교의 실천 도덕은 인의예지를 근본으로 삼고 중용에 머믈라고 가르친다. 불평 불만이 있어도 극단적인 행동을 피하고 중을 지켜 자기를 지키라는 것이다.

이처럼 종교가 불평 불만을 승화하는 성격 때문에 종교를 권력 보존의 수단으로 이용한 권력자들도 있었다. 종교가 권력의 시녀라는 말이 여기서 나온 것이다.

옛날에는 정치와 종교가 분리되지 않은 신정시대가 있었고 지금도 일부 회교 국가에서는 정치와 종교가 분리되지 못하여 많은 어려움을 겪고 있다.

또한 종교가 정권을 잡으면 천국같은 나라가 이루어질 것 같지만 그렇지가 않다. 권력의 속성 때문에 절대 권력은 반드시 독재와 부패를 낳게 되니 중세의 암흑 시대가 좋은 예다.

불평 불만의 정도를 잴 수있는 불만 지수를 학문적으로 고안할 수 있을 것같다.

그러나 불만 지수와 국민들의 불만 표현과는 상관 관계가 없는 것 같다. 예를 들어 설명하면 북한의 국민소득이 남한의 십삼분의 일이고 굶어서 즉는 사람도 많으며 인권이 아무리 유린당하고 있어도 데모는 남한에서만 주로 일어나고 있다.

정치와 종교는 사람의 불평과 불만을 먹고 산다. 만약 세상이 공평하여 불평과 불만이 없다면 사람들은 정치와 종교에 별로 관심이 없을지 모른다. 또 탐욕이 없다면 불평 불만은 생기지 않는다.

세상은 공평할 수가 없으니 불공평한 것이 정상이라는 말도 성립이 된다. 마치 道可道 非常道와 같다.

불평불만 자체는 악도 선도 아니다. 그것이 표면으로 나타날 때 악이나 선이 되는 것이다. 미국은 중동 문제로 골치를 앓고 중국은 잠에서 깨어난 사자처럼 요동을 치며 한국에선 애매한 소고기가 욕을 보는데 세상은 불공평하고 앞으로도 불공평할 것이다.

세상의 불공평을 바로 잡겠다는 구호를 걸고 인간의 탐욕을 불지를 때마다 세상은 한번씩 요동을 치지만 세상은 여전히 불공평하고 인간의 탐욕은 지칠 줄을 모른다.

그것이 사파세계다.

09 | 세례

막내 며느리가 첫 아이를 출산했다. 손녀도 보고 싶고 산모 산후 조리도 도울 겸 아내와 둘이서 샌프란시스코 남쪽에 있는 아이집을 찾아 갔다. 내가 무료할까 해서 주말에 막내가 골프 예약을 해 놓았다기에 따라나섰다.

라운드 도중에 어지러워 몇 번이고 쓰러질 것 같았는데 내색을 하지 않고 간신히 골프를 끝냈다. 집에 돌아와서는 너무 어지러워 토하기까지 하다가 몸져 누웠다.

전에도 서너차례 같은 증세로 고생한 적이 있었는데 한동네 사는 닥터 신이 labyrinthitis라고 진단을 내리고 valium을 줘서 먹고는 괜찮았다.

여하튼 이 병도 칠십이 넘으면서 생긴 병이니 늙으면 서럽다. 여행중이라 약을 구하지 못하고 밤새 고생하다가 다음날 아침 엠뷸런스에 실려 스탠포드 대학 병원 응급실로 갔다.

사람은 자기가 앓는 병이 제일 고통스러운 병이라고 생각하는데 나도 구역질과 구토가 계속되는 증세를 견딜 수가 없었다. 다행히 이 병은 시간이 지나면 낫는 병이라서 보통 후유증은 없다. 아침에 응급실에 갔는데 종일 수속과 검사를 하느라 저녁 다섯시가 되어서야 풀려났다. 실제로 받은 치료는 정맥으로 주사한 수분 한병과 발리움 한알이였다.

며느리를 돕는다고 와서 돕기는 커녕 난리 법석을 떨었으니 아이들에게 면목이 없다. 나이를 먹으니 이제 여행도 마음대로 못하겠다 싶어 속이 상했다.

육년전에 찾아온 大敵 직장암을 대충 막았다 싶어 마음을 좀 놓았는데 칠십이 넘은 고물차를 굴리다 보니 고장이 줄지어 생긴다.

골프 십팔 홀을 걷고 나면 다리가 후둘거리고 웬만한 관절은 다 아픈것 같다. 처음 몇 홀은 거리가 제대로 나다가도 끝날 때 쯤 되면 거리도 줄고 방향도 자유자재다. 백내장 수술을 받았지만 시력은 서서히 약해지고 책 볼때와 운전 할 때 등등 안경 바꿔 쓰기도 귀찮다. 한때 어른 바늘 귀는 내가 꿰 드렸고 손에 박힌 작은 가시는 내 담당이였는데 이제 내 발톱도 내가 깎지 못한다.

대화하는데 고함지르는 것이 싫어서 귀가 잘 안들리는 사람을 보면 슬슬 피하던 나였지만 이제 내가 그런 대접을 당하게 생겼다.

건망증도 보통 문제가 아니다. 자신이 있게 그런 일이 있었다 없었다 말을 할 용기가 없어지고 내가 한 말이나 행동에 대해서 단호한 긍정이나 부정을 못하는 신세가 되었다. 가끔 아내 상대로 무조건 우기기도 해 보는데 아내가 져주는 척 하지만 내가 이긴 것 같지도 않다.

건망증이 막상막하인 아내와 누구 말이 맞느냐를 가지고 싸우다가도 요즘은 고만 둡시다 하고 휴전을 청하는 경우가 많은데 사실 누가 맞는지는 하나님만이 아실 것이다.

이런 형편에 아내가 교회에서 세례를 받자고 했다. 나중에 알았지만 아내가 나와 자기 이름을 세례 받을 사람 명단에 나와 상의도 없이 슬그머니 집어 넣었던 것이다. 교회에 다닌지는 수개월이 되었지만 마음의 준비가 되지 않았고 칠십이 넘은 사람이 세례를 받는 것이 민망한 생각이 들었으나 내가 가서 아내가 신청한 것을 취소하고 올 용기까지는 없었다.

마음의 준비가 되지 않았다는 의미는 내가 교회에 나가기 전에 가졌던 기독교에 관한 여러 의문 중에 내가 교회에 다닌 후 해답을 얻은 의문은 하나도 없다는 뜻도 포함한다.

나는 예수 그리스도에게 무조건 그리고 완전히 내 몸을 던지고 의지할 마음의 자세가 되어 있지 않았다. 나는 이 점을 좀 더 설명하고 싶다.

만유인력, 우주의 계속 팽창, 별의 질량의 크기에 따른 빛의 굴절, 불확정성 원리, 진화론, 유전 공학, 동물 복제 등등의 과학적 진보가 과거 사람들이 믿던 신의 계시나 말씀의 일부를 미신으로 바꿔 놓았다.

그러나 만유인력의 원인, 우주 팽창의 원인, 생명의 발생등 궁극적인 원인에 관해서는 가설만 있을 뿐이고 과학은 아무리 발전한다 해

도 한계의 벽이 있다.

그래서 신, 스피노자의 자연, 노자의 무위 자연등이 과학과 함께 공존할 수 있는 공간은 영원히 있다.

따라서 모든 것을 하나님이 창조하셨다고 해도 반박할 증거가 없고 연기설로 설명을 해도 모순이 없다고 나는 생각한다.

확실한 것은 내가 부모로부터 태어 났다는 것,생[生]은 사[死]가 꼭 따른다는 것, 내 일생은 순간에 불과하다는 것과 내가 모르는 것이 너무 많다는 사실이다.

이 세상에 불가지[不可知]가 너무나 많기 때문에 무엇인가 믿고 의지할 것이 필요하고 이것이 신앙의 동기가 되는 경우가 많다. 늙고 병들고 사는 데 고통이 심할수록 더 그럴 것이다.

내가 세례를 받기로 정한 것도 내가 정한 사항이라 해도 좋고 예정된 하나님의 뜻이였다고 해도 좋다. 또한 카돌릭, 불교, 회교, 자연 등 다른 신앙을 선택했다고 비판하거나 적대시할만한 이유나 근거를 내가 가지고 있지도 않다.

나는 하나님이 피창조자인 인간중에 별 사유 없이 누구를 더 사랑하거나 미워할 것 같지 않다. 또 전지전능하신 하나님이 자기를 찬양하고 경배하는 사람이라고 해서 더 사랑하는 감정의 소유자일까 하는것이 내 의문 중의 하나이다.

하나님은 완전하신 분인데 내 애교나 찬양이 필요가 없을 것 같고 나처럼 감정에 좌우되어 사람을 처벌하지도 않을 것 같다.

그래서 하나님은 자기에게 영광을 돌리는 사람보다 착한 사람을 기특하게 여기는 하나님이라고 상상하는 편이 내게는 이해하기가 쉽다. 내가 하나님의 사랑을 공 없이 더 받고 싶어서 이같은 생각을 하는 것은 아니다.

내가 먼지만도 못하고 무릎 꿇고 경배하는 외에 내가 할 수있는 일이 별로 없다는 것을 나는 알고 있다. 내가 먼지만도 못한 존재인 예를 하나 들겠다.

지구상에 종[Species]으로 명명된 종이 140만 내지 180만종이 된다고 한다. 그중에 인류라는 종은 육십억이 살고 있는데 나는 그 중의 하나이니 나의 존재는 얼마나 미미한가. 내 생각이 보편적인 기독교도들의 생각과 다르다는 것도 나는 알고 있다.

세례전에 목사님이 나를 방문했다. 내 믿음이 여물지가 않았고 기독교 교리에 여러 의문이 남아 있는데도 세례를 받기로 한 이유를 말씀드렸다. 계속 의문을 품고 사는 대신에 Commit를 하고 나서 믿음이 생기는 사람도 있으니 먼저 Commit하는 결단을 내리라는 C.S.Lewis의 말을 따르기로 하였다는 내용이었다.

의문이 또 있다. 여호와 신은 유태 민족의 신으로 주위의 다른 민족을 잔인하게 살상하던 신인데 사랑의 신인 예수 그리스도와 어떻게 삼위일체로 한데 묶었을까 하는 점이다. 원수를 사랑하라는 예수와 여호와가 같은 신일수가 있을까. 그 밖에도 성경에 내가 수긍할 수 없는 부분이 많이 있다.

그래서 성경안에서 내가 믿을 수 있는 부분만 믿을 수 밖에 없다고 노목사에게 말했다. 이와 같은 내 의문을 다 수용하는 노목사는 성경에 대한 이해가 깊은 분이라고 나는 생각한다.

내가 이단인지 아닌지는 하나님만이 아실 것이다.

세례를 받는다고 꽃다발과 선물을 받았다. 워싱톤 중앙 장로교회에 장로로 몹시 바쁜 처남이 축하차 찾아와 나를 당황하게 만들었다. 나는 하나님을 영접할 마음의 준비가 되어 있지 않았고 어깨에 세례교인이라는 짐이 하나 있는 것 뿐이기 때문에 당혹스러웠던 것이다.

그러나 나는 좋으신 말씀을 따라 행하려 노력할 것이고 영생이나 천국 같은 것은 있으면 좋고 없어도 할 수 없다는 생각에는 변함이 없다.

샌프란시스코 여행중에 찾아온 병, 늙어가는 몸둥이 등 이런 것들이 우선 내가 의지해야 할 무엇이라도 잡아야 하겠다는 내 결정에 얼마나 영향을 미쳤을까 하는 생각이 떠오른다.

10 | 실망

살다 보면 실망하는 일이 많다. 결혼하고 보니 결혼전에 기대했던 아니면 꿈속에 그리던 배우자와는 전혀 다른 사람임을 발견하고 실망하는 경우도 그렇고 자식을 키워 보면 내속에서 나온 자식이라도 실망스러울 때가 많은 것도 그 예일 것이다.

근대 단편 소설의 아버지 모팟상[Maupassant 1850~1893]의 여인의 일생을 사춘기에 들어서며 읽고는 감명을 받았고 아직도 기억에 남아 있다. 순진하고 꿈이 많은 낭만적인 여주인공이 결혼 후 남편의 저속한 인간 됨에 실망하며 사는 일대기가 잘 묘사되었다. 그 여주인공처럼 나도 약지 못하고 순진한 것이 죄일까.

내가 선택한 국회의원이나 대통령이 내 기대에 어긋나서 실망하는 경우도 있다. 선거 공약이 당선을 위한 거짓 약속이었고 존경했던 인물이 실은 사리사욕으로 제 뱃속만 채우는 인간이었음을 알았을 때 실망은 클 수밖에 없다.

예는 많지만 비율빈에 마코스 대통령, 한국의 모 전 대통령, 북한의 수령님들이 우선 머리에 떠오른다. 어느나라든 위대한 영도자는 드물다는 것을 우리는 잘 알고 있다.

거짓말을 하면서도 부끄러운 줄을 모르는 능력이 정치가의 자질인 것처럼 보인다. 실망이란 자기의 기대나 욕망의 좌절이기 때문에 실은 지나친 기대나 욕망이 그 원인이라고 할 수도 있다.

그러나 집착과 탐욕을 완전히 버린 사람은 없기 때문에 실망은 인생의 일부가 될 수밖에 없는 것이다. 붓다 처럼 집착과 탐욕을 다 버릴 수 있는 사람이 몇이나 되겠는가.

일반적으로 정치가들의 거짓 말에는 하도 익숙해져서 사람들이 그에 대하여 관대하기 때문에 웬만한 거짓말에는 사람들이 놀라지 않는다. 성직자 혹은 목자의 경우에는 사람들이 조금 더 민감하다고 할 수 있다.

나는 한 때 Televangelist Jim Bakker와 Tammy Faye의 P.T.L. ministry를 시청했던 시절이 있었다. 여러 방송 설교중에 그를 택한 이유는 아마 그의 동안에서 풍기는 순진성이 마음에 들었기 때문이었을 것이다. 어린 아이같은 그의 얼굴에서 거짓말이 나올 것 같지가 않았던 것이다.

그의 주제인 Prosperity is a gift from God이란 설교도 듣기에 좋았다. 아마 내 생활 수준이 사회적으로 중은 되기 때문에 가난한 자가 복이 있다는 설교보다 부유한 사람이 하나님의 축복을 받은 사람이라는 설교가 듣기에 더 좋았을 것이다.

그가 여비서 제시카 한과의 정사를 입막음 하기 위해 삼십만불을 주었다는 사실, 그의 이십만불 연봉 외에 보너스가 사백만불이었고 호화로운 주택외에 콘도가 넷이었으며 마흔 일곱의 은행 구좌를 가지고 있었다는 사실 등은 내게 실망 이상의 충격을 주었다.

개가 냉방이 필요한지를 나는 모르지만 개 집에까지 냉방 장치를 했다는 추문이 그가 법정에 서면서 세상에 알려 졌다.

세상에 믿을 놈 없다더니. 미국의 목자는 좀 나을 줄 알았는데 나의 기대가 잘 못 된 것이었다. 그의 타락은 내게 두가지 의미로 해석이 된다.

아무리 신앙이 깊어 보여도 인간은 육신의 유혹에서[사탄의 유혹이라고 말하는 사람도 있다] 벗어날 수가 없다는 해석이 그 하나요 그의 신앙과 설교가 위선 혹은 연극이었다는 해석이 또 하나다.

또 한분 Jimmy Swaggart의 텔레비전 설교를 자주 시청했던 이유는 아마 마를 줄 모르는 그의 눈물에 내가 마음이 저렸기 때문이었는지도 모른다. 인간의 죄와 회개에 관한 얘기만 나오면 쏟아져 나오는 그의 눈물 앞에 가슴이 뭉클해져 나는 텔레비전을 끌 수가 없었다. 눈물을 보면 사람의 마음은 약해진다. 그리고 그 분처럼 말 시작한지 수초안에 눈물을 흘릴 수 있는 능력은 재능이다.

한 때 그의 방송 설교는 미국내 팔백만, 세계적으로 오억의 시청자를 자랑했었다. 1986년 그는 자기가 속해 있는 Assembly of God교단 목사인 Marvin Gorman의 여신도와의 정사를 폭로하여 그를 파멸의 길로

몰아 넣었다. 고만 목사는 복수를 결심하고 아들과 사위를 시켜 지미 스와거트를 미행 감시했다. 지미 스와거트가 매춘부를 불러 변태 행위를 하는 장면을 사진에 담아 세상에 폭로하였다.

지미 스와거트는 처음에 이 사실을 부인하다가 드디어 눈물로 참회했고 고만은 복수에 성공했다. 죄를 부인하다가 명백한 증거앞에 회개하는 것도 회개라고 할 수 있는지 나는 잘 모르겠다.

내게 감동을 주던 그 눈물이 진실과 관계가 없는 연극의 보조물에 불과한 맨 소금물이었던가. 속은 내가 어리석은지 나를 속인 그의 재능이 월등했는지, 설교하던 순간은 진실이었지만 인간은 너무 약하기 때문에 죄를 지을 수밖에 없다는 것을 다시 증명한 것인지 나는 판단을 보류한다.

두번의 실망 이후로 나는 방송 설교를 시청하지 않는다. 우연히 설교 장면이 화면에 올라와도 아무런 느낌이 생기지 않고 배우의 연기를 보는 기분만 들 뿐이다.

한번 불에 데인 아이가 불을 가까이 하지 않는 것처럼[타골] 또는 첫 사랑에 큰 상처를 받은 연인처럼 나는 나도 모르는 사이에 변했다.

나는 소문으로 또는 신문에서 한국에 많은 목사들이 돈과 여자문제로 얽힌 타락상을 보고 들을 때마다 실망이 쌓이고 쌓여 점점 무감각해진다.

그렇다고 해서 그 분들을 저주하고 싶은 생각은 없다. 거듭 났다고 스스로 말하는 사람이나 성경을 두루 꿰는 사람을 만나도 그도 나와 같이 약하디 약한 인간에 불과하다는 것을 나는 알게 된 것이다.

내게 실망을 안겨준 사람들에게 동정과 연민을 보내는 것은 실은 나 자신에게 동정과 연민을 보내는 것이다. 그들이 죄를 지은 것은 나를 대신하여 지은 것이고 내게는 스승 노릇을 한 셈이다.

나는 도둑질을 해도 너는 해선 안된다고 타이르는 아버지를 이해하는 것처럼 목자를 이해하면 이해 못할 것도 없다.

세상에는 용서 받을 사람만이 살지 않는가.

실망의 댓가로 나는 진실에 더 가까워 진 것이다.

식사 기도 | 11

기독교도나 회교도 모두 식사 기도를 한다. 주기도문에 오늘날 우리에게 일용할 양식을 주옵시고 라는 구절과 어느 식사 기도에서나 대개 이 음식을 마련한 손길에도 축복을 내려 주옵시고 라고 하는 기도를 흔히 듣는다.

얼마전 아내가 마련한 영계 백숙을 먹으면서 이렇게 맛있는 재료로 희생된 영계에게 고마운 생각이 떠올랐다. 나는 기도하며 감사의 뜻을 표했다.

내가 의과대학에 다닐 때 실험 동물들을 위한 위령제를 올린 기억이 생각난다. 의대 실습 시간에 무고히 희생당한 동물들의 넋을 위로하는 제사였는데 의사가 되기 위하여 저지른 살생에 대한 감사와 사죄였다고 생각한다.

토끼나 쥐같은 동물에게 영혼이 있는지 알 수는 없으나 위령제의 뜻을 잘 알 것 같다.

인간에게 담백질 지방등의 영양을 공급하고 식욕과 맛을 만족시키기 위하여 참으로 많은 동물이 희생당하고 있다. 미국에서만 일년에 팔십억마리의 닭이 희생된다고 한다.

생리학을 공부하지 않아도 그들도 뇌와 신경 조직을 가지고 있으니 그들도 감각을 가지고 있다는 것은 부인할 수 없고 따라서 영어로 모든 동물을 sentient being이라고 부르기도 한다.

개나 말 그리고 원숭이처럼 좀더 고등 동물들은 어느정도의 지능을 가진 것이 분명한데 사고와 의식 그리고 영혼까지도 가지고 있는지에 관해서는 내가 더 토론하고자 하는 바가 아니다.

다만 인간을 위하여 희생당하는 동물들에 대한 감사를 잊어서는 안 되겠다는 생각만은 분명히 하고 싶다.

호랑이나 사자 등 육식 동물은 소화 기관이 초식으로는 생존이 불가능 하기 때문에 육식이 정당화된다.

사람은 초식으로도 살 수 있는 소화 기관과 대사 기능을 타고 나기 때문에 초식과 육식의 선택권이 주어진 셈이다. 사람은 그 밖에 이성, 사고, 그리고 양심을 가지고 있다.

창세기 1~28을 보면 "하나님이 그들에게 복을 주시며 그들에게 이르시되 생육하고 번성하여 땅에 충만하라. 땅을 정복하라. 바다의 고기와 공중의 새와 땅에 움직이는 모든 생물을 다스리라 하시니라." 라고 쓰여 있다.

이 말씀에 따르면 인간이 짐승을 다스리는 권리를 소유하고 육식을 포함하여 인간에게 유리하다고 생각 하는대로 동물을 사용할 수 있도록 하나님이 허락을 내리신 것이다. 따라서 육식에 아무런 정신적 부담이 없다.

데칼트도 동물에게는 영혼이나 사고 또는 이성이 없다고 했다. 이에 반하여 루쏘는 동물도 권리가 있다고 주장했고 근세에는 Animal Right에 대한 운동이 싹트기 시작했다.

스페인이 Animal Right Resolution을 2008년도에 처음으로 제정하였다.

불교에서는 在家신도를 위한 계율 다섯 가지를 五戒라고 하는데 그 첫 계율이 생물을 죽이지 말라이다. 도둑질을 말라, 음행을 말라, 거짓말을 말라, 술을 마시지말라의 순서다.

이 첫 계율을 해석하기를 육식을 전혀 금하는 것으로 해석하는 사람도 있는 등 여러가지 해석이 있다.

기록된 바에 의하면 붓다 자신이 왕자였던 시절에는 그의 시종까지도 육식을 자유로 했다. 성불 후 걸식할 때에는 보시로 받은 음식은 고기를 포함해서 가리지 않고 들었다.

붓다는 식용으로 도살하는 것을 보았거나 들었거나 의심하는 고기는 피하라. 그러나 보시로 받은 음식에 들어 있는 고기는 차별 말고 받으라고 하였다. 살생은 금했지만 고기를 먹지 말라고는 하지 않았다.

나는 아홉살 전후 생사에 눈을 뜨면서 한 때 고기가 목에 넘어 가지 않았다. 아마 불교를 숭상하던 부모님의 영향을 받은 때문이었을 것이다.

그 후로 가난통에 고기가 귀한 시절에 살면서 고기를 먹기 시작했고 없어서 못먹던 시절도 있었다.

건강상 육식과 초식의 장단점에 대해서는 많이 알려졌으므로 덮어 둔다. 어느새 내가 칠십도 중반이 넘어 從心의 나이가 되었다. 마음 내키는 대로 행동해도 크게 잘못되지 않는다는 나이이다.

그렇다고 내 식생활이 보통 사람과 크게 다를 것도 없다. 나는 될수록 음식을 가리지 않고 먹으려 노력하고 약간 모자란듯 먹으려 애를 쓴다. 가능한 한 신선한 것을 먹으려 한다.

그러나 Organic한 것을 골라 먹지는 않는다.

나는 음식을 버리는 사람이 밉다. 부페집에 가서 잔뜩 욕심을 부려 가져다 놓고는 반쯤 먹고는 버리는 사람을 보면 아무리 인격이 높은 체 해도 나는 그를 존경하지 않는다. 초밥을 가져다가 생선만 먹고 밥은 버리는 사람도 내 친구가 아니였으면 한다.

나는 동물의 권리를 위하여 가두 시위를 할 만큼 열성 분자도 아니고 용기도 없다. 고기를 먹을 때마다 동물의 살생에 대한 사죄의 생각이 떠오르지만 대다수가 먹는 것을 안먹겠다고 거부할만큼 확신이 있거나 고집이 세지 못하다.

평생 없어서 굶어본 경험이 없는 점에 대하여 하나님과 내 부모님께 감사한다. 나를 위해 희생한 짐승들에게 그들이 영혼이 있든 없든 관계 없이 감사한다.

식사 기도가 좀 길어 졌지만 생각은 한 순간이었고 글로 써놓으니 길어 보일 뿐이다.

12 | 요석 [Kidney Stone]

세상에 사람이 많지만 나는 근본적으로 한 종류의 사람밖에 없다고 생각한다. 즉 고통 받는 사람만 있다.

빈부의 차로 명예나 학문 혹은 인격의 고하로 신분의 차이를 말하는 사람도 있을 것이고 신앙으로 사람을 분류할 수도 있겠지만 나는 이 세상에 고통을 받지 않는 사람은 없다고 생각한다.

인종도 많고 피부빛도 다르며 행복해 보이는 사람, 불행해 보이는 사람, 잘 생긴 사람, 못 생긴 사람이 있지만 그 모두가 예외 없이 고통에 신음하는 불쌍한 사람들이다.

이 세상에는 불쌍한 사람뿐이라는 것이다. 누구에게나 환희에 찬 순간 순간이 있지만 일시적인 흥분일 뿐이고 언제나 다시 고통으로 돌아 온다.

내게도 이성을 사랑했던 짜릿한 흥분, 신혼 시절의 달콤한 흥분, 친구와 나눈 반가움 등이 기억에 남아 마음 한구석에 별처럼 반짝이고 있지만 마음의 바탕은 밤하늘처럼 어두운 허공이다.

내가 친 공이 구멍으로 빨려 들어갈 때의 흥분이나 마약 중독자들이 약의 힘으로 얻는 흥분의 절정이나 모두가 한 순간 뿐이고 고통이 항상 뒤따르듯이 인간은 근본적으로 생로병사[生老病死]의 고통을 안고 태어 난다는 것을 일찍이 붓다는 깨달았고 쇼펜하우어의 생각에도 나타났으며 나처럼 둔한 사람은 늙고 병들고서야 깨닫는다.

공자는 생로병사의 고통을 하늘[天命]에 맡기고 삶을 바르게 사는 실천 도덕을 가르쳤다. 사후의 문제는 내가 삶도 모르는데 어찌 죽음을 알리요라 하여 不可知 사항에는 아예 헛수고를 피하였다.

공자 사상의 핵심은 仁이고 仁은 사람이며 사람은 사랑을 의미한다.

붓다는 세상 만사가 無常하여 空이라는 것을 깨닫고 모든 집착을 버릴 때 사람은 고통에서 벗어나 열반에 든다고 가르쳤다. 깨달은 사람은 매사 행동에 中을 취하며 중은 바로 正이고 정은 자비로 차 있으며 그래서 깨닫는다는 것은 자비를 뜻한다.

예수 그리스도는 하나님은 사랑이라 설했고 인간은 하나님으로부터 받은 사랑을 이웃에 전함으로서 천국에 간다고 설했다.

성 바울에 의하면 인간은 죄인으로 태어났고 하나님이 인간을 사랑하사 독생자 예수 그리스도를 보내셨으며 그의 피로 인간은 죄사함을 받았다고 했다.

사랑, 자비 그리고 인은 그 근원이 죄, 고통 그리고 人性등 차이가 있지만 그 결과인 사랑, 자비 그리고 仁은 다르지 않다고 나는 생각한다.

사람은 고통에서 벗어나려고 애를 쓴다. 오매 일념 돈을 모아 쌓기도 하고 명예와 권력을 쫓아 달려 가기도 하며 오래 살려고 별별 짓을 다 해보지만 인간은 결코 고통에서 벗어나지 못한다. 또한 사람은 건강한 척 돈 걱정을 안하는 척 자기는 초월한 척 애를 쓰기도 한다. 그렇게 남의 눈을 일시적으로 가릴 수는 있겠지만 고통은 사라지지 않는다.

흔히 쓰는 말로 생로병사에서 헤매이는 자기자신을 하늘이 알고 땅이 알고 자기 자신이 안다.

추운 겨울 날씨가 싫어 레이크랜드에 집을 마련하고 해마다 철새처럼 내려 왔다. 따뜻한 햇볕을 받으며 골프를 친다. 매일처럼 들리는 나쁜 뉴스에는 귀를 막아 세상 고통과 멀리 하려 했다.

전화도 아내가 받도록 했다.

그런데도 모 부인의 유방암, 재이씨 부인의 폐암, 케이씨의 교통 사고 등등 나쁜 뉴스가 금년에는 유난히 많은 것 같다.

그러던 중 어느날 갑자기 배에 죄어 트는 동통이 엄습하여 밤새 침대 위에서 기어 다니다가 새벽에 구급차로 응급실에 실려 갔다. 검사를 해보니 복통의 원인이 7밀리미터 크기의 신장 결석으로 판명되였다.

물을 많이 마시면 돌이 흘러 나올지 모르니 기다려 보자는 응급실 의사의 권고에 따라 집에 돌아와 기다리는데 지옥같은 고통이 몇차례 나를 괴롭혔고 결국 응급실에 다시 들어가 수술을 받았다.

일이 거기서 끝나지를 않고 합병증으로 계속 고생을 했다. 돌을 부수다가 돌 조각들이 콩팥으로 역류하여 두개의 돌 조각이 아직 콩팥에 남아 있다고 담당 의사가 설명을 해 주는데 내 다리에 힘이 쭉 빠져 나가는 것 같았다. 재 수술을 하게된 것이다.

수술한 의사의 실수인지 내 운이 나쁜 것인지 하는 생각으로 마음이 가라앉지를 않는데 나도 과거에 많은 수술을 했고 그중에는 수술이 내 뜻대로 되지를 않아서 과로웠던 기억이 떠올랐다.

나는 수술한 의사에게 돌을 던질 수가 없다. 다만 앞으로 다가올 고통을 어찌 감당할까.

겨울에 철새들이 많이 내려 오기 때문에 레이크랜드 병원 응급실은 하루 천수백명의 환자를 치료한다. 응급실에서 수백명의 환자들이 고통으로 신음하는 모습을 보고 지옥을 연상했고 나는 왜라는 물음밖에는 할 수가 없었다.

고통의 절정에서 내가 할 수있는 일은 아내의 손을 꼭 잡는 것밖에 없었다. 기도와 Meditation은 고통이 좀 수그러든 다음에야 가능했다. 전에는 다급하면 어머니를 주로 불렀던 것 같다.

나 혼자 아픈것이 아니고 옆에서 지켜 보는 아내도 아팠고 내 아픔이 세상으로 번져 나가고 다른 사람의 아픔도 내게 스며드는 것 같았다.

인간이 왜 고통을 겪는지 또는 겪어야만 하는지 나는 설명을 할 수가 없다. 나보다 훌륭한 분들의 말씀을 소개할 수는 있다.

성 바울은 내가 자고하지 않게 하시려고 하나님이 가시를 주셨다고 했다.

증자의 말이 떠오른다.

曾子言曰 鳥之將死 其鳴也哀 人之將死 其言也선 번역하면 새가 죽을 때 그 울음이 슬프고 사람이 죽을 때에는 마음이 착하다는 말이다. 즉 죽음이라는 가장 큰 고통을 앞에 두고는 사람은 거짓말을 못한다는 뜻이다.

사람은 너 나 할 것 없이 불쌍하다.

Whitehead는 그의 과정 철학[Process philosophy]에서 세상 만사를 Web of Interconnected Events라고 했다.

나의 고통과 다른 사람의 고통을 따로 떼어낼 수가 없으며 서로 침투 연결되어 있다는 것이다. 고통 뿐만이 아니고 경험 느낌 정서가 모두 그렇다는 것이다.

이 생각은 일찍이 제이의 붓다라고 칭송받은 반야 사상의 용수스님[Nagarjuna]이 설한 Interpenetrated라는 사상과 같고 만물이 어망처럼 서로 연결되어 있다는 원효대사의 말과도 같다.

쇼펜하우어[1788~1860]는 모든 인간이 나처럼 고통 속에 산다는 공감에서 우러나오는 도덕적인 실천 즉 자비행으로 고통에서 해방할 수 있다고 하였다.

인간이 의지라는 주의주의적 관념론에서 출발한 그가 무상과 무아에서 출발한 붓다와 출발은 다르다고 할 수 있으나 자비행으로 고통에서 해탈한다는 결론은 닮았다.

재수술을 받을 생각에 낙담하고 있는데 수술 부위에서는 열흘동안 출혈이 계속하여 몸이 쇠약해지고 항생제 복용으로 구역이 심해서 음식 넘기기가 힘들었다.

본능적으로 이러다 죽을 수도 있겠구나 하는 생각까지 났다.

갈 때가 되면 미련없이 간다하는 각오는 평소 하고 있지만 의학이 지금처럼 발전한 때에 콩팥에 생긴 돌맹이 하나 때문에 간다면 무엇인가 잘못된 것 같아 억울하고 부끄러운 생각이 든다.

신장 결석은 아주 흔한 병이고 대다수의 환자는 맥주만 마시고도 돌이 빠져 나온다는데 철새로 레이크랜드에 쉬러 왔다가 고생은 고생대로 하고 돌은 남아 있다 한다.

이것이 내 운명에 예정된 한 Chapter인지 신이 내리는 가시인지 혹은 시련인지. 아니면 전혀 예측할 수 없다는 과정상의 Novelty인지 알 수 없는데 어찌 되었든 피해자는 바로 나라는 생각이 자꾸만 든다.

13 | 기독교와 불교

이 제목으로 두 종교간에 대화를 거론한다든지 두종교를 비교 연구한 글들이 많이 나와 있으므로 이 제목이 낯선 제목은 아니다. 그런데도 내가 감히 도전하지만 계란으로 바위 치기의 결과가 될까 두렵다.

이십세기에 들어 서서 이미 두 종교간에 많은 대화와 교류가 있었기 때문에 서로 배우고 좋은 점은 받아들이고 나쁜 점은 버리고 하여 알게 모르게 닮아 가고 있는 점도 있다. 예를 들면 선[meditation], 찬송 등은 이제 어느 한 종교의 전유물이 아니다.

그러나 많은 분들이 자기가 믿는 종교가 아니면 귀와 눈을 막고 불신과 의심의 눈초리로 타 종교를 적대시 하는데 이 글이 그런 분들의 마음의 문을 여는 계기가 되었으면 하는 것이 나의 바램이다.

내가 쓰는 기독교와 불교는 붓다와 그리스도의 말씀을 가능한 한 빌려서 쓰려고 하며 여러 갈래로 파생한 종파의 주장은 이 글에서 가능한 한 피하려고 한다. 예를 들어 정토종도 불교의 종파이나 아미타불과 염불 그리고 극락왕생을 믿는 신앙인 만큼 붓다가 설한 불교 교리와는 다른 교리이므로 피하려 한다. 또한 기독교 근본주의의 교리도 같은 맥락에서 가능한 한 제외 하려 한다.

우선 기도교와 불교의 대화가 필요한 이유부터 살피고저 한다. 두 종교는 한국 사람중에 신도가 가장 많은 종교이므로 우리가 이들을 알아야 한다. 한 종교밖에 모르는 사람은 자기의 종교를 제대로 알 수가 없다. 무지로 인한 오해와 분쟁이 인류 평화 공존에 큰 적이기 때문이다.

예를 들어 영어밖에 모르는 사람이 있다고 하자. 그 사람이 사는데는 아무런 불편이 없을 것이지만 그사람은 이 세상에 한글처럼 과학적으로 만들어진 문자가 있다는 것을 영원히 모르고 일생을 마칠 것이다. 나아가서 그사람은 자기가 알아듣지 못하는 다른 나라 말을 쓰는 사람을 야만인으로 생각하고 무시하고 적대시할 확률이 그만큼 높다.

같은 맥락으로 타종교에 대한 공부는 자신의 종교를 이해하는데 도움이 되고 다른 종교를 믿는 사람을 이해하고 평화롭게 같이 지구상에 사는데 도움이 된다.

사람의 수만큼 종교가 있다고 한다

같은 교회에 나가며 같은 목사의 설교를 오래 듣고 신앙 생활을 해도 자기가 믿는 신을 묘사하라고 하면 각각 다른 묘사가 나온다.

누구의 신 혹은 신앙이 옳은지는 인간의 판단 밖에 있지만 적어도 타종교에 대한 오해를 가져서는 안되겠다는 것이다.

일평생 dogmatic한 신앙에 빠져 맹목적인 믿음을 믿는 사람들을 보면 딱한 생각을 금할 수가 없다.

누구나 자기의 신앙이 옳고 다른사람의 신앙을 의혹의 눈으로 보는 것이 인간의 상정이다. 그러나 신도[神道]를 믿던 일본 제국주의자나 무신론을 믿는 공산주의자 또는 국수주의 나치당원이나 모두 수천만의 맹종자들이 광신에 빠져 귀한 목숨을 버리면서 인류에게 해를 끼친 역사적 사실을 아무도 부인하지 못할 것이다.

세뇌가 그토록 무서우며 두뇌가 아주 명석해 보이는 사람도 대부분 세뇌에 넘어간다는 사실을 역사는 보여주고 있다. 인간이 얼마나 유치한 신앙이나 사상에 빠져 들어갈 수 있는지도 역사는 보여주고 있다.

인간이 그런 과오를 피하기 위하여 다른 종교를 공부하여 시야를 넓히고 우물안 개구리가 되지 않도록 노력해야한다.

나는 내 신앙만으로 내 마음이 평안하니 다른 종교 애기는 듣고 싶지 않다고 귀와 눈을 막고 자기의 환상속에 사는 사람들을 종종 본다. Paul Knitter라는 카톨릭 신학자요 교수가 Without Buddha I could not be a christian이란 책을 썼다. 기독교도가 되는데 붓다의 가르침이 도움이 되었다는 것이다. 그는 예수만이 구원의 길이 아니다 라고 하여 종래 기독교의 exclusivism에서 religious pluralism을 제창했다. 나는 그를 이단이라고 생각하지 않는다.

많은 기독교 신자들이 불교 공부를 하고 있고 불교도들이 기독교 공부를 하고 있는데 그런 분중에 두 종교를 공부하는 것을 후회하거나 그 공부 때문에 자기 신앙이 약해졌다고 불평하는것을 보지 못했다.

다음에 몇가지 불교에 관한 오해부터 해명하려 한다.

절에 불상을 모신 것을 보고 우상 숭배라고 비난하는 소리를 듣는다. 붓다의 가르침에는 불상에 대한 얘기가 전혀 없다. 붓다는 일설에 의하면 B.C. 624년에 탄생했다. 그러나 불상이 만들어지기 시작한 것은 육백여년후인 서력 기원 전후다. 즉, 희랍 문화를 따라서 인도에 들어온 희랍의 조각 예술과 외래 종교의 영향을 받아 대승 불교가 붓다를 신격화[神格化]하기 시작하면서부터 불상을 만든 것이다.

희랍 알렉산더 대왕이 B.C. 334년에 인도를 침공한 후 희랍 문화와 인도의 불교 문화가 합하여 Grecobuddhism이라는 문화가 생기고 이 문화가 팔백년이나 지속되었는데 이 때 불상이 생기고 불상 숭배도 시작한 것이다.

붓다는 살아 생전 자기가 신이 아닌 인간임을 강조했고 자기를 묘사한 그림이나 조각의 제조를 엄하게 금했다. 그래서 기원 전후까지 수백년동안 붓다가 깨우침을 얻었다는 장소인 보드가야의 보리수 탑, 불족석[佛足石], [붓다의 발자욱을 조각한돌] 등이 경배의 대상이었다.

불상이 일단 생긴 후로는 관음 문수 미륵등의 여러 불상이 제조되고 불상 숭배가 유행했으니 불상 숭배는 붓다의 가르침과는 무관하게 발전했다. 붓다가 설한 불교는 인간 형성의 종교였고 그 안에는 신이나 우상이 없었다.

또한 불교가 미신내지 기복 신앙이라는 비난을 받아 왔는데 이 점도 해명이 필요하다.

A.D.372년 승려 순도[順道]가 중국에서 고구려로 불교를 선교하려 와보니 우리 민족은 샤머니즘에 깊이 빠져 있어서 산신과 칠성님에게 복을 빌고 있었다. 그래서 선교하는 방편으로 절을 지을 때 칠성당과 산신당을 같이 지어 사람들이 절에 찾아 오도록 한 것이다. 이러한 형편은 신라와 백제에서도 마찬가지였다.

근세에 한국의 기독교도 샤머니즘과 영합하여 한국 기독교가 일부 기복 신앙화한 것을 신학자들이 인정하고 있다. 기독교가 원래 기복신앙이 아닌 것처럼 붓다는 기복을 설하지 아니하였다. 마음에서 탐욕과 집착을 비우라는 그의 가르침은 기복신앙이 될 수가 없다.

역사적으로 종교간에 분쟁과 전쟁이 많았고 종교 전쟁이 다른 원인으로 일어난 전쟁보다 더 악착스럽고 집요한 경우가 많았다. 그 예로 십자군 전쟁은 A.D.1096년에 시작하여 A.D.1204년까지 계속했는데 남은 것은 파괴와 살상이었다.

미국이 이천팔년도 일년간 소비한 전쟁 비용이 1360억불로 추산되고 Homeland Security에 사용한 비용이 332억불이라고 한다.

중동 전쟁으로 미국은 무서운 액수의 빚을 졌고 미국이 사향 길로 들어선 원인이 되고 있으며 아무리 계산을 해봐도 그 빚을 갚을 길이 없다.

중동전쟁을 무력으로 승리한다 해도 회교도들의 정신적 승복 없이는 영구적 평화가 도래했다고 할 수가 없다.

미국내 감옥에 복역하는 죄수들이 선택하는 새 신앙의 팔십프로가 회교라고 하고 감옥내에 회교도 인구가 십팔프로라고 하며 이미 이들에게서 테러리스트들이 나오고 있다. 이해와 대화를 통하여 평화 공존의 길을 배우지 않고는 미국이 결코 안전한 국가로 남아 있지 못할 것이다.

타종교의 이해와 대화가 얼마나 시급한 사항인지 말해주는 하나의 예다. 종교간의 갈등이나 전쟁은 확신범의 소행이기 때문에 순교도 서슴치 않으니 일시적인 물리적 승리는 별 의미가 없다. 제삼차대전은 종교전쟁이 될 것이라는 경고가 있을 만큼 심각한 종교간의 갈등을 해소하려면 종교간의 이해와 대화는 중대하고 시급하다.

기독교와 불교의 대화를 통하여 내가 얻으려는 숨은 목적중의 하나는 내가 동양 사람이기 때문에 내 뿌리인 불교에 대한 깊는 이해를 얻고저 함이다. 불교가 유교와 함께 동양문화의 근간임에도 불구하고 부끄럽게도 나는 불교에 대하여 별로 아는게 없었다.

이것이 내 탓만은 아니다. 이조 오백년간 유교를 숭상하고 불교를 탄압했기 때문에 주로 부녀자들이나 절에 드나들었고 소수의 왕과 학자들만이 불교를 공부했다.

내 기억으로는 집안에 중차대한 일이 생기면[중병 혹은 큰 시험 등] 어머니 혹은 할머니가 절에 불공 드리려 다니시던 모습이 불교에 대

한 제일 뚜렷한 기억이다.

방학을 이용하여 명승 사찰에 머문 적도 있지마는 명산의 경관과 조용한 절간의 분위기를 즐기는 정도였고 불교 교리에는 관심이 없었다.

일제 때 일본의 대처승들이 그들의 불교를 한국에 들여 왔지만 나는 절이나 승려가 다 같은 줄 알 정도로 무식했고 불교에 많은 교파가 있는 줄도 몰랐다.

한창 배워야 할 사춘기에 나는 육이오 동란을 맞아 목숨 보존과 목에 풀칠 하기에 바빴고 한국어로 된 불교 서적을 가까이 할 기회도 없었다. 미국에 건너와 이민 생활을 하는 동안 주위에 교회밖에 없으니 자연 교회에 나가 동포들을 만나고 사귀고 하다 보니 어느새 기독교 신도가 되었다. 나는 내 뿌리를 모르고 살았다.

나이도 들고 사는데 여유가 생기면서 한국의 발전으로 불교에 관한 책도 많이 출간되어 읽을 기회가 생겼다. 알고보니 Grecobuddhism외에 인도 Maurya왕조의 Asoka[B.C. 268~232 재위] 왕은 인도를 통일하고 나서 Dharma를 선포하였는데 지금으로 말하면 헌법인 셈이다.

그는 이 Dharma를 돌에 새긴 석주[石柱]를 여러곳에 세웠는데 이 Dharma의 언어가 아람어 희랍어 등 사개국어로 되어 있는 것을 보면 동서 문화의 교류가 그 당시 얼마나 왕성하였는지를 말해 주고 있다. 아람어는 예수 생존시에도 쓰이던 언어다. 비문이 있는 석주가 현재 열세개가 남아 있다. Asoka왕은 불교 선교를 위하여 사절을 시리야, 이집트, 마케도니아등으로 보냈다

예수 생존 당시에 알렉산드리아에는 불교도 마을이 있었다고 한다.

철학자 Schopenhaur[1788~1860]는 스스로 불교 신자라고 불렀고 고통에서 해방되는 길로서 불교의 해탈을 주장했다. 이십세기에 들어와 기독교와 불교의 대화는 다시 활발해졌으며 많은 진전이 있었지만 지면 관계로 생략한다.

위에 열거한 사실들은 내가 은퇴한 후에 알게 되었으니 내 뿌리를 찾는데 오랜 세월이 걸렸던 셈이다.

불교가 역사성이 결여된 종교라는 것도 일본 불교학자 增谷文雄씨가 저술한 불교개론이라는 책을 통하여 알았다. 불교는 교리상 자기

자신을 찾는 종교이고 스스로 열반 또는 해탈에 이르는 길을 스스로 깨우치는 종교다. 불교 신도 개개인의 수도 과정에 불교의 역사가 필요한 것은 아니기 때문에 승려들까지도 별로 관심이 없었던 것도 사실이다.

불교에 역사성이 결여된 또 하나의 이유는 모든 불경이 나는 이렇게 들었다[如是我聞][Evan me sutam]으로 시작하기 때문에 모든 불경이 다 붓다가 직접 설한 것으로 믿어 왔고 학문적으로 의문을 제기하고 시정할 생각을 못한 것이다.

근대에 와서 도미나가[1715~1746]라는 일본 불교학자가 이에 의문을 제기하고 불경을 언어학적으로 연구하여 불경들이 여러 백년에 걸쳐 여러 저자가 썼다는 사실을 밝혀 내고 出定後語라는 책을 냈다.

이 결과 大乘非佛論 즉 대승경전은 붓다의 저술이 아니다라는 설이 생겼고 지금은 그것이 정설이 되었다. 그렇다고 해서 대승경전의 내용이 붓다의 가르침에서 벗어난 것은 아니다.

예를 들어 설명하겠다.

해인사에 보존되어 있는 고려장 또는 팔만대장경은 고려 고종 이십삼년 [기원 1236년]에 제조하기 시작한 고려의 두번째 대장경이다. 6557권에 자수는 5238만 2960자 인데 신구약 성경안에 들어있는 단어의 수가 관사까지 합해서 78만 3137이라고 하니 그 규모를 짐작할 수 있다. 자작나무나 능금나무로 만든 한 목판에 644글자가 들어가고 쌓으면 백두산보다 높다고 한다. 세계 어느 대장경보다 정확하고 글자가 아름답다고 하니 이를 만든 우리 조상들이 자랑스럽다.

그 안에 반야경이 600권이고 금강경은 제 577권이라 한다. 금강경은 기원 150~200년경에 나온 경이니 붓다가 열반에 든 후 약 600여년이 지나고서 나온 경이다. 不立文字 以心傳心이라는 선불교가 所依徑으로 삼는 경이며 오천자밖에 안되어 가장 많이 독송되는 경이기도 하다.

그런데 이 금강경도 如是我聞으로 시작한다. 따라서 금강경을 수천번 독송한 승려들이 금강경을 붓다가 설했다고 믿었던 것도 무리는 아니였고 그때문에 불교가 역사성이 결여했다는 비판을 받은 것이다.

여시아문은 붓다가 말씀했다는 역사적 사실을 의미하는 것이 아니고 그 내용이 붓다의 생각에서 벗어나지 않는다는 것을 보증한다는 의미일 뿐이라는 사실이 근래에 알려진 것이다.

기독교와 불교의 큰 차이점의 하나는 존재론일 것이다. 서양에서는 존재란 무엇인가라는 존재론을 일찍이 철학적으로 다루었다.

Decartes는 자기 자신의 존재부터 일단 의심했다. 그는 나는 생각한다 고로 존재한다. 라는 말을 지어 내어 만인의 입에 회자되고 있다.

크게 세가지 존재론이 있는데 첫째는 이 세상 모든 존재를 누군가가 만들었다는 창조설이고 애초부터 그냥 있다고 생각하는 것이 둘째이며 셋째는 만물이 계속 변화하고 생성[生成]한다는 생각이다.

창조설에도 수십개의 창조설이 있지만 대표적인 것은 유대교, 기독교, 회교의 창조설이다. 태초에 하나님이 천지를 창조하셨다 [창세기 1;1]하여 하나님이 무에서 모든것을 창조 했다고 믿는 것이다. 이 창조설은 바빌로니아 창조설에서 유래했다는 사람도 있다.

하나님은 우주 창조전부터 있는 절대 타자[他者]이고 피창조자인 인간은 창조자를 절대적으로 복종, 의존, 순종하여야 한다.

또 하나님은 영원히 불변하고 무소부재 전지전능한 분이고 인간은 자력으로 죄에서 벗어날 수없는 절대적인 죄인이다.

한편 하나님의 전지전능 때문에 인간은 꼭두각시의 신세밖에 못된다는 데 대한 반발로 니체, 무신론자, 그리고 일부 실존주의자 같은 반항철학자들이 생겨났다. 그래서 Paul Tillich라는 신학자는 이런 말을 했다. “No body can tolerate being made into a mere object of absolute knowledge and absolute control.”

둘째로 모든 존재를 이미 있는 “有”로 수용하는 사람들은 존재물의 질료[質料]의 연구나 원소의 연구에 관심을 기울였다. 이 설은 有는 설명하고 無는 설명하지 않는 모순을 내포하고 있다. 그러나 창조설도 창조주를 만든 또 하나의 다른 창조자를 설명해야 하는 모순이 있으니 두 설 모두 모순을 가지고 있다.

셋째로 천지만물이 끊임없이 변화하고 동시에 생성과 소멸이 계속된다는 설에도 붓다의 연기설만 있는 것은 아니다. 고대 희랍의 철학자 Herakleitos는 Panta Rhei 즉 만물이 유전한다고 하였고 아리스토텔도 만물은 운동속에 있다고 했다.

근대 철학자 Whitehead[1861~1947]는 과정철학[Process Philosophy]에서 세상 모든 사물이나 현상이 과정이라고 했다. 생성과 소멸로 존재와 현상이 설명되지만 이 설에는 처음 시발점에 대한 설명이 없다.

붓다의 연기설[dependent coorigination]을 간단히 설명하면 연기의 연[緣]은 말미암다 또는 연유한다 혹은 조건에 의하여 라는 의미이고 기[起]는 일어난다는 의미이니 연기는 말미암아 일어난다 혹은 어떤 조건이 있으면 일이 일어난다는 뜻이다.

붓다는 설명하기를 生이 있으므로 老死가 있다는 사실은 내가 세상에 태어났든 안했든 관계없이 있는 상의성[相依性], 관계성, 또는 인과성이다.

마치 두개의 지푸라기 집단이 서로 의지해서 서 있듯이 이것이 있으므로 저것이 있고 저것이 있으므로 이것이 있다. 이것이 없어지면 저것도 없어지고 저것이 없어지면 이것도 없어진다고 했다.

즉 세상 만물이 서로 의지하여 존재하고 무조건 혼자서 존재하거나 불변하고 영원한 것은 없다. 이와 같이 절대적이고 영원한 존재를 부인하기 때문에 불교를 무신론으로 규정하고 상대주의적이라고 하며 기독교의 절대주의와 대조가 된다.

무상[無常]이란 떳떳함이 없다 혹은 항상 변한다는 뜻이니 연기의 앞뒤와 같다. 인과설도 연기설의 다른 표현일 뿐이다.

모든 것이 무상하다는 것을 인정하면 나도 불변하거나 영원할수 없으니 무아[無我]라는 개념이 자연스럽게 나오고 무아에서 고통과 허무가 나온다.

불교는 고[苦]로 부터 해방을 기독교는 죄[罪]로 부터 해방을 주제로 삼는다.

열반은 고로부터의 완전한 해방이고 영생은 죄로부터의 완전한 해방 또는 구속이다.

열반은 욕심, 노여움과 어리석음[貪嗔痴]의 소멸로 얻는 것이고 자기의 업[業]에 따라서 天上 人間 阿修羅 畜生 餓鬼 地獄 등 소위 六道를 끝없이 도는 윤회에서 영원히 벗어나는 것이며 기독교의 천국은 하나님의 은사로 부활하여 영생을 얻어 가는 곳이다.

이들 천국과 열반의 설명은 논리, 과학, 그리고 철학을 떠나기 때문에 불가능한 不立文字의 세계이고 영과 신비의 영역이니만큼 내 능력 밖에 있다. 따라서 관련있는 성경 구절을 인용하여 천국의 설명을 대신한다.

회개하라 천국이 가까왔느니라. [마 3;2]

심령이 가난한지는 복이 있나니 천국이 저희 것임이요. [마 5;3]

기뻐하고 즐거워하라. 하늘에서 너의 상이 큼이라. [마 5;12]

예수께서 가라사되 진실로 네게 이르노니 사람이 물과 성령으로 나지 아니하면 하나님 나라에 들어갈 수 없느니라. [요 3;5]

하나님의 나라는 먹는 것과 마시는 것이 아니요 오직 성령안에서 의와 평강과 희락이라[로 14;17] 또 여기있다 저기 있다고도 못하리니 하나님의 나라는 너희 안에 있느니라. [눅 17;21]

나더러 주여 주여 하는 자마다 다 천국에 들어갈 것이 아니요 다만 하늘에 계신 아버지의 뜻대로 행하는 자라야 들어 가리라. [마 7;21]

하나님의 은사로 하나님이 예정하신 자만이 구원을 받는다 라고 Calvin의 예정론은 말한다.

천국에 관한 성경의 말씀을 요약하면 1;천국이란 하나님의 권능이 미치는 곳. 2;천국은 너희 마음안에 있다. 3;천국이 지옥과 대비하여 따로 있다는 셋으로 해석이 된다. 근대 신학자중에는 천국을 metaphorical reference로 보는 견해가 있다. 또 부활 없이는 천국에 갈 수 없으므로 천국 얘기는 부활 얘기가 되고 그리스도의 부활 없이 인간의 부활을 믿을 수가 없으므로 그리스도의 부활이 기독교 신앙의 핵심이 된다.

그래서 부활에 관한 성경 구절을 소개한다.

내 손과 발을 보고 나인줄 알라. 또 나를 만져보라 영은 살과 뼈가 없으되 너희 보는 바와 같이 나는 있느니라. [눅 24;39]

무덤들이 열리며 자던 성도들의 몸이 많이 일어나되... [마 27;54]

주 예수를 살리신 이가 예수와 함께 우리도 다시 살리사 너희와 함께 그 앞에 서게 하실 줄을 아노니[고후4;14]

주께서 호령과 천사장의 소리와 하나님의 나팔로 친히 하늘로 좇아 강림하시리니 그리스도안에서 죽은자들이 먼저 일어나고... [살전4;16]

내 아버지의 뜻은 아들을 보고 믿는자마다 영생을 얻는 이것이니 마지막 날에 내가 다시 살리리라 하시니라. [요6;4]

예수께서 가라사대 나는 부활이요 생명이니 나를 믿는 자는 죽어도 살겠고. [요11;35]

대체로 영의 부활은 믿지만 육체의 부활은 쉽게 받아 들이기가 힘든 것 같다. 그 이유로 첫째 육체가 욕심의 근원이라고 가르치고는 그 육신이 천국에서 다시 살아 난다는 것은 모순이다.

둘째로 몸을 구성하고 있는 세포는 산소와 영양의 공급이 끊어지면 산화라는 부패과정으로 인하여 원소로 분해 환원한다고 배운 의학지식을 전혀 없던 것으로 우리의 의식을 바꾸어야 육체의 부활을 믿겠는데 하나님은 전능하시다는 한마디로 일생동안 배운 의학의 모든 지식을 모두 부인하기가 쉽지 않다. 이런 때는 무식한 사람이 차라리 부럽다.

몸이 다시 산다는 것을 비유로 생각하는 사람도 있고 부활하는 육체는 지상에 있던 육체가 아니고 천국에서 하나님이 새로 만들어 입히는 새 옷이라고 둘러 대는 사람도 있다. 또 실은 영만이 부활하는데 육체의 부활은 어리석은 인간들을 설득하기 위하여 방편으로 지어낸 얘기라고 설명하는 사람도 있다. 어찌 되었든 그리스도는 십자가에서 흘린 피로 인간의 죄를 대속하셨고 장사한지 사흘 만에 부활하셨다고 한다.

바울은 "그리스도안에서 우리가 바라는 것이 이 세상에만 해당되는 것이라면 우리는 모든 시람 가운데서 가장 불쌍한 사람일 것이다."[고전15;19—20]라고 말하여 부활이 기독교 신앙에 얼마나 절대적 위치를 차지하는지 잘 표현하고 있다.

열반[涅槃]은 팔리어Nibbana 산스크리트어 Nirvana.의 음역[音譯]으로 글자 자체의 의미는 없다. 그 의미를 살린 한자 번역으로는

滅, 滅度, 寂滅등이 있다.

석가 탄생 당시에 인도는 바라몬교와 힌두교가 뿌리 박고 있었다. 기원전 십오세기부터 인도 북서지방에 유목 민족인 아리안 족이 침입하였는데 이들은 부계 사회였고 의인화한 신을 믿었다. 이들은 제례의식을 맡은 바라문을 위시하여 사성제도[四性]를 확립했다. 이 바라문교가 점차 힌두교로 바뀌었다고 한다.

이들이 믿었던 윤회설[samsara]에 의하면 사람은 자기가 지은 업[karma]에 따라서 사후에 천계 인간 아수라 짐승 아귀 지옥으로 다시 태어난다.

바라문의 아리안 문화로부터 힌두교로 전해진 문화유산중에는 선정[dhyana], 요가, 하천숭배, 정화의례로서의 목욕, 채식주의, 쉬바등의 여러 신 등 무수하다.

권선징악의 대표적인 설로 윤회설만 한 설도 드물 것이다. 그렇기 때문에 붓다는 그의 설법에서 윤회설을 부인하지 않았고 설교의 방편으로 썼다. 그래서 열반을 설하면서 열반이란 영원히 계속되는 윤회에서 벗어 나는 길이라고 가르쳤다.분명히 밝혀 두고 싶은 것은 윤회설이 불교에서 나온 설이 아니라는 점이다. 열반이란 인간의 모든 고통으로부터의 해방이라 해탈이라고도 한다.

힌두교의 극락신앙은 불교의 한 종파인 정토교[淨土敎]에 남아서 염불을 통하여 아미타불이 있는 서방정토에 다시 태어난다고 믿는 신앙이 되었다.

해탈을 한 사람은 사후에 어디서 태어납니까 라고 붓다에게 질문한 제자가 있었다.

붓다의 답은 이러하였다.

"어디에 가서 태어난다 태어나지 않는다는 것은 전혀 문제의 핵심에서 벗어난 질문이다. 나무가 타는데 그 불이 나무가 다 탄 다음에 어디로 갑니까라고 묻는 것과 같은 질문이다."

즉 열반에서 끝난다는 것이다. 열반은 탐진치의 불이 꺼진 상태를 뜻하고 보통 사람은 죽어야만 그런 상태에 도달하기 때문에 열반이 죽음을 의미하는 말로 쓰이게 되었다.

붓다는 산상[山上] 설법에서 다음과 같이 설했다.

"비구들이여 일체가 타느니라. 비구들이여 눈이탄다. 눈의 대상이 탄다. 눈이 닿는 일체가 탄다. 무엇에 의하여 타는가. 탐욕의 불에 타고, 노여움의 불에 타고, 노사[老死]에 의해 타고, 우비고뇌[憂悲苦惱]와 절망에 의해서 탄다."

다음은 귀에 관해서 같은 말을 되풀이 하고 코, 혀, 몸, 생각 등 소위 육처[六處]라고 하는 감각기관 하나 하나에 이 말씀을 되풀이 했다. 이처럼 타는 불꽃이 꺼진 청량한 경지가 열반을 묘사하는 것이다.

붓다의 제자 사리풋타[舍利佛]도 같은 설명을 했다. "벗이여 무릇 탐욕의 소멸, 노여움의 소멸, 어리석음의 소멸 이들을 일컬어 열반이라 한다." 이어서 열반에 이르는 길이란 팔정도[八正道]라고 했는데 설명은 뒤로 미룬다.

불교는 천국의 복이나 영생을 약속하는 종교가 아니고 자기형성[自己形成]으로 열반에 이르라는 종교다. 그리고 열반에서 끝난다.

사후에 인간이 어디로 가느냐는 물음은 문제의 핵심밖이라는 붓다의 설명을 받아들이고 열반의 경지에 이르지 못한 내가 이 이상 설명을 기도한다면 어리석음을 면하기 어려울 것이다.

죄[罪 SIN]는 히브류어로 [Het]라고 한다고 하는데 표적에서 어긋난다는 뜻이라 한다.

기독교에서 죄란 신의 뜻을 어기는 不順從과 인간이 신과 맞서려는 오만을 가르킨다.

성경에 보면 회개하라 천국이 가까왔느니라.[마3;2]하였으니 회개가 신앙의 첫 단계가 된다.

"그가 자기 백성을 저의 죄에서 구원할 자이심이라 하니라."[마1;21]

인간이 자기의 힘으로 혹은 노력으로 죄를 구속받는 것이 아니라 예수 그리스도가 인간의 죄를 대속한 것이다.

"인자가 세상에서 죄를 사하는 권세가 있는 줄을 너희가 알게 하려 하노라."[마9;6]

"Forgive us our sins,for we also forgive everyone who sins

against us." 주기도문에서 [눅11;6]

"모든 사람이 죄를 범하였으매 하나님의 영광이 이르지 못하였더니 그리스도 예수안에 있는 구속으로 말미암아 하나님의 은혜로 값 없이 의롭다 함을 얻은 자...."[롬3;23]

인간이 아무 대가 없이 오직 하나님의 은혜로 죄사함을 받는 것을 강조했다.

"예수는 우리 범죄함을 위하여 내어줌이 되고 또한 우리를 의롭다 하심을 위하여 살아나셨느니라."[롬4;25]

"죄의 값은 사망이고 하나님의 은사는 그리스도 예수 우리 주안에 있는 영생이니라."[롬6;23]

St. Augustine은 인간이 선악과를 따서 먹음으로써 하나님께 불순종을 저지르고 스스로 타락했으며 그의 자손까지 대대로 저주를 받았다고 하여 deliberate sin of the first man 즉 원죄를 설명했다.

바울은 말하기를 사람은 이성의 힘으로 간음 행위를 않을 수는 있지만 아름다운 여인을 보고 욕심이 나지 않는 사람은 없으니 하나님의 눈에는 마음으로 간음한 것도 행동으로 간음한 것과 같다 하여 인간은 모두 죄인이라 하였다.

"믿음으로 좇아 하지 아니 하는 모든 것이 죄니라." [롬14;23]

苦痛에 대하여 바울은 "여러 계시를 받은 것이 지극히 크므로 자고하지 않게 하시려고 육체의 가시를 주셨으니....[고후12;7]" 라고 하여 고통이 인간을 겸손하게 만드는 하나님의 경고라고 하였다. 고통이 무명[無明]에서 온다는 불교의 교리와 다른 것이다.

또 고통은 인간의 믿음을 시험하는 수단[욥기], 또는 죄에 대한 징계 수단, 혹은 인간을 하나님께 불러들이는 도구[C.S. Lewis]등이라고 하였다. 기독교 교리의 중심은 고통보다 죄다.

"예수께서 대답하시되 진실로 진실로 너희에게 이르노니 죄를 범하는 자마다 죄의 종이라...."[요8;34]

기독교에서 제일 큰 문제로 다루는 죄를 불교에서는 나쁜 업보 혹은 Negative Karma 정도로 다룬다. 즉 힌두교에서 유래한 윤회설에서 죄가 한몫을 하는 것이다.

苦에 대한 불교의 해석을 들어 본다. 라다라는 승려가 붓다에게 어떤 것을 고라고 합니까라고 물었다.[신응부 경전23;15]

붓다는 답했다. “라다여 색은 고요, 수는 고요, 상은 고요, 즉 인간의 다섯 가지 요소인 색수상행식[色受想行識]이 다 무상[無常]하므로 고통 아닌 것이 없다.”고.

한마디로 무상한 것은 다 고요 무상하지 않은 것은 없으니 세상은 고로 가득 찬 것이다.

연기와 무상의 이치를 깨달으면 고는 사라지기 때문에 이를 깨닫지 못하는 어리석음[無明]이 고의 원인이라고 말하기도 한다. 불교는 분석적인 교라서 고를 분석하여 生老病死 四苦로 나누고 이 사고에다 求不得苦[가지고 싶은데 가지지 못하는 고통], 愛別離苦[사랑하는 사람과 헤어지는 고통], 怨憎會苦[미움과 원망을 가지는 고통], 五蘊盛苦[色受想行識 즉 인간의 구성 요소가 모두 고통]등을 합하면 八苦가 된다.

이 모든 고통을 八正道의 수행으로 소멸하고 열반에 드는 것이 불교의 가르침이요 그리스도를 믿어 그의 구속으로 죄사함을 받아 영생을 얻는 것이 기독교의 교리다. 여기서 죄와 고통의 관계를 살펴 본다.

인간의 행위 뒤에 오는 죄의식은 고통스러운 것인데 죄의 크기와 죄의식의 크기와는 비례하지 않을 뿐 아니라 원죄처럼 자기가 신앙상 믿지 않으면 죄의식이 전혀 생기지 않는 경우도 있다.

심리적으로 죄의식이 강한 사람도 있고 죄의식이 아주 약한 사람도 있다. 심리학에서는 과도한 죄의식은 고통스럽기 때문에 불행감의 원인이 될 수 있다고 본다.

종교적으로 회계를 강조하여 오는 죄의식의 증대와 심리학에서 말하는 죄의식과 행복과의 관계는 또 다른 큰 논란의 대상이 되므로 생략하겠다.

기독교가 죄를 강조하게 된 이유중에 하나는 절대 순종을 요구하는 하나님께 대한 불순종을 용납할 수 없기 때문일 것이다. 그래서 예수 그리스도는 사랑의 신이지만 교리는 불순종의 죄를 강조한 것으로 생각된다.

이에 비하여 붓다는 신이 아니고 먼저 깨달은 사람일 뿐이므로 붓다에게 순종하게 하기 위하여 불순종의 죄를 강조할 필요성이 없었을지 모른다. 불교에서 붓다와 신도간에 관계는 같은 길을 걷는 벗들 사이의 관계이기 때문에 붓다에 대한 불순종이 큰 죄가 될 수가 없었다

신의 계시를 따르는 신앙에서는 그 율법을 어기는 자에게는 절대자 신을 대리하여 죄를 물어야 하고 불교에서는 교가 각자 자기 완성의 길을 걷는 일종의 동호인 그룹과 같아서 그룹안에서 규율을 어기는 경우에 처벌은 각자 자기 스스로에게 내리는 벌이 주가 된다.

기독교와 불교를 논할 때 그밖에 기적, 이단, 삼위일체, 그리고 선불교와 기독교 신비주의의 공통점 등등 문제들이 많지만 다음 기회로 미룬다.

기독교의 역사는 이단의 역사라고 누군가 말했듯이 끊임없이 이단들의 도전을 받았고 그리고 이 이단을 처단하면서 발전하였다.

이십세기 이후로 기독교는 새로운 도전을 받고 있으며 정보화 시대의 발전으로 교조주의적[教條主義的] 신앙으로 배운 사람들을 교화하는데에는 무리가 있다.

또한 문물의 교류가 왕성해 지면서 종교간에 장벽을 허물고 종교간에 평화 공존을 모색하지 않을 수 없게 되었다. 이성적 사고를 하는 사람이면 나와 다른 종교를 믿는 사람들을 지상에서 다 쫓아 낼 수 없다다는 것을 일찍이 깨달을 것이다.

기하급수적으로 발전하는 과학을 완전히 외면하고 수천년전 일어났다는 기적만 믿으라고 할 수도 없다.

너무 거창한 과제를 나와 같은 촌부가 왈가왈부 한데 대한 부담감을 느끼고 어떤 비판이라도 달게 받겠다.

색즉시공 | 14

한국 사람중에 지식인 치고 불교 신자든 아니든 간에 색즉시공[色即是空]이란 말을 모르는 사람은 별로 없을 것이다. 반야심경의 한 구절인데 특히 대승불교의 핵심을 한마디로 잘 표현하고 있기 때문에 널리 회자되는 구절이다.

반야사상을 담은 육백권의 반야경중에 제577권인 금강경은 반야사상을 서술한 대표적인 경이고 오천여자로 되어 있으며 반야심경은 다시 금강경을 요약한 경으로 이백 육십자로 되어 있다. 반야심경은 般若波羅密多心經의 약자이고 산스크리트어로는 prajnaparamita hrdaya인데 prajna는 반야 혹은 지혜라는 말이고 paramita는 강을 건너 간다는[滅度] 말이며 hrdaya는 마음 혹은 핵심이라는 말이다.

금강경의 저작 시기는 확실하지 않으나 대략 기원전 이세기 후반에서 기원후 이세기까지쯤으로 알려져 있다. 반야심경은 그보다 수백년후에 저작되었다고 하고 Conze는 기원후 350년 경으로 보고 있다. 그리고 심경끝에 아제 아제로 시작하는 주문이 달린 것으로 보아 반야사상의 발전의 네 기간중에서 제삼기말에 저작되었다고 학자들은 말한다.

심경의 내용이 중국의 도교 철학과 가깝기 때문에 심경이 중국에서 한문으로 먼저 저작되었다가 인도로 역수출되어 산스크리트어로 변역되었을 것이라고 Jan Nattier 라는 불교학자는 말한다.

色即是空의 네 글자는 모두가 쉬운 한자지만 그 담긴 뜻을 깨닫기는 대단히 어려운 일이다. Edward. Conze[1904~1979]는 Form is emptiness라고 번역하였는데 훌륭한 영역이라고 나는 생각한다.

그는 런던에 주재했던 독일 부영사의 아들로 태어나 스물 세살에 이미 산스크리트어를 위시하여 십사개국 언어에 통달했고 옥스포드대학 론돈대학과 미국의 여러 대학에서 강의를 했으며 불경 삼십권을 번역한 서구 제일의 불교학자였다.

금강경을 포함하여 불경 380권을 한문으로 옮긴 인도승 구마라즙[기원350~408]과 성경의 25배가량의 분량이 된다는 반야경을 한역본으로 번역한 당나라 현장[기원600~664]과 비교하는 학자가 있을 만큼 Conze는 불경 영역[英譯]에 불세출의 업적을 남겼다.

나는 색즉시공을 예를 들어 문화나 언어간에 뜻의 전달이 얼마나 어려운지를 살펴 보고 싶다. 색즉시공은 금강경에 身相即非身相[몸이 보여주는 모든 모습은 몸의 실제 모습은 아니다]과 凡所有相 皆是虛妄 [무릇 모습을 가진 것 모두가 헛되다]과 그리고 諸相非相[모든 상은 진짜 상이 아니다]과 그 뜻이 같다.

色은 Conze이후로 여러 영문 번역에서 form으로 영역되였고 간혹 matter로 번역되기도 하였다.

空은 emptiness또는 void혹은 boundlessness로 번역되였다. 色과 form 그리고 空과 emptiness를 비교하면서 언어의 한계 그리고 번역으로 생기는 개념의 변모에 관하여 말하고 싶은 것이 이글의 목적이다.

번역은 창작이라고 한다. 번역의 어려움을 한마디로 잘 표현한 말이다. 언어는 사람이 서로 의사를 소통하기 위하여 만든 약속이 제도화한 것이다.

언어마다 그 언어를 만든 종족, 지리, 역사, 문화, 종교 등등 차이로 생기는 특성이 베어있어서 한 언어에서 다른 언어로 옮기려면 똑같은 의미를 가진 단어는 있을 수가 없고 가장 가까운 의미를 가진 단어를 찾아내어 대치할 수밖에 없다.

표의 문자에서 표음 문자로 즉 구조가 다른 언어로 옮기려면 더욱 그렇다. 김치를 pickle로 번역하고 여호와신을 하느님으로 번역할 때 그 의미가 같을 수가 없다.

色은 빛색이라는 한자인데 어원은 안색 즉 얼굴색에서 나왔으며 색채, 모양, 여색[女色]; 화장; 물질 등으로 그 의미가 확대되었다. 빛이 물체에 반사되어 우리 눈에 들어와 망막세포를 자극하고 그 자극이 뇌에 전달되면 우리가 보는 것이니 우주 만물을 색이라고 해도 틀린 말은 아니다.

색은 산스크리트어 rupa를 번역한 말이고 rupa는 모양 용모를 의미한다. 오온[五蘊]은 인간의 다섯가지 기능을 의미하고 色受想行識을 말하는데 그 중에서 色은 육체를 의미한다. 오온을 영어로는 five aggregates라고 번역하고 있다. Form이라는 단어는 위에 설명한 의미를 전달하기에는 미흡하고 한문을 공부한 사람이 색이라는 글자를 보고 느끼는 느낌과 영어만 쓰는 사람이 form에서 느끼는 느낌과는 다르다. matter도 form과 그런 점에서 대동소이하나 물질이라는 느낌이 너무 짙다.

空과 emptiness는 어떤가. 공은 하늘공, 빌공, 구멍공이라는 자다.

하늘, 비었다, 구멍, 공허, 존재의 부정, 헛되다 등의 의미를 가졌다. Emptiness는 비었다는 뜻이 강해서 공의 다른 색채를 느끼기가 어렵다.

공이라는 자가 우주처럼 경계가 없이 넓다는 의미가 있으므로 boundless로 번역하는 것도 일리가 있으나 역시 공과는 맛이 다르다. Boundless에는 비었다는 뜻이 약하다. 그래서 boundless는 emptiness 보다 공의 뜻 전달이 모자란 것 같다.

색즉시공의 공은 색이라는 주어의 술부[述部]다.

즉 공이 색을 설명하고 있으니 공을 이해하면 반야사상을 안다고 말 할 수 있다.

금강경에 說法者 無法可說 是名說法이란 구절이 있는데 설법이란 설할 수있는 법이 없으니 설법이라 한다 라는 말이다. 설할 수 있는 법이 없다라는 말과 색은 공이란 말과는 통한다. 공은 설할 수가 없다.

선불교에서 不立文字 言語道斷 言詮不及 直指人心이라 한 것도 모두가 말로는 설명이 불가능하다는 말이다. 설혹 공이 무엇인지 깨달아도 말로 설명할 수가 없다는데 나같은 범인이 어찌 설명하려고 무모한 시도를 펴겠는가.

그러나 장님이 코끼리 더듬어서 만지듯 내가 아는 것만이라도 전해보려는 노력이 어리석을 수는 있어도 나쁘지는 않을 것이다.

어짜피 사람들은 각자 타고난 그릇대로 내 말을 알아 들을 것이고 사람의 숫자만큼 많은 종교가 있다고 하니 색즉시공에 대한 해석도 제각기 다를 것이다. 공에 대해서 내 이해가 얼마나 붓다의 진리에 가까운지 내가 알 수 없지만 진리를 깨달았다고 생각하는 순간 깨달음이

아니라는 붓다의 가르침을 잊어서는 안된다는 것을 나는 안다.

다음에 나도 알듯 모를듯 한 얘기를 하려고 하니 양해를 미리 구해야겠다. 붓다는 말씀하기를 그 것이 공인 고로 제법[諸法]이 공한 겻이 아니라고 했다. 제법이란 삼라만상 정도로 해석해 둔다. 법성[法性] 즉 진리는 스스로 공한 것으로 무상 무기 무생 무아 무취 무성[無想 無記 無生 無我 無取 無性]이니 이러한 관점을 실관[實觀]이라 한다고 했다.

공은 산스크리트어로 Sunyata이고 인도 수학에서 영, 무, zero를 뜻한다. 공은 또 비었다, 아무것도 존재하지 않는다의 뜻을 가진 공허 공무 공간[空「空無 空間]등을 의미하나 이것이 공의 의미의 전부라면 허무주의의 無와 다를 것이 없으므로 불교를 허무주의와 혼동하기 쉽다.

허무는 실존주의 니체의 초인[超人] 사상, 유물론 등을 낳았다. 붓다는 자기의 가르침이 허무주의로 빠지는 것을 이미 경계한 바 있다. 붓다의 공은 허무로 빠지는 단공 편공 무기공[斷空 偏空 無記空]이 아니다. 금강경에서도 불설단멸상[不說斷滅相] 즉 단멸의 상태를 말하지 말라고 하여 허무로 가는 길을 경계했다. 또 진공묘유[眞空妙有]라는 묘사가 있는데 진정한 공에 묘유가 있다는 말이며 없는 가운데 있다는 정도로 번역해 둔다. 다른 말로 표현하자면 諸相非相[우리가 보는 모든 현상이 진정한 모습이 아니다]이나 불생불멸 [不生不滅] 부증불감[不增不減] 무위상주[無爲常住]하는 圓寂또는 眞如가 공과 함께 있다는 것이다. 쉬운 말로 하면 나지도 않고 없어지지도 않으며 늘지도 않고 줄지도 않는 스스로 항상 있는 무엇이 공과 함께 있다는 것이다. 그 무엇을 진여라 혹은 원적이라 부른다. 이를 반야[슬기 지혜]라고도 하는데 요는 공이 아무것도 없는 허공이 아니라는 말이다.

또한 금강경에 한구절을 소개하면 如來所得法 此法 無實無虛이라 했다. 붓다가 얻은 진리는 실도 아니요 허도 아니라는 말이니 없지도 않고 있는 것도 아니라는 뜻이다.

공이 반야라는 말과 하나님과 함께 말씀이 있었다는 요한복음의 말은 서로 통한다.

이 글이 공을 논하는 것이 주가 아니므로 이만 도중하차를 한다.

이 글의 요점은 한자 문화권에 속한 사람이 느끼는 색즉시공과 영어 문화권에 속한 사람이 Form is emptiness에서 느끼는 느낌이 다르다는 것이다. 그 뜻은 비슷한데 맛은 다르다느 말은 어릴 때에 먹던 어머니의 손맛에 비유할 수도 있고 이러한 내 생각은 내 편견이라고 비난 받을 수도 있다.

근대 수세기 동안 서구 문명이 동양을 앞서는 바람에 많은 동양인들이 열등감에 시달렸지만 색즉시공의 맛을 제대로 알지못하는 서구인들을 딱하게 여길 때도 된 것같다. 마치 김치 맛을 모르는 서양 사람이 참으로 안됐다고 한국 사람이 생각하는 것과 같다.

영어의 독특한 맛을 내가 전혀 몰라서 하는 말은 아니다. 미국에서 삼십여년을 산 만큼 영어도 외국인으로서 알 만큼은 안다고 자부한다.

색즉시공을 女色은 허무하다고 번역하는 정도가 아닌 담에야 색즉시공에서 풍기는 동양의 맛을 내가 사랑해서 쓰는 내 심정을 이해할 것이다.

그렇다고 해서 내가 색즉시공을 정말로 아느냐 하면 그것은 천만의 말씀이다. 서당 개 삼년이면 풍월을 읊는다고 하는데 그저 풍월을 읊어본 것 뿐이다.

제6장 Essay

인류의 운명 | 01

인공 위성에서 찍은 사진에서 보는 지구의 모습은 내가 본 어느 보석보다 아름답다. 지구의 삼분의 이를 덮은 바다가 햇빛을 반사하여 파란 구슬처럼 반짝인다.

왜 그렇게 아름다우며 아름다움이란 무엇인지 잠시 생각에 잠긴다. 눈으로 즐기는 아름다움 뿐 아니라 아름다운 소리, 시 등 美는 도처에 있고 미가 무엇인지 모르는 사람은 없을 것이다.

그런데 내게 미가 무엇인지 설명하라고 한다면 설명할 수가 있을까.

미국의 저명한 이십세기 철학자 G. Santayana는 “Beauty does not reside in the object, but in the individual's sense of beauty.”라고 하고 이어서 “Beauty is the manifestation of God to the senses.”라고 했다.

인간의 감각과 신에다 설명을 미루었을 뿐 미의 정체를 설명한 것은 아니다. 인간의 미에 대한 감각과 영혼이 있다면 동시에 그 영혼도 타고 난다면 설명이 끝난 것일까. 그러나 그 이상의 설명이 불가능한 것은 사실이다.

내 기억을 더듬어 보면 내가 교육을 받기 이전에도 꽃, 달등 아름다운 것과 지렁이, 뱀 같은 추한 것을 구별하는 감각이 있었던 것같다. 두살된 내 손녀도 여러 인형중에서 제일 예쁜 것을 골라 가지는 것을 보면 더욱 그런 생각이 든다.

사람들은 교육을 통하여 미적 감각이 발달하고 세련되는 것도 사실이니 후천적 요소도 가미되는 것같다.

지구는 태양을 돌고 있는 행성중의 하나이고 하루 한번 자전을 하면서 매초 18.55 마일로. 태양 주위를 타원형으로 돌고 있다. 태양 자신도 자전을 하면서 동시에 태양계의 여러 별들과 함께 초당 이백이십 킬로미터의 속도로 은하계의 중심 주위를 돌고 있으며 그 궤도를 한 번 도는데 이억이천만년이 걸린다고 한다.

은하계가 생긴 후 태양계가 수물한 바퀴 돌았다고 하며 은하계 자신도 초당 삼백킬로미터로 우주속을 달린다고 한다. 근래에 사천억으로 추산되어 전에보다 숫자가 는 은하계의 별들이 빠른 속도로 계속 돌고 있다는 상상만 해도 어지럽다.

은하계 안에 태양계가 여럿이 있고 지금도 새 태양계가 계속 발견되고 있으며 은하계 같은 galaxy의 수가 이천억으로 추산된다고 하니 입을 다물 수가 없다. 이 광대한 우주에서 나의 존재란 티끌만도 못하다.

이런 사실들을 잘알고 있는 천문학자들이 미치지 않고 제 정신을 보존하는 것이 신기롭다고 생각한다. 나는 천문학에 관한 공부를 하다가 내 존재가 너무 무의미 해져서 미칠 것 같을 때가 있다.

그렇게 별이 많아도 지구외에 생명이 살고 있는 별이 있다는 증거를 아직 발견하지 못했다니 놀랍다. 생명이 존재하려면 지구처럼 생명이 살기에 알맞는 온도와 햇빛 그리고 물이 필수 조건인데 이 조건을 갖추기가 쉽지 않다.

인류의 문명 같은 발달한 문명의 과학적 증거란 Radiosignal인데 아직 다른 별에서 지구에 도달하는 래디오시그날이 없다고 한다. 지구는 아름다울 뿐만 아니라 인류와 같은 문명을 가진 생물이 사는 단 하나의 별로 알려져 있다.

또한 지구처럼 발달한 문명이 있다 해도 지구의 문명과 같은 시기에 존재할 확률은 몇천만분의 일밖에 되지 않는데 그이유는 지구가 Radiosignal 을 쓸 만큼 문명이 발달한 기간이 백년 정도밖에 되지 않으므로 다른 별의 문명도 꼭 이시기에 존재해야만 서로 인지할 수 있기 때문이다.

성경 창세기에 보면 태초에 하나님이 천지를 창조하시고 빛이 있으라 하시매 빛이 있었고 궁창 아래의 물과 위의 물로 나뉘게 하시매 그대로 되니라. 하나님이 뭍은 땅이라 칭하시고 물은 바다라 칭하시니라라고 쓰여있다.

성경을 믿고 천문학 등 과학을 외면하면 머리가 복잡하지 않아 좋겠는데 나는 양쪽을 다 공부하니 사서 고생을 한다.

좁은 의미의 종교는 증명할 수없는 초자연적인 것을 믿고 과학은 이성으로 인간이 증명할 수 있는 것을 믿는 것이므로 양립할 수 있다고 나는 믿는다. 증명할 수 있든 없든 믿는다는데 시비를 걸 이유가 없다고 나는 생각한다.

지구는 사십오억육천칠백만년 전에 가스와 돌덩이들이 빠르게 회전 하면서 고열이 생겨 그 중심부에 해가 생겼고 그 해에서 불덩어리들이 튀어 나와 태양계의 여러 별이 생길 때에 생긴 별중의 하나다.

불덩어리였던 지구가 식으면서 생명이 지구위에 존재하기 시작했는데 생명이 화성같은 외계에서 왔다는 설과 지구 자체에서 생겨났다는 설이 있지만 여하튼 진화를 거듭하여 오늘의 인류가 되었다고 과학자들은 설명한다.

하나님이 모든 것을 창조 했다는 설에 의하면 인류도 하나님이 창조했다고 믿어야 한다.

화석의 연구에 따르면 이억삼천만년 전과 육천오백만년 전 사이 일억육천만년 간을 공룡[Dinasaurs]이 지구를 지배했다고 한다. 원래 한덩어리였던 육지가 지각 변동으로 인하여 여러 대륙으로 갈라지던 시기에 공룡도 여러 종류로 분화하는데에 가속이 붙었다.

Genome연구에 의하면 인류의 조상은 불과 육백만년전 Chimpanzee와 갈라 졌다고 한다.

약 이백만년전 대뇌가 커진 Homo erectus는 칠십구만년전과 백육십만년전 사이에 불을 사용하기 시작했다고 추측하고 있다. 이백만년이란 세월은 공룡의 일억육천만년에 비하면 참으로 짧아서 인류는 갓난아기밖에 되지 않지만 인류는 벌써 인류 존망의 위기를 논하고 있다.

Homo sapiens는 여러 Subspecies로 진화하였으나 Neanderthal을 위시하여 많은 인종이 멸종했고 지금의 인류는 이십만년 전 아프리카에서 기원하여 전세계로 번진 Homo sapiens sapiens로서 두뇌의 크기가 약 1400입방센티미터나 되어 침판지의 두배나 큰 대뇌를 가지게 되었다. 만일 유전자의 변이로 인간의 두뇌가 현재의 두배가 된다면 신, 창조, 우주 등의 많은 불가지의 비밀을 풀 수 있을지도 모른다.

인류는 큰 대뇌와 정교한 손의 자유로운 구사로 경이로운 문화 문명을 창조했다. 두발로 서는 바람에 손이 해방되었다고 하는데 이것이 진화냐 창조냐 하는 문제는 보류해 둔다.

영국의 이론 물리학자 Steven Hawking박사는 인류가 앞으로 백년을 버티기 힘들 것이라고 최근 인터뷰에서 말했다. 이는 과학적 종말론이 되겠다.

이천이년도 세계 핵무기 보유고가 약 이만개라고 추산하는데 사고로라도 핵전쟁이 일어난다면 인류의 종말은 가능하다. 여러 다른 원인으로 인류가 멸망할 가능성이 있지만 다른 기회로 미룬다.

예정론에 의하면 인류의 운명이 이미 정해져 있으니 걱정할 필요가 없겠으나 Predetermination을 믿고 지구의 현실을 몰라라 할 만큼 인간의 이성이 가만 두지를 않는다. 철학자 Herbert Spencer[1820~1903]는 선한 행위는 더 진화한 행위요 악한 행위는 진화가 덜 된 행위이며 생명이 좀 더 완전하고 조화롭게 되는 것이 진화의 진로라고 말했다.

진화가 어느 단계에 이르면 불안정 하게 되고 분해 붕괴가 일어나며 진화는 다시 시작한다고 했다.

스펜서의 설대로 진화가 좋은 방향으로만 진행한다면 얼마나 좋을까.

Hegel[1770~1831]의 변증법을 빌리면 역사는 These, Antithese, Synthese라는 세 단계를 반복하는 주기적 운동이다.

즉 우주의 어떤 상황에 대한 정설이 확립되면 이 정설이 부분적 진리를 나타내는 만큼 이 정설에 대한 비판이 일어날 것이고 이 비판의 정당성을 좀더 종합 흡수하여 좀더 바른 진리가 된다.

이러한 주기적 역사 운동이 바른 방향으로 간다면 좋겠으나 실제 역사가 한 방향으로 흐를까.

나는 역사에 주기적 운동이 있다는 것을 굳게 믿으나 방향이 있다고는 믿지 않는다. 인류가 멸망의 방향으로 치다를 수도 있다고 나는 생각한다.

과연 지구라고 하는 아름다운 배를 타고 있는 인류는 어디로 가고 있을까.

인류의 운명 | 02

철따라 어김없이 올해도 예쁜 단풍이 찾아왔다. 사계절이 아름다움을 서로 다투지만 가을 단풍의 미를 표현하기에 나는 너무 둔하다.

나도 때가 되면 조용히 옷을 벗어야지 하는 마음의 준비를 하고 있기 때문에 말없이 갈아 입은 단풍이 順命의 형제처럼 느껴진다.

천하를 호령하던 영웅호걸이나 경국지색의 미녀도 때가 되면 옷을 벗기는 매일반이고 낙엽과 다른 점이 있다면 사람은 장례 행렬의 길이와 호화로움이 사람에 따라 다르다는 점일 것이다. 그러나 그런 것은 그다지 중요하지 않다.

백골이 진토 되기는 너나 나나 다를게 없고 여섯자 땅밑에서는 너와 나의 구별이 없다. 천국 얘기는 그 진부가 죽어 보아야 알 일이고 확실한 것은 때가 되면 단풍처럼 옷을 갈아 입는다는 것 뿐이다.

단풍이 왜 그리 아름다운지 내게 설명을 요구한다면 다양한 색채, 빛, 선등 의 조화와 보는 사람의 감각과 느낌이 미를 창조 한다는 것은 알겠는데 그 이상은 내 능력 밖이다. Arthur Schopenhaur[1788~1860]는 인간이 고통에서 벗어나는 방법중에 하나가 미의 영원성에 몰입하여 무아지경에 드는 것이라고 했다. 불교적 해탈과 함께 미가 고통에서 해방되는 한 방법으로 등장한 것은 흥미롭다.

다시 인류의 운명 얘기로 돌아 간다. 살만큼 산 내가 인류의 운명에 대하여 왜 걱정을 하느냐고 묻는다면 내가 사람이기 때문이라고 밖에는 할 말이 없다. 왜냐하면 일억육천만년간 지구위에 주인 노릇을 하던 공룡은 그런 걱정을 하지 않았을 것이기 때문이다.

지구 역사상 유일하게 이성을 가지고 있는 인간이기 때문에 걱정한다. 육십칠억이라는 인류가 지구라는 한배를 타고 지도나 나침판도 없이 미지의 세계로 항해를 하고 있다고 생각하면 어떻게 걱정이 되지 않겠는가.

바로 수개월 전까지만 해도 미국은 지상에서 가장 부강한 나라라고 자부했고 두고 두고 그 자리를 즐길 것으로 알았는데 하루 아침에 부동산 파동이 나면서 경제위기에 빠졌다. 지구 자체는 위기 전이나 후나 변한 것이 없는데 돈 줄만 막혀도 전세계가 공황에 빠진다고 난리들이니 人爲의 무서움을 알만 하다.

이번 금융 위기의 원인을 살펴 본다.

Mortgage 지불 능력이 없고 직업이나 수입이 없는 사람까지 Sub-prime Mortgage를 대부해준 은행과 Mortgage 회사 그리고 그런 대부를 받아 집을 산 사람들이 이번 위기의 첫째 원인이다. 그 중에는 집값이 계속 오르니까 집장사 목적으로 다운 페이도 없이 집을 산 수백만의 구입자들도 있다.

그런 부실한 Mortgage를 가지고 Mortgage backed security 소위 Derivative를 만들어 팔아 돈을 번 Fannie Mae와 Freddie Mac 그리고 수많은 은행들과 투자회사들이 또한 위기의 원인이다.

미국 국민이면 빈부 관계없이 누구나 집을 소유할 권리가 있다고 하면서 국회에서 mortgage 정책 수립에 압력을 행사한 국회의원들의 책임도 크다. 이 점에서 민주당 의원들의 책임이 더 큰데 이제와서는 완전히 발뺌을 하고 있다.

Mortgage backed Securities거래에서 막대한 보험료를 받아 거부가 되고 나서는 파산한 회사들은 국민의 세금으로 Bail out을 받았다. 큰 도적은 국가에서 국민이 낸 세금으로 갚아주고 작은 도적만 잡아넣는 꼴이 되었다.

자본주의 시장 경제가 공산주의나 사회주의보다 낫다고 생각했었는데 월가의 경제인들의 탐욕 때문에 세계경제가 몸살을 앓았고 시장경제의 모순이 또 들어났다.

이를 계기로 사회주의적인 오바마 정권이 집권하였고 미국의 경제, 사회, 의료제도등이 바뀌고 있다.

역사적으로 어떤 제도나 국가도 영구히 지속하지 못했고 사람들은 흔히 로마 제국의 예를 든다.

나의 짧은 생애중에도 나는 일본 군국주의, 히틀러의 국수주의, 스탈린, 모택동의 공산주의 등등 수많은 주의와 국가의 흥망 성쇠를 경험했다.

그들 사상이나 국가에게 열광하여 목숨을 받친 수천만의 어리석은 영현들을 어떻게 위로할지 모르겠다.

역사에 예외가 없으니 미국도 언제인가는 틀림 없이 몰락할 것이다. 세계 경제가 미국 경제에 많이 의존하고 있는데 미국 경제가 다시 살아날 수 있을지 걱정하지 않을 수 없다.

이미 미국이 사향길에 들어 섰다고 비관적으로 말하는 사람도 있다.

정부의 엄청난 적자, 무역 적자, 중동 문제, 에너지 문제 등 미국의 전도가 결코 밝지 않다. 에너지문제만 보더라도 1997년에 소모한 Fossil fuel이 이 지구가 사백이십이년 간 축적한 생물에서 나온 fuel이라고 한다. 중국과 인도의 경제 성장으로 에너지 소비량이 급속도로 늘어 에너지 자원 확보를 위해서 미국과 심각한 경제 전쟁을 벌리고 있다.

달러를 많이 보유한 중국이 시장에 나오는 오일회사를 미국에 앞서 사들이고 있다. 그러나 중국이 아무리 오일회사를 사들여도 머지 않아 제한된 Fossil fuel은 동이 날 것이고 지구의 오염은 악화될 것이다.

겉으로 아름다운 지구가 속은 비고 곪아가고 있는데 걱정을 않을 수는 없다.

종교에 귀의하여 지구와 인류의 운명을 신에게 맡기며 세상사는 잊고 걱정을 놓을 수도 있겠지만 이런 마음의 평화는 현실 도피일 것이다. 종말론, 예수의 재림, 천년 통치설, 최후의 심판 등을 믿으며 기도를 하고 있으면 될까.

과거 이천여년 동안 종말이 가까웠다는 예언을 끊임없이 들어온 인류가 계속 그 예언을 믿고 더러워 지고 파멸의 길로 가고 있는 지구를 외면할 수 있는가.

코란에 묘사된 천당[Jannah]을 믿는 회교도들의 마음은 편한지 모르겠다.

아미타불을 믿고 서원하면 서방 극락정토에 태어 난다는 정토종 신자들의 마음은 편안할까.

신앙에서 인류가 직면한 위기의 해답을 구하기는 어렵다.

Spinoza[1632~1677]는 말했다. 신이 창조자라면 피창조자인 인간에 의하여 제한을 받기 때문에 신이 전지전능 할 수가 없다는 것이다. 작품에서 작가의 한계를 알 수있는 것처럼 말이다.

또 피창조자[인간등]가 있으니 반드시 창조자가 있어야 한다는 논리는 창조자에게도 적용되기 때문에 창조자의 창조자도 있어야 한다는 모순에 빠진다. 원인의 원인 또 그 원인을 끝없이 되풀이 해야 되기 때문에 그는 결국 신이 바로 자연이라고 생각했다. 자연이 신이라고 믿는 사람은 많은데 이 믿음이 인류가 당면한 위기에 도움이되지는 않는다.

St. Thomas Aquinas는 다음과 같이 말했다.

동물이 인간의 마음을 알 수 없드시 존재의 界層에서 인간보다 높은 존재의 본질 즉 신의 본질을 인간이 알 수 없다.

소위 不可知論이라는 것이다. 불가지론을 믿는 사람은 많은데 논어에 보면 공자[기원전 551~479]도 未知生 焉知死라고 했다. 삶도 모르는데 어찌 죽음을 알리요 라고 하여 불가지론을 말했다. 子不語 怪力亂神 번역하면 공자는 괴상한 힘[기적]을 부리는 신을 말하고저 하지 않는다는 뜻이니 초월적인 일은 몰라라 한다는 것이다. 不可知事는 다 덮어두고 현실에서 바르게 사는 일만 논한다는 철저한 현실론이다.

근대 일부 과학자와 철학자들이 과학이 끝없이 발전할 것이라고 믿었다.

나는 과학이 무한한 발전을 이루기전에 실수로 혹은 사고로 재앙을 맞아 인류의 운명을 닫고 말 것이라고 생각하는 비관론자에 속한다. 나는 어린아이가 불장난을 하며 노는 것을 바라보는 심정으로 과학의 발전을 보고있다. 언제인가 사고가 날 것같은 예감을 떨쳐 버릴 수가 없다.

얘기가 나온 김에 계시에 관해서 한마디 하겠다.

옛날에는 국가나 민족의 大事를 신의 계시에 의하여 처리했다. 현대에는 미국처럼 기독교가 성한 나라에서도 계시를 받아 정치를 하는 지도자는 보지 못하였다.

현대인의 의식구조가 옛날과 달라서 계시를 받지 못하거나 옛날 지도자들이 대중을 움직이는 수단으로 있지도 않은 계시를 써 먹었거나 혹은 계시라는 것이 꿈과 같은 마음의 장난이든가 세가지중의 하나일 것이다.

St. Thomas Aquinas는 신학이 계시에서 내린 교리에서 출발했다고 말했는데 그의 말은 옳다. 신의 계시는 복음서에서 끝이 났기 때문에 더 이상 계시가 없다는 말도 일리가 있다. 물론 계시는 신앙의 문제이고 철학이나 과학의 문제는 아니다.

여하튼 인류의 운명은 신앙만으로 해결될 수있는 문제가 아니다. 말을 바꾸면 見性成佛하여 자신이 열반에 드는 것과 인류의 운명과는 다른 문제다.

그러나 하나님의 날개밑에 나혼자 편히 쉰다고 해서 지구가 오염으로 썩어 가는 것을 외면할 수는 없다.

이 세상은 나그네로서 잠시 들리는 곳이니 인류의 운명이 자기의 영생과 별 관계가 없다는 사람이 있을 수 있다. 인류가 지구를 파괴해 놓고 남을 탓하거나 혹은 초월적 존재가 있어 구해 주기만 바랄 수도 있다.

그러나 인간은 대체로 그렇게 바보는 아니다.

03 | 인류의 운명

사슴들이 떼를 지어 마당에 나와 논다. 애미 따라 다니며 철 없이 노는 새끼들이 귀엽다. 내가 시골에 살다 보니 사슴과 더불어 산다.

가을이 되니 다람쥐들이 부지런히 밤을 물어다 땅에 묻어 겨울 양식을 준비한다. 그 작은 머리속에 월동 준비하는 지혜가 들어있다니 웬만한 사람보다 낫지 않는가.

최근에 사슴과 다람쥐가 환경 오염의 악화에도 불구하고 부쩍 느는 것을 보니 인구 폭발과 환경 오염에 그들이 잘 적응하는 듯 한데 그들은 지구의 앞날을 걱정하지 않고 사는 것 같으니 부럽다. 사납고 힘센 맹수들은 인간 등쌀에 씨가 마르는데 힘없는 사슴과 다람쥐가 오히려 번성하는 것은 강자생존이 아니라 약자생존이니 아이러니라 아니 할 수 없다. 강자의 오만이 자기를 파멸하는 것인가.

지구 얘기로 돌아가 지구가 처음부터 지금처럼 아름다운 별은 아니였고 사십육억년전 원심분리 현상으로 태양에서 지구가 불덩어리로 떨어져 나왔을 때는 지구는 붉은 불덩어리였다.

지구 표면이 차츰 식어 지각이 형성되었는데 지금도 십내지 백킬로미터 땅속에는 용암이 끓고 있다. 지하로 내려갈수록 더워서 칠킬로미터 이상은 더 팔 수가 없다고 한다.

사십이억년전 대양이 생길 때 육지는 아직 한 덩어리였다. 그 후 지구가 빙하기를 여러번 맞는데 가장 추웠던 팔억오천만년전과 육억삼천만년전 사이에 지구는 눈과 얼음으로 덮여 외계에서 보면 하얀 진주 알처럼 보였을 것이다. 빙하기가 있었던 과학적 증거는 많으나 빙하기의 원인에 대해서는 여러 설이 있다.

대기중에 이산화탄소와 메탄 가스의 농도 변화, 지구 공전 궤도의 변화, 태양열의 열량 변화 등이 유력한 설이다.

빙하기가 녹을 때마다 지구에는 새 생물이 생기고 번성하였다.

지각의 이동이 계속하여 여러 대륙으로 갈라지고 약 오억년전에는 지금의 북미 태평양연안이 적도 근처에서 동서 방향으로 놓여 있었다고 한다.

내가 요세미티 국립공원에 갔을때 바다 조개의 화석을 보고 그 높은 산이 한 때 바다 밑이였다니 믿기가 어려웠다.

수억년전 지구의 모양은 지금과 전혀 달랐고 살던 동식물도 전혀 달랐다. 지금의 한국이 적도 근처에 있었다니 놀라운 일이다.

요약하면 외계에서 주옥 처럼 보이는 지구가 한때는 불덩어리, 한때는 눈으로 덮인 하얀 진주알 같은 모습을 하고 있었으며 지금도 지각의 이동은 계속하고 있다. 일본도 천천히 태평양 쪽으로 가라앉고 있다고 한다. 2011년 3월에 있었던 지진으로 일본 전체가 8 feet가 태평양쪽으로 옮아 갔다니 놀라운 일이다.

마지막 빙하기가 끝나고 약 만년전부터 인류가 집단 생활의 시작으로 인하여 유전학적으로 Gene pool이 커져서 인류 진화에 가속이 붙는 원인의 하나가 되었다.

부언하고 싶은 것은 동식물의 분포와 이동 그리고 화석의 연구로 진화가 과학적으로 인정이 가는 부분은 창조설을 믿더라도 인정하는 것이 순리라고 생각한다. 진화도 하나님이 예정했던 것이고 하나님의 섭리라고 생각하면 될 것을 왜 열을 올려 과학을 부정하며 싸우는지 이해하기 어렵다.

진화론을 공부하지도 않고 맹목적으로 진화론을 반대하는 태도가 잘못된 만큼이나 진화론으로 생물의 발전사를 모두 다 설명이 끝난 것처럼 진화론을 진리인 양 전개하는 것도 잘못이다.

지구의 자전설을 믿는 과학자를 이단으로 처벌한 중세기의 과오를 되풀이 해서는 안되고 진화론을 완전한 진리라고 주장하여 정직하지 못한 인간이 되어서도 안된다.

본론으로 돌아가 인류는 도구와 불의 사용, 농업으로 인한 생활의 정착과 안정으로 문화의 급성장을 성취하였다.

약 오천년전부터 문자를 사용했고 언어는 이미 그 이전에 구사했는데 현재 육천 여종의 언어가 남아 있으며 그중 약 이천오백의 언어가 멸종의 위기에 처해있다.

국가의 형성의 역사에 관해서는 국가의 정의에 따라 학자간에 차이가 있지마는 인류는 약 삼천여년 전에 국가를 형성하기 시작하였다.

최근 십칠세기 과학혁명, 십팔세기 산업혁명 그리고 이십세기 정보시대의 도래로 문화 발전은 가속이 더 붙었다.

인류가 농사를 짓기 시작한 후의 만년은 공룡이 지구를 지배했던 일억육천만년이란 세월의 일만육천분의 일이라는 순간에 불과하지마는 인류는 그의 종말을 걱정할 만큼 심각한 위기에 직면하고 있다.

그런데도 밀림속에는 아직 원시인이 살고 있는가 하면 종교 근본주의에 빠져 과학을 전혀 외면하고 자기들과 생각이 다르면 적대시하는 사람들도 많아서 인류가 같이 뭉쳐 위기에 대처하기가 불가능한 것처럼 보인다.

그래도 인류의 운명을 단념할 수는 없다는 것을 나는 인류에게 환기시키고 싶다. 내 나이 칠십이 훨신 넘었으니 해는 이미 서산에 걸려 있고 죽으면 어디로 갈 것인가 걱정할 처지에 있으면서 인류의 운명을 걱정한다는 것이 내 주제 파악에 문제가 있는 것 처럼 보일지도 모르겠으나 나는 살 만큼 살았으니 자식 손주 때문에 그런다고 해두자. 나도 사랑 자비 이성을 가진 인간이기 때문에 걱정이 된다고 해두자.

인간은 또한 탐욕, 증오, 분노, 시기 같은 나쁜 마음도 가졌기 때문에 멸망의 길로 치닫고 있는 현실을 맞은 것이다.

인류의 운명 애기를 더 하기전에 사람의 마음, 이성, 양심이란 어떤 것인지 성현들의 말씀을 들어 보고자 한다.

성경 창세기에 "하나님이 자기 형상 곧 하나님의 형상대로 사람을 창조하시되-----."라고 쓰여 있다. 이때 형상이란 육체적 모양을 의미하는 것이 아니라 영적 그리고 도덕적 본성을 의미한다.

즉 아담이 선악과를 따먹은 불순종의 죄를 범하기 까지는 인간의 본성도 하나님을 닮아서 선하기만 했다는 것이다. 선악과를 따 먹은 불순종의 죄 때문에 인간은 스스로 타락했고 저주를 받았으며 또한 저주 받고 타락한 자손들을 대대로 낳는다는 원죄설을 성 아우구스티누스는 주장했다.

붓다가 설한 자비는 산스크리트어로 Metta이고 Metta의 어원은

[벗] Mitta라고 한다. Mitta가 추상화 하여 우정[Metta]이 되고 사랑 또는 자비의 뜻을 가지게 된 것이다

"너희가 너희를 사랑하는 자를 사랑하면 무슨 상이 있으리요." 라고 예수는 산상수훈에서 말씀하며 사람이 하나님의 사랑을 본 받으라고 가르친데 반하여 붓다의 자비는 우정처럼 인간의 이성에서 출발하며 자기자신에게 눈물을 뿌릴 수있는 자라야 남을 위해서도 울 수 있다고 말씀했다.

인류는 同苦同悲 즉 같이 괴로워 하고 같이 슬퍼하는 벗이라는 뜻에서 자비라는 말이 나온 것이다. 인간은 누구나 자기와 같이 고통속에 신음하는 불쌍한 존재라는 것을 깨달을 때 마음에서 우러나오는 동정심이 바로 자비인 것이다. 일본의 어느 불교학자의 말을 소개한다."붓다의 길은 자신의 내부 깊은 곳에 침잠하는 데서 시작하고 이 침잠은 세계로부터 등을 돌리는 것이 아니라 내 존재의 진상을 통찰하여 그것에 눈물을 뿌릴수있는 자가 되고 비로소 남을 위하여 울 수 있는 자가 될 수 있다."

사람은 세상에서 자기를 가장 사랑한다. 다른사람도 자기를 가장 사랑한다는 것을 깨달으면 나와 남의 입장을 바꾸어 생각하게 되고 남을 해칠 수가 없다는 것이 붓다의 가르침이다.

이러한 자비심, 佛心, 佛性은 自性住佛性 즉 모든 중생에게 있다고 하고 引出佛性 즉 수행으로 찾아낸다고도 하며 至得佛性 즉 마음을 닦아 얻는다고도 한다.

사람은 물에 빠진 어린아이를 보면 누구나 그 아이를 구하려고 물에 뛰어 드는데 이 마음을 惻隱之心이라 하고 仁이라 고도 하며 사람은 이러한 마음을 타고 난다 하여 孟子는 성선설을 주장했다.

측은지심외에 羞惡之心의 義, 恭敬之心의 禮, 是非之心의 知, 등을 합쳐 仁義禮知를 맹자의 四端說이라 하며 유교의 철학적 바탕이 된다. 仁을 人이라고 하는데 사람 답다는 뜻이고 인을 실천하는 것을 도덕이라고 보았고 인을 타고 나는 것으로 보았다.

仁은 사랑, 자비, 인간성, 도덕성, 동정심, 우직함과 가깝다. 논어에 子曰 性相近也 習相遠也 라는 말이 있는데 풀이하면 인간의 천성은 서

로 비슷한데 습성은 서로 멀다는 뜻이니 좋은 습관을 기르는 것이 중요하다는 말이다. 마음이 착해도 습관이 좋게 들어야 한다는 것이다.

공자는 天命이라는 말을 많이 썼는데 여기서 말하는 하늘의 뜻은 기독교의 하나님의 의미는 없고 우주의 섭리 또는 자연의 섭리라는 의미가 강하다. 인격적인 신의 의미는 약하다.

순자는 人性을 心과 情으로 나누었고 정은 희로애락과 싫다와 좋다는 선호를 말하며 정을 좇아 행동하면 惡으로 흐르기 쉽다고 하였다. 그 때문에 정은 심[心]의 제제를 받아야 한다는 것이다.

순자가 성악설을 주장한 것으로 잘못 알려졌지만 그는 다만 정의 위험스런 점을 경고 한 것이고 인간이 나쁜 마음을 가지고 태어 난다고 주장한 것은 아니다.

Platon은 인간의 천성은 악하지도 않고 선하지도 않다고 말했다. 선과 덕은 인간의 모든 소질과 능력을 발전시켜 성취하는 조화의 상태이며 이를 Areta또는 Virtue라고 하였다. 관습과 법같은 사회적 그리고 인간적 권위나 종교의 권위에 복종하여 얻는 덕이나 선을 반대하지는 않지만 그런 덕은 궁극적 덕이 아니라고 하였다.

플라톤은 신의 뜻이라고 해도 객관적인 도덕적 타당성을 판정 받아야 한다고 하는 도덕 자율성을 강조했다. 그는 인간을 검은 말[욕정]과 흰 말[기개]의 두 말을 몰이꾼[이성]이 몰고 가는 마차에 비유했다.

Epikuros의 쾌락주의자들은 쾌락이 진정한 선이라고 했다. 그러나 이들이 말하는 쾌락은 보통 흔히들 시중에서 말하는 쾌락과 다르다. 그들은 덧없는 순간적 충동을 따르든가 인과관계를 살피지 않고 쾌락을 쫓는다면 결코 선을 성취하지 못한다고 말했다. 즉 지혜로운 쾌락의 추구를 권했다.

신, 영혼, 사후의 시련 등은 공포심을 조장하기 위한 것이며 사람을 불행하게 만든다고 말했다.

이성으로 자기를 조종하고 산다면 내면 세계에서 행복할 수 있다고 그들은 믿었다.

스토아학파인 Diogenes와 Seneca등은 하늘이 무너져도 자기의 의무는 다 하라고 입버릇처럼 말했다. 개인의 행복이나 고락을 염두에 두지말고 우주의 원리와 목적에 따라 이성적으로 의무에 충실하라고 했다.

선한 사람은 이성적인 사람이니 의무를 판단하여 자연을 따라 살라고 가르쳤다.

그러나 의무를 지나치게 강조하는 사회는 벌이나 개미의 사회와 같아서 개인의 자유와 존엄성이 침해 된다고 나는 생각한다.

의무는 사회 공동체에 필요한 덕이지만 人爲와 無爲가 알맞게 조화를 이루어야 좋은 사회가 된다고 생각하며 개인의 자유와 행복을 위한 활동을 억제하는 의무의 강조는 전체주의나 제국주의에 흐르기 쉽다고 나는 생각한다.

중용의 덕은 여기에서도 꼭 필요한 덕이다.

나는 일본 군국주의를 겪어보아 잘 알지만 전체주의하에서 수만의 독일 군인들이 일사분란하게 행군하거나 수만의 북한 공산당 청년들의 카드 게임을 보고 있으면 대단히 인상적이고 흥분 되지만 그 쇼를 연기하는 개개인의 수개월 내지 수년간의 피땀어린 훈련을 생각하면 나는 그런 정권하에 살고싶지 않다. 동시에 자유가 지나쳐 방종으로 흐르는 경향이 있는 미국 사회도 싫을 때가 없는 것은 아니다.

이 글에서 이성, 양심 그리고 도덕 등에 관해서 성현들의 생각을 살펴 보았다.

내가 그 분들의 참 뜻을 이해하고 전달 했는지 염려스럽다. 잘못이 있으면 용서를 비는 외에는 별 수가 없다.

04 | 인류의 운명

골프 치는 재미보다 단풍이 보고 싶어 골프장에 나갔다. 싸늘한 가을 바람에 모든 것이 더 선명해 보이는데 바람은 단풍 잎을 어디로인가 쓸고 간다. 언제 지구에 사나운 바람이 불어 눈 뜬지 겨우 만년 밖에 되지 않은 인류를 단풍잎처럼 영원한 망각으로 쓸어 갈지 모른다.

인류의 운명을 살펴 보는 지혜를 얻으려고 지난 장에서는 성현들의 말씀을 찾아 보았고 이번 장부터는 철학자들 한분 한분의 생각을 둘러 보려고 한다.

희랍 철학이 전형적으로 이성에 의한 자연의 탐구와 생활을 찬양한데 비하여 유대교의 전통을 이어 받은 바울은 하나님의 지혜가 사람보다 무한히 크다 하여 [고전 1:25] 이성을 신앙밑에 예속시키고 이성을 죄의 흔적이라고 까지 격하했다.

성 아우구스티누스는 죄로 부터의 구원은 하나님의 자비의 증거이고 파멸은 하나님의 정의의 증거라고 하였다.

고르도바의 사라센 학자 Averroes[1126~1198]는 아리스토텔레스 학자로서 아우구스티누스가 주장한 이성을 초월하는 지혜와 신앙을 부정하고 이성주의를 부르짖다가 이단으로 몰려 십자가에 처형을 당했다.

그는 의사인 동시에 자연주위 철학자로 영혼은 신체에 의존하고 있으며 육체가 죽으면 영혼도 죽는다고 했고 기독교의 창조설, 기적, 예언, 섭리, 기도의 효과 등을 다 반대했다. 그의 생각이 옳든 그르든 그가 나와 같은 의사였고 그 시대에 그런 대담한 주장을 한 용기에 나는 머리를 숙인다. 그는 자기의 신념에 자기의 목숨을 걸 수 있는 용감한 사람이였다.

근세에 이르러 르네상스, 종교개혁, 그리고 과학의 발달로 인류는 새로운 시대로 돌입한다.

특히 Copernicus[1473~1534]와 Kepler[1571~1630] 등에 의하

여 지동설 등 천문학에 혁명이 일어났고 Gallelei[1564~1642]는 그가 발견한 운동의 법칙이 모든 자연계에 예외없이 적용된다고 주장했다.

전자연계가 공통적인 물리적 법칙의 지배하에 있다는 Gallilei의 주장은 그 당시까지 천국은 완전하나 지상의 현상은 불완전하고 무질서하다는 교회의 가르침에 정면으로 도전하는 중대한 반항적 사상이므로 종교계의 강력한 반대에 부딪친 것이다.

이어서 감각적 경험은 주관적이기 때문에 의심스럽고 이성과 수학으로 찾는 진리가 옳은 진리라고 하여 과학을 정당화 하고 과학 발전에 철학적 의의를 확립하려는 운동이 생겼다.

그리하여 데칼트의 주관주의적 인식론과 합리론[合理論]이 나왔으니 "나는 생각한다. 고로 나는 존재한다."와 "신이나 천사라도 물리학의 법칙을 방해할 수는 없다."라는 말이 그의 철학을 대변한다.

Spinoza[1632~1670]는 인간의 행복과 불행은 사랑하는 애착의 대상이 무엇이냐에 달렸는데 재물이나 명예처럼 일시적인 것을 사랑하면 불안과 불행의 원인이 되고 영원무궁한 것을 사랑하면 기쁨과 행복을 가지게 된다고 하였다.

신이 곧 자연이고 자연은 선의도 악의도 없다고 그는 말했다. 이 말은 인간의 천성은 선하지도 악하지도 않다 라는 플라톤을 상기 시킨다. 신, 즉 자연은 어떤 목적이 있어서 움직이지도 않고 인간적이지도 않다는 것이다.

값진 인생이란 자기 자신이 자기 행위의 원인이 되는 생이고 도덕적 성장이 가능하도록 최대의 능력을 발휘하는 인생 이라고 하였다. 얻지 못하는 것에 대한 인간의 욕구는 인간의 본질이며 이 욕구가 도덕적 성장을 성취할 때 행복이 오고 도덕적 손실을 가져올 때 불행이 온다고 했다.

Descartes[1596~1650]의 합리론에 맞서 영국의 Francis Bacon [1561~1626]은 경험론을 주장했다.

인간의 지식이란 관찰과 실험을 통한 경험에서 생긴다는 것이 경험론이다. 베이컨은 말하기를 자기는 신에 관해 아는 바가 없고 또 알려

고 해도 알 도리가 없기 때문에 신학 문제는 다루지 않는다고 했다. 이 말은 공자의 未能事人 焉能事鬼 未知生 焉知死를 상기시킨다. 이 말을 번역하면 사람도 섬길 수가 없는데 어찌 귀신을 섬길 수 있으며 삶이 무엇인지 모르는데 어찌 죽음을 알리요 라는 말이다.

나는 이 구절을 좋아하는데 不可知의 일에는 아예 신경을 쓰지 않겠다는 점에서 베이컨의 생각과 닮았다.

또한 증명할 수 있고 눈으로 볼 수 있는 것만 가르치겠다는 붓다의 말을 상기시킨다. 베이컨은 인간을 거짓으로 빠뜨리는 우상 네가지를 논했는데 첫째는 종족 우상[Idol of the tribe] 이다. 이 우상은 인간에게 공통된 성질 즉 과장, 외곡, 형평성의 상실 등 때문에 생기는 오류다. 예를 들면 하늘에 수많은 별을 바라보며 그 안에 천국, 천당 등 상상의 세계를 전개하고 나중에는 그들을 사실과 혼동하는 오류를 인간은 범하기 마련이라는 것이다.

둘째로 그는 동굴의 우상[Idol of the cave]을 논했는데 각 개인의 마음에서 일어나는 오류를 말한다. 마치 어두운 동굴에만 있던 사람이 사물을 공평하게 판단하기 어렵듯이 개인의 성격, 교육, 습관, 또는 관심 등에 의하여 주관적 색채가 변색되어 범하는 오류다.

예를 들면 화학자는 사물을 볼때 화학적으로 보는 경향이 있고 의사는 사람을 볼때 그 사람의 건강 상태를 보는 경향이 있다.

그 밖에 The idol of the market,the idol of the theater 등이 있으나 생략한다.

여기에서 영국철학자 Thomas Hobbs[1588~1679]로 넘어간다. 홉스는 물체의 성질과 운동 법칙을 이해하는 것이 철학의 전부라고 했다.

나는 생각한다 고로 나는 존재한다 라는 데칼트의 명구도 인간이 사유하는 성질이 있다는 의미외에 아무것도 아니라는 것이 홉스의 말이다. 그는 인간의 감각과 심리현상도 신체의 운동 내지 운동의 결과라고 정의했다. 정신 마저도 성질과 운동으로 설명했다.

즉 기계론적 법칙의 지배를 받지 않는 정신의 실재는 없다고 했는데 이것이 소의 유물론적 심리학이라는 것이고 동시에 무신론 이기도

하다. 그는 관념이란 감각의 잔상[殘像]이고 추리는 상상의 연속이라고 했다. 그의 기계론 앞에 성선설이나 성악설은 있을 자리가 없다.

이성이 심판자요 모든 안내자며 신앙도 이성의 증명이 필요하다는 철학자 John Locke[1632~1704]을 소개한다.

그는 이신론[理神論]또는 Deism에 속하는 철학자였으나 본인은 기적과 계시를 믿었다고 한다. 그는 진정한 계시라고 단정할 만한 근거와 이유가 있기 전에는 어떤 자칭 계시도 받아들일수 없다고 했고 광신적 신앙을 개탄했다. 또한 종파간에 관용을 역설하였다.

그는 기독교 교리가 단순할수록 더 지지를 받을 것이라고 믿고 교리를 간추렸는데 내용을 보면 만물의 창조자로 하나의 신을 인정하고 숭배한다는 것, 예수가 구세주라는 것, 사람들이 자신의 죄를 참회하고 예수의 율법을 따를 것 이 세가지로 요약했다.

이신론에도 여러 파가 있어서 요약하기 어려우나 간단히 소개한다.

Locke의 제자 John Tindal[1670~1722]은 "Christianity Not Mysterious"라는 책에서 역사상 기독교 교리중 모호하거나 이해할 수 없는 부분은 복음에 부착한 僞作의 첨가물 때문이라고 하면서 신앙이 이성의 영역을 넘어서는 안된다고 하였다.

이신론자중에는 구약의 창조설을 믿는 자도 있고 성경의 창조설에 나오는 신과 다른 신이 우주를 창조했다고 믿는 사람도 있다.

보통 이신론자들은 신이 우주를 창조했지만 섭리 혹은 운영에는 손을 떼었고 인간은 인간의 이성으로 살아 나가야 한다고 믿는다.

일부 이신론자들은 기적, 예언, 삼위일체, 예수의 신성, 성경 무오설, 창세기 얘기나 또는 원죄설을 믿지 않는다.

신이 내린 위대한 선물은 신앙이 아니라 이성이라고 이신론자들은 생각하나 그중에는 사후의 세계와 영혼을 믿는 사람도 있다.

이신론은 십칠팔세기에 유행한 한 신학의 조류인데 조지 워싱톤 대통령, 토마스 제퍼슨 대통령, 밴자민 프랭클린 등 미국 건국 초기에 지성인들의 지지를 받았다.

요약하면 신앙이 이성에서 출발한다는 것이니 자연주의나 모든것을 사람의 마음이 만든다는 一切唯心造 와 통하는 바가 있다.

이신론은 Unitarianism과 인류는 결국 모두 구제된다는 Unitarian Universalism으로 남아 있다.

토마스 제퍼슨 대통령은 신약에 나오는 기적과 부활을 삭제하고 나머지 성경을 예수 나사렛의 철학이라고 이름짓고 자기의 성경으로 썼다. 이 제퍼슨 성경이 도마복음과 닮았다고 한다.

도마 복음[Gospel of Thomas]을 소개하면 이집트의 Nag Hammadi라는 곳에서 1945년 비료를 캐던 농부가 발견한 항아리 안에서 발견된 위경[Apocryphon]이다.

Thomas라는 Apostle이 기독교 학교 교재로 쓰기 위하여 만든 책인데 이 책이 이미 Hippolitus of Rome과 Origin of Alexandria라는 책에 이단 서적으로 지정되어 기록되어 있기 때문에 발굴되기 전부터 도마복음이 존재한다는 것을 학자들은 알고 있었다.

콘스탄틴 대제가 Nicen Creed를 제정한후 이단 서적을 모두 없애라는 명령을 내렸고 도마 복음도 그 때 없어진 줄 알았는데 항아리 속에 숨어서 살아 남은 것이다. 이 책에는 예수의 말씀114편이 들어 있고 제작 년대는 기원 오십년에서 기원 이세기 사이에 걸쳐 여러 설이 있다.

도마복음에는 예수의 생애, 부활, 기적에 관한 언급이 없고 예수자신을 신이라 부른 적도 없다. 또 사복음서와 내용이 유사한 부분도 있고 다른 부분도 있다. 도마복음의 신학적 논란에 대해서는 다른 기회로 미룬다.

공부를 할수록 나의 무식을 깨닫게 되고 갈 길을 잃어 망연자실해진다. 그러나 나보다 더 모르는 사람도 있을 것 같아 그런 분들을 위하여 다시 용기를 내어 글을 계속 쓸것이다.

우상이나 Dogma에 빠지지 않으려면 내가 생각하는 시야를 넓히는 길 밖에 없고 시야를 넓히려면 공부하는 길 밖에 없다.

인류의 운명 | 05

나는 스코틀랜드 철학자 David Hume[1711~1776]을 소개하면서 내가 복에 겨워 내 복을 잊고 산다고 생각하는 이유를 말하고 싶다.

David Hume이 태어 나기 십오년 전에 Aikenhead라는 십팔세의 대학생이 기독교가 이치에 맞지 않는 종교라고 했다는 죄로 재판을 받고 교수형을 당했다. 흄도 이단으로 몰릴까 겁이 나서 자기 이름을 사후까지 밝히지 않은 저서가 있었다.

한국에는 빨치산에게 나는 공산당이 싫어요 라고 했다가 입을 찢끼고 참살을 당한 강원도 산골 어린이 얘기도 있다.

간통죄를 범했다고 돌로 쳐죽이는 어느 회교 국가의 공개 처형 장면을 뉴스에서 보았다.

하고 싶은 말을 할 수있고 인권이 보호받는 나라에 사는 나의 복을 감사하고 역사적으로 나와 같은 자유를 누린 사람이 극히 소수였다는 것을 많은 사람들이 모르고 산다.

흄은 근세에 첫 자연 주의 철학자요 경험론자이며 가장 위대한 영어 철학서의 저자라고 불리기도 하는데 그의 윤리학에 관해 간단히 소개한다.

윤리 도덕에 관한 인식론 [Moral Epistemology]이란 선과 악, 도덕과 부도덕, 그리고 인간의 의무에 대한 인식을 어떻게 획득하는 가에 관한 학문인데 흄 이전의 학설을 알아 보자.

첫째로 도덕이 이성의 산물로 보는 견해가 있다. Hobbs, Locke, 그리고 Clark등이 그 대표적 철학자다.

둘째로 Filmer등은 도덕이 신의 계시[Divine Revelation]라고 믿었으며

셋째로 Butler등은 인간의 양심이 도덕의 근원이라고 생각했다. 이를 따르는 종교가 많다.

넷째로 Hutcheson등은 선과 악을 긍정적으로 혹은 기쁨[Pleasure

of Approval]으로 받아들이느냐 아니면 싫어하느냐[Uneasiness of Disapproval]하는 정서적 반응 [Emotional Responsiveness]이 중요하다고 생각했다. 이 說을 도덕적 정감설[Moral Sense Theory]이라고 하는데 흄도 이 설을 지지했다.

인간은 어떤 행위나 인격을 판단할 때 Pleasure of Approval이나 Uneasiness of Disapproval을 경험하며 이 느낌에 따라 도덕적 판단 또는 인식을 하게 되는데 한마디로 이 정서는 이성의 기능이 아니라는 것이다.

이성은 어떤 상황에 관계되는 사실들을 찾아내어 그 사회적 영향 등을 추리하는 데에 쓰이지만 도덕적이냐 아니냐를 판단하는 최종적 단계에서 이성만 가지고서 판단이 되지 않고 도덕적 정감 또는 정서[Moral or Ethical Sentiment]가 도덕적 판단을 내린다는 것이다.

그리하여 흄은 네가지 명제를 제창했다.

1. 이성만으로 의지[will]의 동기가 될 수 없고 의지는 이성보다 오히려 감정을 좇아 움직이는 감정의 노예다.

즉 도덕 감정[Moral Sentiment]이 이성보다 우위에 있다.

2. 도덕은 이성에서 유래하는 것이 아니다.

3. 도덕은 도덕적 정감[Moral Sentiment]에서 유래하며 관찰자의 도덕적 정감이 어떤 행위나 인격을 보고서 좋게[Approve] 느끼느냐 나쁘게[Disapprove] 느끼느냐에 따라서 정해진다.

4. 일부의 도덕은 자연적[Natural]이지만 정의[Justice]등은 인위적[Artificial]이다. 즉 Moral Requirements의 일부는 정부나 사회의 보존에 필요하다고 판단하여 서로 약속한 conventional한 것이고 도덕적 정감에 의한 pleasure나 pain과 무관하다.흄은 인간은 이기적인 동시에 인도적이어서 탐욕스럽지만 관대하고 친절하다고 했다.

인간의 이런 특성은 시간적이나 공간적으로 혹은 친분이 가까울 수록 강하게 나타나고 점차로 여러 사람에게 번져간다고 했다.

이부분의 생각은 원수를 사랑하라는 예수의 사랑보다는 공자의 親의 사상에 가깝다. 공자에게 以德報怨何如 즉 원수를 덕으로 갚음이 어떤지요 라고 물으니 그 답이 何以報德 以直報怨 以德報德, 번역하면 받은 덕을 어떻게 갚겠는가. 원수는 정의로 갚고 덕은 덕으로 갚아야지.

흄은 맹자의 성선설과도 닮았다.

철학과 종교가 분리되지 않았던 동양 문화권에서 자란 나는 서양 철학을 이해 하기가 쉽지 안했다. 그래서 그런지 과거 몇차례 칸트 철학을 알려고 문을 두들겨 봤으나 열리지를 아니했다.

칸트에 대한 나의 부족한 이해에 양해를 먼저 구한다.

kant[1724~1804] 는 일상적인 도덕 윤리를 철학적 지식으로 전환하려고 노력하였다. 그 결과로 도덕적 의무를 단하나로 단일화 하고 정언명법[定言命法][Categorical Imperative]이라고 하였다. 정언명법이란 도덕이 요구하는 의무감이라고 표현할 수도 있고 의무 윤리라고 할 수도 있다.

정언명법은 어떤 상황에서나 인간에게 복종을 요구하고 행위가 정당화될 수 있는 또한 정당한 궁극적 명령이다. 정언명법은 이성에 의한 것이며 목마를 때에 물을 마셔야 하는 경우처럼 특정 상황하에 필요한 행위를 요구하는 Hypothetical Imperative와 달라 그 자체가 목적이고 수단이다.

말을 바꾸면 인간의 의지나 욕망 그리고 행복, 또한 행위의 결과와 관계 없이 도덕 자체가 목적이어야 한다. 예를 들면 엄마가 자기 아이를 돌볼 때에도 동기가 착하면 도덕적이지만 자기 자식이기 때문에 돌본다면 도덕적 가치는 없다는 것이다.

목적을 성취한 행위와 목적을 달성하지 못한 두행위의 동기가 같을 때에는 두 행위의 도더적 가치는 같다는 것이다. 즉 도덕적 가치의 조건은 선 의지라는 것이다.

정언 명법은 무조건적인 의무[Unconditional Obligation]를 요구하고 그 결과는 묻지를 않는다. 이 것은 칸트의 의무 윤리[Deontological Ethics]의 개념에서 나왔다.

도덕은 이성의 궁극적 명령[ultimate command of reason] 즉 imperative라는 것이다.

그는 도덕이란 이성에 의하여 모든 사람이 보편적[Universal]이라

할 수 있는 법이 되는 원칙에 따라 행동하는 것이라고 하였다.

보편적이라는 말은 어떤 경우나 어떤 사람에게 든지 바른 행동이 된다는 말이고 그 보편성을 판단하는 것이 순수 실천 이성[Pure Practical Reason]이라했다. 그는 실천 이성 비판이란 책을 썼다.

도덕이란 실천 이성의 요청이고 이성의 법에 대한 복종이라고 했다. 도덕의 최고 원리는 의지의 자율적 원리이고 자율이라는 의미는 모든 압력을 극복하여 의지가 자기 자신에게 주는 법을 따를 수 있는 의지의 능력을 의미한다.

최고 선의 조건은 의지와 도덕간의 완전한 조화라고 하였다.

인간이 최고 선에 도달하기 위하여 자기가 쌓는 덕만큼 행복을 누려야 한다는 생각에서 벗어 나지 못한다. 따라서 덕에 비례하는 행복을 줄 수있는 능력을 가진 자 즉 하나님의 존재가 필요하다.

즉 자율 원리를 정당화 하려면 완전한 선이 복을 받아야 한다는 조건이 만족 되어야 하며 그러기 위하여 영혼의 불멸, 신의 존재 그리고 자유 등 세 요소가 필요하다.

이 필요성은 이론적 원리가 아니고 도덕의 실천 조건이고 지식이 아니라 신앙이라고 하였다.

이글은 학술 논문이 아니기 때문에 인용 자료를 일일히 명시하지 않았고 표절에 가까운 인용도 있으니 양해를 구하고 Lamprecht의 저서 Our Philosophical tradition을 주로 참고 하였음을 밝혀 둔다.

내가 좀더 젊었더라면 하는 아쉬움이 남는데 중요한 철학자들의 저서를 내가 원어로 읽을 시간이 없는 것이다. 수박 겉핥기지만 겉만 핥아도 안핥는 것보다는 나으리라.

잘 알려진 독일이 낳은 철학자 Arthur shopenhauer[1788~1860]는 사람들이 主意主義 관념 논자로서보다 염세적 철학자로 더 잘 기억한다.

주의주의란 인간의 의지가 인간이라는 생각이다. 쇼펜하우어는 사람의 의지 행위는 자기가 가지고 있지 않는 것을 원한다. 그러나 현실에서 원하는 것을 얻는 경우는 열에 한번도 되지 않는다. 그렇기 때문에 사람은 고통에서 벗어 날 수가 없다. 어쩌다 원하는 바를 얻는다고 해도 행복감은 잠시 뿐이고 사람은 더 많은 것을 원하며 고통은 계속 된다. 인간의 욕심은 끝이 없다.

인간이 이와 같은 고통에서 벗어나는 길은 두가지 길밖에 없다. 하나는 영원한 관념에 몰두하는 길인데 영원한 관념이란 예술의 영원성을 의미한다. 예술에 심취하여 영원한 관념에 빠질 때 사람은 일시 고통에서 벗어날 수 있다는 것이다.

고통에서 해방되는 두번째 길을 그는 불교철학에서 얻었다. 모든 인간이 자기와 똑같이 고통속에 신음하고 있다는 사실을 깨달음으로써 느끼는 동지애 또는 자비심에서 울어 나오는 도덕적 실천이 해탈의 길이라는 것이다. 자기 혼자 고통에서 빠져 나오려고 하는 것이 아니라 같이 고통 받는 인간에게 느끼는 동정[Sympathy]이 인간을 성자로 끌어 올려 자신의 의지까지 부정할 수 있게 되면 해탈에 이를 수가 있다는 것이다.

그는 I would have to consider Buddhism the finest of all religion이라고 하였다. 불교의 영향을 받은 서양 철학자가 쇼펜하우어가 처음은 아니다. 알렉산더 대왕이 인도까지 침공[기원전 334]했을 때 그는 많은 학자들을 대동하였다 그는 문화의 교류를 장려하였는데 아리스토텔레스가 그의 스승이였으니 그럴만 하다고 할 수도 있겠다.

그가 대동한 학자중에 희랍 Pyrrhonism[회의주의]의 창시자로 알려진 Pyrrhon[기원전 385~275]도 있었다. 그는 현실은 empty, false, fleeting이라고 설했으니 내용이 반야 사상의 空의 사상과 닮았다. 현재 그의 저서가 남아 있지 않으나 사백여년 후에 그의 말을 모아 만든 책이 있다.

강조하고 싶은 것은 희랍 철학에 끼친 불교의 영향뿐만 아니라 알렉산더 대왕 후에 발전한 Greco-Buddhism의 영향이다.

희랍 문화와 불교 문화가 합치며 만들어진 Greco-Buddhism은 기원전 사세기로 부터 기원후 오세기까지 팔백여년의 역사를 가졌다.

당시 희랍의 Settlements들이 Khybar Pass, Gandahara, 그리고 Punjab까지 널리 퍼져 있었다.

Greco-Buddhism이 불교 문화에 끼친 영향중에 두 예를 들면 기원

일세기 말 이세기 초부터 佛像을 만들기 시작한 것이 바로 희랍 문화의 영향이라고 한다. 그 이전에는 불상이 없었다. 그 이유는 성스러운 붓다를 상으로 한정시킨다는 것을 불교 교리가 용납할 수 없었고 붓다 자신이 생존 당시부터 자신의 상을 만들지 말라고 금했기 때문이다.

힌두교나 자이나교는 기원전부터 神像을 만들어 경배 하고 있었다.

불교를 인도 전역에 포교한 아쇼카[Asoka]왕은 기원전 268년에서 232년까지 재위했는데 수많은 전쟁을 치루면서 자행한 살상을 참회하고 불교를 공부하여 다르마[법]에 의한 통치를 결심했다.

그는 수많은 石柱를 세웠고 다르마를 그 위에 새겨 세상에 공포하였는데 이 비문의 문자가 아람어로 된 것도 있다. 지금 간다하라에 서있는 석주의 비문은 아람어와 희랍어로 되어있다.

기원전 삼세기에 인도에 세운 석주의 비문이 희랍어로 새겨졌다는 사실은 Greco-Buddhism 이 당시 얼마나 왕성했는지 짐작하고도 남는다. 다만 이 방면의 역사가 연구도 되어 있지 않고 널리 알려지지도 않고 있는 것이 안타깝다.

팔백여년에 걸친 Greco-Buddhism문화를 통하여 기독교에 끼친 불교의 영향을 말하는 학자들이 있지마는 역시 학문적 연구가 되어 있지 않다.

팔백년간의 장구한 문화 교류를 통하여 두 종교간에 아무런 영향을 끼치지 아니 하였다는 것은 상상할 수 없는 일이다.

가슴 아픈 애기를 하나 더 하겠다.

2001년 아프가니스탄 탈리반 지도자 Mohammad Omar가 불교 유적을 지상에서 영구히 제거하라는 명령을 내렸다.

Bamyan에 있던 세계에서 가장 높은 불상[55미터]등을 대포와 다이나마이트로 완전히 폭파하고 카불 박물관에 있던 불교 유적도 모두 없앴다.

자기의 신앙과 다른 종교의 유적을 파괴해 버리는 근본 주의자들의 행위는 인류의 적이다.

이런 자들에게는 피라밋, 스핑크스, 로마의 바티칸 궁, 중국 황제의 능, 고대 조선의 유적등 모두가 파괴의 대상이 될 것이니 생각만 해도

치가 떨린다.

내가 근본주의자들을 좋아 하지 않는 이유가 바로 이러한 과격한 사람들이 있기 때문인데 이들은 자기와 생각이 다른 생각을 참을 수가 없는 것이다. 자기 밖에 모르는 가소로운 인간들이 세상에 너무 많다.

06 | 인류의 운명

내가 의예과에 다닐 때 문리대 철학과에 다니던 친구의 권유로 Thus spoke Zarathustra라는 니체의 책[영문판]을 읽었다. 그 책을 읽으며 몹시 흥분했던 기억이 남아있는데 지금 생각해 보면 그 때 책 내용이나 의미를 잘 이해하지 못했던 것 같다.

니체의 저서는 재미가 있기 때문에 지식인들간에 플라토 다음으로 많이 읽히는 책이라고 한다.

또 그가 철학보다도 문학에 끼친 영향이 커서 몇몇 이름을 대면 쌀트르, 까뮤, 지드, 말로, 토마스만, 헷세등이 있다. 프러이드는 니체만큼 자기 자신을 꿰뚫어 본 사람은 없다고 여러차례 언급했다.

철학을 전공하지 않은 내가 니체를 소개한다는 것이 외람된 줄 알기 때문에 그의 명구를 소개하는 것으로 끝내고 그의 철학에 대한 판단은 독자에게 맡기고 싶다. Friedrich Nietzsche[1844~1900]는 근세 철학자들이 심혈을 기울인 인식론에는 관심이 없었다. 칸트를 도덕의 광신론자라고 비웃었고 니체는 어떤 체계적 철학도 인정하지 않았다.

세상은 본래 어떤 목적이나 질서가 있지 않다는것이 그의 기본 신념이였다. 그는 인간이 근본적으로 의지[Will]라는 쇼펜하우어의 주장과 미의 추구와 창조가 인간의 고통과 무료함의 피난처라는 쇼펜하우어의 주장에 동의했다.

또한 의지가 가장 우위라는 주의주의[主意主義]와 인간이 살려는 의지 때문에 고통을 겪을 수 밖에 없다는 쇼펜하우어의 의견에도 동의했다.

그러나 불교적 해탈로 고통에서 해방 된다는 쇼펜하우어의 생각을 약자의 태도라고 비난했다. 니체는 고통을 사내답게 맞서서 싸워 이겨야 할 적으로 보았다. 고통을 피하려 하지말고 오히려 환영하라는 것이 그의 기본 태도였다.

"용감한 의지는 고통을 무시하고 참고 견디며 고통을 돌파하여 창조하는 자기의 힘에 희열을 느낀다. 겁 많은 자는 고통 앞에 굴복한다. 과거에 저지른 흠을 들추어 죄의식에 빠져 괴로워 하지 말고 뛰어난 행동으로 옮기라. 관습, 사제, 상례등의 노예가 되지 말고 스스로 초인[超人, Superman]이 되어 맞서 싸워라. 초인은 악과 선을 초월한다. 악이란 병적 양심이 그들을 두려워하게 만드는 것이다. 악을 두려워 하는 이유는 악에 맞서서 행동할 용기가 없기 때문이다. 마음이 가난한 자는 복이 있나니 하는 말이나 화평케 하는 자는 복이 있다는 말은 자신이 약하다는 것을 인정하는 것이고 이러한 말을 따라 행동하면 보호를 받을지 모르지만 초인이 할 짓이 아니다. 체념하기 위하여 체념하는 것보다 도덕적으로 더 추악한 것은 없다."

위에 있는 니체의 말을 살펴 보건데 니체는 모든 전통적 가치관을 뒤집어 놓았다.

신은 죽었다라는 니체의 말은 과학의 발달과 사회의 세속화로 인하여 서구 문화의 가치관과 사상의 기초인 기독교의 신이 사실상 죽은 것과 다름이 없다는 의미다. 이 때문에 그는 반기독교적 철학자로 불린다. 니체는 전통적 도덕의 모순성을 파헤치고 그것을 극복하기 위하여 초인 사상을 외친 예언자적 철학자였다.

대부분 인간들은 사춘기에 들어 가면 기존 도덕, 사회, 체제등에 대한 반항심이 싹튼다. 이 이유 없는 반항이 사일구로 혹은 주사파 운동으로 분출하는 에너지가 된다. 나도 이유 없는 반항의 시절이 있었다. 그러나 니체처럼 전통에 대한 반항을 철학적으로 표현할 수 있는 천재성을 누구나 가진 것이 아니기 때문에 니체는 역사에 점을 찍은 것이다.

니체의 초인 사상을 히틀러와 그 추종자들이 그들의 정치에 이용하였기 때문에 니체를 그런 방향으로 비난하는 사람도 있다. 그러나 니체의 초인과 나치의 민족 우월주의 와는 연관이 별로 없다. 말년에 니체는 뇌일혈로 짐작되는 증상으로 사고의 기능을 잃었지만 그의 천재성은 변치않고 살아있다.[삼기 매독이였다고 악평하는 사람도 있다.]

은퇴 후 내가 내 전공외에는 아는 것이 너무 부족하다는 것을 느꼈고 아내 따라 교회에 나기면서도 내가 무엇을 믿고 있는지 잘 몰랐다.

나와같은 사람을 위하여 알기쉬운 말로 인류의 정신적 유산을 전하고 싶었던 것이 이 글을 쓰는 이유중의 하나다.

십구세기 서양 철학을 살피다 보니 이 시기에 우리 조상들은 무엇을 하고 있었는지 궁금해졌다.

나는 한국의 근대사에 대하여 Ambivalent 하다. 세계에서 가장 우수한 언어를 창작한 세종대왕을 낳은 나라가 추악하고 잔인한 당쟁의 역사도 동시에 가지고 있다는 것을 어떻게 설명할 수 있단 말인가.

십팔세기 이조사 하면 영조와 정조를 위시히여 세도 정치와 대원군 등이 먼저 떠오르고 서양 문화와 천주교의 도래 그 다음에 실학과 동학등이 뒤를 잇는다.

십칠세기 초부터 한국에 들어온 서학과 천주교의 역사는 잘 알려져 있으므로 접어 두고 實學 얘기를 할까 한다.

실학이란 십칠팔세기에 한국에서 정치, 경제, 역사, 의학 등 전반에 걸쳐 큰 변화를 일으킨 새 학풍을 말한다. 주자학의 전통에서 벗어나서 실증적 과학적 그리고 현실적으로 사회를 개혁하려는 學風, 또는 운동으로 예를 들면 관료와 노비 제도의 개혁, 토지제도의 개혁,새로은 기술의 도입, 경제 제도의 개혁등이 그 골자이고 또한 주체적 역사관을 세워 발해와 고구려에 대한 재인식과 三韓正統論등을 주장하여 민족 의식을 고취하려고 하였다.

대표적 인물인 정약용은 잘 알려진대로 1801년부터 시작된 십구년간의 귀양살이 동안에 집필한 목민심서 등 저명한 저서를 남겼다.

그러나 실학은 주자학의 배경안에서 봉건적 유교제도를 벗어나지 않는 한도 안에서의 개혁이였기 때문에 민족의 운명을 바꾸지는 못하였다. 그의 선견지명은 책속에 묻혀 있었고 그 당시에는 빛을 보지 못하였다.

실학은 서구의 과학자나 철학자들이 카톨릭 교회가 두려워 자기의 저서를 감추었던 시대를 연상시킨다.

이조말에는 정치적으로 안동김씨[1801], 풍양조씨[1827],그리고 제이차 안동김씨[1850]의 세도 정치로 인하여 왕권과 관기가 땅에 떨어져 있었다.

대원군이 집권[1864~1873]하자 세도 정치를 물리치고 왕권의 복구와 서원 철폐 등 개혁정책을 폈으나 경복궁 재건으로 국고가 바닥이 났고 가혹한 세금의 부담은 民擾로 번졌다. 경복국의 재건으로 나라가 쓰러질 정도의 재정이라면 궁의 재건보다 국력의 배양이 화급했는데 대원군은 그 마지막 기회를 놓쳤다.

선원 스무명이 탄 상선 재너럴 셔먼호를 대동강에서 물리치고 나서 온 나라가 승리감에 떠들석할만큼 나라는 그 동안의 쇄국정책 때문에 세계 정세에 어두웠고 국력은 영에 가까웠다.

청국에 대한 사대주의 정책이 거의 한국 외교의 전부였으니 한국은 차지하는 자가 임자였다.

동학은 殘斑출신 최재우가 서양의 동양 침략과 천주교의 만연을 국가의 위기로 보고 나라를 지키기 위하여 세운 종교다. 양반 사회의 모순을 타파하고 민족적 신앙의 진흥을 위하여 유불선의 사상에다가 주문과 부작 등의 무속 신앙과 敬天 사상을 합하여 만든 종교다.

교주가 혹세무민의 죄를 쓰고 1863년 처형을 당했고 그 누명을 벗겨 달라는 신원 운동을 조정은 묵살했다.

이에 불만을 품은 동학도들의 한이 고부 군수 조병갑의 학정과 전횡이 도화선이 되어 동학란으로 폭발하였다.

동학란은 실패로 끝났는데 그 이유는 첫째 동학이 왕조를 보존하는 근왕 사상을 버리지 않고 개혁을 하겠다는 운동이였으므로 조정의 군사와 싸우는 대의명분이 약했다. 동학군은 압도적 수적 우세에도 불구하고 훈련과 지도자가 부족한 오합지졸인지라 최신 무기를 가진 일본군 일개 중대를 당하지 못했다.

종교적으로 샤머니즘에 치우쳐 영혼 구제와 영생 같은 종교적 구심점이 결여된 종교였기 때문에 영속성이 없었다.

대원군 집권 당시에 일어난 병인양요는 한국의 국세를 잘 보여 주는 좋은 예다. 1866년 불란서 군함 칠척이 군인 천명을 싣고 불란서 신부를 학살한 조선 정부의 죄를 묻겠다는 명분으로 강화도를 공격했다.

이들을 격퇴하는데 화승총을 쏠 줄 아는 군인이 모자라 전국에 사냥꾼을 급히 모집하였고 549명을 몰아 강화도 탈환 공격에 나섰다. 불

란서군 천명을 방어 하는데 사냥꾼을 몰아 싸우는 나라를 근대 국가라고 할수 있을까.

임진왜란과 병자호란을 겪은 나라의 군사력이 고작 이 정도 였으니 부끄럽다. 일개 대대의 군대도 없는 나라였으니 어느 나라인들 탐을 내지 않았겠는가.

불란서군은 銀 887킬로그램과 외규장각 장서 6130권 중 340권을 본국으로 실어 갔고 나머지는 불에 태웠다.

본론으로 돌아가 Jeremy Bentham[1748~1832]과 James Mill[1773~1836]은 영국의 공리주의[Utilitarianism]를 대표하는 인물들이다.

그들은 모든 행위의 가치를 功利 원리로 평가했는데 이 원리는 최대 행복의 원리라고도 한다. 이 원리는 인간의 모든 행위를 본인의 행복을 증대시키느냐 혹은 감소시키느냐에 따라서 평가한다는 원리다.

행복이란 쾌락을 의미하고 불행은 고통을 의미하며 쾌락은 가능한 한 고통이 동반하지 않아야 한다. 쾌락 자체는 선하며 감각, 재산, 자선 등 여러 sources에서 얻을 수 있다.

그러나 최대의 행복을 고통 없이 얻는데에는 이성의 인도가 필요하다고 했다.

동기 자체에는 도덕적 의미가 없고 행위가 초래하는 쾌락의 정도가 선이냐 악이냐의 판단을 좌우한다.

결과가 어떻든간에 동기가 선하면 선하다는 칸트의 주장과는 정반대다. 사람은 그의 행위에 의하여 얻게 될 쾌락을 생각하며 행동한다고 그들은 주장했다. 동기가 같으면 결과야 어떻든간에 도덕적 가치가 같다는 칸트의 윤리와 공리주의 윤리와는 좋은 대조가 된다.

공리주의는 Aristippus[435~360B.C.]와 Epikuros[331~270B.C.]등의 쾌락주의와 닮았다. 쾌락주의자도 쾌락이 진정한 선이요 최선의 사람은 최대량의 쾌락을 얻는 행동을 할 수있는 능력이 필요하며 행복은 쾌락의 합계라고 했다.

이들이 말하는 쾌락은 돈, 섹스, 명예와 같은 것이 아니고 신중히 앞뒤를 가려서 고통이나 해를 초래하지 않을 쾌락을 의미한다.

쾌락주의와 공리주의처럼 결과가 수단을 정당화 하고 동기가 가치판단에 의미가 없다는 생각을 Consequentialism이라고도 한다.

고통과 쾌락[Pain and Pleasure]만이 도덕적 가치[Intrinsic Value]를 가졌다고 생각하는 Jeremy Bentham의 공리주의는 기독교의 가르침과는 다르다.

예를 들면 여자를 보고 음욕을 품는 자마다 마음에 이미 간음하였느니라 [마5:28], 또 형제에게 노하는 자마다 심판을 받게 되고 [마5:22]라는 두 성경 구절은 동기나 마음이 행위와 같은 의미와 가치가 있다는 것이다.

불교에서도 마음이 전부라고 가르치는데 금강경의 한 구절을 소개하면 若菩薩 有我相 人相 衆生相 壽字相 即非菩薩이라 했는데 번역하면 나, 남, 중생, 그리고 나이에 관한 相 즉 집착을 버리지 못하면 불도에 정진하는 사람이 아니다 라는 뜻이다. 이 가르침에는 쾌락이나 행위의 공리적 가치 등에 관한 암시마저도 없다.

공리주의자도 도덕적 고찰이 없는 것은 아니다.

John Stewart Mill은 지적 그리고 영적 pleasure가 physical pleasure보다 귀중하다는 것을 강조했다. 그는 James Mill의 아들이다.

공리주의는 최다수의 인간을 위한 최대한의 유익이라는 말로 표현되기도 한다.

일반적으로 좁은 의미로는 경제에서 실용주의적 의미로 쓰이고 철학적 공리주의는 넓은 의미로 쓰인다. 다시 말하면 Consequentialism이 발전하면서 넓은 의미와 다양한 양상을 띄게 되였다.

고통과 쾌락이 도덕적 가치 또는 선의 가치라는 생각이 발전하여 지식과 자율성 등도 가치판단의 기준이 될 수 있다는 공리주의도 생겼다. 또한 도덕적 선중에 안정된 도덕적 국가의 필요성도 포함되며 따라서 국가 방위도 정당성을 인정한다는 주장이 생겼다. 또한 공산주의자 그리고 사회주의자들이 자신들의 사상을 합리회 하는데에도 공리주의를 이용하였다.

즉 최다수에게 최대한의 행복을 주기 위하여 취하는 정치적 수단을 합리화 또는 정당화 하는 것이다.

이 기회에 부언하고 싶은 것은 인간의 행위중에 전혀 합리화할 수 없거나 정당화 할 수 없는 행위는 없다는 것이다. 한국 속담에 처녀가 애를 배도 할 말이 있다는 속담이 있는데 결코 틀린 말이 아니다.

또 귀에 걸면 귀걸이 코에 걸면 코걸이라는 속담대로 어떤 사상이나 철학도 가져다가 자기 편리한대로 이용하여 자신의 행위를 장식하는 재주를 인간은 가지고 있다.

오히려 사상이나 철학은 간판 또는 장식이고 실은 전혀 딴 짓을 하는 것이 현실세계다. 좋은 예로 공산국가인 북한만큼 권력을 쥔 자가 사치하고 사는 나라를 나는 알지 못한다.

평등하게 나눠 가지는 사상이 지상 목표라는 공산주의 나라에 국민은 굶어 죽어가고 있는데 벤츠 타고 꼬냑을 마시는 지배층이 있다는 것을 우리 모두 알고 있다.

인류의 운명 | 07

뜰에 은행나무 몇 그루가 자란다. 가을이 오면 노란 단풍이 유난히 아름다워 옛날 서울의대 本館에서 병원으로 넘어가는 언덕길 옆에 나란히 서서 나를 반기던 은행나무들이 떠오른다.

사연도 별로없는 무명의 청춘이었지만 은행나무 단풍은 나를 그 시절로 데리고 가서 무엇인지 아쉬웠던 청춘에 잠기게 한다. 은행잎을 밟으며 꾸던 꿈을 다시는 꿀수 없는 안타까움이 늙은 이 몸 어딘가에 아직 남아 있단 말인가.

주옥 같은 이 지구를 이억 칠천만년 동안이나 지켜 보았다는 은행나무의 역사에게 몇십만년밖에 안되는 어린 역사를 가진 인간의 한사람으로서 驚異의 禮를 올린다.

철학 얘기로 돌아가자. 콩트의 실증주의철학[positivism][實證主義]은 진정한 지식이란 active sense experience에 근거한 지식이어야 한다는 것이다. Auguste Compte[1798~1857]는 course of positive philosophy라는 여섯권이 되는 저서를 남겼다. 그는 인류 문명이 진보한다는 확신과 과학의 정밀성과 확실성에 대한 존경심을 가지고 그의 철학을 전개하였다.

인간의 진리탐구와 지식이 세 단계를 거친다고 주장했다.

신학적[theological]단계, 형이상학적[metaphysical or abstract]단계, 그리고 실증적[positive] [實證的]단계가 그 것이다.

신학적 단계; 알 수없는 미지의 세계를 설명하려 할 때 사람들은 신 혹은 종교에 의존한다. 서양에서 문예부흥 이전에는 사람들의 사고 과정에 신이 군림하였고 사고가 교회의 신앙 원리에 근거를 두었다. 이 단계의 사고과정에는 객관과 주관의 구분이 없이 감정적 사고가 주였다.

형이상학적 단계; 추상적인 존재에 마음이 끌려 추상적 술어로 사물을 분류하는 것으로 설명이 다 된 것처럼 생각한다. 본질, 실체, 속성

등 추상적 술어들로 현상 세계를 초월한 것처럼 생각한다. 그러나 여전히 이 지식이 경험적 사실은 아니다.

실증적 단계; 사람들이 경험적 현상을 넘어서려는 어리석음을 깨닫고 현상을 실증적 소여[所輿]로 받아들이고 순서, 연속, 상호관계 등을 탐구한다. 드디어 사고는 경험의 테두리안에 머무르고 사이비 원리는 도입하지 않는다.

인류 문명을 돌아보면 어떤 시대나 사회에서 또는 분야에 따라서 이 세 단계가 공존하기도 하고 어떤 분야는 일단계 어떤 분야는 삼단계 등 분야에 따라 도달한 단계가 다르기도 한다.

주로 종교, 정치, 도덕 분야에서 인류가 일단계 또는 이단계에서 머물러 있다고 콩트는 생각하였다. 이러한 뒤처진 분야들을 한데 모아 실증적 단계까지 올려놓기 위하여 콩트는 사회학이라고 하는 새 학문을 만들었다.

또한 그는 천성적으로 약한 이타심[利他心]을 길러서 천성적으로 강한 이기심을 물리치는 것이 중요한 도덕적 과제라고 생각했다. 언어, 습관, 생계 등 일체를 자기가 속한 사회 혹은 집단에서 얻었으므로 그 빚을 갚기 위하여 자기가 속한 사회에 봉사하여야 한다는 것을 깨닫도록 교육해야 한다고 콩트는 말했다. 이러한 교육은 말로만 가르처 가지고는 부족하므로 어려서 부터 습관으로 만드는 교육과 훈련이 필요하며 이를 위하여 콩트는 인류교[religion of humanity]를 만들었다.

인류교는 신학적 교리나 철학이 없고 인간의 정서를 과학적으로 해석하여 공동선을 추구한다.

조직은 카톨릭 교회를 많이 본받았다.

실증주의자 협회도 여러 도시에 생겼다.

콩트가 주장한 세 단계는 인류 역사상 그렇다는 얘기지만 나는 개인의 일생중에서도 이같은 단계를 볼 수있다고 생각한다. 대부분의 인생은 짧은데다가 먹고 살기에 바빠서 정신과 지식의 성장에 많은 시간을 쓸 여유가 없다. 그래서 많은 사람들이 신학적 단계에서 만족하고 더 이상 나가지 않고 생을 마친다.

진리 탐구의 의욕이 강한 사람만이 다음 단계를 향하여 노력하고 성취한다. 신학적 단계에 머무는 사람이 반드시 불행하다고 할 수는 없고 오히려 그런 사람이 마음이 더 편안할지도 모른다. 아마 본인들은 더 행복하다고 믿을 것이다

진리나 사실이 아닐지 몰라도 구원에 확신이 있으면 본인은 마음이 평안하다. 그렇기 때문에 인류교처럼 사후세계에 대한 희망을 주지 못하는 사상이나 종교는 오래 지속하지 않는다.

반면에 사후 세계를 약속하는 종교는 신학적 단계에 머물러 있어도 사람들이 모여든다. 아무리 과학이 발달해도 언제나 아는 지식에 비하여 미지의 세계가 무한대로 크기 때문에 모르는 채로 믿어 마음 편하게 살겠다는 것도 일리가 있다. 신의 존재 여부는 영원히 증명이 불가능하므로 과학이 아무리 발전해도 종교는 안전하다.

John Stewart Mill[1806~1873]은 공리주의자[功利主義者]였다. 인간의 행동은 행복을 증진하는 만큼 선하고 행복을 해치는 만큼 악하다고 했다. 행복이란 고통이 없는 쾌락을 의미하고 불행이란 쾌락이 없는 고통을 의미한다고 했다.

쾌락과 고통은 종류가 많고 그 질이 다르기 때문에 양적 계산이 불가능하다고 하여 쾌락의 질의 중요성을 말하였다. 그래서 다음의 명구를 남겼다. "배부른 돼지보다 배고픈 사람이 낫고 배부른 바보보다 배고픈 소크라테스가 낫다." 만일 바보나 돼지가 이 말에 동의하지 안는다면 그가 자신의 관점만 알기 때문이고 소크라테스는 양쪽의 관점을 다 안다고 그는 말했다.

질이 높은 쾌락을 선택하는데는 강한 의지와 고상한 인격이 필요하다는 점도 언급했다.

Mill의 자유론이 미친 영향이 크므로 잠간 소개한다.

그는 자유론이라는 책에서 개인의 의사와 행동의 자유를 크게 허용할 것을 주장했다. 어떤 사람의 행동이 현명하지 못하더라도 남에게 폐를 끼치지 안는 한 그의 자유를 허용해야 한다고 했다. 따라서 Less government is better government라는 명구도 남겼다.

Herbert Spencer[1820~1903]는 진화설을 제창한 영국의 철학자로

다윈이 그를 위대한 철학자라고 찬양했다. 그의 진화론은 Lamarck로부터 나왔으며 진화의 원리를 우주 전반에 적용하였다. 즉 물리적 세계, 생물 인간의 세계, 정신 문화 사회의 발전등 모두에 적용하였다.

그가 1864년에 낸 principles of Biology에서 Survival of the fittest라는 용어를 처음 썼는데 라마크는 생존 경쟁이라는 의미로 썼고 나중에 다윈이 쓸때는 Natural Selection이라는 의미로 썼다.

그러나 Survival은 Selection의 일부일 뿐이며 예를 들면 숫컷이 survive해도 암컷이 생산을 못하면 사라지고 만다.

우주진화에 관한 스펜서의 말을 빌리면 The structure in the universe는 단순한, the undifferentiated homogeneity로부터 complex differentiated heterogeneity로 발전하는데 이때 differentiated part들은 integrated된다.

종교도 같은 진화 과정을 밟아 조상숭배, animism, 다신교, 일신교 순서로 발전하고 不可知者의 신비를 막연하게 인정하는 것이 마즈막 단계로 보았다.

즉 절대자에 대한 초기의 미신은 차츰 사라지지만 이간의 인식의 한계밖에 있는 신비한 힘에 대한 긍정은 남는다. 이 신비한 힘에 대한 不可知는 없어질 수없으므로 결코 과학이 종교를 밀어낼 수가 없다.

그의 윤리학을 살펴본다. 도덕 진화의 종착역은 사회 생활에 완전히 적응이 된 완전한 사회에서의 완전한 인간이라고 했다. 예를 들면 공격본능은원시 인간이 필요했던 생존 본능이지만 사회 생활이 발전할 수록 사회공동생할에 적응하기 어려운 본능인 것을 깨닫고 차츰 수정을 한다.

수정된 본능이 다음 세대로 내려가 공격적 성질이 점점 줄어들고 이타적 성질로 바뀐다. 이런 과정을 거처서 선한 행위는 진화한 행위가 되고 악한 행위는 진화하지 못한 행위 라고 하는 결론이 나온다. 또한 이기[利己]는 인간의 본성이지만 진화할 수록 이기적 충동이 점차 수정되어 가장 성숙한 사회에서는 이타적[利他的] 정신이 이기주의를 완전히 쫓아 낸다고 그는 생각하였다.

나는 스펜서의 성숙한 사회를 하나의 이상일 뿐이라고 생각한다. 이 세상에는 이기심과 이타심 그리고 선과 악이 영원히 공존할 것이라고 나는 믿는다. 그 이유중의 하나는 악[惡]이 있어야만 선[착할선]이 존재할 수있는 상대성 원리가 우주를 지배하는 기본 원리라고 믿기 때문이다. 즉 음이나 양 한쪽만 남는 세상은 상상을 할 수가 없다. 현대 문화안들이 원시인에 비하여 덜 공격적이고 유전학적으로도 변이[變異]가 일어나 공격 본능이 약해졌을 수 있다는 가능성을 인정한다.

그러나 인간의 지능으로 환경에 적응하는 요소 가 얼마나 큰 부분을 차지하는지 잘 알 수가 없다. 또 각 개인의 짧은 일생에 받는 교육, 도덕적 훈련. 문화적 영향, 종교적 영향등은 천차만별이기 때문에 범죄와 감옥이 지상에서 사라지리라고는 꿈도 꾼 적이 없다. 한쪽에서 인도주의를 그렇게 부르짖어도 현 지구상에는 알카이다, 탈리반, 소말리아 해적등 비인도적 인간들이 얼마든지 있다.

또한 세계도처에서 인종.말살등 양심이 전혀 없는 사람들처럼 살인 강간 방화등이 기승을 부린다.

Computer를 이용하는 지능범들의 identity theft, 그리고 합법적으로 천문학적 돈을 교묘하게 사기해 먹는 wall street나 은행에서 일하는 몇 몇 천재들의 사기를 보면 공격 본능이 없어진 것이 아니라 탈을 바꾸어 쓰고 있는 것이다.

스펜서의 성숙한 사회는 머리속에서 생겨난 이상향이라고 나는 생각한다.

Merrill lynch 회사 가 이천팔년도 말 파산하고 베일아웉으로 bank of america에 넘어 가면서 삼십육억불이라는 천문학적 돈을 보너스로 논아 가졌다. 가게에서 몇 딸라 짜리 물건을 훔치면 도둑으로 몰릴 것이나 월가의 큰 도둑들은 기백만불을 합법적으로 훔처 돈더미 위에서부[富] 를 즐긴다.

총이나 칼을 들지않고도 인간이 얼마든지 악할 수 있다는 예기다. 스펜서의 진화론에서 월가의 도둑이나 천재 사기꾼 예기로 흘러 버렸다.

내가 그들을 몹시 미워 했던 모양이다.

08 | 인류의 운명

흔히 잠든 애기를 보면 천사같다고 한다. 짐승도 새끼들은 모두 귀엽다. 뒷뜰에서 어미 따라 뛰노는 어린사슴도 귀엽고 심지어 내가 좋아하지 않는 쥐도 새끼는 밉지않다.

내가 어렸을 때 일이다. 어머니를 졸르고 졸라 거리에서 파는 병아리를 사다가 키운 일이 있다.

밤낮으로 바라보며 온갖 정성을 다 들였는데 시름 시름 졸더니 일주일쯤 지나서 다 죽어 나갔다.

내 평생 그렇게 슬피 운 적이 그리 많지 않다.

호랑이나 사자같은 맹수도 새끼는 귀엽고 Florida 골프장에서 가끔 본 악어 새끼도 귀여워 만져보고 싶었다.

나이 들 수록 새 손주가 생기면 귀엽고 신비롭다. 혹시 늙어가는 징조인지도 모르겠다. 큰 아이가 세상에 나왔을 때도 신비와 경외를 느꼈지만 어리둥절했던 기억이 더 압도적이었고 그때에는 젊어서 그랬는지 바빠서 그랬는지 지금 손주를 볼 때 처럼 귀엽다는 감동이 없었던 것같다. 아마 젊었을 때에는 바쁜 일들에 밀려서 한가한 지금처럼 감정을 조용히 반추하지 못해서 그랬을지도 모르겠다.

영점일밀리미터의 작은 난자가 수정을 거처 태아가 되고 세상에 태어나 지금까지 없었던 새 인생이 존재하게 된다는 것을 나로서는 이해할 수도 설명할 수도 없다.

시간이 지나매 차츰 온갖 표정이 생기고 곧 나를 보고 할아버지 I love you라고 소리치며 안긴다.

그 작은 머리안에 어떻게 지혜와 감정이 자라는지 나는 감히 설명하려고 시도 조차 하지 않을 것이다.

많은 사람들이 이 생명의 기적 때문에 신을 믿기 시작한다고 하는데 충분히 수긍이 간다. 신과 자연, 창조와 진화, 실재와 실체, 인식과 관념, 존재와 무 등을 논하다가도 할아버지 아버지 나 아들 그리고 손주로 이어가는 생명의 흐름을 상기하면 말을 잃는다. D.N.A.나 Gene 등 과학 지식이 아무리 늘어도 생명의 신비앞에서 지식이란 대양에 한알의 모래알 만큼도 안된다.

이 신비안에는 인간이 가진 Intelligence가 gene을 통하여 세대에서 세대로 전해지는 신비도 포함된다. 지구의 아름다움에 대한 신비도 빼놓을 수가 없다.

지구는 은하계에서 변두리에 위치하고 있고 영원한 존재도 아니지만 어쩌면 우주에서 생명체가 존재하는 유일한 별일지도 모른다.

그런데 이 아름다운 지구와 인류의 운명이 어디를 향해 가고 있는지 아무도 모르고 따라서 귀여운 손주들의 운명도 마찬가지로 모른다.

다시 철학으로 돌아가서 이십세기 철학자로는 Henry Bergson[1859~1941]을 먼저 들지 않을 수 없다.

그가 나치 점령하에서 정부가 그에게 내린 특혜 즉 면죄 조치를 거부하고 병구를 이끌고 독일당국에 출두하여 유태인 등록을 하며 스스로 위험을 자초한 일화는 유명하다..

그의 저서 창조적 진화[creative evolution]에서 그는 어느 때에 창조가 일어났다는 식의 창조설을 부인했다. 동시에 예상된 목표를 향하여 진화가 일어난다는 식의 진화설도 배격했다. 우주는 어떤 생명력[Elan vital or vital impetus]에 의하여 Continous creation of life가 진행하고 있으며 그 방향은 항상 새롭고 정해진 목표가 없다고 했다[without finalism].

생명력 즉 생명 에너지의 저장소가 신이고 모든 생명의 원천이며 신은 계속 창조적이고 새로운 표현도 무한대로 가능하다고 말했다.

이는 종전의 예정설과는 거리가 멀다.

그의 인식론을 소개한다. 인식에는 직관과 분석의 두 방법이 있다. 분석이란 과학의 記号에 의한 방법이고 형이상학은 직관 없이는 불가능하다고 했다.

그의 도덕관과 종교관으로 옮긴다.

그의 저서 The two sources of morality and religion에서 그는 도덕을 靜的道德[Closed morality]와 動的道德[Open morality]으로 분류

하였다. 정적도덕에는 靜的宗教[Static religion]가 있고 동적도덕에는 動的宗教[dynamic religion]가 있다.

진화 결과 어떤 species의 동물은 혼자서는 절대로 살아 남을 수가 없고 집단으로서만 생존이 가능한데 꿀벌, 개미, 인류 등이 그 예다. 혼자서 살 수 없으니까 community가 필요하고 이 필요성이 closed morality의 원인이 되며 공동체[community]안에 함께 살려면 각자가 맡아야 할 의무에 관한 도덕[obligation]이 생기게 마련이다.

이 도덕은 닫힌 사회[closed society]에서 생기고 금기, 복종, 규칙의 엄수를 포함하여 집단의 안녕과 질서 유지와 발전을 위한 제한과 구속을 강요한다.

칸트의 Categorical Imperative는 보편적인데 반하여 정적 도덕의 경우에는 하나의 닫힌 사회와 다른 닫힌 사회가 서로 도덕의 내용이 다르며 생존을 위해서는 서로 전쟁도 불사한다. 정적 도덕에서 정적 종교가 생기는 이유는 둘이 있다.

첫째 사람들이 정적 도덕의 의무를 이행하는지를 감시하는 존재가 필요하기 때문에 신을 만든다는 것이고 둘째로는 인간의 지성을 무력화 하기 위하여 종교가 필요하다는 것이다.

즉 죽음이 불가피하다는 인간 지성의 판단이 인간을 공포에 몰아 넣어 인간을 무력하게 하므로 지성을 중화하는 수단으로 종교가 필요하다는 것이다.

그러나 신에 대한 많은 인간의 망상 때문에 역사적으로 종교가 많은 우매한 과오를 범했다.

그럼에도 불구하고 지성 때문에 생기는 절망에 빠지지 않기 위하여 인간은 종교가 필요하다. 다시 말해서 종교란 인간의 지성을 중화하는 인간의 방어적 반작용이라는 것이다.

동적 도덕은 어느 공동체의 결속을 위한 도덕이 아니고 어느 사회든지 적용되는 보편적 도덕이므로 open morality라고 하며 평화가 그 목적이다.

동적 도덕의 source는 창조적 정서[creative emotion] 다. 그의 설명을 따르면 친구를 만날 때에 느끼는 반가운 감정은 정상적 감정

[normal emotion]이고 작곡자가 작곡을 할때 처럼 감정이 먼저 떠오르고 그 감정을 작곡을 통하여 표현하는 정서가 creative emotion의 예라고 한다. 이 창조적 정서는 신비적이라서 동적 종교에서 사람들은 신비주의적 경험을 하기도 하고 생명과 사랑의 충동[impetus]을 느끼기도 한다.

역사를 보면 이 두 형태의 종교는 서로 침투하여 공존하기도 하고 동적 종교가 정적 종교로 남기도 하였다.

Continuous creative evolution의 설은 과학적으로 continuous gene mutation을 설명하는 데에 별 어려움이 없다.

다음에는 실존주의로 넘어가 본다.

내 의예과 시절 한때 실존 주의에 매혹되었기 때문에 나는 아직도 실존주의에 일종의 향수를 느낀다.

1957년 Albert Camus가 노벨상을 받으면서 그의 소설 이방인과 페스트가 한국어로 번역되어 나왔고 그 소설을 읽으며 받은 감동은 지금도 기억이 선명하다.

그때 나는 이유없는 반항의 정서가 가시기 전이었고 전통적 사상 그리고 권위에 반발하던 혈기가 남아 있었으므로 실존 주의는 내 피를 끓게 했다.

까뮤 자신은 실존주의자로 불리는 것을 거부했지만 그의 소설은 내게 실존주의가 무엇인지를 철학 서적보다 더 쉽게 가르쳐 주었다. 또 스또에프스키와 싸르트르의 소설을 읽으며 얻는 감동이 딱딱한 철학책보다 더 확실하게 실감이 나는데 실은 실존주의 만큼 문학 운동에 영향을 끼친 철학은 없다고 해도 과언이 아니다.

Absurdism이란 인간이 우주에서 어떤 의미를 찾으려고 애를 써도 모두 허사라는 생각인데 그 이유는 세상에는 애당초부터 그런 의미가 존재하지 않기 때문이라고 설명하는 철학이다. 즉 세상은 부조리와 불합리로 차 있다는 것이다.

까뮤가 이 철학의 창시자는 아니지만 그가 쓴 글을 소개한다. “빛과 어듬, 행복과 슬픔, 생과 사등 세상은 dualism이다. 우리의 존재와 인생이 가장 소중한데도 우리는 모두 죽어야 하고 우리의 노력이 다 헛

되다는 것도 dualism의 예다. 이처럼 의미없는[meaningless] 세상에서 의미를 찾으려면 각자가 자기의 판단과 해석으로 스스로 의미를 만들고 비록 불안하고 일시적인 의미일지라도 잡을 수 밖에 없다."

실존주의란 부조리하고 어이없는 이 세상에서 나름대로 실존적 자세[attitude]를 가지겠다는 것이다.

그 자세란 유신론적일 수도 있고 무신론적일 수도 있으며 그밖에 여러 자세일 수 있다. 재래의 철학은 너무 추상적이라서 실제 인생과 동떨어져있으며 인간의 disorientation과 confusion에 실질적 도움이 못된다.

Walter Kaufmann은 말하기를 실존주의자는 특정한 사상이나 신앙에 메이기를 거부하며 특히 조직에 메이는 신앙이나 전통 철학에 불만을 가진 사람들이다.

그들은 이성적이거나 논리적이 아닌 철학자라고 할 수 있다. 자기들의 생각을 철학이라고 불리는 것을 거부하는 사람들도 그중에는 있다.

또 실존주의란 어느 실존주의자도 다른 실존주의자의 모범이 될 수 없는 개인적 태도인 것이다.

Lamprecht의 말을 빌린다. 어떤 사람이 자기 영혼안에 감정, 관념, 신비 등이 뒤엉켜 뭐가 뭔지 알 수 없는 절망에 빠졌다고 하자. 그 때 어떤 변화가 일어나면서 묵시적 통찰과 함께 무엇인가 깨닫는다. 이것이 신의 계시에 의한 것일 수도 있고 직관일 수도 있으나 자기 스스로 최종적 진리라는 확신을 얻고 그 확신에 영원한 의미를 부여하는 것이 실존주의의 태도다.

어느 실존주의자는 실존이 본질에 선행한다고 말한다.

Existence is prior to essence.

실존이란 이성에 의하여서가 아니고 개인적 의지에 의하여 실존의 형식을 부여한다고 한다.

사람마다 각각 다른 세계에 살지 않을 수 없다는 것이 그들의 입장이고 승리의 삶이란 자기 세계의 의미를 깨닫고 확립했다고 믿는 굳은 확신을 가지고 살다 죽는 것이다.

실존주의는 체계적인 철학이 아니므로 내 글에서 그 윤곽을 잡았다면 나는 만족한다.

세상 만사가 absurd, ridiculous, and meaningless하니 비록 일시적인 의미밖에 없을지라도 내 자신이 세상에 의미를 부여하겠다는 것은 위험하기는 해도 매력적인 생각이다.

현실에서 영원한 것이 존재하지 않는다는 것을 잘 알면서 영원한 것이 존재한다고 고집하는 것도 일종의 마음 자세 혹은 태도이기는 마찬가지이다.

고로 실존주의도 성립하는 것이다.

09 | 인류의 운명

금년에 둘째 아이가 장가를 갔다. 마흔넷이 되도록 결혼을 안해서 우리 내외가 속 꽤나 태웠다. 내가 스물일곱에 결혼을 했고 막내가 내 설흔일곱에 태어 났으니 둘째 아이 결혼이 나보다 십수년이 늦은 셈이다. 오죽하면 내가 무슨 죄를 지었기에 이런 처벌을 주시나 하고 조상님께 혹은 신에게 마음속으로 항의도 하고 빌기도 하였다.

근래에 와서는 아예 색시 소개를 단념하고 그 아이 앞에서 결혼 애기는 꺼내지도 않았다. 그리고는 나 자신의 결혼관을 바꾸는데 노력을 기울였다. 먼저 독신으로 인생을 보람있게 살다 간 위인들을 찾아 내어 독신 찬양론으로 내 의식 구조를 바꾸기로 했다. 그러는 것이 장가보내기 보다 쉽고 내 마음도 편해질 것 같아서 그랬다.

Issac newton, kant, Beethoven, St. Paul, Teresa 수녀 등 성인, 현인, 과학자, 철학자, 음악가 등 위인들의 이름이 쏟아져 나왔다.

독신으로 살아도 그런 훌륭한 인물이 되다니 결혼하고 살아도 별 보잘 것 없는 내가 오히려 부끄러웠다. 찾아보면 독신을 정당화 할 이유는 많다.

이혼율이 오십프로에 가까우니 결혼 실패율이 반반이다. 오십프로 확율을 가진 도박이라면 결혼을 적극적으로 추천할 근거가 없다. 한국인의 산아율이 일점 이 라니 손주 볼 확율도 옛날 같지 않다. 하기사 인구 폭발로 인한 지구오염에 개인적으로 기여하기 위하여서는 독신이 첫째일 것이다.

독신 찬양론으로 나 자신을 세뇌하는 데에 거의 성공했다고 거의 믿게 되었는데 또 청천 벽력이 내렸다. 난데없이 애인이 생겼으니 결혼을 하겠다고 나왔다. 나는 독신 찬양론에서 결혼 찬양론으로 급선회했다. 비록 내가 변절을 했지만 나는 기뻤다.

결혼식이 다 끝 날 때까지 나는 마음을 놓을 수가 없었다. 식이 끝나고 나서야 하나님 조상님 감사합니다 하고 말씀을 올렸다.

결혼식 절차 일체를 저희들 하자는대로 따랐다. 혹시 파토가 날까 봐서 전전 긍긍했다.

폐백도 드리고 새례식과 성찬식도 결혼식과 겸했다. 내가 눈을 감기전에 내가 낳은 자식들 짝을 다 지어주었다는 성취감에 얼마동안 취했다.

내가 결혼하던 때도 남녀가 마음만 맞으면 수저 두개 구해가지고 살면 되지 무슨 그리 복잡한 절차가 필요한가 하는 낭만적인 생각을 한적이 있다.

그러나 나이가 들고 경륜이 쌓이고 나니 귀찮아도 오랜 역사를 통하여 만들어진 의식 절차등이 사람 사는데에 필요하다는 것을 알게 되었다.

이번에 치른 결혼식도 짝을 지은 두 사람이 부부로 출발했다는 신고를 세상 사람들에게 하고 결혼식이 인생을 몇몇 마디로 매듭짓는 역활을 하는데 필요한 절차라는 것을 알게 했다. 인간은 과학, 철학같은 학문이나 이론만 가지고 사는 것이 아니고 이번 결혼처럼 얘기치 못한 요행, 축복, 예식 등 수많은 요소가 뒤엉켜서 산다.

이십세기 철학으로 돌아와 새 실재론[realism,實在論]을 살펴본다.

Realism을 설명하기 위하여 그와 상반된 idealism을 설명하는 것이 좋겠다.

철학에서 말하는 이상론[idealism]에서는 현실[reality]을 이렇게 본다. 현실이란 궁극적으로 사람의 마음에 근거를 두고 있다. 실재 세계를 인간의 마음 의식 지각과 분리할 수가 없다.

몇몇 idealism을 소개한다. 칸트는 우리가 안다는 것은 인상[mental impression]이나 지각하는 현상[phenomenon]뿐이라는 경험론에 입각하고 있고 외부세계는 독립적으로 존재할 수도 있고 존재하지않을 수도 있다는 입장을 취했다.

안티폰은 시간의 예를 들어 시간이란 생각이고 사람이 측정하는 것이지 本質이 따로 있는 것이 아니라고하여 idealism을 설명하였다.

Idealism은 물질론[materialism]과도 대립하며 물질론에서는 자연의 궁국적인 현실이란 물리적 본질[physical substance]이라고 본다.

이상론이나 물질론 둘 다 일원론[一元論]이다.

Realism이란 우주의 삼라만상이 인간의 마음과 상관없이 엄연히 따로 존재한다는 설인데 그 중에는 토마스 아퀸나스처럼 우주의 모든 것이 신의 의중[in the mind of God]에 존재하고 모형에 따라 신이 창조했다고 하는 실재론도 있다.

이십세기에 대두한 신실재론은 Hegel, Kant뿐 만이 아니고 Berkley의 실재론도 받아 들이지 않는다. 요컨데 인간의 경험이나 인식과 관계 없이 실제 세계는 독립적으로 존재하고 있다는 것이다.

Bertrand Russell은 말하기를 우리가 알고 있는 모든 사물이 우리 마음에서 일어난 것이 라고 생각한다면 우리가 동의어를 반복하고 있든가 과소 평가를 하고 있든가 둘중의 하나다.

우리 인간이 경험을 통하여 얻는 모든 Data는 주관적 산물이다. 실재를 인식하려면 이data를 추리해 나가는 수밖에 없지만 실재인식에 도달할 가능성은 불가지론[不可知論]에 속한다. 동시에 과학은 신뢰할 수 있다는 결론은 받아 들였다.

신실재론[neorealism]의 주장을 보면 인간이 경험하는 많은 data는 정신적인 것도 아니요 물질적인 것도 아니며 중성적[neutral]인 것이라고 한다.

이런 중성적 data가 기억 의식등과 관계를 맺으면 정신적인 것이 된다. 또 비슷한 다른 대상과 서로 연관된 체계를 이루고 관계를 맺으면 물질적인 것이 된다.

Bertrand Russell은 우리에게 잘 알려진 이름이므로 간단히 소개하려 간다.

B. Russell[1872~1970]은 이십세기 영국이 낳은 철학자 수학자 논리학자 역사가 사회개혁가 평화주의자 그리고 노벨 문학상 수상자 등 많은 직함을 가졌다.

일차 대전중에 전쟁 반대로 투옥되었고 히틀러와 소련 전체주의 반대운동 베트남 과 중동의전쟁 반대 핵무기반대 등 국제정치에 목소리를 높였다.

그는 조실부모하고 할머니 손에 자랐으며 세번의 결혼과 많은 여성 편력으로 알려지기도 하였다. 수학에 대한 흥미와 열정 때문에 자살을 하지 못했다는 그의 말을 믿는다면 그는 결코 행복하지만은 않았던 것 같다.

그는 analytic philosophy의 창시자중의 한 사람이다. 그의 철학이 삼십년후에 오는 Vienna학파 즉 논리실증주의[logical positivism]로 발전하였다. Russell은 과거의 철학에서 무의미[meaningless]하고 일관성[incoherent]이 없으며 지나치게 형이상학적[excess of metaphysics]인 요소를 제거하려고 노력했다.

그러기 위하여 철학에서도 과학에서처럼 정확한 언어[exact language]를 사용하고 투명[clarity]성과 정확성[precision]이 요구된다고 하였다. 철학적 명제에도 단순한 문법적요소로[grammatical component] 분해할 수 있는 논리와 과학이 철학의 주무기라고 그는 말했다.

요컨데 철학에서도 구렁이 담 넘어가듯 알송 달송한 어법으로 설명하려고 해서는 안된다 했다.

Russell의 종교관을 보면 어려서는 신앙을 가졌으나 곧 무신론자가 되었다.

그의 말을 옮긴다.

"종교와 미신은 별 차이가 없다. 종교가 긍정적인 영향도 끼치지만 대체로 인류에게 해를 끼친다. 종교는 지식을 방해한다. 그리고 공포심과 의존심을 배양하며 역사상 많은 전쟁과 탄압의 원인이 되었다.

나는 신이 존재하지 않는다는 것을 증명할 길이 없으므로 철학도들에게는 不可知論[불가지론]을 말할 것이고 보통 사람에게는 내가 무신론자라 말할 것이다. 왜냐하면 신이 없다는 것을 증명할 수 없는 만큼이나 Homer의 신도 없다는 것을 증명할 수 없기 때문이다.

종교는 주로 인간의 공포심에 근거를 두고 있다. 공포심의 일부는 무지[無知]에서 온다.

신앙의 일부는 우리가 고난에 처했을 때 우리를 지켜주는 큰 형이 있다는 느낌을 가지고 싶어서 생긴다. 즉 기대고 싶은 마음이다.

정말 세상이 필요한 것은 지식 친절 그리고 용기다."

그는 공산주의 같은 사상적 이념체제도 종교로 간주했다.

Russell은 계속하여 "오래 전에 무식한 사람이 설한 가르침 때문에 인간의 지능을 속박당할 필요가 없고 과거에 대한 후회감에 빠져 있을 필요도 없다."고 하였다.

1929년에 출판한 결혼과 도덕이란 책에서 사랑하는 사람끼리의 성행위는 반드시 비도덕적이라고 할 수 없다 하고 혼전 시험동거 공개적 성교육 피임 등을 지지했다. 이혼법의 완화 동성애법의 개정 등 그 당시에는 대단히 혁명적인 생각을 발표하여 그가 미국을 방문했을 때 그를 반대하는 데모가 격렬하였다. 내가 태어 나기도 전이니 그의 선구적 천재성에 경의를 표하지 않을 수 없다.

종교가 미신이라는 말은 Einstein도 했고 다른 많은 과학자들도 같은 생각을 가졌겠지만 그런 말을 공언하는 사회적 배경에 따라서 말의 가치가 다르고 필요한 용기도 다르다. Russell은 용기 있는 사람이었다.

"나는 수학에서 다른 어느 분야에서보다 확실성[certainty]을 찾을 줄 알았는데 이십년의 노력 끝에 발견한 것은 수학에도 내가 의심 할 여지가 없는 [indubitable] 분야라고 할 수 있는 것이 아무것도 없다는 것을 깨달았다."라고 하여 그의 생각은 철학과 과학에 큰 영향을 미쳤다.

이십세기 철학의 또 한가지 추세는 논리실증주의[Logical Positivism]인데 Vienna Circle에서 시작한 운동이다. 언어학적으로 표현의 여러 유형간에 있는 의미의 차이를 연구하려는 운동이다. 예를 들면 어떤 문장은 인식적 의미가 있고 어떤 문장은 전혀 인식적 의미가 없으며 어떤 문장은 비인식적 의미를 가지고 있다. 그런 의미의 차이를 문장에서 찾는 것이다.

또 예를 들면 수학은 임의로 정의한 公準에서 출발하여 이 공준의 의미를 전개하는 연역적 학문이다. 이 과정에는 사실에 대한 아무런 새 발언이 없다. 따라서 새 발견이 있을 수 없다. 선행하는 명제로부터 따라 나오는 필연적 명제일 뿐인 수학적 사고는 진리 발견이 아니고 명제의 타당성에만 관심을 둔다. 이에 반하여 사실을 표현하는 문장은 진리를 목표로 하여 논리적 타당성을 요구하며 실제로 존재하는 상황들과 관련해서 확인이나 부인이 가능할 때만 의미가 있는 것이다.

논리실증주의자들이 형이상학을 경멸하는 이유는 형이상학이 경험으로 가능한 한계를 넘어서 절대니 본체니를 논하기 때문이다. 그들은 아리스토테레스와 그 후의 경험론의 형이상학이 무의미 하다고 한다. 또한 좋다 옳다 --- 이어야 한다와 같은 문장은 말하는 사람의 의견 표시일 뿐이며 그 내용이 참인지 거짓인지를 의미하는 것이 아니라고 했다.

예를 또 들면 원인이란 단어의 의미는 꼭 계기[繼起]한다는 사실외에 다른 의미가 없다. 즉 뒤따라 일어 난다는 것을 의미한다.

요약하면 논리실증주의는 말 장난으로 경험의 한계를 넘어서 고담준론을 펴고 자신도 모르는 애기를 진리인 것처럼 떠도는 철학을 경계한 것이다.

Russell이 종교와 미신이 별 차이가 없다고 한 말에 대하여 allergic한 반응을 보이는 분도 있을 것이다. 그러나 Superstition의 정의가 laws of science를 벗어난 것을 믿는 것이라면 대부분의 종교가 이 정의를 벗어나기 어려울 것이니 흥분할 필요가 없다. 오히려 과학적으로 증명된 것만 믿겠다는 사람이 답답한 사람이다.

종교란 우리가 고난에 처했을 때 우리를 지켜 주는 분이 있다는 느낌을 원해서 즉 기대고 싶어서 생겼다는 Russell의 설명에 나는 거부감이 별로 없다.

인간이 얼마나 약한 존재인지를 깨달으면 인간이 무엇에 기대든 매달리든 나무랄 수가 없다. 그것은 생존을 위한 방어다. 나쁜 것은 그 약점을 잡고 사기를 일삼는 무리들이다.

10 | 인류의 운명

이차 세계대전은 칠천만의 인명을 앗아간 인류 역사상 가장 큰 전쟁이었다. 일본이 선전포고 없이 Pearl Harbor를 공격한 1941년 나는 일곱살이었고 대전 아사히 국민학교 일년생이였다.

학교에서 일본어를 쓰지 않으면 사정없이 매를 맞던 시대라서 전혀 일본어를 몰랐던 나는 입학한 후 몇주 동안은 선생님 말을 알아 듣지 못하는 귀머거리 신세가 되어 매일 징징 울며 학교를 다녔다.

매일 아침 조회 시간에는 전교생이 교정에 차렷 자세로 도열하고 서서 교장선생님 훈화를 들었는데 몸이 약했던 나는 차렷 자세를 오래 견디지 못해 속이 뒤집어 질것 같다가는 쓰러진 일도 몇번 있었다. 전쟁이 격해지자 공부는 제처놓고 군사훈련과 방공훈련에 바빴고 솔뿌리 캐고 광솔 따러 거의 매일 산에 올라갔다. 소나무 뿌리와 광솔로 짠 기름으로 군함 비행가를 움직였으니 전쟁에 이길 승산이 없는 전쟁이었다.

일본 히로시마와 나가사끼에 원자폭탄이 떨어진 것이 내 열살 때 일인데 그 당시에는 원폭이 무엇이며 얼마나 무서운지도 몰랐고 전쟁이 끝나고 난 뒤에야 알았다.

1945년 팔월십오일 그때까지 일본 천황을 신으로 알고 속았던 나는 라디오에 나오는 그의 항복 선언을 듣고 눈물까지 흘렸고 지금도 내가 한국 사람인 줄 몰랐던 그 때 생각을 하면 부끄러워 숨고 싶은데 세뇌공작의 위력을 나는 일찌기 깨친 것이다.

인구 십만의 대전 거리가 처음 보는 태극기의 물결로 가득 차고 대한민국 만세소리로 떠나갈듯 하였다.

하루아침에 풀이 죽어 쫓겨 나가는 일본인들의 나라 잃은 슬픔도 목격했다.

처음 진주한 미군은 주로 흑인이었는데 껌이나 초콜릿을 받아 먹는 재미로 아이들이 극성스럽게 따라다녔다.

대한민국 정부 수립전 이승만 대통령이 대전역 광장에서 한 연설도 기억난다. 그의 연설은 영어 억양이 섞여 독특했고 빠르지는 않으나 정확한 용어 선택과 단절이 없는 명강연이었다.

곧 민족이 좌우로 갈라지고 골육 상쟁이 시작되었다. 친구간이나 형제간 심지어 부자간에도 무자비한 숙청을 서슴치 안는 공산주의자들이 남한을 거의 석권했다. 여수 순천 반란, 제주도 폭동, 대구 폭동 등등 한 때 공포속에서 잠을 자지 못할 정도로 사회가 불안했다.

내가 열다섯살 때 육이오 남침이 터졌다. 국군이 잘 싸우고 있으니 국민은 동요하지 말라라는 정부 발표를 믿다가 남쪽으로 도망치지도 못하고 수복할 때까지 공산치하에서 숨어 살았다. 토굴 생활도 하고 제트기 기총사격도 당해보고 B이십구 융단폭격도 멀리서나마 구경했다.

육이오는 결국 삼백만의 사상자를 낳았고 내가 살던 집 학교 등 모두를 태우고 잿더미만 남겼다.

좁은 셋방에서 살며 천막 교실 흙바닥에 앉아 학교 수업을 받았다. 그런 형편에 의예과에 입학을 했다.

부산 남포동 바다가 보이는 부둣가에 있는 어느 건물 옥상의 가건물이 의예과 피난 교사였다. 그나마 휴전반대 데모에 따라 다니는 어수선한 분위기하에 공부를 어떻게 했는지 모르겠다.

본과에 와서 당시 의학 수준이 월등 높았던 미국 의학을 경험할 기회가 생겼다. 미네소다 플랜으로 나온 교환교수들의 강의를 몇 과목 받은 것이다. 그 때 열등감과 더불어 미국에 대한 동경이 자랐다.

국민소득이 백불 미만의 빈곤 속에서도 청춘도 있고 사랑도 있었다. 지금의 아내도 그때 만났고 한칸 셋방에서도 신혼 재미가 있었다.

콩나물, 김치, 된장이 주로 상에 올랐고 연탄 가느라 아내가 고생을 하였지만 나는 그때의 추억을 무엇과도 바꾸고 싶지 않다.

가난했던 살림에도 불구하고 그때의 추억이 아름답다. 서울 대학병원에서 정형외과 과정을 치루고 군 복무까지 마친후 1967년 설흔두살의 나이에 아이 셋을 거느리고 미국으로 이민을 왔을 때 한국의 장래는 전혀 암담해 보였다.

그 당시 한강의 기적을 예견한 사람은 내가 아는 한 아무도 없었다.

정부가 허락한 이백불을 쥐고 미국에 올 때 모든 것을 꿈꾸던 지상 천국에서 재출발 한다는 비장한 각오와 꿈이 있었다.

전선에서 병사가 총을 맞아 죽으면서 빽이 없어 전방에 끌려 나온 것이 한스러워 "빽"이라고 소리치며 죽는다는 유행어가 돌 정도로 부조리와 부패가 만연된 사회였고 연탄가스 중독으로 죽을 고비도 넘겼던 조국을 뒤로 하고 미국에 온지 사십여년이 넘었다.

전성기를 지난 느낌도 없지 않으나 아직도 세계에서 가장 자유롭고 부강한 나라 미국의 건국 당시의 철학과 도덕을 살펴보려 한다.

종교적 신념도 과학처럼 증명이 필요하고 이성이 최종적 심판자가 되어야 한다는 John Locke[1632~1704]의 이신론[理神論]Deism]과 그의 시민 정부론[Treatise of Civil Government]이 미국 건국 초창기에 끼친 영향은 지대하다.

그는 도덕을 정치 권위보다 上位에 두었고 모든 사람의 평등한 권리를 존중하기를 요구했다.

자연 상태가 인간 사회에서 최선의 상태[노자의 무위 사상과 일맥 상통한다.] 일지도 모르지만 모든사람의 자유 안전을 다 같이 보장하려면 정치 제도가 인간이 생각해 낼 수 있는 최선일 수 있다고 했다.

즉 고정된 성문법에 따라 법적으로 선출된 입법자와 법에 의하여 임명된 공평무사한 재판관과 그리고 법을 시행하고 재판관의 판결을 집행할 행정관이 있어야 한다는 것이다.

록의 시민 정부론이 현대 민주주의를 배운 사람에게는 새로울 것이 없지만 삼백여년 전의 사상인 것을 고려한다면 그 의미가 달라질 것이다. 그의 사상은 삼권분립의 전형으로 알려졌고 아직도 삼권 분립이 되지 않은 나라가 더 많다.

그는 종교와 종파간에 상호 관용을 역설했고 광신을 개탄했다.

Locke의 인간 오성론[Essay concerning human understanding]이 하바드 예일 양 대학에서 백년이상 교재로 쓰였다니 그의 영향은 당연하다고 하겠다. John Locke와 William James둘 다 의사였다는 사실은 의사는 철학을 몰라도 괜찮다고 한때 생각했던 나를 부끄럽게 한다.

Locke 외에 Berkeley, Hegel, Kant 등이 미국의 여러 대학에서 연구의 대상이 되었다. 그러나 1890년 후 미국 출신 철학자가 두각을 나타냈고 역으로 세계 철학사에 영향을 끼쳤으며 그 대표적 철학자로 G.Santayana, Wm James, Alfred N. Whitehead, John Dewey등을 소개하려 한다.

William James[1842~1910]는 뉴욕 출신으로 하바드 대학에서 생리학과 해부학을 가르쳤고 나중에 철학교수와 심리학교수가 되었으며 심리학에서는 functionalism을 철학에서는 pragmatism을 제창했다. 그는 의사였으나 진료에 종사하진 않았다.

Functionalism이란 사람의 행위에는 어느 정도 환경에 적응하는 기능[function]이 있다는 것이다. 그는 증명된 결론을 받아 들이는데 인색하지 않았고 동시에 어떠한 과학적 결론이든지간에 최종의 진리로 보려고 하지도 안했다.

그래서 고정된 목표로 지향한다는 Spencer의 진화론에 반대하였고 시대착오라고 비난했다. 또한 다른 가능성을 부인하고 변증법적인 주기적 반복만 한다고 주장하는 Hegel의 변증법도 반대하였다.

그는 어렸을 때 여러 질병으로 고생하였고 신경쇠약[neurasthenia]과 우울증이라는 진단을 받았다. Pragmatism[실용주의]이라는 용어는 Charles Pierce[1839~1914]가 지어낸 용어인데 한 관념의 의미는 그 관념에서 나올 수 있는 모든 실제적 결과의 총화라는 것이다.

두개의 다른듯 싶은 관념이라도 결과에 차이가 없으면 동일한 관념이라는 것이니 결과를 중요시한다는 말이다. 결과를 중시한다는 점에서 실용주의는 공리주의와 닮았다.

James가 Pierce의 설을 채택하여 이론은 수단이요 개념은 계획이며 변화하는 세계에서는 과거에 최선이었던 공식도 계속 재검토 보강 그리고 재구성 하여야 한다고 하였다.

우리는 과거에 축적한 진리에 의지하고 살지만 이 진리를 기초로 새로운 사실을 파악하고 낡은 것을 수정하며 새진리를 추구하지 않는다면 낡은 진리는 죽은 말재간의 무더기가 되고 만다.

한 관념은 만족스러운 결과를 낳을 때 참 혹은 진리다.

1907년에 출간된 그의 저서 Pragmatism에서 몇 구절 소개한다.

"Truth is one species of good, not a category distinct from good."

"Truth is the name of whatever proves itself to be good in the way of belief and good, too, for definite assignable reasons."

어떤 믿음이든 결국에 가서 우리를 성공으로 이끈다면 그것이 진리이고 가치가 있다고 하여 cash value란 말로 실용주의를 표현하기도 한다.

그는 종교도 실용주의 잣대로 바라보았다. 역사적으로 종교도 과학과 마찬가지로 인류의 편의를 위하여 공헌하였다. 즉 인류가 처한 환경속에서 인류를 만족으로 인도하였고 마음대로 안되는 세상을 사는 지침서가 되었다. 그는 믿으려는 의지라는 원리가 종교에 적용된다고 하였다.

인간은 진리를 다 알고난 다음에 행동을 취할 수 없는 경우가 많은데 신앙도 마찬가지로 증명을 마친 다음에야 믿을 수 없는 노릇이고 그럴 시간도 없다. 그렇기 때문에 믿으려는 의지를 가지고 주저없이 선택하고 열정적으로 행동에 옮길 수밖에 없다.

믿으려는 의지는 미지의 세계에 가치를 부여하고 보존하며 실패할 때 위로해주고 실패도 장차 성공으로 전환할 것이라는 믿음을 주니 좋다는 것이다.

그는 또 다른 사람의 신앙이 괴이하게 보이더라도 관대히 받아들이는 태도를 장려했다. 실용주의적으로 보면 하나님에 대한 믿음은 비극은 일시적이고 구원의 소망이 있다는 점에 근거를 두고 있다고 하였다. 그는 항상 자유의지로 새로 더 좋은것을 찾아가야 한다고 하였다.

심리학에 끼친 그의 공헌을 보자. 그는 의식 또는 생각의 흐름이라는 말을 심리학에 도입하였다. 의식의 흐름을 설명하기를 인간의 의식은 분리된 생각 감각 또는 관념 등이 연쇄적으로 나열된 것이 아니고 서로 얽혀서 계속 흘러 간다는 것이다. 가령 잠에서 깨어났을 때에도 나의 의식 세계는 어제의 연속으로 이어지며 동시에 의식은 결코 동일하지 않고 마치 흐르는 물처럼 계속 변한다는 것이다.

동일한 의식처럼 보일지라도 그때 그때 정서 명암 강도 선명도등이 변하므로 달라질 수 밖에 없다.

의식은 인식이나 지적활동에 관계하지 않고 충동적이며 정열적이고 의욕적이다.

의식의 흐름이란 개념의 도입은 제임스의 공헌이다.

모든 문제를 재고찰하고 새로운 해결을 찾는 실용주의는 미국의 정치 과학 교육 등 모든 분야에서 미국 개척정신의 철학적 원리라고 하겠다.

논어에 나오는 공자의 말씀을 소개하고 실용주의와 대비[對比]하여 보고자 한다.

子曰 弟子入則孝 出即弟 謹而信 汎愛衆而親仁 行有餘力即以學文.

집안에서 효도하고 밖에 나가서는 어른을 모시며 근신하고 사람들을 사랑하여 인[仁]을 가까이 하고 여력이 있으면 배움에 힘쓸 것이니라고 공자는 말했다.

이천오백년전의 말씀이지만 이 말씀따라 살아도 아무런 하자가 없는 일생이 될 것 같고, 미국 사회에서처럼 cash value를 소중히 여기고 살아도 하자가 없을 것 같다.

어떤 사상이나 철학의 옳고 그른 것을 판단하기가 참으로 어렵다는 것을 느껴서 공자의 말씀을 빌려 한마디 보탰다.

11 | 인류의 운명

2008년도 A.D.T. L.P.G.A. Championship T.V. 중계를 보았다. 결승에 오른 여덟명 선수중에 한국 선수가 네명이나 되었기 때문에 나도 모르게 흥분하였고 재미있게 보았다. Trump international course의 십팔번 째 홀은 그린뒤에 폭포가 있고 양 옆이 물로 쌓여 있어서 정확한 아이언 샷을 요구하는 홀이고 나는 보기만 해도 겁이났다. 노장인 캬리 웹과 스코어가 앞서거니 뒷서거니 하던 신지애 선수의 공이 깃대 바로 옆에 떨어졌다.

텔레비전은 이어서 지난 삼일간 신 선수의 공이 매번 깃대 옆에 떨어져 연속 버디를 잡는 장면을 보여 주었다. 백칠십야드 떨어진 깃대 옆에 세번 다 공이 떨어지는 확률은 내 핸디 가지고는 영에 가깝다.

홀 까지의 거리 방향 바람의 속도와 방향을 정학하게 두뇌가 계산하고 계산대로 집행하려면 동원되는 수많은 근육의 수축이 타이밍과 강약을 완전히 맞추어야 한다. 그러려면 먼저 공이 혹시 물에 빠지면 어쩌나 하는 걱정과 우승하고픈 욕심을 완전히 마음에서 비워야 한다.

그런 골프스윙은 예술이고 신기에 가깝다. 인간이 그런 신기를 습득할 수있다는 사실이 신기하다. 물론 그런 신기를 익히는데 피눈물나는 연습과 정신 훈련이 필요하다는 것을 안다.

인류는 일찍부터 각종 유희 경기 그리고 도박을 즐겼다. 미국에서는 운동 경기중에서도 골프, 야구, 농구, 그리고 미식축구 등이 기업화하고 방송 흥행에도 큰 역활을 하고 있다.

미국에서 인기 얻고 부자 되는데에 운동만한 직업이 없다는 말도 있다. 2007년까지 Tiger Wood가 번 상금과 광고료가 칠억 오천만불 이었다고 하고 어디를 가도 관중들이 벌떼처럼 따라 다닌다.

골프 다이제스트에 의하면 2007년도 Arnold Palmer의 수입이 약 삼천만불, V.J.Sing이 삼천이백만불이었다. 구멍에 공을 처넣는 기술로 그런 대금을 손에 쥔다면 옛날 할아버지들이 믿으실까.

정구를 구경하던 선비가 왜 하인을 시키지 않고 저렇게 땀을 흘리는지 모르겠다고 혀를 찼다는 농담인지 실화인지 하는 얘기가 불과 백년전에 한국에 있던 얘기다.

내가 자랄 때까지도 운동과 잡기를 싸잡아서 공부하다가 무료함을 달래거나 건강 유지의 수단 정도로 어른들이 말씀하였다.

그런 영향 때문인지 미국 사회가 운동 선수를 지나치게 영웅시하는 것이 아닌가 하는 생각을 나는 가끔 한다. 여하튼 운동이 미국 사회에서 큰 기업이고 그 발전이 미국 사회의 특징 중의 하나다. 배고픈 소크라테스보다 배부른 타이거 우드라는 말이 미국의 철학이랄까.

미국의 또하나의 특징은 변호사가 많다는 것이다. 2007년도 미국에 활동중인 변호사가 백사만명이 넘는다는 변호사 협회의 집계가 나와 있다. 미국에 변호사가 많아 소송이 많은지 소송이 많아 변호사가 많은지 둘 다인지 잘 모르겠으나 분명한 것은 변호사들의 힘이 의사들보다 세서 오바마 의료법에도 변호사들의 돈벌이는 다치지 않았다. 즉 No tort reform으로 끝났다.

논어에 군자긍이 부쟁[君子 矜而不爭]이라 하였는데 번역하면 군자는 긍지가 있어 다투지 않는다는 말인데 우리는 남과 시비하거나 송사하기를 꺼리던 사회에서 자랐다. 미국에 오니 툭하면 my lawyer will call you라는 말을 듣는다.

문명이 발달할수록 이해 관계가 복잡해지고 여러 인종이 모여살수록 문화와 관습이 달라 다툼이 생기면 법에 의뢰할 수 밖에 없으므로 변호사가 더 필요하다고 한다.

나도 의료 사고로 피소된 경험이 있어서 알지만 내 두 아이가 변호사이기는 해도 tort reform은 꼭 필요한데 그렇지 않고는 의료 비용과 상품 값을 내릴 수가 없다.

운동 선수와 돈 변호사 등등 모두가 중요하기는 하나 개인의 행복과는 별 관계가 없으니 인생은 공평하다. 그밖에 미국의 특징이 많지만 다음으로 미루고 미국의 철학으로 돌아간다.

George Santayana[1863~1952]는 스페인에서 났고 1889년에서 1912년까지 하바드 대학에서 강의를 했다.

그의 제자중에 T.S. Eliot, Robert Frost, Walter Lippmann 등 명사들이 많다. 그는 독신으로 살았고 철학자, 시인, 수필가, 그리고 소설가였으며 사람들은 그의 철학보다 그의 금언들을 더 기억한다고 한다. 그의 시 한편을 소개한다.

I give to the earth what the earth gave,
all to the furrow, nothing to the grave.
The candle's out the spirit's vigil spent,
sight may not follow where the vision went.

그는 무신론자였지만 독단[dogma]이 없는 기독교, 플라톤의 사상을 포함한 자연주의[naturalism], 종교가 아니고도 영적 생애가 가능하다는 것, 그리고 Idealism을 거부하는 철학을 주장했다.

삼십구년을 미국에 살면서도 스페인 국적을 포기하지 않고 노년을 구라파에서 보냈다. 그는 시와 종교의 해석[1900년 출판]에서 시와 종교는 생의 축전[celebration]이고 이들을 과학처럼 다루면 그 미를 잃는다고 했다. 시와 종교는 환경과 정신[psyche] 그리고 육신의 특성[traits]의 합작으로 의식에서 생겨 난다고 하였다. 시와 종교는 인간 가치의 표현이고 그 기원이 같다고 했다. 인간은 종교에서 최대의 환희를 맛보고 이상과 영혼의 전환을 추구한다고 말했다.

종교는 역사적으로 도덕적 의식과 시적 요소의 두 요소를 가지고 있고 도덕적 의식은 종교의 고귀한 측면이고 종교적 갈망의 근거라고 했다.

시적 요소는 자유로운 사상 세계의 극적 계기가 되고 그 아름다움과 상징으로 사람의 정신을 매혹할 수있다고 했다. 시적 요소를 이설[理說]로 보면 신화를 자연 현상으로 설명하려는 사이비[似而非]과학이 되고 만다고 하였다.

한편 그리스도가 실제 역사에 있었던 그리스도를 대표하는 것이 아니고 시적이고 상상적인 idea로 본다고 그는 말했다.

미국의 전통적 지성을 주로 구라파의 선험론과 칼빈주의[Calvinism]가 차지하고 있지만 현대 미국이 겪고 있는 공업과 기업의 발전 그리고 미식 축구등의 성공과 욕망에 맞는 철학이 되지 못하고 있다고 했다. 그는 실용주의 철학이 미국사회에 맞는 철학이 될 것이라고 보았고 사람들은 산타야나를 실용주의 철학자로 간주한다.

신에 대한 그의 설명을 들어 본다. 그리스에 있는 파르테논 신전 내부로 깊숙히 들어가도 아테네 여신을 찾지못할 것이다. 여신은 아테네 시민들의 마음속에 간직한 신의 의미와 가치의 상징이라고 말했다.

만약 하나님의 존재를 별이나 원소처럼 실체가 있다거나 어떤 힘을 가진 존재로 생각한다면 이것은 이미 종교적 문제가 아니라고 했다. 종교가 육성해야 할 세가지 성질은 경건, 자애, 그리고 정신성이라고 했다.

생을 가능하게 하고 이성이란 행복의 요소를 인간에게 준 자연에 대한 인간의 존경과 감사가 경건이고 이는 산타야나의 자연주의의 표현이다.

자애란 다른 사람들의 갈망을 너그럽게 받아 주는 도덕적 균형이고 정신성이란 명예, 권력, 돈과 같은 세속성과 광신[狂信]에 대립하는 정신을 의미한다.

산타야나의 소설 The last Puritan[1936]은 인기가 좋아서 그 인세로 그는 말년에 여유있는 생을 보냈다.

내용은 Puritanism 즉 청교도적 규율에 의하여 의무감 죄의식 등으로 묶인 올리버 알든의 비극적 생애와 죽음을 묘사한 소설인데 대조적으로 여행과 연애를 즐기는 재능 있고 자유로운 그의 친구 Mario를 등장 시킨다.

Santayana는 1905년과 1906년에 걸쳐 the life of reason이라는 여섯권의 저서를 냈다. 그는 플라톤과 아리스토텔레스의 생각을 받아 들였다. 인간의 행복한 생활은 타고난 충동과 이성이 조화를 이루며 발전할 때 생긴다. 이생각은 플라톤의 생각과 같다. 충동을 방치하면 짐승과 같이 될 것이고 이성의 관념화도 그냥 두면 병적 공상에 빠지기 쉽다.

그는 또 아리스토텔레스의 생각과 마찬가지로 관념, 이상등 모든것이 자연에 기초를 가지고 있고 자연적인 모든것은 관념적 발전을 한다는 자연주의를 받아들였다.

행복한 생활은 하나의 기술이고 공부, 훈련, 교훈 등에서 오며 인간 외의 어떤 권위로부터 오는 것이 아니다.

산타야나는 자기 자신을 일컬어 자연철학에서는 데모크리토스의 제자요 도덕 분야에서는 소크라테스의 신봉자라고 했다. 즉 물리적 세계의 운행이 어떤 섭리에 의한 예정이나 변증법적 이론 에 따라 이루어지는 것이 아니라는 데모크리토스의 원자론 사상을 공유하였다.

철학 전공자가 아닌 나의 견해를 말하면 그의 철학은 소크라테스, 플라토, 아리스토텔레스, 데모크리토스, Dogma를 빼고 난 기독교, 제임스의 실용주의, 현대과학의 수용등의 전시장처럼 보인다.

그는 상식적인 이성에[Reason in common sense]서 경험이란 감각, 정서, 관념, 그리고 충동이 뒤섞인 혼돈에서 시작하며 이 혼돈은 개인의 어린시절과 원시시대의 인간들에서 볼 수있고 이 혼돈이 인과관계등 연관을 지어 사고를 거치고 경험을 되풀이 하게 되면 신념이 되며 체계를 구성하게 되고 다른 경험을 지배하게 된다고 하였다.

또 자연은 무한대로 크기 때문에 자연에 대한 인간의 경험은 너무나 작다고 하였다.

Santayana는 [Reason in society]에서 세가지 사회 즉 자연사회, 자유사회, 이상사회를 논했다.

자연사회란 인간이 타고 나는 특정한 조건의 사회 즉 이미 정해진 부모, 시대, 국가, 언어, 문화 등을 말하며 인간이 타고 나는 특수성을 의미한다.

그러나 인간은 취미, 능력, 노력, 이상 등에 따라 상승할 수있고 선의 완성을 위해 노력할 수있는데 이를 자유사회라고 그는 이름 지었다.

마지막으로 이상사회란 아리스토텔레스가 말한 사색 관조의 생활 혹은 이데아를 명상하며 사는 것을 말한다. 산타야나는 무신론자였으나 종교에 우호적이었고 자신을 Aesthetic Catholic이라고 칭하였으며 말년을 수녀원에서 보냈다.

Bertrand Russell처럼 종교가 허위고 해롭다고 생각하지 않았다.

인류의 운명 | 12

[과정철학편]

아내의 칠십회 생일 기념으로 전 가족이 함께 여행가는 계획을 세우면서 아이들이 먼저 내 의견을 물었다.

나는 Mumbai얘기를 꺼냈다. 테러리스트들이 호텔 손님중에서 미국인, 영국인, 그리고 유태인들을 골라 내어 사살했다는 얘기였다. 미국인을 원수로 여기는 사람들이 있는 곳에 가능하면 가고 싶지 않았고 만에 하나 인질로 잡혀 갈까봐 두렵기도 했다.

내가 북구 여행중 9-11 테러 사건을 피터스버그에서 마지했고 미국 공항이 다시 열 때까지 낯선 이국 공항에서 방랑객이 된 경험이 있었다. 그 경험을 계기로 공항 검색도 싫고 해서 그 후로 나는 외국 여행을 하지 않았다. 관광을 못하면 사진과 책으로 보면 되지 하는 심산이었다.

실은 실물보다 전문가가 찍은 사진이 더 멋이 있는 경우도 종종 있다. 여행사를 통하여 가는 인솔 관광을 간다 해도 가는 나라의 문화나 인심과 인정을 피부로 배우기는 어차피 불가능한 것은 아닐까.

우여곡절을 다 설명하려면 길어지겠으니 결론을 말하자면 미국을 위협하는 테러리스트들은 주로 회교도들이고 그들에 대한 내 감정이 점점 나빠지는것이 슬프다.

일제 침략 당시의 독립지사를 연상시키는 그들의 억울한 사정과 그들이 약자인것을 인정하지만 실제 자살폭탄을 몸에 감고 나오는 어린 전사중에는 과격분자들에게 세뇌당한 무지몽매한 사람들이 많다고 믿기 때문에 불쌍한 생각이 든다.

열 몇살의 어린 나이의 전사도 있는데 그나이에 생명의 존엄성, 인권, 사상, 종교등을 알면 얼마나 알겠으며 자발적으로 순교한다고 하지만 정말 왜 죽어야 하는지 알고나 죽는지 의심스럽다. 일본 천황을 위하여 자폭했던 가미가제 특공대로 지원 산화한 어린 생명들도 지금 생각하면 개죽음과 다름이 없다.

종교는 역사적으로 많은 사람들에게 불가지[不可知]의 세계에 대

한 환상, 영생의 소망에 대한 희망, 부조리와 불평등에 시달리는 인생에게 위로를 주는 치료제였지만 동시에 종교가 수많은 전쟁과 분쟁의 원인이였는데 사랑, 평화 그리고 영혼의 구제를 가르치는 종교가 왜 반대로 전쟁의 원인이 되는지 이해하기 어렵다.

그 답은 독자들에게 맡기고 미국의 철학 얘기로 돌아간다.

Alfred North Whitehead[1861~1947]는 영국 태생으로 1924년 하바드 철학교수로 초빙된후 1937년까지 하바드 대학에서 강의를 했다.

자기가 죽은 뒤 자기가 쓴 글들을 모두 태우라는 유언을 남겼고 유언대로 가족들이 실행에 옮겼다는 일화가 있다.

그는 교회에 나가지 않았고 아브라함의 신을 믿지 않았지만 유신론을 옹호하였다. 그는 또한 새 Liberals들의 정치적 그리고 사회적 이념에 동조하였다. 그가 Bertrand Russell과 Principia Mathematica를 공저한 저명한 수학자로 시작하여 후에 철학자가 된 사실도 잘 알려져 있다.

그의 철학을 Process Philosophy 또는 philosophy of Organism 또는 Process Theology라고도 하는데 그 정의부터 설명해야겠다.

그러기 위하여 classic ontology[고전적 존재론]를 소개한다. 플라토와 아리스토텔레스 이래로 철학자들은 주로 true reality는 영원 불변이라고 믿었고 이것을 고전적 존재론이라고 한다. 즉 불변하는 본질이 있고 변화는 accidental이라는 것이다.

이에 비하여 process philosophy에서는 변화가 환상 혹은 accidental이 아니고 현실[reality]의 기본 또는 원리라는 것이다. 베르그송, 퍼스, 듀이, 하이덱거, 니이체, 헤겔, 쇼팬하우어, 스피노자 등 많은 근대 철학자들이 이 존재론을 지지한다.

다른 말로하면 생성[becoming][生成]의 존재론이라고도 하며 변화와 역동[change and dynamism]이 존재의 법칙이라는 것이다.

붓다가 설한 무상 즉 우주의 모든 것이 항상 변하여 한 순간도 머물러 있지 않으며 인연에 따라서 이 변화가 이루어진다는 가르침과 같다. Whitehead는 이미 quantum mechanic이론이 알려진 이후의 철학자였으므로 아인슈타인에게 이미 무너진 뉴턴 물리학을 떠나 process philosophy를 전개하는데에 어려움이 없었을지도 모른다.

뉴턴은 물질의 입자들이 특정한 순간에 특정한 점에 존재하고 본래 가지고 있는 특성에 의하여 존재한다고 하였다. Whitehead는 그런 입자가 이세상에 존재하지 않는다는 것이다.

모든 존재와 사건은 항상 생기[生起]하고 변화하고 멸하며 성질은 여러 관계에 의하여 결정되는 것이지 고립된 독립적 존재는 있을 수 없다고 하였다. 모든 것은 서로 다른 것에 침투하고, 다른 것에 의하여 침투당한다고 하였다. 모든 존재는 내재적 본질적 현실과 우유적[偶有的] 현실을 가지고 있다.

따라서 우주는 성격과 형식이 서로 관계하고 계속 변화하고 있는 유기체[有機體][organism]와 같다. 여기에서 Philosophy of organism이라는 말이 생겼다.

모든 존재와 사건들이 다른 존재와 사건들 속으로 침투하고 그 자신들도 다른 존재와 사건들에 의하여 침투당하고 있다는 Whitehead의 생각은 화엄경의 philosophy of interpenetration과 용수의 사상 그리고 원효대사가 설한 사상 즉 만물이 마치 고기 그물처럼 서로 연결되어 있다는 philosophy of oneness와 같다.

나는 Whitehead의 철학중에서 이 부분을 읽으며 불경을 읽고 있는 듯 한 착각을 할 정도로 불교 철학을 닮았다.고 생각하였다. 그는 신이 제일 원인 즉 최초의 창조자라는 생각을 버렸다.

또한 그가 우주의 자유의지[인간의 자유의지를 포함한]의 존재를 인정하기 때문에 신이 전능하다거나 우주가 완성된 자연이라는 생각을 부인할 수밖에 없었다.

하나님[신]이 다른 현실적 존재보다 더 광대한 현실적 존재로서 세계의 모든 부분에 침투하여 잡고 있고 나머지 세계도 신을 잡고 있다.

그의 철학중에 이 부분을 萬有在神論[panentheism]이라고 할 수 있다. 그의 과정철학에 의하면 우주의 근본적 요소[fundamental elements]는 경험[occasions of experience]들이다. 따라서 정신과 육체로 분리하는 이원론을 수용할 수 없다. 그는 정신이란 very developed experiencing이라고 설명하였다.

인간이 사고의 영역을 확장하던가 새 철학 사상을 설명하려면 새 언어를 창조하든가 원래 있던 단어의 의미를 넓히든가 해야만 가능하다. Whitehead는 experience라는 단어의 의미를 확장하여 쓰기로 하였다.

인간의 experience처럼 다양하지는 않지만 개나 침판지같은 동물에게도 experience가 있다는 것을 우리는 안다. Experience는 하급 동물인 곤충에게도 있는데 예를 들면 개미는 냄새로 벌은 특유한 벌춤 [dancing]으로 서로 소통하는것을 관찰할 수있다

더 내려가서 단세포 아메바도 위험이 다가오면 피하고 먹이를 찾아 접근하는 등 인간과 같은 의식은 없어도 경험을 한다.

인간이 자기의 경험외에 남의 경험을 알지 못하듯이 동물, 곤충, 다세포 생물의 경험을 알지 못한다고 해서 그들에게 경험이 없다는 생각은 잘못된 생각일 것이다. 또 experience라는 말에 feeling 또는 emotion이라는 의미까지 부과 확장해서 쓸 수 있을 것이다.

아메바의 경험같은 단순한 경험이 고등 동물 그리고 인간의 복잡한 경험으로 발전하는 것이 아닐까 라고 whitehead는 생각했다. 경험이 인간에게만 불어 넣은 것 즉 이원론에서 말하는 supernatural reality가 아니라면 경험은 세계 만물에 두루 퍼저 있다고 생각하는 편이 더 합리작 이 아닐까라고 그는 생각했다.

좀 더 상상을 확장하면 전자 양자 중성자 subatomic particle까지도 경험을 가지고 있다고 상상할 수있다고 그는 생각했다.

이 입자들이 spatial-temporal experience를 가졌고 주위 세상과 vectored emotion을 가졌으며 그 에너지를 physical feeling의 transmission이라고 생각할 수 있지 않을까 하고 그의 상상을 넓혔다. 그러면 돌 의자같은 물체들은 왜 인간처럼 마음이 없느냐는 의문이 생길 터인데 그는 돌이나 의자같은 물체들은 organize된 정도가 electron정도밖에 안되므로 복잡한 experience를 하지 못한다고 했다. 인간이나 동물은 신경조직을 포함해서 하나의 독립된 개체로서 경험을 통합하고 반응할 수 있도록 organize되어 있다고 설명하고 있다.

이처럼 Whitehead는 정신과 육체뿐만 아니라 Quantum Mechanic에서 나오는 subatomic particles 까지도 포함하여 experience라는

unified field에서 생성의 과정을 설명하려 한 것이다.

생성의 존재론을 설명하는데에 experience라는 단어의 의미를 확장하여 만물의 생성과정을 통일된 장[field]에서 설명하려고 시도했다는 점에서 그의 철학이 평가되어야 한다.

Process theology에서 God의 설명은 여러 학파로 갈리어 설명이 길어지므로 Whitehead의 것만 가단히 소개한다.

그는 이 세상의 모든 가능성과 자유를 설명하려면 신이라는 개념을 포함하지 않을 수없다고 했다. 그러나 그의 신은 초자연적이 아니고 원칙을 초월한 신도 아니며 오히려 모든 법칙의 모범[example]이고 relational process중에 예외가 아니라고 했다. 그의 신은 전지전능하거나 일방적으로 행사하는 권능[power]도 아니다.

이 신은 세상에서 일어나는 모든 일을 알고 있으나 미래는 생성으로 생겨나기 때문에 미리 알 수가 없다. 또한 신은 사랑 이기 때문에 인간과 같이 고통을 받는다.

잠깐 생성의 존재론에 대비되는 창조설을 소개하고저 한다.

우주만물이 신에 의하여 무에서 창조되었다는 창조설중에서 아브라함의 신과 알라신의 창조설이 대표적이다. 창조설이 옳고 옳지 않고를 논하는것은 다른 기회로 미루고 다만 창조설에도 이십여가지의 다른 설이 있다는 것과 그중에서 일부만을 소개하고저 한다.

Young earth creationism; 창세기에 적힌대로 지구가 생긴지는 육천년이 조금 넘었고 모든 생물은 육일간에 창조 되었으며 아담과 이브 그리고 노아의 홍수 얘기등을 모두 믿는다.

Old earth creationism; 지구의 나이등에 관한 지질학적 과학적 견해를 수용하나 창조설을 믿고 진화설을 반대한다.

Theistic evolution; christian darwinists; 신이 인간의 영혼을 창조했고 신이 진화로 창조를 계속하고 있다. 우주와 지구에 관한 과학적 발견과 발전을 다 수용한다.

Evolutionary creationism; 창세기의 인간 창조를 믿고 진화와 과학을 다 수용한다. 아담은 첫 인간이 아니고 처음 영적으로 눈을 뜬 인간이다. Theistic evolution과 가까운 설이다.

Intelligent design; 진화론을 반대하는 여러 분파들의 umbrella가 되고 있는 설로 우주와 인간의 무한한 복잡성을 설명하려면 신의 계획설계[design]없이는 불가능 하다는 설이다. 이 설을 믿는 사람중에는 부분적으로 진화를 수용하는 사람도 있다.

또 다른 세계에서 생물이 지구에 도래하여 진화를 시작했다는 설; 외계에서 지구에 정착한 분이 신이였다는 설; 아직도 지구가 편평하다든가 지구가 우주의 중심이라고 믿는사람도 있으며 지구의 역사는 성경에 기록된대로 육천년 조금 넘지만 과학자들에게 수십억년으로 보인다는 설, 창세기 당시의 하루는 수천 수만 또는 수억년도 될 수 있다는 설, 창세기 설화는 비유이므로 햇수를 따질 필요가 없다는 등 설이 많다.

Whitehead의 Process of philosophy 일명 Ontology of Becoming의 영향은 광범위한데 의학 특히 정신 건강의 치유에 대한 개념에 변화를 가져왔다.

즉, 정신병의 치유가 병이 완전히 낫다고 생각하던 개념으로 부터 문제가 있는 그 개인이 속한 사회와 균형을[Individual in balance with their society]잡고 있는 상태라는 개념으로 변한 것이다. 왜냐하면 개인이나 그가 속한 사회가 계속 변화하기 때문에 치료가 완료된 상태라는 고정관념은 부적절한 것이다. 과정철학은 수없이 많은 경험[experience]과 마음으로 구성된 과정의 철학이라고 해서 일명 psychialism또는 panexperientialism이라고 불린다.

과정철학의 원조를 서양에서는 만물은 유전한다 라는 명구를 남긴 Herakleitos라고 하고 동양에서는 연기설을 설한 붓다라고 주장한다는 사실을 부언한다

Whitehead가 남긴 명구를 한 절 소개하고 끝을 맺는다.

“There are no whole truths;All truths are half truths.”

인류의 운명 | 13

외계에서 보는 지구와 자연은 모두 아름다운데 사람의 행위에는 추한 행위가 많다. 추한 인간의 탐욕 때문이다. 이를 Human Nature라고 하기도 한다.

이천팔년 들어서 시월까지 소말리아 공해상에서 해적들에게 납치된 배가 팔십여척이고 지불한 몸 값이 오천만불이 넘는다. 해적 두목들은 호화판으로 산다고 한다. 그들 배후에는 거대한 회교도 폭력 조직이 있고 흥정을 중개하는 보험회사들도 있다고 한다.

납치당한 가족들의 근심어린 표정을 보면서 내가 이십일세기에 살고 있는지가 의심스럽다.

청렴 결백하다던 노무현 전대통령 까지 돈 때문에 추한 꼴을 보였다. [이글은 노무현 전대통령 서거전에 쓴 것이다.]

추의 반대말은 미인데 산타야나는 Pleasure regarded as quality of a thing라고 했다.

Chris Land는 신이 인간에게 도덕에 대한 감각을 주었듯이 미에 대한 감각을 주었다고 말했다. 거짓이나 훔치는 것을 추하게 여기는 생각은 타고 난다고 그는 말했다. 맹자의 성선설에 가깝다.

누구나 친절을 경험하면 착하고 참되며 아름다움을 느끼는데 진선미는 서로 통하기 때문이다.

영어로 Truth라는 말은 진리인데 참보다 진리란 말이 더 마음에 든다. Truth의 정의를 보면 Honesty, Goodfaith, Sinncerety, Trust, Faith-fullness, Veracity, Fact, Reality, Legality 등 많다. Truth의 철학적 의미는 너무 긴 얘기가 될 것이므로 상식적인 정도에서 소개할까 한다.

우선 진리란 주관적, 객관적, 절대적, 상대적 진리 등으로 분류하기도 한다.

또 일치설[Correspondence theory]이 있는데 진리란 어떤 사건과 실체가 일치하는 것이라는 것이다. 이 설은 고전적 철학자 소크라테

스, 플라토, 아리스토텔레스등의 설인데 실제로 사건과 실체가 일치한다는 것을 어떻게 판단하고 증명하느냐가 문제가 된다.

토마스 아퀴나스는 "Truth is equation of thing and intellect."라고 했다.

Coherent theory는 體系안에 있는 모든 요소가 일관되고 이치에 맞는 것을 진리라고 할 수 있다는 설인데 스피노자, 논리적 실증주의자들의 설이다.

진리란 사회가 만들어 낸다는 설도 있다. Vico는 Truth itself is constructed라고 말했다. 이를 Constructivist theory라고 하며 진리란 사회적 경험, 인간의 지성, 전통 등에 의하여 만들어 진다는 것이다.

동양에서는 진리를 道라고 표현하는 경우가 많다. 그 이유는 아마 진리의 철학적 분석과 해석보다 인간이 바르게 사는 실천도덕에 주로 관심을 두었기 때문일 것이다.

그 예로 공자는 朝聞道 夕死可矣라고 했으니 아침에 도를 들으면 저녁에 죽어도 좋다라는 말이며 도를 지상으로 생각한다는 말이다. 또 노자는 도덕경에서 道可道 非常道라 했다. 의역하면 도를 말로 옮기면 상도가 아니다라는 말이겠는데 그 의미는 각자가 푸는 것이 낫겠다.

Pragmatic theory는 C.Pierce, W. James, John Dewey 등 실용주의자들의 생각인데 진리란 어떤 관념을 실제로 적용하여 나온 결과를 가지고 확인한다는 것이다. 다른 말로 표현하면 W. James는 진리란 실용성이 증명된 가치에 있다고 했다.

Minimalist theory는 2+2=4 is true라고 말할 때 2+2=4면 충분하며 is true라는 술부는 없어도 그만이라고 생각하는데 Deflationary theory 또는 Disquotational theory라고도 한다.

결혼식에서 신부가 I do라고 하는 말의 의미는 남자를 신랑으로 모시고 살겠다는 사실을 묘사하는 truth가 아니고 결혼에 동의한다는 뜻이니 이를 Performance로 본다는 설이 Performance theory다. 분야별로 논리학에서 말하는 진리, 수학에서의 진리등을 알아 볼 수 있지만 생략한다.

몇몇 성인과 철학자들이 남긴 진리에 관한 명구를 소개한다.

아리스토텔레스; "To say what is that it is not or of what is not that it is, is false while to say of what is that it is, and what is not that is not, is true."

앞에서 언급한 바 있지만 철학에서 말하는 진리와 종교에서 말하는 진리는 때로는 다른 의미로 쓰인다. 예를 즐면 도는 사람이 걸어가야 할 길이라는 의미에서 진리다.

예수께서 가라사대 내가 곧 길이요 진리요 생명이니 나로 말미암지 않고는 아버지께로 갈자가 없느니라.[요.14~6]

붓다는 諸行無常 是生滅法 諸法無我 涅槃寂靜을 설했다. 모두가 무상하니 나도 무아요 내가 무아면 열반에 이른다는 것이다.

토마스 아퀴나스는 신의 지혜[Divine intellect]와 인간의 지혜 그리고 자연이 일치[conform]할 때 진리라고 했다. 인간의 지혜가 Essence와 Existence에 도달 할 수 있는 능력이 있다고 하였다. 인간의 지혜가 하나님의 지혜앞에는 보잘 것 없다는 사도 바울 보다 인간의 지혜를 격상한 셈이다.

칸트는 말했다. "Truth consists in the agreement of knowledge with the objective."라고 사람들은 말한다. 즉 대상에 대한 자기지식이 대상과 맞을 때 진리라고 말한다. 그러나 대상은 내 밖에 있고 지식은 내 안에 있으므로 결국 대상에 대한 내 지식이 대상에 대한 최신의 내 지식과 같으냐는 문제 밖에 안된다.

이것은 언어상의 정의[Verbal definition]에 불과하며 Real definition과 구별하여야 한다고 했다.

중용[中庸]에 天命之謂性이라 했는데 성이란 하늘이 명한 것이라는 말이다. 順天者存 逆天者亡은 맹자의 말이다. 그 뜻은 하늘을 따르는 자는 살고 하늘을 거스리는 자는 망한다는 의미다. 그러면 하늘이란 무엇인가. 정의하기가 쉽지 않지만 하늘은 자연 혹은 우주의 법, 도리 혹은 원리, 신, 창조주, 최상의 선 또는 도덕, 진리 모두를 의미하는 것 같다.

하늘이란 말은 특정 종교의 특정 신을 지정하는 의미가 전혀 없기 때문에 특정한 신에 귀의하지 않은 유신론자나 일반 무신론자들에게

거부감이 없어서 좋다.

실존주의자 키에르케갈은 “Truth is subjectivity.”라고 했다. 이 말은 그가 과격한 주관주의를 주장 했다기보다 인생에 대한 객관적 성찰이 그의 인생에서는 별 의미가 없었다는 뜻이다. 즉 누군가가 내 인생을 객관적으로 분석하여 어떤 결론을 내렸다고 쳐도 그 결론이 내게 큰 도움이 되는 것이 아니라는 것이다.

그는 Objective truth는 Person's being에 관한 것이고 Subjective truth는 Person's way of being에 관한 것이라고 하였다. 이어서 그는 While objective truths are final and static, subjective truths are continuing and dynamic하다고 하였다. 내가 걸어갈 길이 대상으로서의 내 존재보다 더 중하다는 것이다.

주관적 경험은 항상 생성[becoming]의 과정중에 있다고 말하였다. 그는 이론이나 객관적 지식으로 실존의 진리를 알아 내려는 계통적 철학자들을 비난하였다.

Human truth는 끊임 없이 생성하는 과정이고 자기 실존에 관한 주관적 경험을 떠날 수 없으며 주관적 경험은 개인 인생에서 얻는 가치와 기본 본질[fundamental essence]에 의하여 규정된다.

Truth는 때로는 진리라는 뜻으로 때로는 사실이라는 뜻으로 섞어 쓰고 있다는 것을 여기서 말해 두고 싶다.

니체에 의하면 진리에 대한 탐구나 의지는 힘에 대한 의지[Will to power]의 결과라고 한다. 진리는 힘에 대한 의지를 향상하는데 써야 한다고 니체는 말했다. 만약 진리가 아니라도 우리 인생을 더 좋게만 할 수 있다면 진리보다 낫다는 것이다. 개인이나 인류를 발전 그리고 보존하는데 그 것이 얼마나 기여하느냐가 중요한 것이라고 그는 말하였다.

그에게 절대적 진리는 없고 보편 타당한 constant도 없으며 힘에 대한 의지[will to power]가 진리라고 하였다.

그는 진리란 유동적인 隱喩와 換喩들이고 개인 혹은 집단의 지위의 보장과 안정 등을 위한 집단적 발명품에 불과하며 실용적 목적으로 지어낸 것이라고 말하였다.

나는 니체의 진리가 진리의 전부는 아니지만 일부 우리 생활 신조에 도움이 된다고 생각한다.

Eric Fromm[1900~1980]은 심리학자이고 psychoanalyst였다. 콜럼비아, 미시간, 뉴욕 대학 등에서 교수를 역임했다.

인간이 선악을 구별할 수있는 능력을 Virtue라고 말하면서 따라서 아담과 이브가 선악과를 먹고 선악을 구별하게 된 행위를 저주받는 원죄로 규정하는 것에 대하여 반대하였다. 그는 인간의 이성 ,창의력, 상호 관계로부터 생겨난 사랑으로 도덕적 가치를 확립하고 행동하는 덕을 찬양하였다. 프롬은 절대적 진리를 논란하는 일이 무의미하다고 생각하고 대신 Optimal truth를 강조하였다.

진리란 자기의 환경을 지능적으로 파악하여 습득하는 생존의 법칙 또는 명령이라고 그는 말했다. 즉 진리는 현실에 대한 기능적 근접[Functional approximation] 이라고 했다.

완전과 불완전, 그리고 절대와 상대같은 이분법이 과학 전반에 널려있지만 절대적 진리는 없으며 객관적으로 보아서 타당한 법과 원칙이 있을 뿐이라고 했다.

과학의 역사는 불완전하고 틀린 결론의 역사다. 새로운 결론이 나오면 그때까지의 결론의 부당함을 인정하고 새로은 결론이 수립된다. 그리하여 인간 思考의 역사는 진리에 점점 가까워지는 역사다.

각 문화는 진리의 다른 면을 강조하므로 문화의 교류가 문화간의 차이를 화해, 흡수, 통합하여 진리에 더욱 접근할 수 있다고 프롬은 말했다.

후에 Benedict 십육세 교황이 된 Joseph Ratzinger는 인간이 이성으로 진리에 도달할 능력을 가지고 있다고 인정하고 자연과학의 성취가 그의 생각을 뒷바침한다고 말했다.

라찡거의 말은 하나님의 지혜앞에 인간의 지혜를 무시하던 신학에서 많은 발전을 한 것이다.

이어서 그는 인간의 이성으로 종교를 알아낼 능력이 없다고 Kant는 말했지만 그런 견해는 종교를 병적 위험에 빠뜨릴 수 있다고 말했다. 또한 인류 멸망을 가져올 수도 있는 환경오염에 대한 대책도 병들게

할 수있다고 그는 말했다.

진리와 사랑은 같은 것이고 이것만이 관용을 보증할 수 있다고 그는 말했다.

Jean Baudrillard[1929~2007]는 불란서 철학자이며 그는 진리란 무엇인가 있는 것 처럼 가장[simulate]하는 것이라고 했다.

마치 진리가 있는 것처럼 가장한다는 것이다. 예로 감옥은 사회가 자유롭다는 것을 가장하고 독직 추문은 부패가 없어진 것처럼 가장한다고 했다.

진리에 관한 마지막 얘기는 Religious Truth 와 Scientific Truth가 충돌하는 경우가 되겠다. 예를 들면 카톨릭 교리와 과학적 진리와 충돌이 생겼을 때 Galileo의 경우에는 과학적 진리를 교회의 억압으로 처리했다.

때로는 두 진리를 다 수용하여 공존하는 경우도 있었다. 현재 로마 카톨릭 교회는 모든 과학적 진리를 수용한다.

그러나 Christian Fundamentalist들은 과학자들이 종교적 진리를 받아들이기를 주장하여 갈등이 계속되고 있다.

나는 어느편이 옳다고 여기서 말하고 싶지는 않다.

아인슈타인의 말을 빌려서 내 말을 대신하고 싶다.

"Science without religion is lame.Religion without science is blind."

인류의 운명 | 14

모짜르트, 바이론, 반-고등 천재 예술가중에 요절한 분들이 많고 저명한 철학자중에 장수한 분이 많은 것은 우연이 아닐 것이다.

혈기 왕성한 젊은이에게서는 정서적 창조력을 기대하고 성숙한 사고를 기대하기가 어렵다는 것이 그 이유중의 하나라고 나는 생각한다.

인간의 기억력은 이십대에서부터 줄기 시작하나 사고와 판단은 늦게까지 유지되기 때문에 공자도 五十而知天命 六十而耳順 七十而從心 이라 했다. 귀에 거슬리는 말이 없이 세상의 말을 받아 줄수 있는 도량을 가지고 마음이 내키는 대로 행동해도 도리에 어긋나지 않는 경지란 나이가 들지 않고는 보통 불가능한 일일 것이다.

붓다의 四苦中 生老病死의 노 즉 늙음도 젊었을 때는 강넘어 불구경하듯 했는데 내가 칠십을 넘기고 보니 정말 그 고통을 깨닫게 되었고 부모님들의 노년에 무심했던 내 불효를 이제서야 깨닫는다.

노인들은 한평생 쌓은 지혜와 늙음의 고통을 가슴에 묻은 채 노병이 사라지듯 사라진다. 늙은이가 안다고 부르짖어야 귀담아 듣는 젊은이가 없고 들어야 이해 못할 것을 알기 때문에 침묵을 지킨다.

그래서 젊은이들은 늙으면 노인들이 경험했던 trial and error를 되풀이 한다. 그리고 세상은 언제나 젊은이의 세상으로 남는다.

내가 인류의 운명을 걱정해도 늙은이의 잔소리로 들릴지도 모른다.

미국 철학으로 다시 돌아가 Frederick James Eugene Woodbridge [1867~1940]는 한때 신학교를 다녔던 미국 철학자로 미네소다, 콜럼비아 대학교수로 있었다.

실재론과 자연주의 철학자이며 아리스토텔레스의 철학을 미국에 부활시켰다. 본인 자신이 자기 철학은 아리스토텔레스, 스피노자, 록크 세사람의 합작품이라고 했고 자신을 인도주의자와 자연주의자라고 불렀다.

그는 아놀드의 말을 인용하여 사물은 현재 있는 그대로가 본성이고

장차에는 그때가서 변하는 그대로가 본성이라고 했다.[실재론]

세계는 우리 생각에 앞서 있으며 우리 사유의 산물이고 우리 인식이나 사유가 변형하거나 파괴하지 못한다. 인식은 인식될 수 있는 것을 인식하는 지적 관조라고 했다. 우리가 관찰하는 것은 관찰한 만큼 실재적이다 라고도 했다.

이말은 산은 산이요 물은 물이다 라는 말을 상기시킨다.

우드브릿즈의 Structure and Activity[구조와 활동]는 그의 독창적인 생각이고 다른 철학에서 빌린 것이 아니다. 자연은 수많은 구조 예를 들면 물리적, 화학적, 생리학적, 정신적구조 등 천차만별의 구조들이 그 안에 있다. 구조는 원인이나 動因이 아니고 활동력도 없다. 구조는 아리스토텔레스의 質料와 같다. 활동[Activity]은 구조와 관련이 있고 그 활동으로 달성하는 목적을 가지고 정의될 수 있다. 목적론을 잠깐 설명하면 자연은 정해진 특수 목적을 지향하여 달성하는 변화의 세계라는 것이 자연적 목적론이다.

기예[arts]는 자연이 제공하는 목적론적 기회를 인간이 이용하는 것이다.

자연의 목적들은 때로는 인간에게 유익하고 때로는 파괴적이다. 자연중에서 의식의 탄생과 種의 진화에 발견되는 합리성은 인간에게 발전을 가져운 자연적 목적론의 한 예다. 반대로 자연의 목적이 파괴적인 목적일 때에는 인간은 이들과 싸우지 않으면 안된다.

자연은 방향이 다른 많은 목적을 가지고 있고 통일적인 계획은 전혀 없다고 그는 믿었다.

역사 철학에 관하여 그는 과거는 현재의 원인이고 현재는 미래의 원인라고 생각하면 안된다고 하였다.

우리는 과거가 제공하는 재료에다 가능한 한도내에서 재건하거나 변형시킨다. 우리는 가능한 한계 안에서 재료들을 다루는 방법을 선택한다. 현재의 이 활동은 재료들이 전에 지녔던 것을 과거로 밀어 넣는다.

그래서 과거로부터의 유산은 쉴새 없이 변형되며 새로운 것이 나타나고 연속성이 유지되며 그의 말대로 세계는 항상 새롭고 항상 낡

왔다.

위로 하늘과 아래로 땅, 물을 탐구하고 발견되는 것은 어떤 것이든지 받아들일 준비가 되어 있는 사람을 자연주의자라고 하며 우리는 자연에 관하여 자연주의적 이론을 가져야 하고 인간에 대해서는 휴머니즘의 이론을 가져야 한다고 그는 말했다.

인도주의 없는 자연주의는 야수화 되기 쉽고 자연주의 없는 인도주의는 감상에 흐르기 쉽다.자연주의는 발명, 공업과 산업의 진보, 효율 등 수단에 관심을 두게 되고 인도주의는 목적에 관심을 가진다고 그는 말했다.

자연주의와 인도주의의 결합이 균형 잡힌 철학을 낳는다는 것이다.

John Dewey[1859~1952]는 죤스 합킨스 대학에서 헤겔을 연구하고 주로 미시간, 시카고, 컬럼비아대학 등에서 강의하였다.

Pragmatism[실용주의]의 창시자 세사람중의 하나로 알려졌지만 듀이 자신은 자기의 사상을 Instrumentalism[기구주의]이라고 칭했다. 그는 이십세기 전반에 미국의 교육 제도의 개혁에 선구자 이기도 하다.

교육과 시민의 계몽이 민주주의에 절대로 필요하다는 것을 역설하고 Hand-on교육을 강조하였다. 그는 자기 철학을 기구주의외에도 경험론적 자연주의 또는 자연주의적 휴머니즘 등으로 불렀다. 이점에 있어 우드브릿즈와 생각이 같다.

Functional Psychology에서 자극을 감각이 받아서 반응을 일으킨다라는 종래의 설을 그는 수정하였다. 만일 전에 같은 자극을 받아 본 경험이 있으면 그 자극에 대한 반응이 증폭되어 반응이 조정이 된다고 그는 수정하였다.

헤겔이 듀이에게 끼친 영향도 컸지만 다윈의 진화론과 제임스의 심리학의 영향을 받아 생물학적인 자연주의 철학으로 변하였다.

그는 역사적 과정이란 계획된 것이 아니고 부단하게 변화하는 많은 요인들의 상호 작용이라고 했다. 이는 예정설에 위배된다.

따라서 생명도 상호작용의 한 예인데 생명체가 자신에게 작용하는 요인들을 자신의 보존 및 전진을 위한 수단으로 전환하는 상호작용의

예인 것이다.

유기체는 이 과정에서 예기하지 못했던 어려움과 충동의 좌절을 경험하고 죽어 나가든가 번성하든가 한다.

그는 자연이 상호작용을 하는 물건들의 집합 명사라고 했다. 자연은 변역[變易]으로 가득하고 동질적인 것이 아니다. 자연은 안정과 불안정, 질서와 혼동, 완성과 미완성, 전형적인 것과 특수한 것들이 공존하고 있다.

제임스와 듀이의 종교관은 대조적이다. 종교적 過信이 없는 인생은 깊이나 재미가 별로 없다고 제임스는 말했다. 신이 있는지 없는지 또는 자기 신앙이 바른 신앙인지 아닌지 확증이 없어도 신앙에 뛰어들어 믿다 보면 성공하는 경우가 많고 신에 대한 확증이 생긴다고 1897년에 출판한 Will to believe라는 강의에서 제임스는 주장했다. 한마디로 믿어 봐야 확신이 생긴다는 설로 비판을 많이 받았는데 비판들을 생략한다. 그러나 현실적으로 내가 고려시대에 태어났으면 불교를 믿었을 것이고 중세기 구라파에 태어났으면 카톨릭 신자가 됐을 것이며 아랍 무슬림 국가에 태어났으면 회교도가 되는 수밖에 달리 무슨 수가 있었겠는가.

듀이는 사람들의 신앙 생활을 존중하지만 본인은 고정적인 신은 믿지 않는다고 했다. 그는 과학적 방법만이 인류 복지를 증진할 수 있는 신뢰할 도구라고 믿었다. 그는 Militant Atheism을 거부했으나 전통적 종교 입장에서 볼 때 무신론자였다.

그는 실용주의를 설명하기를 진리란 관념과 사실이 일치하는 것이다라는 점에서는 다른 철학과 다른 바가 없으나 다른 점은 관념과 사실의 일치가 시간과 관계없이 성립하는 정적인 것이 아니라는 점이다.

기구주의라는 것은 개념이나 이론 등이 하나의 Tool이며 이 Tool의 가치는 그것이 진리냐 허위냐에 달린 것이 아니라 얼마나 효과적이냐에 달려 있다는 것이다.

교육과 사회 생활의 관계는 생명체의 생리와 영양이나 번식이 가지는 관계와 같다고 하여 듀이는 교육의 중요성을 강조했다.

교육이란 Communication을 통한 Transmission이며 경험을 공유

할 때까지 경험을 나누는 것이 Communication이라고 했다. 권위적이고 엄격한 교육은 지식 전달에 너무 중점을 두어 핵생들의 경험을 이해하지 못하기 쉽기 때문에 실습과 Hand-on 경험을 중요시 했다.

그는 인도주의를 정의하였는데 인도주의는 인생의 폭을 넓히고 자연과 자연과학을 인간의 복지를 위하여 유용하게 사용하는 것이라고 했다.

많은 사람들이 듀이가 미국 Liberalism의 집대성처럼 말하고, 공산주의자들은 그의 반 스탈린 운동 때문에 그를 공격했으며, 어떤 사람들은 그가 과학과 종교간에 갈등을 악화했다고 비난했다.

언론에 끼친 그의 막대한 영향을 생략하고 그의 도덕 철학 Theory of Valuation을 소개한다. 자연에서 보는 모든 도덕적 성격은 다른 성격 예를 들면 물리적 특성 처럼 고유한 것이지만 그 가치가 고유한 것은 아니라고 듀이는 말했다. 도덕적 가치 판단은 고유한 것이 아니고 객관적인 판단을 거쳐서 평가된다는 것인데 이를 Theory of Valuation이라고 한다. 따라서 자연적 선이 있지만 인식적 경험과 반성의 과정을 거쳐 성숙한 판단으로 도덕적이라고 판정된 선 만이 바람직 한 선이라고 하였다.

즉 선이란 변함 없는 특성이 아니고 상황에 따라 변하는 상대적인 것이며 객관적 판단으로 그것이 도움이 된다고 인정되면 선이 된다는 것이다.

선이 상대적이라는 말은 선이 신의 계시라는 말과 상치하고 불변하는 절대적 선을 부정하는 것이다.

듀이는 소금의 예를 들었다. 소금 자체도 어느 정도 좋은 식품의 하나로 인정할만 한 가치가 있지만 음식에 넣어 간을 맞출 때에 최선의 가치를 음식에 기여한다.

소금처럼 선도 상황에 따라 기여도가 변한다는 상대성을 설명한 것인데 동기가 같으면 도덕적 가치가 같다는 칸트의 절대적 도덕적 가치설과 대조적이다.

15 | 인류의 운명

벌이 없으면 인류도 지상에서 사라질 것이라고 아인슈타인이 말했다고 한다. 2006년에 미국내 벌의 수가 반으로 줄었고 그 원인이 바이러스 감염으로 인한 벌의 방향감각 상실 때문이였다는 설이 있다. 벌의 소중함을 아는 사람들이 벌의 생존에 관해서 걱정을 많이 했다.

사람들은 벌에 쏘일 까봐 도망치기에 바쁘지만 그 벌이 농작물 수정의 칠십프로를 맡고 있다고 하니 인류의 생존에 벌이 얼마나 중요한 역활을 하는지 놀랍기만하다. 지구의 생태계는 그만큼 상호 의존하고 있다.

살충제와 전자파의 피해로 벌들이 생존에 위협을 받고 있는 사실도 잊어서는 안되며 인위에 의한 생태계의 재앙을 막아야 할 것이다.

최근 Swine Flu로 세상이 떠들석 했는데 지상의 모든 생물이 생존에 서로 얽혀 있어서 벌같은 미물의 안녕 복지도 인류의 안녕복지와 끊을 수 없는 고리로 연결되어 있다는 사실을 잠시도 잊어서는 안된다는 메세지를 우리에게 주고 있다.

사람이 만물의 영장인 것은 사실이나 그 삶이 작은 벌에게까지도 얼마나 의존하고 있는 지 알아야 한다.

Greenhouse Effect[온실효과]를 살펴 본다. 온실 효과란 지구를 둘러싼 대기안에 존재하는 수증기, 이산화탄소, 산화질소, 메탄가스등이 적외선의 열을 흡수하고 방출하여 지구 온도의 평형을 유지하는 기능을 말한다.

온실 효과가 없으면 지구의 평균 기온이 현재의 섭씨 14도에서 영하 18도로 내려가고 밤에는 전지구의 온도가 내려가 지구에 생물이 생존할 수가 없다.

태양 에너지의 약 50프로가 지구까지 도달하고 그중 30프로가 반사되며 70프로가 흡수되어 지구, 대양, 대기를 데운다. 지구 표면에서 반사되어 지구 대기에 흡수되는 열에너지로 지구가 더워지는 현상을 온실효과 라고 한다.

대기층이 두꺼운 Venus는 온실 효과로 인하여 너무 뜨거워 생명이 존재할 수가 없고 대기층이 엷은 Mars는 너무 추워서 생물이 살 수가 없다.

지구만이 알맞은 두께의 대기층 덕택으로 온실효과가 살기에 알맞은 온도를 유지하여 생물이 살고 있으니 살기에 알맞는 두께의 대기층이 지구를 덮고 있다는 사실이 기적이랄 수 밖에 없다.

가시광선이 43프로, 자외선이 7 내지 8프로, 적외선이 49 내지 50프로의 radiation energy를 제공한다.

요약하면 지구의 대기가 지구를 온실처럼 감싸주기 때문에 생물이 살 수 있는 알맞은 온도를 유지해 왔는데 이산화탄소의 증가로 대기가 오염되어 지구가 과열되는 길로 가고 있지 않는지 하는 심각한 문제기 생겼다. 지구의 온난화가 심해지면 물론 사람은 살 수가 없다.

지구 온난화의 원인에 관해서는 온실 효과외에 다른 원인의 설도 있다는 것을 부언해 둔다.

Fossil Fuel을 지금 속도로 써 나가면 이산화탄소의 대기오염의 악화를 막을 길이 없고 온실 효과로 지구가 생명이 살기 힘든 찜통이 된다는 얘기다.

우리의 생존을 가능하게 한 온실 효과가 우리의 생존을 위협하고 있으니 인류가 서로 싸우기를 멈추고 힘을 합쳐서 인위의 재앙을 막아야 한다.

인체 세포의 핵안에는 삼만여개의 유전인자가 들어 있다. 그 반은 아버지 반은 어머니에게서 받은 스물세쌍의 염색체안에 이 유전인자들이 들어있다. 이 인자들이 끊임없이 변이[mutation]를 하고 있는데 수리[Repair] 가 불가능 한 변이가 생기면 세포는 자살하는 기전이 있기 때문에 그 세포는 죽어 없어지는데 이를 Adoptosis라고 칭한다.

Protooncogenes라는 유전 인자에 변이가 생겨 Oncogenes [발암인자]가 되고 여러개의 oncogenes가 생기면 정상 세포가 암세포로 변한다. 발암 물질로 오염 되든가 Oncogenes인자를 가진 바이러스로 정상 세포가 감염이 되면 세포 안에 Oncogenes가 생기기도 한다.

유전에 의한 Oncogenes도 5내지 10프로가 되지만 대부분 암은 후천적 변이로 생긴 Oncogenes 때문에 생긴다.

또 Oncogenes의 발생을 억제하는 역활을 하는 Tumor Supressor Genes가 30종류나 발견되어 이 방면의 연구가 앞으로 암치료에 공헌을 할 수 있을 것이다.

유전 인자의 변이중에 환경 오염으로 인한 변이가 가장 인위적이고 예방이 가능하기 때문에관심의 초점이 된다.

남성의 정충수가 50년전보다 40프로로 감소하였고 동물들의 수컷들이 여성화 하고 있다는 보고도 있으니 환경 오염과의 관계를 그냥 넘길 일이 아니다.

변이로 인하여 새로 생기는 바이러스에 대한 치료 대책이 생기기 전에 새 바이러스로 인류가 대량 감염되어 인류가 멸종할 위험도 없지 않다. 인류의 운명을 바꿀 수 있는 몇가지 가능한 요인을 살펴 보았다.

철학 얘기로 돌아가 서양 철학사는 고대 희랍철학에서 시작하는 것이 전통이다. 이유는 기원전 육세기경부터 희랍의 여러 도시 국가에서 많은 철학자와 사상가가 배출되였고 그 영향이 현대까지 미쳤기 때문이다. 그렇다고 철학이 희랍에서 시작되였다고 말하는 것은 아니다.

같은 시대에 동양에서는 공자[B.C.557~478]가 제자들에게 述而不作이라 하였으니 내가 설한 사상이 내 창작이 아니고 옛 사람들의 것을 전했을 뿐이라는 것이다. 그러니 공자 이전에 많은 선각자들이 있었다는 말이다.

또 공자는 我非生而知之者 즉 나는 나면서부터 안 사람이 아니다라고 강조 하여 그가 아는 지식이 옛날부터 내려온 것을 배웠을 뿐이라고 겸손하게 말씀했듯이 희랍철학의 역사도 훨씬 소급하여 올라 간다.

희랍철학은 시대별로 셋으로 나눈다. 즉 희랍 식민지의 철학, 아테네의 철학, 그리고 희랍적 로마 철학이 그것이다.

희랍 식민지 철학은 당시의 철학자 본인들의 저서가 남아 있지 않다. 후에 아테네 철학자들의 인용을 통해서 그들의 존재가 알려졌기 때문에 고증이 부족하고 따라서 정확성이 떨어진다.

당시의 철학이 현대 철학과 생각이 유사할 지라도 설명이 우화적인 경우가 많아서 그 시대의 철학을 나는 의도적으로 초장에 다루지 않았다. 예를 들면 Thales[B.C.640~550]는 자연주의의 세계관을 확립한 철학자로 현대 자연주의와 통하지만 물이 만물의 원리라는 그의 말은 현대 과학으로 보면 우화적이다. 그러나 물 없이는 생물이 존재할 수 없으므로 그의 말이 반은 맞는 셈이다.

자연의 모든 요인을 신에게서 찾으려는 고대 철학에서 벗어나 자연에서 찾은 점에서 그의 철학은 평가 받아야 할 것이다. 그는 별을 관찰하며 걷다가 우물에 빠진 것을 하녀가 건졌다는 일화를 남겼다.

Anaximandros[B.C.610~540]도 자연주의 우주론을 주장했지만 지구 모양이 원통형이고 그 원통의 길이와 높이가 어떻고 하는 설명은 우화적이다. 물과 공기 그리고 불이 무게에 따라 지구를 싸고 있다는 그의 설도 우화적 이지만 아리스토텔레스의 자연주의보다 이백년을 앞섰다는 점에 철학적 의미가 있다. 또한 지구가 편평하다는 생각에서 벗어난 것이 신기하다.

Xenophanes[B.C570~450]도 자연주의자다. 신이 인간을 닮았다고 말하는 神觀을 비웃는 시에서 만일 황소가 신을 그린다면 황소 모양의 신을 그릴 것이라고 풍자 했다. 최근에 나온 예수가 흑인이였다는 주장을 연상 시킨다. 구약 창세기에 보면 [창 1-16] 하나님이 가라사대"우리의 형상을 따라 우리의 모양대로 우리가 사람을 만들고......"라고 했으니 신이 인간을 닮았다와 인간이 하나님을 닮았다는 얘기와 비슷한 것 같기도 하고 전혀 다른 것 같기도 하니 숙제로 남긴다.

숫자가 모든 것의 기본 원리라고 주장 Pythagoras[BC.580~500]는 일직부터 서양철학이 수학 또는 수 사상을 중요시하게 된 씨앗이다.

그 이전에 가장 오래 된 수학책으로 Plinton 322[B.C. 1900 바빌로니아], Moscow Mathmatical Papyrus[B.C. 1850 에집트], Shuba Sutra [B.C.800 인도] 등이 있으니 피타고라스가 수학의 시조는 아니다.

Diogenes등의 인용을 통해서 알려진 희랍 식민지 철학자 Heraclei-tus [B.C.530~470]는 조소적이고 이해하기 어려운 철학자 였던 것 같다. Panta Rhei[Everything is in a state of flux]는 만물은 유전한다라는 말인데 이 말이 그의 말인지 확실하지 않지만 그의 생각을 담은 것은 틀림없다.

그의 말이라고 전해 내려오는 명구를 하나 더 소개하면 같은 강물에 두번 뛰어들 수 없다는 말인데 강물은 계속 흘러 가기 때문이다. 항구적인 실체는 없고 변화한다는 사실만이 변하지 않는다고 그는 말했다. 또한 변화는 아무렇게나 하지 않고 불변하는 법칙에 따라서 하며 태양도 자기의 법을 어기지 못한다고 했다.

모든것이 변한다는 원리는 붓다[B.C.624~544]의 무상과 그리고 변화는 반드시 무엇으로 말미암아 생긴다는 연기설와 통한다.

또한 Whitehead가 Heracleitus의 flux가 자기 자신의 철학인 Process Philosophy의 출발점이라고 인정 했드시 변화가 reality이고 기본이라는 生成의 존재론 또는 Change and Dynamism과 통한다.

그러나 불이 만물의 질료이고 생명의 원리라는 등의 헤라클라이투스의 말은 우화로 들을 수 밖에 없다.

Parmenides[B.C.520~440]를 소개하는 이유는 그가 헤라클라이투스를 반대하여 실재는 불변 한다는 불변성을 강조 했기 때문이다. 그는 세상이 허망하고 모순에 차 있기 때문에 불변 부동의 실재가 있다고 했다. 아마 불변의 실재가 있어야만 한다는 의미일 것이다. 그는 변증법으로 그의 주장을 증명하려고 했는데 어떤 주장을 부인하다 보면 필연적으로 모순에 빠지게 된다. 빠진 모순을 증명하여 원래 주장이 바르다는 것을 증명할 수 있다는 것이다.

예를 들면 존재하는 것은 존재한다. 존재하지 않는 것을 존재한다고 가정해보라. 그것은 필연적 모순이다. 고로 존재하는 것은 존재한다고 증명한다는 것이다.

헤라틀라이투스의 유전과 파르메니데스의 불변의 실재를 절충하는 사상이 생겨 거시적[Macro] 사물은 부단히 변화하나 미시적[Micro]인 원소는 불변의 통일성이 있다는 다원론이 나왔다. 거시적 변화는 원소의 재분배 때문이라고 했다.

Empedocles는 만물을 구성하는 궁극적 분자는 흙, 공기, 불, 물이고 그 혼합비율이 사물마다 다르다고 했고 그것을 혼합 또는 분리하는 작용 원인을 사랑과 미움이라는 우화적 설명을 했다.

Demokritos[B.C.460~360]도 다원론자였는데 물질의 궁극적 단위는 그 이상 분활할 수 없는 원자[Atom]라고 하였다. 양적으로 크기와 모양이 다른 여러가지 원자가 있으며 이들 원자들이 결합하는 구조의 방식에 따라 다른 특성을 가지는 복합물이 생긴다고 하였다. 또 원자는 고유한 운동이 있고 원자자체의 본성에 따라 복합물의 변화가 생긴다고 하였다.

데모크리토스는 운동에 관해서는 기계론, 구조에는 원자론, 실체에 관해서는 유물론으로 그의 사상을 대표한다.

식민지 시대의 희랍 철학자들이 그들과 동시대와 그 이전의 모든 사상가들 가운데서 가장 뛰어 났다고 역사가들이 단정하고 있다. 또 그들을 과학적 정신을 바탕으로 하는 서양 문화의 원천이라고 불리는 만큼 그들이 과학적 전통에 끼친 영향은 지대하다.

시대적으로 조금 뒤지만 동양에서 춘추전국 시대[B.C.403~221]에 발전한 음양 오행설[土木金水火]과 희랍 식민지 철학과 비교 고찰하는 것도 흥미있는 과제가 될 것이라고 믿는다.

16 | 인류의 운명

2008년 12월 30일 아침 현재 이스라엘 공군의 최신예 제트기가 나흘째 정확도 높은 폭탄으로 가자 지역 325개의 하마스 정부 건물과 군사 시설을 폭격하여 360명이 사망하고 800명이 부상 당하였으며 하마스는 계속 이스라엘에 로케트 포격을 가하여 다섯명이 사망하였다.

전사자의 비율이 360대 5라면 전쟁이라고 할 것도 없다. 일방적인 도륙인 셈이다.

외견상 작은 분쟁이지만 언제든지 확대될 수있는 중동의 화약고 이기 때문에 인류의 운명을 좌우할 수있는 가능성이 잠복하고 있는 것이다.

이번 분쟁에서도 미국은 하마스를 분쟁의 원인 제공자로 탓하고 있고 이스라엘에게는 민간인 살상을 줄이는 방법으로 폭격하라고 조언을 하고 있다.팔레스타인 문제는 수천년의 역사가 뒤에 깔려 있으므로 언급을 피하고 하마스에 관해서만 간단히 소개한다.

Hamas는 1987년에 수립한 팔레스타인 Sunni민병대이며 영어로 Islamic Resistance Movement라고 칭하고 Palestinian National Authority입법부에서 다수당을 차지하고 있다.

Fatah정부의 무능과 부패를 몰아 내는 동시에 지하드 아니고는 팔레스타인 문제의 해결이 불가능하다고 믿는 단체다.

또 이스라엘의 팔레스타인 점령을 무력으로 저항하겠다는 것이다.

2007년 가자 전쟁에서 하마스는 West Bank에서 쫓겨나 West Bank는 화타가 차지했고 하마스는 가자 지역을 차지 하고 있다.

하마스의 자금은 이란, 해외 팔레스타인 동포, 사우디에서 오는 개인 헌금등으로 충당하고 있다.

이집트 중개로 시작한 휴전은 2008년 유월 십구일부터 발효했는데 12월 23일 하마스는 휴전 종료를 선언하고 다음날 로켓트 포격을 시작했다.

이유는 이스라엘이 봉쇄를 풀지 않은 것이 휴전 협정을 위반했다는 것이다.

수천년에 걸쳐 얽힌 중동 분쟁을 놓고 어느 쪽이 옳다 그르다 하는 것은 부질 없는 일이다.다만 세계전으로 확대될 가능성이 있는 분쟁인 만큼 항시 눈을 바로 뜨고 예의 주시하여야 한다고 나는 믿는다.

다시 희랍 철학으로 돌아 가자.

기원전 오세기 후반 아테네의 국세가 절정에 올랐던 때에 새로운 철학의 물결이 일어났는데 이들을 소피스트라고 했으며 Sophist라는 말이 실은 그들을 비난하는 말로 사용되었다.

즉 수사학의 허식과 도덕적 불성실을 의미했다.

플라톤은 그들을 부유하고 우수한 젊은이들을 돈 받고 낚는 자들이라고 했으며 아리스토텔레스도 그들은 지혜를 농하여 돈을 버는 자들이라고 표현했다.

그러나 소피스트들이 철학의 대상을 물리적 자연으로부터 인간에게로 그리고 초과학적 문제로부터 실제 인간 문제로 옮긴 점에서 그들의 공적을 인정해야 한다.

그들의 관심사는 수사학, 웅변술, 시학, 교육, 정치 등 인간에 관한 것들이었다.

인간이 우주론에서 해답을 얻으려는데 대하여 그들은 회의적이였다. 그들은 훌륭한 사회생활의 가능성을 믿고 예의 바르며 세련되고 세계주의적이였다.

플라토의 저술에 의하면 프로타고라스는 인간이 만물의 척도라는 명구를 남긴 소피스트인데 영어로 Man is the measure of all things로 번역 되었다. 이 말은 당시까지 객관성을 중요시하던 철학에서 벗어난 것을 의미한다.

그는 신의 존재나 성격을 알 도리가 없다고 했고 당시 철학에서 논하는 원자등은 관찰이불가능하므로 관심이 없었고 경험할 수 있는 것만 실재라고 그는 주장했다.

사람의 의견은 각자의 경험에 의하여 형성되기 때문에 한 사람에게 실재적인 것이 다른 사람에게는 실재적이 아닐 수 있다는 것을 그는

인정했고 따라서 실재와 지식이 개인에 따라 상대적이라고 했다.

이러한 상대주의는 개인주의로 발전하기도 하고 관습에 의하여 억압 당하기도 한다.

Protagoras[480~410B.C.]보다 뒤에 나온 Gorgias[483~375B.C.]는 첫째 아무것도 존재하지 안는다. 둘째 존재한다 하더라도 알 수가 없다.셋째 알 수가 있다 하더라도 그것을 전달할 수가 없다.라는 명구로 유명하다.

이 말은 선불교에 不立文字와 色卽是空과 비교되는 말이다.또 아는 자는 말이 없고 말하는 자는 알지 못한다는 말과도 대비된다.

또한 관찰자가 경험하는 현상이외의 실재는 존재하지 안는다는 것을 강조한 말이라고 해석할 수도 있다.

소피스트들은 상대 주의를 도덕에 적용하였다.종교적 권위를 배격하고 신이 존재할 지라도 사람은 자기 의지를 신의 의지에 예속시킬 필요가 없다고 했다. 왜냐하면 인간은 자기에게 좋은 것을 가장 잘 판단할 수 있가 때문이다.

양심은 인간의 내적 감정에서 나오는 개인적 신념이고 각자 선악에 관하여 가지는 느낌이다.

이 상대주의적 도덕관은 개인주의에 빠질 수 있는데 그 예로 Thrasymachos는 정의란 강자의 이익을 의미한다고 했다.

프로타고라스도 관습과 도덕 모두가 시대와 집단에 따라서 변한다고 했고 어떠한 절대적 도덕도 구속력이 없다고 했다.

한마디 하고 싶은 말은 희랍철학의 거성인 소크라테스, 플라톤, 아리스토텔레스 세분이전에 이미 여러 철학과 사상의 원조가 존재했다는 사실이다.고대로 소급해 갈 수록 설명에 우화적 색체가 짙어 지지만 그럼에도 불구하고 기록에 남아 있는 사실보다 앞서 많은 사상들이 존재하고 있었다는 사실을 강조하고 싶다.

“By all means marry,if you get a good wife,you will be happy. If you get a bad one, you will become a philosopher.”와 “너 자신을 알라.”라는 금언 등으로 알려진 소크라테스[기원전 469~399]는 공자가 세상을 떠난지 구년 후에 태어났고 아테네 의회에서 그가 신에게

불경스럽고 청년들을 타락시켰다는 죄목으로 사약을 마시고 세상을 떠난 예기로 잘 알려졌다.

그가 저술을 남기지 않았고 신에 불경하다 하여 사형을 당했으며 거리나 광장에서 시민들에게 둘러 쌓여 토론을 즐긴 그의 행적등은 예수 그리스도와 유사점이 있다고 나는 생각한다.

철학 역사상 가장 중요한 인물로 공인되고 있는 점은 우연이 아니다.

같은 아테네 출신이고 소크라테스 문하에서 함께 토론에 참가하였으며 그의 죽음을 목격한 플라톤이 대화편을 썼고 이 책에서 소크라테스의 입을 통하여 소크라테스의 사상이 세상에 알려졌기 때문에 어데까지가 소크라테스의 사상이고 어데서 부터가 플라토의 사상인지 알기가 어렵다고 한다.

대체로 초기의 대화편은 소크라테스적이고 후기의 것은 플라톤적이라고 본다.

아리스토텔레스는 소크라테스보다 뒤에 태어나 직접 그를 만나지 못했으므로 소크라테스에 대한 아리스토텔레스의 평가가 더 객관적일 가는성이 많다고 생각하는 사람도 있다.

소크라테스의 평가를 요약하면 그는 자연계에 대해선 관심을 갖지 아니하였고 윤리문제에 집중하였으며 철학자중에서 처음으로 定義에 대한 고찰에 노력을 기우렸다.

소피스트처럼 인간에 관한 문제가 그의 중심 과제였다.

그는 추측과 진정한 지식과의 차이를 깨달았기 때문에 매사에 회의주의적이였고 소피스트와 같은 상대주의나 주관주의가 아니였다.

누누히 자기가 무지하다고 고백했고 명증성이 없는 진리나 의견을 피하였으며 증거를 제시할 수 있는 문제에만 관심을 집중하였다.

도덕론에서 소피스트에 반대하여 객관적 타당성이 있는 기준에 의한 도덕을 주장했다.

그는 자기의 무지를 고백하면서 보편적인 것은 장시간에 걸친 진지한 지성적 탐색으로 밝힐 수 있다는 것을 암시했다.보편적인 것을 정의할 수는 있지만 감각적으로 관찰할 수는 없다고 하였다.

보편적 기준의 탐색을 끝없는 탐구라고 그는 여겼다. 또 자기는 사

상의 분만을 도와 주는 산파라고 하였다. 즉 윤리적 성찰을 격려하는 것이 자기의 사명으로 생각했다. 그는 결론을 제시하려 하지 않고 목적과 방법을 제시하여 준 사람이였다.

플라톤이 전한 소크라테스의 말 The unexamined life is not worth living 이 그의 생각을 요약한다.

몇 마디 그의 말을 더 소개한다.

"Envy is the ulcer of the soul."

"I know nothing except the fact of my ignorance."

"Death may be the greatest of all human blessings."

소크라테스가 제자 플라토의 저서 대화편을 통하여 세상에 알려진 것과 예수 그리스도가 바울에 의하여 기독교라는 종교로 성립한 사실과 사이에 유사점이 있다.

인류의 운명 | 17

오늘이 2009년 정월 초하루다. 새해의 결심[New year's Resolution]을 다짐하던 젊은 시절이 생각난다.

차례나 세배처럼 연례 행사였다.

년초에는 이 결심을 지키려고 애를 쓰다 지쳐 버리고 용두사미가 되면 내 의지가 약한 것을 뉘우치고 년말에 가선 죄의식에 빠져 의기쇠침해지기를 해마다 되풀이 했었다.

언제부터인가 실천하지 못하는 결심을 포기하고 말았다.

망년회도 한 때 흥겨운 년례 행사였고 한때는 기다려 지기까지 했었는데 걷어 치운지 오래다.

지나간 해를 회고하여 잊고 싶은 것은 잊고 기억에 다질 것은 다지고 친구와 술잔을 돌리며 새해를 맞는 마음을 추스르는 모임이니 뜻깊은 행사다.

그런 망년회도 포기한 것이다. 몸이 몇잔의 술도 이기지 못하여 다음 날 새해 아침부터 무거운 머리로 새해를 맞기가 싫어진 것이 첫째 이유다. 또 술을 몇 잔만 마셔도 배가 불편하기 때문에 술이 무서워졌는데 술 없는 망년회를 무슨 맛으로 가며 맹숭맹숭 앉아서 남의 흥을 깰 필요가 어디 있겠는가.

망년회를 나가서 세상을 떠난 동갑내들이 하나 둘 이빠진 것처럼 빈자리를 보는 것이 싫어진 것도 한 이유다.

다음 망년회 때엔 내 자리가 빈 자리가 될지도 모른다는 생각이 나서 망년회 자리가 싫어졌다.

이렇게 내가 변한 이유는 늙은 탓도 있겠고 조금은 현명해진 탓도 있겠으며 세상사에 얼마큼 초연해진 탓도 있겠지만 이제 해가 와도 그만 가도 그만이 된 것도 사실일 것이다.

Platon[B.C.427~347]은 아테네 출신이고 소크라테스의 제자였다. 소크라테스와 토론을 즐겼으며 후에 아테네 최초의 학교인 아카데미

아를 창설하였다.

그의 저서가 훼손되지 않고 남아 있는 것은 기적이라 할 수있다. 그의 대화편은 결론 내리기를 피하는 소크라테스의 대화를 기록한 것인데 후기의 대화편은 플라톤 자신의 사상이 많이 표현된 것으로 생각된다.

플라톤은 국가[도시 국가]는 사람과 같아서 정치학과 윤리학이 서로 밀접한 관계가 있다고 말했다. 즉 정치학은 국가에 관하여 윤리학은 개인에 관한 것이지만 내용은 비슷하다는 것이다.

국가에는 생산자, 전사, 지배자의 세 계급이 있고 절제, 용기, 지혜, 그리고 정의의 네가지 덕이 필요한데 이 네가지 덕은 훌륭한 사람에게도 필요하기 때문에 국가와 사람은 같다는 것이다. 플라톤의 덕은 전에 기술한 바 있으므로 되풀이 하지 않는다.

그의 대화편 Republic에 기술된 국가의 내용은 현대 국가와 형태가 다른 당시 희랍 도시국가에 관한 것이므로 생략한다.

그의 인식론에 나오는 Idea 또는 Form에 관해서는 역사적으러 논란이 많았던 주제다.

이데아는 개별적인 사물이나 현상과 달라서 지성으로만 알아 볼 수 있는 대상이고 이데아를 아는 것이 인식이라는 것이며 이는 절대적이고 확실하며 불변적이고 영원한 것이다.

플라토는 이데아의 세계는 절대적 실재[Absolute Reality]이고 추상 [Abstraction]이며 플라톤의 이상주의 [Idealism]의 산물이다.

이데아의 예를 들어 보자.

세상에는 둥근 원의 모양을 가진 사물이나 현상이 무수히 있지만 기하학에서 정의하는 원[중심에서 같은 거리에 그은 선]이라는 이데아는 하나뿐이고 이는 불변하고 영원하다.

예를 하나 더 들면 정당한 행위나 정의로운 인간이 많지만은 지혜있는 사람이 내리는 正義의 본성에 대한 定義 즉 이상적 正義의 이데아는 하나 뿐이고 영원 불변이다.

개별자는 이데아를 모방하며 인간은 개별적 사물의 세계와 이데아의 세계 두 세계에서 산다.

이데아는 현실 세계의 논리적 분석과 판단, 도덕, 그리고 윤리의 지침을 제공한다.

인간의 영혼이 인간의 육체라는 감옥속에 들어가 개별자로 태어나기 전에 천상에서 신과 이데아와 더불어 살았기 때문에 가끔 어떤 경험을 통하여 천상에서의 이데아를 다시 상기할 수 있고 이데아의 인식이란 이데아의 상기외에 아무것도 아니라고 했다.

그러나 대다수의 인간들은 개별자의 俗見에 사로잡혀 이데아가 있는 천국에 이르지를 못 한다는 것이다.

최고의 이데아는 착할선자 선의 이데아이며 그의 권위와 권능이 다른 모든 것을 초월하는 이데아이다.

기독교 신학자들은 선의 이데아를 유신론적 신앙이라고 보았으나 플라톤 철학의 중심은 신이 아니고 언제나 윤리였기 때문에 윤리적 견해에서 이데아를 보아야 한다.

플라톤의 이데아를 비유로 설명하는 동굴의 비유[Allegory of Cave]가 Republic 대화편에 나온다.

평생을 깊은 동굴에서만 산 사람들이 있다고 가정하자. 쇠사슬로 동굴 벽에 묶여 있는 이 사람들은 동굴 뒤에 켜있는 불은 돌아보지 못하게 되어 있다. 그래서 동굴안에 있는 여러 Statues의 움직이는 그림자만을 보며 산다.

이들 그림자만이 그들이 볼 수 있는 현실의 전부다. 이 동굴 안 사람들이 세상에 나오게 되면 그동안 보아 온 그림자들은 虛像이고 동굴안에서 자기들이 허상에 속고 살았다는 사실을 깨달을 것이다.

실제 세계에 나오면 처음에는 햇빛에 눈이 부시어 아무것도 볼 수가 없지만 차츰 세상 모든 것이 해에 의하여 비춰지고 보인다는 것을 이해하게 된다.

플라톤은 이 동굴인이 겪는 네 단계를 다음과 같이 분류하였다. 동굴안에 그림자를 상상과 추측[Imagination and Conjecture], 동굴안 Statue가 실재라고 믿는 State of Belief, 동굴 밖에 나와서 보는 세상이 실재라고 깨닫는 Understanding, 해를 Source of Truth 혹은 Form of God로 인식하는 Truth, Dialectic이라고 분류하였다.

동굴밖에 나와 진리를 깨달은 철학자는 동굴로 돌아가서 동굴안에 있는 사람들에게 진실을 가르쳐 줄 의무가 있다고 플라톤은 말했다.

철학자의 위치와 의무를 밝힌 것이다.

플라톤이 주장한 인식의 理想 때문에 그를 一元論者로 보는 견해도있다.

또 플라톤은 서구 문화사상 철학적으로 humanism을 기술했고 인도주의 전통의 시조라고 할 수있다.

그는 희랍 식민지 철학자들이 우주 탐구에 기울였던 노력을 인간에게 기울였다.

이를 휴머니즘이라고 부르는 이유는 인간성을 무시하고 억압하는 신학에 그가 반대했기 때문이다.

그의 인도주의는 두 명제를 주장했다.

인간의 최고선은 인간이 타고난 잠재력의 실현이고 그 실현 방법은 욕정과 의지를 제어하고 이성의 힘을 사용하는 것이다.

플라톤의 도덕 철학에서 나온 인도주의는 두 극단의 중간 사상이고 두 극단이란 主觀主義와 權威主義를 말한다.

인간이 고유한 도덕적 목적을 가졌다는 플라톤의 생각은 주관주의와 일치하나 그는 또한 인간은 객관적인 천성을 가졌다고 하였다.

인간의 충동이나 욕정을 믿지않고 이상에 따라야 한다는 생각은 권위주의에 가까우나 인간에게 강제적 명령에 따르라는 것이 아니다. 분석을 통해서 자신에게 잠재한 능력의 조화로운 발전을 그리고 충동과 욕정의 극복을 그는 권했다.

그리하여 종교의 이름으로 과해지는 억압과 독단을 인도주의의 是正者 역할로 바로 잡는 전통을 세운 것이다.

상기해야 할 것은 플라톤보다 약 육백년뒤에 나타난 신 플라톤 학파였던 Plotinos[205~270A.D.]와 플라톤과의 관계 내지 차이점이다.

Plotinos는 자기가 플라톤의 철학을 다시 부활시킨다고 생각했었다. 자기의 사상이 플라톤의 사상과 다르기 때문에 후세사람들이 자기를 신 플라톤 학파라고 부르리라고는 전혀 생각하지 못했을 것이다.

신 플라톤학파의 영향이 컸기 때문에 그후 수백년간 아리스토텔레스 그리고 플라톤 철학까지도 전혀 빛을 잃었다.

아리스토텔레스와 플로티노스의 두 철학이 모두 플라톤에서 시작했으나 아리스토텔레스는 자연주의와 다원론으로 플로티노스는 일원론과 이상주의로 발전했다.

플로티노스는 여러 단계의 존재물[특히 단세포에서 고등 동물에 이르기 까지]이나 어러 종류의 존재물들이 거대한 *存在系列*에 속한다고 설명하여 이원론을 배척하였다.

이 존재 계열의 근원이고 존재계열이 의존하고 있으며 미와 선 그리고 존재를 초월한 一者는 완전하고 동시에 존재 계열의 필수 조건이다.

성 아우구스티누스가 플라톤이라고 생각했던 플라톤은 실은 플로티노스가 생각했던 플라톤이였고 성 아우구스티누스가 발견했던 하나님에 대한 해설은 플라톤의 설이 아니고 플로티노스의 일자의 설이였다.

이리하여 플라톤의 철학이 기독교 교리와 일치한다는 잘못된 생각이 확립하게 된 것이다. 달리 말하면 성 아우구스티누스는 하나님에 대한 자기의 설명이 플라토에서 유래한다고 오해한 것이다. 이것은 플로티노스가 자기의 철학 혹은 일자의 설을 플라톤의 철학이라고 잘못 생각한 것이 성 아우구스티누스에게 고스란히 전해진 것이다.

플로티노스에게 일자가 존재 계열에서 완전한 존재인 것 처럼 성 아우구스티누스에게 하나님은 전능한 의지다.

플로티노스는 세계가 일자의 존재성을 나누어 가지고 있다고 보았고 성 아우구스티누스는 세계의 발생과 역사가 전능한 하나님의 의지의 힘을 나타낸다고 하였다.

성 아우구스티누스는 유대교와 기독교의 전통에다 플로티노스의 철학을 도입하였고 일자의 설은 권능의 설로 변하였다.

18 | 인류의 운명

이천구년 십이월 레이크랜드에 내려 왔다. 겨울에 북쪽 찬 바람이 싫어지는 것은 어쩔 수 없는 나이 탓이리라. 뺨에 살짝 내려 앉는 눈송이의 감촉을 즐기며 공중에서 눈송이를 입으로 잡으려고 뛰어 다니던 시절도 있었다. 눈 꽃으로 핀 나무와 천하가 순백색으로 덥힌 눈 세계를 보면 아무 이유 없이 피가 끓었던 때가 있었다.

뼈가 골수까지 시리다는 표현이 실감이 나는 나이가 되니 따뜻한 남쪽을 찾아 나선 것이 사치가 아니고 추위를 피해가는 피난길일 뿐이다.

구정을 만나 전 중앙병원 신경외과장 황충진교수 내외분을 우리 집에 초대했다. 지금 탐파에 살고 있어 차로 한시간 거리다. 1967년 볼티모어 Franklin Square 병원에서 내가 인턴으로 있을 때 의과 대학은 나보다 삼년 후배지만 같은 병원 외과 레지덴트 였던 황교수 내외분의 신세를 많이 졌다.

아직 미국에서 두부를 구할 수 없던 시절 황교수 부인은 집에서 콩을 사다가 두부를 만들고 콩나물을 길러 우리를 대접했다. 병원에서 나오는 고기 음식에 냄새가 났던 나는 그 두부와 콩나물을 기억하고 있다.

대장암 수술후로 술을 못하는 나였지만 반가운 흥분결에 브랜디 두어잔을 마셨다.

얼마뒤 시작한 복통으로 여러시간 고생을 했다. 술을 마시면 거의 틀림 없이 복통과 설사로 고생한다는 것을 알면서도 마시고 싶은 충동을 이기지 못하고 설마 이번 만은 봐주겠지 하면서 마신 내 약한 의지외에 누구를 탓할 수 있으랴. 황교수 내외분이 너무 반가워 잘라낸 내 대장을 잠시 잊은 것이다.

마약이나 알콜 중독자도 마찬가지이겠지만 나쁜 줄을 알면서 뛰어드는 인간이 나 뿐만은 아닐 것이고 그 심리도 이해할 수 있겠다. 이것이 인간의 약점인 동시에 특권일 수도 있다.

내가 고통의 노예가 될 때마다 나는 패배감, 무력감, 허무감을 느끼고 겸허해진다. 때로는 色即是空을 읊는다.

색즉시공을 읊어도 고통에는 변함이 없고 고통이 지나간 다음 마음의 정리에는 도움이 되는 것같다. 정신의 힘으로 육체의 고통을 잊을 수가 있을까 생각 해 보았다.

고통 얘기는 그만하고 아리스토텔레스로 돌아간다.

Aristoteles[B.C.384~322]는 국민학교때부터 듣던 이름이라 대단한 분이라는 것은 다 알지만 철학도가 아니면 왜 대단한 분인가는 잘 모를 것이다.

그는 마케도니아 왕의 시의였던 니코마코스의 아들이고 알렉산더 대왕의 개인교사였으며 아테네에 플라톤 다음으로 학교를 세웠고 플라톤이 별세할 때까지 그의 문하생이였다.

그의 사상은 초기에 플라톤적이었고 과도기를 거쳐 후기에 독자적 사상을 확립했으므로 그의사상을 공부하는데 이 사실을 참고하지 않으면 혼동이 생긴다.

중세에 스콜라 학파들이 프라톤과 아리스토텔레스의 사상이 서로 반대인 것처럼 대립시며 해석했고 근세의 철학자등도 이 대립설을 따르는 사람이 많지만은 아리스토텔레스 자신은 자신이 플라톤 학도라고 생각한 것 같고 지혜로운 사람들의 의견이라고 그가 말할 때는 플라톤과 그의 제자들을 지칭한 것이었다. 후기에 그의 사상은 플라톤에서 떨어져 나갔다.

역사가들은 플라톤은 수학자로 아리스토텔레스는 동물학자로 시작했기 때문에 차이점이 생겼다고 설명하기도 한다.

또 플라톤은 철학을 인간 중심으로 시작했고 자연은 배경으로 본데 비하여 아리스토텔레스는 자연에서 출발하여 인간은 자연의 전형적이면서 특수한 예로 보았다는 것이 정확한 판단이라고 한다.

플라톤은 理想의 정의로부터 출발하여 인간이 그 이상에 도달하지 못함을 애석하게 여기는 이상주의적 열망에 불탔고 아리스토텔레스는 자연의 분석으로 출발하여 인간의 노력이 자연의 한계때문에 이상

에 도달하기가 어렵다는 것을 인정하는 현실주의자 였다. 즉 두 사람의 출발점과 강조한 점이 달랐지만 그 내용은 크게 다르지 않다고 생각된다.

비슷한 예로 현실적인 공자도 이상은 결코 누구 못지 않게 높았고 어떤 이상주의자도 현실을 무시할 수는 없다.

아리스토텔레스는 사람, 동물, 돌, 산, 강, 해, 달 등 모든 구체적이고 개체적인 사물이 실재[實在]이고 그들의 성질과 서로의 관계도 실재이며 상태나 양상도 실재라고 하였다.

그는 원자는 실재이지만 Macro의 세계는 미립자로 구성되어 실재가 아니라고 주장한 원자론자의 생각이나 이데아는 우위의 실재이고 개체는 이데아의 모방이라는 플라톤의 견해와 대립하는 견해를 가졌다.

아리스토텔레스는 구체적 사물이나 사물들의 성질, 관계, 상태들을 모두 실재라 하고 이실재를 Ousia라는 단어로 표현하였는데 이 Ousia를 로마의 Cicero가 라틴어로 Substantia 또는 Essence라고 번역했고 영어로 Substance가 되어 버렸는데 Ousia와 Substance[실체]가 다른 점을 이해하여야 아리스토텔레스의 바른 이해가 가능하다.

Ousia는 영어에 Being, Essence, Nature, Form등의 의미가 포함되어 있다.

아리스토텔레스는 Ousia에 열개의 범주를 제시했는데 실체, 성질, 분량, 관계, 공간적 규정, 시간적 규정, 능동, 피동, 자세, 상태 등이다.

범주의 한 예를 들면 영혼은 실체가 아니라 능동이란 범주에 속하고 덕이란 상태에 속한다. 왜냐하면 덕이란 수련으로 쌓는 좋은 습관의 상태이기 때문이다.

아리스토텔레스는 모든 실체들을 조직의 복잡성의 정도에 따라 등급을 매기고 분류하여 계열을 만들 수가 있다고 했다. 예를 들어 흙과 사탕무의 성분에는 차이가 없을지도 모르지만 사탕무는 그 조직이 흙보다 복잡하고 영양, 발육, 번식 등 여러 기능과 생명이 있으며 한단계 올라가 동물적 생명은 식물적 생명의 기능에다 감각, 욕망, 운동의 기능을 더한다.

동물적 생명은 식물적 생명보다 조직이 더 복잡한 만큼 기능도 많아진 것이다. 마지막 단계로 이성적 생명은 동물적 생명보다 조직이 더 복잡하고 생각, 이성 등의 기능을 더 가진다.

식물과 동물 그리고 동물과 이성적 동물간에 정확한 경계선을 긋기가 때로는 어렵다.

아리스토텔레스는 눈에서 시각을 분리할 수 없는 것처럼 영혼 또는 생명도 육체와 분리할 수 없다고 했다. 그는 말하기를 윤리학은 어떻게 잘 살 수 있는가에 대한 고찰이고 사람은 정치적 동물로서 다른 사람과의 관계를 떠나서 살 수가 없으므로 정치학을 논하지 않을 수 없다고 했다. 사람은 사회 생활을 통하여 행복을 찾을 수 있으므로 정치가 중요하다는 것이다.

인간의 도덕적 목적을 Eudaimonia라고 일컬었는데 Happiness라고 영어로 번역 되였지만 정의에 가까운 말이며 도덕적으로 완전하고 원숙한 인간의 행복을 의미한다.

그는 인간성에 세가지 요소를 기술하였고 1, 이성의 지배를 받지 안는 불합리한 부분 2, 이성의 지배를 받는 불합리한 부분 3, 이성적인 부분등 세부분이 있다고 하였다.

잘 생겼다 또는 몸이 튼튼하다는 등의 타고 나는 행운은 이성이 어쩔 수 없는 불합리한 부분이고 요행도 마찬가지이다.

그러나 바른 습관을 길러서 얻는 도덕적인 덕은 이성의 지배를 받는 부분이다. 불합리한 충동이나 욕망의 경우 중용을 취함으로서 덕을 성취 한다. 관후의 덕은 낭비와 인색과의 중용이고 온순의 덕은 냉담과 화급의 중용이며 절제의 덕은 금욕과 탐욕의 중용이다.

중용을 성취하는데는 장구한 훈련과 실천을 쌓아서 습관으로 몸에 베어 있어야 한다고 했다. 도덕적 훈련으로 성취한 선한 습관의 소유는 훌륭한 인격을 의미한다.

한마리의 제비가 왔다고 해서 봄이 되지 않는 것처럼 한번의 행위로 사람이 덕이 있다 할 수 없고 그 행위가 훈련된 습관에서 우러나올 때 덕이라고 할 수있다. 셋째로 인간성의 이성적인 부분이란 지적인 덕을 말한다. 아리스토텔레스는 지적인 덕을 설명하는데 있어 순수한 사색적 생활은 그 자체가 목적이라고 했고 이성적 생활이 인간 최대의 영광이라고 했으며 사람은 사색적 생활을 계속해 나갈 때에 가장 성스럽다고 했다. 사색적 생활이 최고의 지혜를 가져 온다고도 했다.

이성이 개인 및 사회의 개선의 수단이라고 플라톤이 강조한데 비하여 아리스토텔레스는 지식은 사용하든 않든 간에 그 자체로서 최대 행복의 원천이 된다고 강조했다.

그는 국가는 국민을 잘 살 수 있게 해주기 위하여 생겨 났고 그 때문에 중요하다고 했다.

플라톤의 권위주의에 반대하여 아리스토텔레스는 몇개의 집단간에 권력의 균형을 도모하였는데 훌륭한 사람들에게 입법, 사법 등을 맡기고 비판하는 권리를 국민에게 맡기려 하였다.

훌륭한 법이라면 최고의 권위를 지녀야 한다 하고 모두가 그 지배를 받기를 권하였다.

국가 통치에 참여할 만한 이성을 갖추지 못하고 남의 명령을 따라야 생활이 가능한 사람에게는 노예 제도가 나쁘지 않다고 하여 노예 제도에 대한 그의 변호가 문제시 되어온 것은 사실이나 동시에 그는 당시 노예중에 대다수가 노예 대우를 받을 사람이 아니라고 하여 노예 제도의 부당성을 지적하기도 하였다.

당시 노예중에는 전쟁으로 인한 포로가 많았고 노예가 희랍 문화 건설에 필요한 중요한 노동력을 담당하였으므로 일상 보편화 된 노예 제도에 대하여 그 이상의 윤리 도덕적 견해를 그에게서 기대하기는 어렵다고 생각한다.

노예 제도는 그후 이천년 이상 지속하였고 지금도 아직 미국에서 그 후유증으로 인한 여러 사회 문제가 남아 있다.

붓다는 인도대륙의 Untouchable계급에 대하여 평등을 말한 혁명적 사상가였으나 현실적으로 귀족이 아니고는 붓다의 사상을 배울 여유가 없었으므로 승려는 주로 귀족 출신이였고 그런 점에서 붓다의 평등 사상은 사상으로 끝나고 실현되지 못했다.

부언하는데 칸트는 도덕 자체가 목적이라고 하여 정언명법을 제창하였다. 행위의 결과와 관계가 없이 동기가 착한 도덕적 행위의 도덕적 가치는 모두 같다는 도덕 지상론을 그는 말했다.

아리스토텔레스는 순수한 사색적 생활 그 자체가 목적이고 사색적 생활을 계속하는 인간의 모습은 성스럽다고 했다. 사색적 생활에서 얻는 지혜를 사용하든 않든간에 지혜 자체가 최대 행복의 원천이라는 것이다.

칸트의 도덕, 아리스토텔레스의 사색, 믿는 사람들의 신앙등의 가치판단은 이 글을 읽는 분들의 몫이다.

칸트의 도덕 지상론, 아리스토텔레스의 사색 지상론, 신앙인들의 신앙 지상론, 붓다의 마음 지상론, 공자의 人倫 지상론을 생각해 보았다.

19 인류의 운명

기원전 일세기 Andronikos가 아리스토텔레스 전집을 만드는 중에 표제가 없는 저서를 발견하고 순서를 물리학 다음에 넣기로 하였다.

물리학 다음이라는 의미로 Metaphysics[the work after physics]라고 책 이름을 지었고 형이상학이라고 번역되었다.

이 학문은 모든 학문에 걸쳐 지적 사상 체계를 제공하고 보편적이고 타당한 원리를 확립하려는 학문이다. 모든 특정 과학을 초월하여 실재의 원리를 탐구하는 철학 분야라고도 한다. 또한 플라토의 형상[Form]에 관한 이론에 대하여 아리스토텔레스가 내놓은 타협이라고도 한다. 플라토가 Real Nature는 영원 불변하다고 한 데 대하여 끊임없이 변화하는 세상과의 모순을 어떻게 타협하는 가를 아리스토텔레스가 모색한 것이다.

그리하여 플라토의 Mysticism과 자신의 과학적 경험에서 얻은 자연주의를 합성한 것이 형이 상학이라고 한다.

말을 바꾸면 형이상학은 존재란 무엇이고 존재물의 성질은 무엇이며 어떻게 변화하면서 동시에 존재할 수 있는가 하는 문제를 다룬다.

Heraclitus의 만물은 유전한다는 설과 Paramenides의 설 즉 이성으로 얻은 실재와 진리는 영원 불변하다는 두 설을 플라토는 다음과 같이 합성하였다. 세상에 모든 Objects는 Copy나 Reflection일 뿐 다시 말하면 영원 불변한 실재의 모방 혹은 그림자일 뿐이라고 했다. 즉 이데아라는 실재와 이데아에서 파생한 二次的 실재로 나누어 이원론이 되는 셈이다.

플라토가 실재와 모방으로 합성한데 비하여 아리스토텔레스는 이와 달리 모든 실체는 질료Matter]와 형상Form]의 결합이라고 했다. 더 설명을 하자면 형상은 존재하는 실체의 본질의 하나다. 그러나 실체가 형상이라는 본질하나 뿐이라면 우리 마음에서 상상하는 형상이 보두 실체라고 할 수 있기 때문에 실체는 형상과 질료가 함께 있어야만 한다는 것이다.

형상은 인간이 실체를 인식할 수 있게 하고 알아 볼 수 있게 하며 관념으로 남아 있게 한다. 마음속에 들어 오는 것은 실체가 아니고 실체의 형상인 것이다.

형상과 질료는 아리스토텔레스가 열거한 네 Cause중에 두 Cause인데 Cause를 원인이라 번역하면 원 뜻을 전하지 못하니 cause라는 단어를 그대로 쓰겠다.

1. Material cause 2. Formal cause. 3. Efficient cause. 4. Final cause가 네 causes인데 좀더 설명이 필요하다.

애초에 아리스토텔레스가 쓴 단어는 cause가 아니고 Aitia 혹은 Aition이며 aitia는 희랍 법정에서 상대방을 질문하는 방법을 의미했다. Cicero가 Aitia를 라틴어 Causa로 번역했고 그래서 영어로 cause가 된 것이다.

四原因說은 실체를 설명하는 데에 희랍 법정에서 쓰인 질문 방법을 아리스토텔레스가 도입해다가 썼다고 이해하면 된다.

예를 하나 들면 책상을 나무로 짰다로 하면 책상의 material cause를 설명한 것이고 책상에는 上板과 네 다리가 있다고 하면 formal cause를 설명한 것이며 목수가 만들었다고 하면 어떻게 만들어졌는지 하는 Efficient cause를 설명한 것이다. 책상이 책을 읽거나 글씨를 쓸 때 쓰이는 물건이라고 하면 final cause를 설명하는 것이다.

자연의 모든 실체를 이 네가지 방법으로 설명할 수 있다고 그는 생각했다.

Efficient cause[운동인]이란 실체의 생성 또는 변화를 이르키는 원인을 의미한다.

Final cause를 좀더 설명하겠다.이는 Telos의 번역인데 teleological explanation 즉 실체의 목적이 무엇인가를 말하는 것이다. 이 목적은 합목적적인 목적이 아니고 결과를 보고 retrospective하게 규정하는 목적이다. 그래서 이 final cause를 Spinoza나 Decartes등이 인정하지 않았는데 그들의 생각에는efficient cause만으로 충분하다는 것이다.

하나님이 유용하게 쓰시려고 모든 것을 창조했다거나 하나님의 섭

리라고 종교인들이 이 목적인을 왜곡하여 써왔다. 그러나 목적인은 그러한 예정된 목적이 아니고 실체의 형이 상학적 네 원인의 하나일 뿐이다.

생명의 실체는 플라톤이 말하는 이데아처럼 영원한 본체가 있는 것이 아니고 시간에 따라 변하고 生滅한다.

만물의 보편적 조건은 변화라고 아리스토텔레스는 말했다. 변화는 불규칙하고 아무렇게나 하는 것이 아니고 실체의 본질이 정하는 방향에 따라서 진행 된다.

모든 실체는 가능성[Potentiality]이 있어 그 한도내에서 변화한다. 어린아이는 군인도 될 수 있고 대통령도 될 수 있는 것이다. 변화가 Potentiality 안에서 일어나기 때문에 전혀 불확정적 우연이란 있을 수 없고 Potentiality한도 내에서 일어나는 우연이 있으며 Potentiality를 잘 알수록 우연을 이론적으로 이해할 수가 있다는 것이다.

아리스토텔레스의 저서들은 본래 학생들의 강의록으로 쓴 것이고 약 삼분의 일이 남아 있다고 한다. 그는 소크라테스, 플라톤과 함께 서양 철학의 창시자의 하나로 인정받고 있고 그는 이름 대신에 the Philosopher라고 불렸을 정도로 철학에 비중이 컸다.

그의 물리학은 문예 부흥 때까지 물리학의 주축이었고 그의 생물학은 십구세기까지 정확한 설로 인정 받았으며 그의 논리학이 십구세기 말까지 formal logic을 차지하고 있었다.

그의 형이상학은 중세기 회교와 유대교에 철학적 그리고 신학적 영향을 미쳤고 기독교 신학 특히 Eastern Orthodox와 Roman Catholic에 영향을 미쳤다.

서양의 지성 세계에 아리스토텔레스 만큼 방향, 주제, 그리고 내용까지 영향을 끼친 사람은 없다.

역사적으로 그의 철학적 전통이 끊겼다가 되살아 났다 하는 몇차례 중단이 있기는 했으나 그 핵심은 자연주의로 요약된다.

Lamprecht씨는 아리스토텔레스의 자연주의를 세 명제로 요약했다.

첫째 명제.

자연은 무한히 많은 실체의 모둠이고 이들이 끊임 없이 변화한다.

이들 실체들의 질료는 전부 실현된 적이 없는 수 많은 잠재적 가능성 [Potentiality]을 가지고 있다.

둘째 명제.

이들 잠재적 가능성이 생명, 정신, 미, 행복 등 그 고유한 목적에 따라 변화하다가 이상이 실현될 때에 그 가치를 발휘한다.

셋째 명제.

진흙 덩어리로부터 감각과 인식을 가진 인간에 이르기까지 실체들이 구조의 성질에 따라 생겨나서 얼마간 지탱하다가 사라진다.

아리스토텔레스 철학엔 인간에 관한 인본주의와 자연에 관한 자연주의가 논리적인 조화를 이루고 있다고 Santayana는 평했다.

그는 이어서 아리스토텔레스의 인간성에 관한 개념이 건전하다. 이상적인 모든것이 자연적 토대를 가지고 있고 자연적인 모든 것이 이상적 발전을 이루고 있다고 하였다.

인간이 인간의 특성을 가졌음에도 불구하고 전 자연에 일관하고 있는 일반적 특징을 다 나타내고 있다는 것이다. 지성적이고 행복한 인간은 자연의 이상적 가능성을 예로 보여 주는 목적중의 하나이다.

아리스토텔레스의 공부를 처 삼촌 벌초하듯 하고 나니 소크라테스의 말이 생각난다. We must not pretend to know what we do not know. 마치 나를 두고 한 말인 것 같다.

논어에 적힌 공자의 말도 같은 뜻이다.

由 誨女知之乎 유야 안다는 것이 무엇인지 가르쳐 주랴.

知之爲知之 아는 것을 알고 不知爲不知 是知也 모르는 것을 모른다고 아는 것이 아는 것이다.

아리스토텔레스의 자연주의는 그보다 앞서 물이 만물의 원리라고 말한 Thales[640~540B.C.]와 그 이상 분활할 수 없는 궁국적 단위를 원자라고 말한 Democritos 등 희랍 식민지 철학 시대의 철학자 중에도 이미 있었다.

그 후 헬레니즘 시대에 Epikuros를 위시하여 근대의 Spinoza, H.Spencer그리고 G.Santayana와 John Dewey등의 미국의 현대 철학자들이 자연주의자들이다.

이들은 진화설등 과학의 발달에 힘입어 인간의 모든 것을 자연의 법칙으로 설명할 수 있다고 믿게 되었고 근대에는 철학이 빠르게 발전하는 과학을 뒤따라가는 형국이 되었다.

그러나 자연주의 철학을 반대하는 세력도 만만치 않다. 이들은 과학에 밀려서 뒤쳐지는 철학의 우위를 되찾으려고 시도하여 철학이 발달하는 과학에 끌려 다니지 않고 독자적으로 진리 탐구에 우위를 되찾을 수 있다고 믿는다.

이 시점에서 종교 특히 기독교와 자연주의와의 과계에 대하여 언급할 필요가 있다.

좁은 의미의 자연주의자 또는 과격한 자연주의자들은 자연의 예정설, 부활, 성경에 기록된 기적등 초자연적[Supernatural] 현상을 전면 부정한다. 자연을 관찰, 경험, 추리하는 과학만을 믿는 사람들이 자연이 아닌 초자연을 믿지 않겠다는 것은 당연하다고 볼 수도 있다.

그러나 초자연이 자연이 아니기 때문에 신앙적으로 초자연을 믿는다는 것은 개인의 자유에 속하는 것이 아닐까. 초자연은 증명이 되지 않는 영역이기 때문에 긍정도 부정도 않는 중립적 태도를 취하는 사람도 있고 믿는 데에 무슨 증명이 필요한가 하면서 열정적으로 믿는 사람도 있다.

모든 과학 분야에서 인류가 축적한 지식이 방대하지만 우주의 신비에 비하면 대양에 모래 한 알만도 못하고 번갯불 처럼 순간을 살다 영원으로 사라지는 운명에 처한 인간이기 때문에 나는 초자연을 부정할 수가 없다. 그렇다고 해서 초자연이라고 다 믿으라는 말은 아니다.

잘못된 믿음의 예를 들자면 이 지면이 모자랄 것이지만 제임스 타운의 집단 자살, WACO의 대참사뿐만 아니라 주체 사상도 일종의 믿음에 속한다.

과학적으로 증명이 안된 것을 믿는 것이 미신이라고 정의한다. 그렇다면 초자연을 믿는다는 것은 미신이다. 문제는 미신을 어리석거나 옳지 못한 믿음으로 생각하는 상식에 잘못이 있는 것이다. 모르는 것이 너무 많다 보니 인간은 미신이 필요한 것이다.

나는 미풍 양속을 해치지 않는 한 모든 미신을 인정한다.

시야가 좁은 자연주의자와 근본주의적 종교인들이 서로를 수용하고 평화 공존하며 이웃으로 받아들일 수 있는 인도적 풍토가 중요하다고 나는 생각한다.

20 | 인류의 운명

자기 자신의 새로운 독창적 아이디어라고 생각하고 흥분해서 글을 썼는데 자기와 같은 생각을 한 다른 작가가 자기보다 더 잘 쓴 글을 발견할 때가 있다.

혼자서 놀라고 반가운데 옛날 고대 작가중에서 그와 같은 작가를 발견하면 영원한 마음의 친구가 된다고 임어당이 그의 수필집 The importance of living의 서문에 썼다. 나도 그런 경험을 한 적이 있어 그 느낌을 잘 이해할 것 같다.

임어당은 I am not original. I am not deep and not well read. 라고 겸손하게 고백하고 대학에서 철학을 공부하지 않았기 때문에 철학 얘기를 용감하게 썼다고 했는데 그 점에도 나는 동감이다.

내가 철학도가 아니기 때문에 하룻 강아지 범 무서운 줄 모른다는 격으로 인류의 운명이란 내게 벅찬 주제와 씨름하고 있는 것이다.

이십여 차례에 걸쳐 성현들의 사상과 철학등을 간단히 둘러 보았다. 내용들은 대개 나같은 무명인도 한번쯤 생각해 본 주제들이다

창조, 진화, 생성, 신과 자연, 예정론, 자유 의지, 사망과 영생 등등 내 사색의 세계를 거쳐가지 않은 주제는 없다.

호기심이 인류 문화의 어머니라고 한다. 알고 싶은 욕망은 누구든지 가지고 있고 나도 예외가 아니다. 개나 고양이도 낯선 짐승이나 곤충을 발로 밀고 뒤집고 하면서 탐색을 하는 것을 보면 호기심이 많은 것을 알 수 있다.

짐승도 지능이 높을 수록 호기심이 많은 것같다.

방대한 성현들의 말씀을 둘러 보았지만 인류의 운명이라는 데에 초점을 맞추고 보았을 때 인류의 앞날을 비추어 줄 해답은 찾지 못하였다.

왜 그럴까.

아마 현재 인류가 처한 긴박한 문제들이 극히 최근에 생긴 문제인 점도 한 이유일 것이다. 예를 들면 지구의 오염이나 온실 효과 등은 희

랍 철학자나 사대 성인들의 당시에는 듣거나 보지 못한 문제들이다.

때로는 그들의 천재에 감동을 받았고 때로는 깊은 공감속에 옛친구를 만난듯 반가웠지만 인류의 운명을 맡길 수 있는 길을 보여 주는 지혜를 발견하지 못하였다.

이십일세기에 처한 인류의 운명은 이십일세기 인류가 개척해야 할 몫이다. 과학의 발전 속도가 너무 빨라 소위 지식인들도 자기의 전문 분야 외에는 세상이 어떻게 돌아가는지를 모르고들 산다. 어떤 사람은 신앙은 중세기 의 신앙에 살고 있고 어떤 사람은 정치는 대원군 시절에 살고 있다. 어떤 사람은 현대 문명의 혜택은 다 누리면서 과학 지식은 백년쯤 묵은 지식을 가지고 있다. 유전공학 지식은 최첨단인데 정치 사상은 칼 막스를 벗어나지 못한 사람도 있고 물리학 박사이면서 신앙적으로는 미신의 경지를 벗어나지 못하고 십구세기 한국 선교사들이 전파한 기독교 신앙에 머믈고 있는 사람도 있다.

인류의 대다수가 무지와 편견속에서 벗어나지 않고는 의사소통이 불가능하여 인류의 운명을 논하고 살 길을 찾는 다는 것은 공념불에 불과하다. 이는 바로 교육의 문제로 연결되는데 이문제는 뒤에 따로 논할까 한다.

다음에 인류의 의사 소통 문제는 지구화 문제와 연결된다. 민족과 국가를 떠나서 인류가 함께 타고 있는 지구라는 배의 항로를 정하는 일인 만큼 공동 대화의 장이 열려야 한다.

Globalization이란 말은 사회 과학에서는 1960년대부터 그리고 경제학에서는 1980년대부터 쓰였고 로마 제국 때도 이미 지구화의 형태가 있었던 셈이다.

그러나 이십일세기 현재에도 인류의 대부분은 지구화에 별 관심이나 흥미가 없다. 민족간의 갈등이나 무역을 유리하게 유도하기 위하여 정치가들이 부르짖는 지구화는 선전 구호와 같다.

지구화를 입으로 외치면서 국가나 민족의 이익에 너무 집착하여 오염 방지나 수산 자원 보호를 위한 국제회의의 진행을 보면 별로 진전이 없다.

어떤 사람은 인류의 운명을 바로 잡을 길은 자기가 믿는 종교 뿐이

라고 말한다. 말하는 뜻은 진실하겠지만 종교가 인류를 구원할 수 있는 능력이 없다는 것을 증명하는 데에 이미 지나간 수천년이면 족하지 않을까.

사실은 종교간의 갈등이 인류의 운명을 위태롭게 만들 원인중의 하나이니 나는 어느 특정 종교에서 인류의 살 길을 찾지는 않는다.

역사적으로 팔레스타인 분쟁이나 세계 도처에서 있었던 기독교와 회교, 회교와 힌두교의 분쟁의 예를 일일이 들지 않더라도 역사를 조금 공부한 사람이면 종교가 지닌 모순을 이해할 수 있을 것이다.

이 기회에 모든 시앙인에게 평소 하고 싶었던 말을 하겠다.

첫째, 종교는 정치에서 완전히 분리되어야 한다. 분리가 되지 않은 일부 회교 국가에서 일어나고 있는 부조리를 보면 그 이유를 알 것이다. 헌법상 분리가 잘 되었고 민주주의 정치 훈련도 되어 있는 미국에서도 가끔 이 문제로 시끄러운 것을 보면 쉬운 문제는 물론 아니다.

둘째, 신앙의 자유에는 남에게 자기의 신앙을 강권하지 않는 원칙도 포함하여야 한다. 전도나 선교가 조금이라도 남에게 귀찮거나 해를 끼쳐서는 안된다. 지구화에 선행 조건중의 하나다.

셋째, 신앙이 다르다고 해서 사람을 미워하거나 비방해서는 안된다. 신앙이 달라도 남에게 해를 끼치지 않는한 그렇다. 미워하지 않는 데에는 의식적인 노력이 필요한 것은 사실이다.

한마디로 종교가 다른 신앙을 가진 사람과 평화롭게 같이 사는 법을 배워야 한다. 지구화는 종교인 간에 가장 시급한 사항이다.

인류의 운명과 관련이 있는 현재 기구로는 U.N. 만한 기구가 없다. 그 사무총장이 한국의 반기문씨인 것은 자랑스러운 일이다.

League of Nations가 제 구실을 못한다고 해서 1945년에 창립한 유엔은 현재 회원국이 192개국이다. 육이오 동란 때 유엔과 유엔군에게서 받은 도움을 우리는 잊지 못한다.

또한 과거 유엔은 세계 도처에서 일어난 문제를 여러가지 이유로 적절한 해결로 인도하지 못한 예가 많다.

Rwanda와 Durfur의 Genocide 문제, Israeli-Palestinian 분쟁, 북한을 포함한 여러 국가의 핵폭탄의 개발 등이 그 예의 일부이다.

이 때문에 유엔의 유용성에 의문을 제기하는 여론도 적지 않다. 최근 수년간 유엔 총회 안건의 사분지 삼이 중동 문제였고 유엔 안보리의 결의중 미국이 이스라엘에 불리한 결의를 모두 부결한 사실을 참고로 말해둔다.

그러나 년 오십억불 예산으로 세계 문제를 토론할 수 있는 대화 장소가 있다는 것 만으로도 유엔은 절대로 필요한 기구다.

동시에 유엔이 인류의 운명을 좌우할만 한 능력이 없다는 사실은 명백하다. 그 이유중에 하나는 인류의 이익보다 각각 자기 나라의 이익이 앞서기 때문에 자기 나라 이익에 조금이라도 불리한 결정을 반대할 뿐 아니라 실천을 거부하기 때문이다.

유엔이 양식과 양심에 따라 각국가들이 눈앞의 이익을 희생하고 인류 생존에 적극 활약할 수 있는 기구로 변화 하기를 기대해 본다

그밖에 인류의 운명을 토론할 만한 공동의 장이 도대체 없다.

이대로 가면 인류의 운명은 멸망의 길로 아주 빠른 속도로 달려 갈 것이다.

전에 잠깐 언급했지만 무식과 무지로 인한 편견이 난무하는 한 인류의 운명을 바른 길로 인도할 필요성을 자각한 인류의 大多數를 형성할 수가 없다.

무식과 무지는 편견을 낳고 편견은 자기와 다른 사상과 신앙에 대한 증오심을 낳기 때문에 인류가 마음을 합하여 운명을 논할 수조차 없다.

무지와 무식에서 인류를 구하는 길은 교육밖에 없다는 데에 반대하는 사람은 없을 것이다.

그런데 슬프게도 오늘날 교육부재의 현실을 예를 들어 보겠다.

디트로이트시의 공립 고등학교 입학생중 25%가 졸업을 한다고 한다. 미국전국 공립 고등학교 입학생 대 졸업생 비율은 70%이고 매년 백이십만명이 낙오한다고 하니 놀라지 않을 수 없다.

선진국이고 교육 예산이 천문학적으로 높은 미국의 교육이 이지경이다. 고등학교를 나오고도 읽고 쓰지를 못하는 학생이 많다니 이들에게 인류의 운명을 같이 걱정한들 무엇을 기대할 수 있겠는가.

도덕을 포함한 교육의 부재는 마약과 술의 중독, 문란한 성문화, 황

금주의, 한탕주의, 자유의 남용, 컴퓨터 게임의 중독 등으로 문명이라는 미명하에 세계가 병들고 있다.

교육의 중요성을 아무리 강조해도 부족한데 선거철마다 표를 얻기 위해 강조하는 정치가들의 교육의 강조는 겉치레 뿐이다.

내가 미국에 산지도 사십년이 넘는데 미국의 교육이 발전한 흔적이 없다.

단, 하나의 예를 들면 미국의 이공계 대학원 학생의 과반수 이상이 중국, 인도, 동남아등의 학생들이니 미국의 장래를 어찌 밝다 할 수 있는가.

배가 고픈 후진국의 교육은 배가 고파 교육에 정신을 쏟을 여유가 없다는 구실이라도 있겠지만 미국의 교육은 배가 불러 공부하기 싫다는 변명외에 무엇이 있을까.

내 얘기를 잠깐 하겠다.내가 국민학교 중고등학교를 다니던 시절 끼니를 떼우지 못하는 학생이 많을 정도로 가난했고 한 교실에 보통 육십여명의 학생이 공부했다. 미국에서 한반이 이십명만 넘어도 큰일 난 것처럼 떠드는데 현재의 미국의 교육에 비해서 정말 그 때의 교육이 그토록 열등했을까.

그런 대량 생산의 교육속에도 나는 담임 곽선생님같은 선생님 덕분에 수학 특히 논증기하에 재미를 붙여 많은 시간을 보냈는데 지금도 내가 수학에 재미를 붙이게 된 원인이 된 그 분의 교육열을 잊지 못하고 감사하고 있다.

나는 일제하에 교육이라고 다 잘 못되었다는 생각은 틀렸다고 생각하는데 예를 들면 당시 있었던 공민 시간은 내게 기본 예의와 공중 도덕을 많이 가르쳤고 평생 내몸에 배어 나를 버릇 없는 인간이 되는 것을 막아주었다.

차를 달리며 빈 깡통이나 쓰레기를 차 창밖으로 던지는 행위는 나로서는 상상도 못하는 까닭도 그때 몸에 익힌 공중 도덕 때문이다.

2011년 삼월 십일일 일본 동북 지방에 구점영의 강진이 났다. 그 아비규환중에 약탈 등의 만행이 없이 질서를 지킨 일본 시민의 공중 도덕은 내 눈시울을 붉혔다. 미국 카트리나 재앙 때 보여준 약탈 등을 상기하고 나는 괴로웠다.

공중도덕의 교육에는 종교의 도움이 꼭 필요하지는 않다. 자유와 방종을 구별하고, 개인주의의 폐단을 인식하며, 법과 질서를 지키고 황금 만능주의와 낭비를 경계하는 윤리 도덕을 포함하여야 한다.

교육의 퇴보를 어떻게 바로잡을 것인가 라는 문제만 나오면 미국의 정치가들은 예산증가를 주로 논한다. 선생들의 봉급을 올리고 학교 건물과 시설을 개선하자는 구호는 자기들의 표를 늘리기 때문이겠지만 예산 증가가 교육의 질을 높인다는 생각은 허상이다.

1960년대의 한국 유학생들과 지금 월남이나 인도 학생들의 향학열이 교육 예산과 아무 관계가 없다는 것은 긴 설명이 필요없다.

다시 한번 내가 교육의 중요성을 강조하는 이유는 지성이 어느 수준에 도달한 인구가 어느 Critical Mass가 되어야 인류가 처한 운명의 심각함을 깨닫고 변화를 추진할 수 있는 충분한 크기의 힘이 되기 때문이다.

즉 소수의 지성인이 아무리 외쳐도 인류를 움직일 만한 Critical Mass가 형성되지 못하면 Too little, too late가 되고 말 것이다.

이 Critical Mass를 형성하는 길은 교육밖에 없는데 교육의 현실은 암담하다.

지구는 곪아가고 있는데 이를 깨달은 사람은 너무 적다.

아는 자는 말이 없고 말하는 자는 알지 못한다.

교육 얘기가 나온 김에 한국의 교육 얘기를 마저 하겠다.

한국의 교육은 이름 있는 대학에 들어가기 위한 준비가 목적이고 입시 준비를 위해서는 비싼 과외공부가 주고 학교는 졸업장을 타기 위한 형식으로 전락했다고 한다.

과외에 시달려 학교 수업 시간에 책상위에 엎드려 자는 아이를 선생이 깨우면 왜 깨우느냐고 항의한다는 얘기를 들었다. 과외 비용과 유학 비용을 마련하느라 녹초가 된 기러기 아빠들의 슬픈 얘기도 들었다.

어떤 전교조 선생은 학교에서 학생들에게 주체 사상을 주입하고도 봉급은 대한민국에서 받는다. 그런데 선생 대우가 너무 좋아져서 요즘 한국에서 선생 되기가 그렇게 어렵단다.

이런데도 한국의 교육이 미국보다 나아 보이는지 오바마 대통령이 여러 차례 한국의 교육을 칭찬했다.

타락한 한국 교육을 칭찬할 만큼 미국의 교육은 더욱 캄캄하다.

살기에 바빠라는 말이 있다.

사람은 제각기 살기에 바빠 단 백년안에 닥쳐 올 인류의 위기에 대하여 설마 어떻게 되겠지 혹은 누구인가 무슨 수를 내겠지 하고 외면하고 산다. 세계에서 가장 부강한 미국의 오바마 대통령도 국내 건강보험문제, 이락과 아프간에서의 전쟁문제, 미국내 좌파와 우파문제, 미국의 천문학적 부채 등 직면한 문제가 산적해서 보통 사람 같으면 편안히 잠을 자지 못할 것이다.

어느틈에 인류의 운명을 걱정할 여유가 있겠는가.

상하원 의원들도 형편은 마찬가지일 것이다.

목자들은 자기 교회나 교세의 확장에 바빠 아니면 자기 교회 신도들의 어려움이나 영혼 구제에 바빠 인류의 운명 따위는 하나님께 미루고 만다.

하물며 서민들이야 먹고 사는데 제 앞가림 하느라 바빠 인류의 운명이 안중에나 들어 오겠는가.

어떻게 하면 세상 사람들이 인류의 운명을 걱정하고 합심하여 위기에 대처할 수 있을까.

인류의 운명 | 21

개인의 운명을 점치듯이 인류의 운명도 추측해 볼 수 있을 것이다. 예로부터 人命은 재천이라고 해서 아무도 저승으로 떠나는 날을 늘이거나 줄일 수 없다고 했고 노인에게 밤새 안녕하셨습니까 라는 인사는 간밤에 죽지 않으셨군요 라는 인사라고 한다.

칠십이 넘은 후로 내가 세상을 언제 떠날지 생각해 보는 일이 더 빈번해 졌다. 내 남은 여생에 돈이 얼마나 더 필요할까 계산해 보기 위해서가 아니라도 언제쯤 세상을 떠날까 하는 생각을 해보지 않은 사람은 드물 것이다. 또한 자기 개인의 수명외에 현재 인류가 처한 여러 여건을 미루어 보아 앞으로 얼마나 인류라는 동물의 種이 지상에 살아 남아 있을지 헤아려 볼 수 있을 것이다.

이러한 추측은 얻을 수 있는 정보의 정확성과 판단하는 사람의 판단력에 따라서 예상의 정확성이 결정될 것이다.

우선 내 수명부터 보자. 그러려면 평균 수명이 중요한 재료가 될 것이다. 신석기와 청동기시대에 사람의 평균 수명은 이십세 전후 였다고 한다. 중세 영국에서도 이십내지 삼십세 전후였고 이십세기 초에 삼십내지 사십세였다고 한다. 근대 의학이 발달하기 전까지는 소아 사망율이 높았고 마취와 수술의 발전과 항생제 등의 사용 이전에는 모든 질병의 사망율이 높았으며 때때로 전염병이 대륙을 휩쓸어 평균 수명이 길어질 수가 없었다.

이천팔년도 일본인 평균 수명이 팔십이세로 세계에서 제일 높고 아프리카 Swaziland인이 삼십이세로 제일 낮았다. 이천팔년 칠월에 발표한 한국인 평균 수명은 칠십구세가 조금 넘었다. 한국인의 평균 수명은 계속 길어지고 있다. 남자는 평균수명이 칠십오세가 넘었으니 지금부터 사는 시간은 내게 덤이다.

내 사지에 달린 근육이 줄어 드는 속도와 관절이 늙는 속도로 미루어 한 오년간은 거동을 근근이 할수 있을 것 같고 건망증 독서력등 대

뇌 기능이 퇴화하는 속도로 보아 앞으로 한 오년간 사는데는 지장이 없을 것같은데 이 모두가 상상일 뿐이다.

시력과 청력이 악화되는 속도로 보아 운전도 한 오년은 더 할 수 있을 것 같은데 이것도 추측이지 실제로 무슨 눈 병이 날지 아무도 모르는 일이다.

골프 공 비거리가 지금 속도로만 준다면 한오년간은 골프장에 나가도 다른 사람에게 큰 방해가 되지는 않을 것같은데 그것도 희망적 상상일 뿐이다.

교통 사고, 암, 치매 등 예측 불가능한 재앙이 닥치지 않는다면 앞으로 십년까지도 버틸 수 있을지 모른다고 욕심도 부려 본다.

확실한 것은 얼마 남지 않았다는 사실 뿐이다.

인류의 운명으로 돌아가자.

제한된 자원과 지구 오염과 가장 관계가 많은 요소는 인구의 증가와 문명의 발달이다. 학자들의 연구에 의하면 기원전 천년에 세계 인구는 천만이었고 기원초에 이억, 기원 천팔백년에 십억이던것이 현재 육십칠억으로 늘었다.

한국과 독일처럼 아이를 낳지 않겠다는 여성들이 늘어 20008년도 산아율이 각각 일점이와 일점일로 낮은 나라도 있지만 높은 나라도 많아서 2042년에 지구 인구는 구십억이 될 예상이다.

현재 세계인구가 필요한 곡물이 매년 삼십억톤인데 지구는 1990년 십구억톤의 곡물을 생산하고는 그후로 소출이 조금씩 줄어들고 있다.

즉 곡물 소출의 절대량이 부족하기 때문에 누군가가 굶어야만 남은 사람이 배를 채울 수있는 형편이다.

지구의 온실 효과는 추운 지방의 소출을 늘리지만 기온 상승은 지구 전체의 소출을 줄인다고 한다. 유전 공학의 발달로 농축산물의 혁명적 증산에 성공할 가능성이 있지만 가능성일 뿐이고 현실은 아니다.

물 부족, 기후의 변화등의 다른 원인도 있지만 주로 인위적인 자연 파괴로 인한 사막화 현상으로 지구는 매년 네브라스카 주만 한 땅을 사막으로 잃고 있다. 지금 속도로 사막화가 계속하면 2025년경에 아프리카 대륙은 자기 인구의 사분지 일밖에 자체 식량을 공급하지 못한다.

에이즈 등 각종 질병의 창궐에도 불구하고 이지방의 인구 증가율이 아시아의 두배나 된다. 현재 세계적으로 팔억의 인구가 식량이 부족하고 북한 동포도 같은 처지에 고생하는 사실을 우리는 알고 있다.

과도한 고기잡이와 바다 오염이 지금처럼 계속되면 물고기가 2048년경 고갈될 것이라는 보고도 있다. 이미 魚種 29프로의 어획량이 90프로 이상 줄어 들었다.

1980년에 체사피크만에 사는 굴들이 삼일이면 만 안에 해수를 다 여과해 냈다. 지금은 굴의 수가 줄어 여과하는데 일년이 걸린다고 하는데 바닷물이 그만큼 오염되여 물고기가 살아 남기 힘들다.

인공 배양으로 물고기의 고갈을 모두 대치할 수는 없다.

식품 담백질의 주자원인 가축의 숫자도 세계적으로 지난 삼십년 중 최하치다.

에너지 자원 즉 오일, 석탄, 우라늄 235 등을 지금 추세로 소비하면 약 칠십오년이면 동이 난다는 보고도 있다. 이러한 계산은 간단치가 않은데 예를 들면 앞으로 이백년은 충분히 쓸 수 있다던 석탄도 2007년도 national academy of science의 새 산출에 의하여 대폭 감소 되었다. 과거의 매장량 계산은 광부가 괭이로 캐낼 수 있는 모든 석탄을 합친 양이고 새 산출법은 기계로 채광 할 수 있는 석탄량만 계산한 것이다. 손으로 채광하는 채광법은 지금 사라지고 있기 때문이다.

콩이나 강냉이에서 생산되는 알콜로 대치할 수있는 에너지는 극히 제한된다. 이들이 가축의 사료이기 때문에 사료 값이 짧은 기간에 삼배로 뛰었을 뿐 만 아니라 이들의 재배에 필요한 비료 생산에 석유 자원이 소요되기 때문이다.

태양열, 풍력, 조수등을 이용하는 에너지도 설비 비용등 문제 때문에 제한이 있다. 에너지 자원과 그 소비량의 계산은 학자에 따라 큰 차이가 있는 것은 사실인데 그 이유를 예를 들어 설명하겠다. 미국의 인구는 삼억으로 세계인구의 22분의 일이지만 에너지 소비량은 세계의 사분의 일이다. 중국의 인구는 미국의 네배가 넘는데 경제 발전에 따라 에너지 소비가 급속도로 늘고 있다.

다시 말하면 중국이나 인도같은 나라의 에너지 소비량의 증가에 따라 세계 에너지 소비량이 크게 변한다. 따라서 소비량의 계산이 달라지는 것이다.

여유 있게 잡아도 현재로는 백년이면 에너지 문제는 심각해 진다.

우라늄은 토양에 백만분의 0.7~11이 들어있고 바다 물에 4.6billion 톤이 들어 있다. 그러나 상업적으로 이용이 가능한 가가 문제다. 또 원자력 발전은 폐기물 처리가 심각한 문제다. 2011년도 일본의 대지진으로 방사능 오염이 심각한 문제가 되고 있지만 현실적으로 원자력 발전외에 현재 묘안이 없다.

우라늄광석은 2009년도에 카작스탄이 세계 제일의 생산국이 되여 27.3%를 생산했고 캐나다와 호주가 그 다음이다. 2009년도에 세계가 5만 톤의 우라늄 광석을 채광했는데 파운드당 59불이면 5.5백만 톤의 우라늄 매장량이 상업적으로 채광 가능하다고 한다. 채광 비용을 무제한 쓰면 우라늄은 수백년간 쓸 수있는 매장량이 있지만 그 실현성은 미지수다.

기타 바다의 Algae를 이용하여 만드는 Biofuel과 역시 Algae를 이용하는 Biological Hydrogen 등의 대체 에너지의 발전 가능성을 말하나 실용 가능성은 미지수다.

사실은 에너지 고갈보다 물 부족이 더 심각한 문제다. 우리가 쓰는 담수의 70%는 농업용이고 20%는 공업용이며 10%만이 식수 및 생활용수다. 농산물 재배에 식수의 오백배의 물을 쓰며 물 부족은 식량 부족으로 직결되고 지구의 온도 상승과도 관계가 많다. 캘리포니아와 플로리다 두 주가 물 부족으로 농사를 짓지 못하는 경우를 상상해 보면 그 해를 실감할 것이다. 벌써 플로리다 Aquifier의 水位가 어떤 지역에서는 바다보다 낮아져 그 안으로 바닷물이 일부 침수했고 그 염분 때문에 그 물을 못 쓰게 되었다. 캘리포니아도 물 부족으로 자주 농사가 위협을 받는다.

바닷물을 증류하여 쓰는 나라도 있고 한국이 그 증류 기를 만드는데 선진 기술국이라는데 그 시설 비용과 사용되는 에너지 때문에 오일 생산국이 아닌 나라에서는 타산이 맞지 않을 것이다. 북극에서 빙하를 날라다가 쓴다고 하지만 얼마나 실용성이 있는지 모르겠다.

식량, 물, 그리고 에너지 이 세가지 중에 그 어느 것이든지 동이 나면 인류는 생존을 계속할 수가 없다.

실은 동이 나기전에 남은 자원을 빼앗고 뺏기지 않으려는 전쟁이 벌어져 인류가 전쟁으로 자멸할 가능성이 더 많다.

이미 오일 자원을 놓고 세계 도처에서 미국과 중국이 치열한 경제전을 벌리고 있고 달러 보유량이 많은 중국이 거의 독점하다시피 사들이고 있다.

앞으로 백년안에 닥쳐 올지 모르는 돌이킬 수 없는 인류 멸망의 비극을 인류가 막아낼 수 있을지 우리 모두가 스스로에게 물어야 한다.

현재 삼십억의 인구가 하루 식품 비용이 일인당 하루 이불이고 이 금액은 그들 수입의 70%에 해당한다는 유엔기구의 통계가 나와 있다. 식품 값이 조금만 올라도 그들은 생존에 위협을 느낄 뿐 아니라 당장 배가 고파진다. 사람이 배가 고프면 백년 뒤에 인류가 망하든 말든 그런것은 관심사가 안된다. 당장 배가 고파 목숨을 걸고 국경을 넘는 북한의 동포나 중국인에게 몸을 파는 북한의 여자들이 백년후 위기설이 귀에 들리겠는가. 미국 국경을 넘다가 잡히는 멕시코인이 하루 평균 2200명이라는데 그들에게 인류의 운명이 대수겠는가.

우선 배가 고프지 않아야 남의 걱정도 하고 인류의 운명도 관심을 가진다. 또한 돈, 권력, 여자 등 탐욕에 눈이 멀면 그런 관심을 가질 수가 없다.

그러다 보니 인류의 운명을 걱정할 사람은 많지가 않다. 기존의 종교, 철학, 도덕, 그리고 사상 등을 두루 둘러 보아도 인류의 긴박한 운명에 도움을 줄 만한 교본이나 지침이 없다.

종교와 철학을 포함한 인류의 모든 정신적 유산과 자산을 다 동원하고 과학의 지식과 기술을 다 집중하여 최선을 다한다면 아주 절망적인 것은 아닐 것이다.

그러나 지금까지 처럼 남은 자원이나 빼앗으려고 서로 다투기를 계속한다면 예상보다 더 일찍 인류가 지상에서 막을 내릴 것이다.

Homo Sapiens Sapiens가 진정 이성을 가진 동물이고 소위 만물의 영

장으로서 이 아름다운 지구에 더 남아 있을 권리를 보존할 수 있을까.

인류는 지구 위에 처음으로 이성을 가진 종[Species]인데 가장 단명한 종으로 끝나려는가.

공룡이 일억육천만년간 지구의 주인 노릇을 했는데 인류의 역사는 이십만년 밖에 안되니 팔백분의 일이다. 인류가 이쯤에서 물러날 것인가.

천리길도 한 걸음부터 라니 이 순간부터 각자 물 한 방울, 기름 한 방울을 아껴 쓰는 습관부터 가져야 한다.

지도자들은 지구라는 한 배를 탄 인류의 운명에 자신의 생애를 걸고 순교자의 마음으로 우매한 다수를 가르치고 뭉치고 이끌어 나가야 한다.

인류가 지상에서 살아지면 Roaches[바퀴벌레]가 지구의 주인이 될 것이라고 어느 생태학자가 말했다.

바퀴벌레의 얘기는 농담이 아니다. 방사능에 대한 바퀴벌레의 치사량이 인간의 육배 내지 십오배나 되기 때문에 핵 전쟁에 살아남을 확률이 높다. 실험에 의하면 바퀴벌레는 삼개월을 굶고도 살고 물 속에서 반시간을 견디며 공기 없이 사십오분간을 산다고 한다.

그래서 바퀴벌레는 인류가 살아진 폐허위에 살아 남을 가능성이 높다.

단순히 人爲의 결과로 발생하는 인류의 파멸을 막는다는 것이 거의 불가능한 도전같이 보이니 결과적으로 인간이 바퀴벌레만 못하다는 말인가.

태양 자체의 변화, 별과 지구의 충돌, 빙하기의 도래, 큰 화산 폭발 등의 천재나 재앙의 사고로 인류가 멸망하지 않더라도 우리 손으로 우리를 죽이는 일이 닥쳐오고 있다는 사실은 슬프다. 그것도 바로 삼대의 세월밖에 남지 않았다니.

지구 역사상 그리고 현재 가장 지능이 발달한 인류가 자포자기 하든가 기도만 하고 있을 수는 없다.

약은 사람이 제 꾀에 넘어 간다고 실은 그 지능 때문에 인류가 스스로 불러온 재앙이니만큼 그 지능으로 결자해지[結者解之]하는 용기도 찾아내야 한다.

인류의 운명이 얼마나 절대절명의 절벽에 매달리고 있는지를 깨닫고 힘을 합친다면 반드시 살아 남을 길을 발견할 수 있을 것이다.

인류 동포여 하늘이 무너져도 솟아 날 구멍은 있다.

함께 잠에서 깨어나자.

부언

인류가 멸망하고 나면 내 예언을 확인 할 사람이 없을 것이라고 생각하니 쓴 웃음이 나온다.

제7장

정치 사회

쥐 | 01

낙엽이 지고 찬바람이 부니 들쥐들이 집안으로 숨어 들었다. 아내는 거실과 지하실 요소 요소에 쥐약을 사다 놓았다. 그리고는 죽은 쥐와 비실비실 조는 쥐를 집어다가 버렸다.

독살이라는 말 자체가 싫었지만 크기가 새끼 손가락만 한데 무척 몸이 빠르고 작은 문틈으로도 잘 빠져 나가니 약 말고 내 재주로는 도저히 잡을 도리가 없다.

쥐약을 사다놓고 문틈을 봉하고 음식을 감추는 등 쥐와 전쟁 준비를 완료했다. 나는 어려서부터 살생을 싫어 하지만 불교나 힌두교 처럼 모든 살생을 다 반대하는 극단은 찬성하지 않는다. 또한 PETA[people for ethical treatment of animal]에 속한 운동원들의 데모도 때로는 지나치다고 생각한다.

기본적으로 생명의 존엄성을 중시하고 미물이라도 살아 갈 권리를 인정하나 인간의 자체 보존에 필요한 살생은 신중한 고려위에 결정하기를 바라는 정도다.

한편으로 벌, 나비, 개구리 등 인간 보존에 유익한 동물이 급속히 줄어들고 있는 지구의 생태계의 현주소에 걱정을 하며 산다.

구약 창세기[1;28]에 바다의 고기와 공중의 새와 땅에 움직이는 모든 생물을 다스리라는 말씀이 인간이 먹기 위해 짐승을 잡는 것을 하나님이 허락하신 것으로 사람들이 해석하는데 나는 동의도 반대도 못하고 있다. 나는 잘 모르겠기 때문이다. 어쩐지 약육강식을 정당화하는 의미가 숨어 있는 것 같고 그렇다고 해서 나를 위시하여 사람이 육식하는 것을 나쁘다고 하기도 거북하기 때문이다.

힌두교에서는 모든 생명의 살생을 금한다. 특히 원시 농경 시대에 인간에게 중요한 영양제인 우유를 공급하고 농사에 필요한 노동력을 제공하며 배설물까지도 연료로 쓰이는 소를 대지의 어머니로 받드는 것을 나는 이해할 수 있다. 그러나 그러한 신앙은 이제 원시 종교의 유

물로 보는 것이 옳지 않나 싶다.

살생을 절대로 금하는 근본주의적 입장은 지키기가 쉽지 않고 모순도 있다. 말라리아 등 전염병을 막기 위한 모기 소탕전, 벼룩이나 빈대 등 기생충 소탕전등은 인간의 정당 방어로 간주해도 되지 않을까 하는 것이 내 생각이다.

종교적 이유로 육식을 않는 이유를 인정하지만 영양학적인 면에서 좋은지 아닌지는 나도 잘 모르겠다. 열량이 많이 필요한 직업에 종사하는 사람들 예를 들어 스모 씨름꾼은 육식이 필요하지 않을까 하는 생각을 가지고 있는데 내 생각이 맞는지 아닌지 영양학적 증거는 없다.

식용 동물의 도살은 인간의 생존을 위한 필요악 중의 하나가 아닐까 싶다. 도살 당하는 동물의 입장을 모르는 것은 아니나 그들의 사정을 잊으려고 노력한다는 태도라고나 할까.

폭발적으로 증가하는 인류를 먹이기 의하여 식용 동물을 대량 생산하고 종자를 개량하고 홀몬과 항생제를 투여하는 것까지는 불가피 하겠지만 그 과정에서 동물 학대 등의 윤리적 문제를 소홀히 해서는 안된다는 동물 권리 운동가들의 말에 귀를 기울여야 한다고 생각한다.

예를 들면 병아리 사육장이 가끔 텔레비전 뉴스에 나오는데 너무 좁은 공간에 닭들을 몰아넣어 몸을 꼼짝도 못하는 닭들을 보면 한동안 닭고기 맛이 없다. 심리적으로 사형 집행전에 잘 먹이고 하는 심리와 비슷하다고나 할까.

한편 모든 동물 실험을 폐지하자는 극단론에 대해서는 찬성하기 어렵다.

기왕 식용으로 잡는 동물의 가죽으로 의복을 만든다면 나쁠 것이 없지만은 순전히 의복의 재료를 만들기 위해 밍크의 경우처럼 동물을 대량 사육하고 살생하는 것은 좀 지나치지 않나 하는 생각을 하게 된다. 인간의 사치를 위하여 동물을 살해할 권리가 인간에게 있느냐 하는 것이 문제가 된다. 사치가 인간의 본능인 먹는 것보다 중요하다고 생각하는 아가씨도 있을지 모르기는 하다.

사다가 놓은 D-Con이란 쥐약은 거의다 없어졌는데 잡은 쥐는 세마리 뿐이였다. 죽은 쥐 세마리가 그 많은 쥐약을 다 먹었을리는 없고 살아진 쥐약이 미스테리로 남았다. 얼마 후 아내가 청소하느라고 소파 쿠션을 들어내니 그밑에 D-Con알이 소복이 쌓여 있는 것이 아닌가. 쥐가 죽기 직전까지 겨울 양식으로 D-Con을 열심히 물어다가 감춰 놓은 것이다. 독약인지도 모르고 겨우내 먹으려고 죽는 순간까지 부지런히 날라다 싸놓은 것을 생각하니 내가 쥐를 속인 것도 같아 마음이 언짢았다. 인간이 지능이 높다하여 지능이 낮은 쥐를 속이는 꾀를 부려도 정당 방위라는 이름으로 정당화가 되는가.

사람도 언제 죽을지 모르면서 악착같이 모으지 않는가.

들쥐가 월동 준비로 쥐약을 감추어 두는 것이 유전 인자의 지시인지는 몰라도 남들이 버는 것을 가지고 놀고 먹는 인간 보다 얼마나 기특한가.

내가 쥐와 한방에서 살 수 없으니 쥐를 독살한 것은 정당 방위라 할 수도 있겠지만 내게 속아서 독약을 월동용 식량으로 애를 쓰며 싸놓은 쥐에게 미안한 생각을 얼마동안 지울 수가 없었다.

D-Con은 의사라면 다 아는 Warfarin혹은 Coumadin이라는 혈액 항응고제가 주 성분인 극약이다. 의학적으로 혈전 예방약으로 쓰이고 양이 많으면 출혈을 유발하므로 쥐약으로 쓰이며 한마디로 쥐를 내출혈로 죽이는 것이다.

쥐는 설취류[Rodents]에 속하고 설치류에는 이천 내지 삼천 종[species]이 있는데 약 육천오백만년전 공룡이 멸망한 후부터 지구에 살기 시작했다고 한다.

Homo Sapiens의 화석은 제일 오래 된 것이 삼십만년이고 Homo Sapiens Sapiens의 화석은 제일 오래 된 것이 십삼만년 되었다고 하니 쥐는 인류의 대선배다.

어쩌다 새까만 후배인 인류가 대선배인 쥐를 잡으려 D-Con같은 독약을 만들 만큼 지능이 발달하게 되였는지 알다 가도 모를 일이다. 그것도 하나님의 뜻인지 나는 모르겠다.

허나 인간은 쥐만 독살하는 것이 아니다. 기원전 4500년에 사람들은 이미 짐승 사냥이나 적과의 싸움에 독을 사용했다고 한다. 소크라테스도 독살로 사형을 당했지만 로마제국 시대에 들어서면 정적이나

왕의 독살이 다반사로 유행하였다. 당시에는 주로 cyanide를 많이 썼다고 한다.

일차대전 중 독가스로 구만명 이상을 서로 독살했고 백이십만명 이상을 병들게 했다. 이차 대전중에 독일은 Auschwitz 한 곳에서만 Zyklon-B로 많을 때는 하루에 구천명이상을 독살했다. 유대인들이 죽어가며 신은 어디있는가 라고 부르짖었다는데 나는 그 애절한 인간의 절규를 잊을 수가 없다. 유대인들이 미움 받았던 이유는 전혀 다른 문제다.

초점은 그런 인간끼리의 독살을 행항 수 있는 인간들의 의식이다.

사담 훗세인은 이란과의 전쟁 중 이란군과 커드 민족 수 만명을 독살했다. 얼마전 영국에 망명하여 푸틴 소련 대통령을 비난하던 전 러시아 스파이가 Pollonium-210으로 독살을 당했다. 방법은 길에서 스쳐 지나 가면서 가는 바늘로 목을 찔렀을 뿐이였다..

인[Phosphorus]이 섞인 어러 가지의 Nerve Gas는 대량 살상 무기로 규정되어 1993년 유엔에서 생산과 저장이 불법화 되었다. 미국 의회는 1972년 이 독가스를 바다에 버리지 못하도록 법을 제정했는데 그 이전에 이미 32000톤의 독가스를 강철 용기에 넣어 바다에 버린 뒤였다. 언제 그 용기가 삭아서 바다가 오염 될지 모른다.

1997년 부터 소련의 화학 무기 처리를 미국이 도왔고 2009년부터는 독일이 돕고 있다. 그 처리 비용을 대고 있다는 말이다.

북한의 화학 무기 생산에 관해서는 전혀 알려진 바가 없지만 2009년 시월 중국과의 국경 근처에서 Nerve Gas를 관측했다고 중국이 보도한바 있다.

인류는 지구를 오염시켜 스스로 독을 먹고 살 수밖에 없게 되었다. 집안에 든 쥐를 독살하고 나서 인간과 다른 동물과의 관계를 생각하는 김에 인류의 운명이 걱정이 되어 몇마디 적었다.

인류가 앞으로 스스로를 독살하는 비극이 없기를 빌고 싶다.

부럽지 않다 | 02

진시황도 부럽지 않다. 내 골프 파트너이며 존경하는 임필순 선생의 말씀이다. 주말마다 골프를 치고 나서 작은 시골 중국집에서 칭타오를 마시며 저녁을 먹다 보면 저절로 나오는 임선생의 말씀이다. 나도 덩달아 정말 진시황이 부럽지않네요 하고 동의한다.

진시황[기원전 259~210]은 중국 최초의 황제로 천하의 권세를 누렸고 미인들이 음식을 입에 떠먹이는 호강을 했겠지만 자기의 목숨을 노리는 암살과 독살의 공포속에 살았는데 그래서 암살을 피하기 위해 항상 다섯대의 똑같이 생긴 수레중 하나에 타고 다녔다고 한다.

분서갱유라고해서 성가신 자기 비판이 싫어 학자 460명을 생매장했고 의약 농상공등에 관한 책을 제외한 모든 서적을 다 불사르는 중국 최대의 폭군 노릇을 했으니 얼마나 그의 마음이 지옥이였겠는가.

세상에 나를 죽일려는 사람이 없고 내가 원할 때 골프를 즐기며 마음이 편하니 나는 진시황이 부럽지 않다는 것이다.

지상에서 가장 부강한 미국의 대통령은 현재 지상에서 국내외에 가장 강력한 권력을 쥐고 있다. 한번 행차하려면 수많은 수행원, 경호원, 수백명의 기자들, 의장대 그리고 전용 비행기와 전용 방탄차 등이 동원되니 그 위세가 하늘을 찌른다.

내 체질에는 그런 야단법석이 전혀 부럽지가 않다. 이라크와 아프간 전쟁터에 수많은 병사를 보내 놓고 매일 그들이 죽어가고 있으며 중동 전쟁이 어떻게 끝날지 예측을 불허하는데 보통 사람이라면 잠을 이룰 수가 있겠는지.

사담 훗세인만 제거하면 해결이 될 줄로 쉽게 생각했던 중동문제가 이라크의 견제가 사라진 이란의 부상으로 전쟁전보다 더 꼬이기 시작하니 이스라엘-팔레스타인 문제와 함께 점점 악몽이 되어가고 있다. 내가 그자리에 있다고 가상만 해도 머리가 아프다. 군사력이 무적이지만 핵무기를 쓸 수가 없기 때문에 이란이 약을 올려도 미국은 속수무책이다. 마치 쥐가 사자의 코털을 뽑는 격이다.

같은 이유로 김정일이 미사일과 핵개발로 미국에다 협박 공갈을 쳐도 미국은 어린 아이에게 계속 맞으면서도 주먹을 들지 못하는 어른 꼴이 되였다. 우방으로 믿었던 노무현 대통령이 김정일 대변인 노릇을 하고 사십오억불이라는 거금을 김정일에게 퍼주어도 중동의 급한 불을 끄느라 한국에는 손을 놓고 있다.

그밖에도 베네즈엘라 등 남미 좌경 국가들의 반미운동, 불법이민 문제, 환경오염 등 부시 대통령의 골칫거리를 다 열거할 수 없지만 여하튼 나는 그 자리가 부럽지 않다.

1970년 9월 박정희 대통령에게 맞설 야당 후보를 뽑는 전당대회에서 김영삼 후보가 과반수를 얻지 못하자 이차투표에 들어갔다. 이 때 김대중씨가 이철승씨를 당수로 밀어주는 대신 이철승씨계의 표를 김대중씨에게 달라는 각서를 명함에 적어 이철승씨에게 전하고 김대중씨가 대통령 후보가 되었다. 김대중씨는 그 약속을 지키지 아니했고 기자들이 나중에 이 각서에 대해서 묻자 김대중씨의 답은 그런 약속을 믿는 사람이 바보라는 것이였다. 그는 다시는 대통령에 출마하지 않겠다고 했고 정치에서 영원히 손을 떼겠다고 했는데 이 두가지 약속을 모두 어겼다.

거짓말을 못하면 정치가가 아니라지만 나는 거짓말 잘하는 정치가를 좋아하지 않는다.

김정일과의 정상회담을 조건으로 오억불을 지불하고는 그런 일이 없다고 거짓말을 하고 퇴임후 송금한 증거가 나오자 돈을 준 사실을 인정했다.

웃돈 주고 한 정상회담 덕택으로 노벨상을 탔다. 그러나 국민에게 한 거짓말은 정당화 될 수 없다. 정치적 거짓말은 거짓말이 아니라는 말이 생겨났다.

박 대통령 시절 경부 고속도로 건설 반대, 월남 파병 반대 등 김대중씨는 사사건건 반대했는데 그 반대를 무릅쓰고 박정희씨가 밀고 나가 오늘날 한강의 기적을 이루었고 그 덕분에 김정일에게 퍼다줄 돈이 생긴 것이다.

김대중씨의 삼단계 통일과 햇볕 정책은 북한 정권이 대한민국과 같이 어느정도 국제법의 준수와 보통 상식이 통하는 정권이라야 가능하다. 원조하는 돈이 배고픈 국민에게 가지 않고 군과 당 간부에게만 가는데 햇볕이 어떻게 비친단 말인가.

정치 체제를 종교화 하여 수령을 신으로 찬양하고 절대복종하게 하며 그 측근은 벤츠 차와 코냑 등 사치로 묶어 놓는 정권이고 국민은 굶기고 일을 시킬수록 반항을 못한다는 원리를 실천하고 있는 정부를 상대로 평화 통일의 꿈을 꾸고 있다. 인민을 상호 감시하는 세포 조직으로 묶어 자유로운 사고가 불가능한 로보트를 만든 사회에 변화가 가능할까. 북한은 동독과 다르다.

핵 실험을 하면서 미국의 탓이라고 하는 논리를 나는 이해할 수 없다. 마치 강도가 경찰이 무기를 가졌으니 나도 가져야겠다는 논리다.

상식과 논리를 떠난 이들과 통일이니 협상이니 운운하는 김대중씨는 정말 몰라서 그러는지 알고도 딴 마음이 있어서 그러는지 나는 모르겠다.

김대중씨의 아이디어가 틀렸다는 것이 역사적으로 증명될 때까지 그는 자기의 변명을 계속해야 할 것이고 아들들은 부정 부패란 죄목으로 감옥에 갔거나 처벌을 받았으니 나는 결코 그가 부럽지 않다.

그의 뛰어난 언변, 권모 술수, 소문난 축재 등 그의 정권 쟁취의 정치적 재능은 뛰어나지만 정치에 무능한 대신 마음이 평안한 내가 어찌 그를 부러워 하랴.

노무현 대통령는 상고를 나오고도 사시에 합격했고 대통령이 되었다. 그가 대학을 다닌 경험이 없어서 사교에 무엇인가가 부족하다는 평을 하는 사람도 있다. 그 말이 맞는지는 모르겠으나 재능이 뛰어난 분이라는 것은 틀림이 없다.

노사모에 의한 컴퓨터를 통한 선거운동과 교통 사고로 장갑차에 치어 죽은 두 여학생을 이용하여 반미감정을 불지르고 그것을 촛불 시위로 유도하여 자기의 표를 만들어 대통령에 당선된 것은 그의 대중 심리를 조작하는 재능이라고 창찬하지 않을 수 없다.

그는 김대중 대통령의 햇볕 정책을 이어 받아 구억불이 넘는 돈이 김정일에게 넘어 갔다. 그 중 일부는 쌀, 비료, 시멘트 등 현물로 보냈

으니 그 돈이 김정일의 선군정책에 쓰이지 않았다고 변명하는 사람도 있으나 실은 원조한 금액 만큼의 북한 정부의 예산이 국방비로 전환되었을 것이니 결과적으로 그 돈이 핵무기 개발에 쓰인 것을 부인 할 수 없을 것이다.

삼백만 국민을 굶겨 죽이고 이십만의 정치범이 감옥에서 비인도적 학대로 죽어가고 있는 북한에 계속 원조를 하면서 이를 포용 정책이라고 부른다.

김대중과 노무현 두 정권에 의하여 확고한 자리를 잡은 남한의 좌파 혹은 종북파들은 북한정권이 저지르는 범죄에 대해서는 증거가 없다는 말로 얼버무리고 북한의 핵무기 개발은 방어 행위이며 정치적 문제라고 변명하며 이 핵무기는 남한을 겨냥한 것이 아니라 실은 미국의 정책 탓이라고 변명을 늘어 놓고 있는데 어쩌면 그렇게 북한의 선전과 말이 똑같은지 겁이 난다. 그의 햇볕 정책에 비판을 하는 보수파를 향해서 그러면 전쟁하자는 말이냐는 의협으로 그는 우파의 입을 막았다. 말도 안되는 공갈 수법이지만 대단히 효과적이다. 세상에 전쟁을 원하는 사람이 어디 있겠는가. 그런데 이 말도 바로 북한 정권이 쓰는 상투어다.

지금처럼 계속 미국과 감정일 사이에서 노무현 정권이 줄타기를 하다가 한미관계가 돌이킬수 없는 위기에 빠질까 두렵다. 주사파 또는 종북파들이 내심 바라는 바 이겠지만 말이다.

국내 문제로 교육 평준화, 친일 행위 처벌법, 부동산 세법 개정 등 수많은 좌향좌 개혁이 좋은 결과를 보지 못했다.

그의 공적도 있다. 부정부패가 줄었고 진실 화해 위원회를 만들어 공산당원을 포함하여 거액의 보상을 하며 과거 군사정권에 대한 삼팔육세대의 한풀이를 그가해주었다.

그의 장인이 공산당이었고 그가 자란 환경이 험난했다고 해서 그의 사상이 붉었는지 혹은 그가 처음부터 사회주의 진보 개혁파였는지 내가 지금 판단하기에는 이르다. 내가 말할 수있는 것은 그의 줄타기 정치를 이끈 그의 정치 생애가 얼마나 파란만장 했는지 짐작이 가며 나는 결코 그의 생애가 부럽지 않다는 것이다.

김정일 수령만큼 절대적 권력을 쥐고 흔드는 통치자가 현재 지구상에는 그밖에 없다.

수백만의 국민을 굶겨 죽이고 공개처형을 아무 때고 하며 국제적으로 무어라 비난을 받아도 북한에서는 아무도 그를 비난할 수 있는 자가 없으니 그의 권력은 카스트로, 카다피, 스탈린 그 누구 보다도 강하다. 내 지식으로는 그의 권력은 진시황과 비교가 된다.

그의 별장이 백이 넘고 기쁨조에 미인이 얼마고 등등 아라비안 나이트 얘기같은 권력의 극치를 전해 듣는다.

그러나 인간 모두에게 양심이 있고 김정일 수령도 예외가 아니라면 그의 마음은 지옥일 것이다. 주지육림이 아무리 좋다 해도 나는 결코 그가 부럽지 않다.

흔히 왕이나 대통령은 하늘이 정한다고들 말하고 내 어린시절에는 대통령 되는 것이 꿈인 때도 있었다. 그러나 칠십이 넘은 나는 권력이 왜 좋은 것인지 알 수가 없다.

마음이 편하고 마음이 내키면 푸른 잔디에 나가 공을 치고 음식값 헐한 중국집에서 시원한 맥주 한잔 마시는 내 신세를 어느 수령과도 바꾸지 않겠다.

세상에는 좋은 수령도 있겠지만 그런 수령이 져야할 무거운 짐을 스스로 질 용기가 내게는 없다.

역사적으로 한글의 왕 세종대왕 처럼 내가 존경하는 왕은 있다. 그러나 살아 있는 국가 원수중에 내가 부러워할 만한 인물은 아무도 없다.

거지 부자가 불난 집앞에 서 있었다. 아들을 향하여 너는 집에 불이 날 염려가 없어서 좋겠다. 그게 다 내 덕이다라고 했다는 얘기가 있지만 같은 맥락으로 내가 수령들이 부럽지 않다고 하는 말은 아니다.

진정으로 나는 부럽지가 않다.

그런 자리를 내게 주어 보면 내말의 진심 여부를 알게 될 것이다.

03 | 국회의원

이명박 대통령 취임 후 곧 치르는 국회의원 선거를 앞두고 공천 문제로 정계가 아수라장이 되었다.

한나라당, 통합민주당 등 권력 장악을 위한 당내 파벌 싸움의 내용은 내 관심밖의 일이지만 국회위원이 되려는 필사적인 정치인들의 거동을 보고 왜 한국에서는 국회의원이 되려고 그렇게 까지 악을 쓰는지 생각해 보지 않을 수 없었다.

물론 욕심이 원인이겠지만 욕심의 정도와 성취 방법이 문제일 것이다.

한국 사람이 권력에 대한 욕심이 유난스러운 원인중의 하나는 이조의 정치 제도의 잔재가 아닐까 한다. 벼슬을 해야 권력을 거머쥐고 권력이 있어야 부귀를 누릴 수 있기 때문에 벼슬이 출세의 전부였으니 아직도 한국인의 의식 속에 벼슬에 대한 선망과 욕심이 강하게 남아 있다. 국회의원은 높은 벼슬일 뿐 아니라 한국의 국회의원은 선진국가에서는 누릴 수 없는 권력을 누린다.

국회에서 국민의 대변자로서 국민을 위하여 힘쓰기 보다 개인의 이익과 영달을 위하여 권력을 남용하는 데에 재미를 본다. 일제와 초기 대한민국 정부하에서도 민초들은 벼슬아치의 권력 남용과 횡포에 시달리어 권력에 대한 선망과 욕심이 한국 사람들의 심리속에 뿌리 깊이 남아 있다.

한국에서는 되는 일도 없고 안되는 일도 없다라는 유행어가 생겼고 그의미는 권력만 있으면 안되는 일이 없고 권력이 안받쳐 주면 아무 일도 성공하지 못한다는 것이다.

육이오 전쟁 때 병사들이 총 맞아 죽으면서 빽이 없어 죽는 것이 한이 되어 빽하고 소리치며 죽는다는 유행어가 나돌았는데 국회의원은 빽중에 빽이다.

정부 고위 관직과 국회의원중에 군 복무를 하지 않은 사람이 많다는 것은 무엇을 말하는가.

한강의 기적을 이루어 세계 경제 대국을 만들어 낸 재벌들의 노력을 높이 칭찬하는 동시에 그들의 재산 형성 과정에서 저지른 권력과의 부정한 정경유착의 과오를 반성해야 한다고 생각하는데 국회의원이 정경유착의 주인공 중의 하나 들이다.

한편 평소 사람들은 권력 가진 사람들이 두렵고 싫어 관청 문전에도 가기를 꺼렸다. 국회의원이 되면 어느 관청에 가든 관원들이 구십도로 허리를 굽히니 국회의원이 되고 싶은 유혹을 어찌 뿌리치겠는가.

남자로 태어나 그런 자리를 위해 일생을 걸겠다는 것이 무리는 아니다. 그러나 화무십일홍이라고 그 권세가 오래 가지는 않는다.

또 구십도로 머리를 숙이는 관리들이 존경심에서 머리를 굽히는 것이 아니고 목이 짤릴까 봐 겁이 나서 머리를 숙인다면 나는 그런 절은 반갑지가 않다. 마음에서 우러나 대접하는 국수 한 그릇이 비용이 수백만원 드는 고급 요정의 향연보다 마음이 편하다. 돈으로 사는 여인의 애교가 무슨 가치가 있을까.

그러나 권력에 대한 아부가 좋아서 국회의원이 되려고 그리도 애를 쓰는 것이다. 권력을 빌어 부정, 불법, 그리고 뇌물로 모은 재물이 왜 그리 좋은지 나는 이해할 수가 없다.

권력이 내게 줄 수 있는 행복이란 별로 없다. 나는 가늘게 먹고 가늘게 싼다는 속된 말대로 마음이 평안한 것이 좋다. 밥 한끼를 먹어도 마음이 편치 않으면 나는 배가 아프고 설사를 하니 체질이 국회의원이 될 수가 없는가 보다.

국회의원이 되기 위하여 막대한 정치 자금을 바치고 어떤 사람은 부정으로 선거 자금을 끌어 모으며 중상 모략, 모함, 매수 등 수단을 가리지 않고 선거운동을 한다. 당선이 되면 본전을 뽑으려고 옳지 않은 짓을 서슴치 않는 것은 상식에 속한다.

그런 인물을 국회로 뽑아 보내는 국민에게도 정치가 잘못 되는 책임의 반은 있다. 당선되면 덕을 보려고 또는 지방색 때문에 표를 던지는 행위의 결과에 대하여 누구를 원망하겠는가.

이번 국회의원 선거 입후보자 중에 9.7프로가 과거 오년간 소득세

를 한푼도 내지 않았다고 한다. 또 2007년도 평균 납세액 412만원보다 납세액이 적은 후보가 60프로가 넘는다고 한다.

번돈을 모두 교회에 헌금해서 세금을 면제 받았는지는 몰라도 납세라는 국민의 의무도 이행하지 않는 자가 나라의 정사를 맡겠다는 것은 파렴치한 행위라고 나는 믿는다. 수입이 없어서 세금을 안냈다고 해도 문제다. 무의도식하는 사람이 국회의원이 되어서야 나라가 잘 되겠는가. 그것도 아니면 탈세를 했다는 애기인데 탈세범이 국회의원이 되는 나라는 그 정치를 알아 볼 조다.

악화가 양화를 쫒아 내는지 또는 까마귀 싸우는 골에 백로야 가지마라는 시조의 정신을 따라 까마귀가 주로 정치에 나서기 때문인지는 몰라도 후보중에 존경할 만한 사람은 귀하다.

정치란 본래 그런 것인지 내 이상이 너무 높은 것인지.

내가 바라는 것은 개인의 이익과 권력에 대한 야욕을 줄이고 국가와 국민의 이익을 앞서 생각하는 좋은 국회의원을 뽑아서 나라의 앞날에 서광이 비치기를 빈다.

내가 미국 시민이 되었어도 한국에 대한 걱정은 변함이 없으니 고국의 장래를 위해 빌 뿐이다. 한국 사람은 머리가 비상한데 어찌하여 경제는 선진국이고 정치는 후진국인지 참으로 알 수가 없다.

주로 건달 협잡배들이 벼락 출세를 하려고 정치계로 가기 때문이라고 하는 말을 들었지만 나는 믿기 어렵다. 국회의원중에도 반드시 훌륭한 분이 있을 것이다. 악화가 양화를 쫒는다고 하듯이 좋은 분들이 빛을 보지 못하는 것이라고 생각하고 싶다.

내가 눈을 감을 때 까지 내가 낳았고 자란 고국을 잊을 수가 없나보다.

국운 | 04

1968년 12월 9일 강원도 평창군 용평면에 살던 이승복이라는 아홉살 난 아이가 일곱살과 네살 난 동생과 어머니와 함께 북한에서 넘어온 특수부대원에게 무참하게 학살을 당했다.

이 아이가 무장공비에게 "나는 공산당이 싫어요."라는 대답을 했고 그때문에 입을 찢기고 살해되었다는 기사가 조선일보에 실렸고 김대중 정권이 들어서자 좌파세력이 득세하면서 이 기사가 조작이였다고 들고 나왔다. 1992년 김중배라는 자의 고발로 시작한 이 재판은 14년간의 재판끝에 그 기사가 조작이 아니였다는 대법원 판결이 나왔다.

비록 패소는 했지만 좌파의 목적은 달성했다. 그 목적은 공산주의자를 공격하면 두고두고 재판 시비에 말려 든다는 공포심을 국민의 마음에 심어주는 것이였다. 또 한가지 목적은 대한민국에서 일어난 빨갱이 사건들에 관한 역사적 사실의 진위를 국민들이 의심하게 하려는 것이다.

북한 스파이 김현희가 칼 여객기를 공중 폭파하고 무고한 탑승객을 저승으로 보냈으며 재판도 받았다. 그리고 이 테러 사건이 김정일의 지령에 의한 것이였다는 사실이 천하에 알려졌는데도 좌파에서는 한국정보기관의 조작이라 하며 조사하라고 들고 나왔다.

소위 과거사 진상 규명 운동을 벌려 테러에 종사한 많은 간첩과 주사파들이 민주화 운동가로 둔갑했고 일부는 막대한 포상금까지 받았다.

이 기회에 좌파에서 대의명분을 내걸고 주장하는 친일파 청산의 속셈을 보자. 이승만 정권이 남한의 공산세력을 물리치는데 일부 친일 수사경력이 있는 사람들을 썼는데 그당시에는 그 사람들 외에는 쓸만한 사람이 없었다.

고등 교육을 받았다는 사람은 대부분 남로당 등 좌익이 되어 쓸만한 인재가 그들밖에 없었다. 일제하에서 항일 운동에 공산주의가 편리했던 것도 그 이유의 하나였다. 경찰 뿐만이 아니라 행정, 교육, 군대 등

다른 분야에서도 마찬가지였다.

대한민국을 전복하려면 대한민국 건국에 공헌한 이들을 친일파로 몰아 처벌하는 것이 첩경이다. 그래서 김정일과 종북 세력들이 이미 반세기가 넘은 친일파 문제를 물고 늘어지는 것이다.

악질 친일파만 처벌했으면 이 문제는 잊어버리는 것이 국가와 민족을 위하여 최선이라는 것이 내 생각이고 좌파의 속셈에 동조할 필요는 없다고 생각한다. 나도 일제하에 국민학교를 다녔고 일본 천황을 향해 매일 아침 궁성 요배로 머리를 숙였으며 학교에서는 일본어만 썼고 신사 참배를 했으며 천황폐하 만세를 수없이 외쳤다. 외국에 망명하지 못하고 한반도에 남아있던 사람들은 그렇게 해야 살 수 있었다.

그것이 죄라면 남아 있던 우리는 모두 자결했어야 하는가. 나라를 빼앗긴 선조들의 죄를 힘없는 백성들에게 묻지 말자.

좌파들의 대한민국의 역사 왜곡 예를 들면 육이오 전쟁의 북침설 등을 전교조를 통해 자라나는 어린이들을 세뇌하는데 성공하여 남한의 삼십프로가 종북 사상에 물들었다.

김대중 노무현 정권이 집권하고 난 후에 일어난 이와 같은 일련의 운동은 외견상 진실을 가려내자는 선의의 노력처럼 가장하고 있다.

그러나 고발하는 종북파 자신들이 이승복 살해 사건이나 칼 폭파사건의 진실을 몰라서 하는 짓이 아니다. 순전히 국민의 의식구조를 혼란에 빠뜨려 대한민국의 정체성을 흐려놓으려는 치밀한 작전에서 나온 사상적 게릴라 전법인 것이다.

이승복 사건을 대법원까지 끌고 가 외견상 진실을 밝혀 내는 척하는 과정에서 그 사건이 조작이었을 수도 있는가 보다 하는 의혹을 국민에게 심어주고 사상적으로 국민을 마비시켜 무감각상태로 만드는데 목적이 있으며 그 목적을 그들은 성취하였다.

수년후 그 기사가 조작이 아니라는 판결이 내려도 이미 국민의 의식속에 대한민국의 과거사를 의심하는 의식구조를 심어준 것으로 그들의 목적은 달성한 것이다.

만일 북한에서 김일성의 항일 투쟁사에 관해서 진실 여부를 고발하고 재판을 벌린다고 상상이라도 해보자. 고발한 당사자는 쥐도 새도 모르게 처형 당하겠지만 만일 재판이 남한에서 처럼 공개적으로 진행된다면 그 과정이 북한국민의 의식구조에 미치는 영향은 상상을 초월한다.

김일성은 자기의 정적인 남로당의 박헌영을 숙청하기 위하여 그를 미국의 스파이로 몰아 죽였다. 공산주의자로서는 대 선배인 그를 미국의 앞잡이로 몬 것이다. 이 사건의 진상을 조사 할 수만 있다면 전 북한을 뒤집어 놓았을 것이다. 그러나 종북파들이 찬양하는 북한에서는 말을 꺼내는 것조차 불경죄로 몰려 처형당한다는 것을 종북파들도 모를 리가 없다.

김일성의 사망에 권력이 탐이 난 감정일이 관련이 있다는 소문이 있다. 그 소문의 진상여부를 규명하려는 조사가 북한에서 진행된다면 그 사실이 진실이든 아니든 관계없이 김정일의 위신이 땅에 떨어질 것이다. 남한에서는 이러한 민심 뒤집기 게릴라전을 아무 방해를 받지않고 할 수 있으니 김대중, 노무현 같은 분이 대통령에도 당선되는 것이다.

이 두 대통령이 집권하는 동안 많은 국민이 사상적으로 마비되었고 통일이니 민족끼리니 하는 선전문구에 도취되어 종북파와 수구세력을 그놈이 그놈이라고 생각하고 있고 북한의 핵무기는 남한을 목표로 만든 것이 아니라는 괴변에도 무감각해 졌다 아니 일부에선 동의하고 있다.

대한민국의 해군 군함이 폭침하고 마흔여섯의 우리 자식이 죽었는데도 김정일의 소행이 아니라고 우기는 사람들과 어떻게 함께 살겠는가. 같은 동포라도 칼을 들었으면 강도다.

농산물 값이 싸서 오억불이면 곡식 백만톤을 살 수 있고 매년 이 곡식이면 북한 동포가 넉넉히 먹고 살수가 있는 것이다. 김대중 노무현 정부가 백억불 이상 퍼 다 주었고 미국도 십일억불 어치를 원조하였다. 그 돈이 다 어디로 갔을까.

김정일의 선군 정책으로 핵무기를 만들고 대한민국을 불바다를 만든다고 협박하며 세습정권의 보존에 도움이 됐는지도 모르겠다. 북한동포는 여전히 굶는다는 소식 뿐이니 그 돈의 행방을 알만 하다.

선군정치와 핵무기로 자기네들이 전쟁을 막고 있다고 선전을 하고

있는데 과거에 김신조 청와대 습격 사건, 미군 도끼 살해 사건, 서해해전, 아웅산 테러등 무력도발과 테러 행위는 언제나 한국측이 아니라 북한 정권이 했다. 그 동안 누구 때문에 전쟁이 안일어 났을까. 북한이 도발을 해도 남한이 비겁하게 뒤로 물러나기만 했기 때문에 전쟁이 없었다.

나는 지극히 소수가 다수를 지배할 수 있다는 사실을 잘 알고 있다.

옛날 군왕 제도가 대개 그랬고 이차대전 때 만행을 부리던 히틀러 정권도 망한 후에 보니 골수 분자는 몇사람 되지 않았다. 전범 재판 때 보니 서로 발뺌 하느라 바쁘고 끝까지 히틀러를 지지한 자는 몇사람 되지 않았다. 사담 훗세인도 마찬가지였다.

독재국가일수록 요직에 앉아 있는 몇 사람이 몇 사람만 제거하면 정권을 차지 할 수 있다.

내 중고등학교 시절을 돌아보면 한반에서 주먹을 쓰는 친구 서넛만 뭉치면 육십여명 전 학급이 꼼짝도 못했다. 어느 학자에 의하면 인구의 7%만 지지하면 한 나라를 다스릴 수 있다고 한다.

세상은 그런 것이고 역사는 정의가 이기는 것이 아니라 정의와 불의가 밤과 낮처럼 순환하는 것이다.

국민이 어리석어 교활한 정치가에게 속아 나라를 망치든가 그런 정치가가 좋아서 멸망의 길을 선택하든가 해서 나라가 쓰러진다면 나라의 운명이 그것밖에 안되니 어찌하랴. 역사를 보면 그렇게 멸망한 나라가 얼마든지 있고 이조도 그렇게 해서 일본에게 빼앗겼으니 정의가 반드시 이긴다는 말을 나는 믿지 않은지 오래다. 일본이 정의로워 명치천황때 부터 이차대전 까지 세상을 뒤흔들었을까. 아니다. 일본의 승승장구는 정의 때문이 아니였다. 북한 정권도 언제인가는 멸망하겠지마는 김정일 정권이 아무리 비인도적 행위를 자행해도 그 때문에 천벌이 내려 정권이 멸망하지는 않는다.

결과적으로 보면 국운으로 돌리는 수밖에 없다.

탁상공론 | 05

얼마전 파키스탄에 칠점오도의 강진이 엄습하여 칠만 여명이 사망하는 대재앙이 일어났다. 비참한 사고 현장과 함께 텔레비전에 해설자로 출연한 전문가가 말하기를 앞으로 그만한 지진에 견딜만 한 구조로 집을 짓는 것이 피해를 줄이는 해결책이라고 했다.

너무나 지당한 말씀이였는데 지진이 났던 그 지역은 경제적으로 몹시 낙후된 산악 지대여서 지진후 찬바람을 피할 천막조차 없어 무수한 동사자가 생긴 곳이다.

그런 형편에 지진에 끄떡 없는 건물을 지으라는 얘기는 탁상 공론이 아닐까 하고 속으로 실소를 했다.

홍수로 떠내려 갈지도 모르니 강변 밭 농사를 짓지 말라는 말은 옳은 말일지 모르나 그걸로 먹고 사는 사람에게는 탁상 공론이다. 얼마전 미국 십대 임신율 증가를 어떻게 대처할 것이냐 하는 문제를 가지고 텔레비전 토론이 있었는데 어느 저명한 종교 지도자의 말씀이 성적 절제가 최선의 방법이라고 열변을 늘어 놓았다. 목사 설교 내용으로는 좋지만 성이 자유로운 미국 사회에서 성을 자제하라는 충고는 효과적인 충고가 못된다. 내가 젊었을 때 성욕을 절제하는 싸움에서 승리한 경험이 적기 때문에 남에게 절제하라는 충고를 하기가 부끄럽다.

성욕과 식욕의 본능을 의지의 힘으로 억제한다는 것은 극히 어려운 일이다. 미국에서 비만 문제가 대단히 큰 건강 문제인데도 절제로 비만을 해결하는 사람은 극히 소수다.

매춘을 윤리나 도덕의 교육으로 근절하려는 시도는 탁상 공론이다. 일부 회교 국가에서처럼 인권을 무시하고 무서운 처벌을 줄 수있는 사회에서는 어느 정도 매춘을 억제할 수 있을지 모르겠으나 그런 사회에서도 완전 근절은 불가능하다. 성의 상품화를 근절한 역사는 없다고 하는데 나도 그말을 믿는다.

혈기 왕성한 젊은 시절에는 흑백 논리가 매력이 있었는데 세상사를

다 안다고 착각하고 있었기 때문이었다. 나이를 먹으며 세상을 겪어 보니 세상에 완전한 진리는 있을 수 없고 세상은 항상 변하며 예외가 없는 법이 없다는 것을 알게 되었다.

혁명을 일으켜 반대파를 잔인하게 처단하던 사람들도 그들이 내걸었던 이상은 세월 따라 바래고 타락하며 그들 자신이 바로 자기들이 처단했던 사람들의 처지로 돌아오며 그렇게 역사는 순환한다.

붉은 깃발아래 수수백만이 피를 흘렸지만 지금은 공산주의는 사라지고 공산 혁명은 단순히 역사가 되고 말았다.

요즘 Identity Theft가 대성행이다. 내 크레딧 카드로 누군가가 화장품을 사갔다. 내 주위에 Identity Theft를 당하지 않은 사람이 별로 없다. 통계적으로 이천육년도에 피해자가 약 구백만명이었고 피해액이 오백육십억불이었으며 건당 평균 피해액이 육천삼백 불이었다고 한다.

그런데 범인이 잡히는 확율은 칠백명중에 한명이라고 하니 참으로 안전한 장사다. 이 지능 범죄의 방지책으로 사회 도덕의 개선을 논한다면 그것은 탁상 공론이다.

내가 아는 분이 급히 은행에 갈 일이 생겼다고 하기에 이유를 물었더니 전화와 이메일로 네차례나 연락이 오기를 누군가가 당신 데빗 카드를 사기 치려 해서 조사가 필요한데 데빗 카드의 인적 사항이 필요하니 이메일로 보내 달라고 요구한다는 것이다. 은행에 가서 알아보니 실은 전화를 건 그 친구가 바로 사기꾼이였다는 것이다.

아프간에 육만 팔천의 미군이 나가 있다. 일인당 매년 백만불의 비용이 든다고 한다. 탈리반과의 전쟁을 속히 승리로 마감하고 미군이 철수하기 위한 방책에 대하여 미국 의회에서 논란이 계속되고 있다.

내 생각에는 군사적 승리는 탁상 공론이다.

일설에 의하면 아프간 총 생산액의 구활이 마약 생산과 그에 관련된 사업으로 얻는 수입이라고 하는데 탈레반과의 전쟁이 그들의 생업을 위협하는 한 민심은 미군을 떠날 것이다. 그 위에 종교적으로 미국은 Infidel이니 더 말할 나위가 없다.

민심을 잃고 전쟁을 이길 수 없다는 것은 고금의 진리다. 미국이 아프간 국민을 배불리 먹여 살리든가 이차대전 당시의 일본 군인 처럼 탈레반을 무자비하게 다루지 않는 한 승리는 불가능하다. 미국이 아프간 전 국민을 먹여 살릴 재력도 없고 인도주위를 표방하는 미국이 잔학한 군사 행동을 취할 수도 없다. 그러니 탁상 공론만 하고 있는 것이다.

미국의 건강 보험 문제도 주로 탁상 공론이다. 미국 경제가 호전하는 기적이 갑자기 일어나지 않는 한 전 국민에게 건강 보험의 혜택을 줄 만한 돈이 없고 세금을 많이 올리지 않고는 그 재원을 확보 할 수 없으며 그만큼 세금을 올리면 미국은 사회주의 국가가 되는 것이다. 세금을 올리면 정작 세금을 많이 낼 사람는 이리저리 다 빠져 나가고 피해는 중산층이 본다.

전국민에게 동등한 의료혜택을 주려면 현재 의사의 절대적 숫자가 부족하고 필요한 만큼 의사를 늘리려면 시간이 걸리며 비용도 막대할 것이다. 한마디로 돈과 사람이 부족한데 평등한 의료 혜택을 주겠다는 약속은 공상 아니면 거짓말이다.

북한의 핵 무기의 포기, 이스라엘의 점령한 영토 반환, 형무소가 죄인을 재교육하여 착한 시민을 만든다는 생각등 탁상 공론의 예는 많다.

탁상 공론이 무의미하기만 한 것은 아니다. 이를 통하여 많은 사람들이 탁상 공론이라는 것을 깨닫는 계기가 되고 탁상 공론으로 정치가와 언론인 등 많은 사람들이 먹고 산다.

탁상 공론인 줄 깨닫고 아예 머리를 내밀지 않는 사람도 있고 탁상 공론인 줄도 모르고 목숨까지 걸고 싸우는 사람도 있으며 한국에 있었던 미국 소고기 파동 처럼 정치적 이유로 전심 전력 싸우는 경우도 있다.

사람들은 조금 알면 다 아는 것처럼 기를 쓰고 싸우는 것이 보통 이다. 나는 그렇지 않다고 믿고 있지만 남이 나를 보면 나도 그들과 별 차이가 없을런지도 모른다. 하기사 입을 너무 다물고 있으면 서양 문화에서는 바보이든가 화난 사람인 줄로 알기 쉬우니 처신하기가 참 어렵다.

사실 진실로 도움이 될만한 의미 있는 토론 보다 탁상공론이 대부분인 것이 세상사다. 그렇다고 너무 움추러 들면 無爲가 되고 너무 설치면 만용이 되니 역시 중을 잡는 것이 바른 길이다.

있는 자와 없는 자 | 06

사람을 있는 자와 없는 자 혹은 가진 자와 가지지 못한 자로 나눌 수 있다. 있는 자란 재산이 많은 자 즉 소위 부자를 말하고 없는 자란 재산이 적은 자 또는 가난한 자를 말한다.

그러나 있는 자와 없는 자의 구별은 상대적이기 때문에 이 문제만 가지고도 긴 논문이 될 수 있다.

한마디로 가난한 아프리카 어느 국가의 부자는 부유한 미국같은 나라에 오면 가난뱅이 신세를 면치 못할 것이다. 또한 재산이 상당히 있는 사람도 더 많은 사람에 비하면 가난하게 느낄 수도 있다.

인류의 역사를 있는 자와 없는 자의 두 계급간의 투쟁사로 본 사상가도 있었다. 그러나 내 생각에는 인류의 역사가 경제적 투쟁사로만 풀이할 만큼 단순하지는 않다.

흔히 있는 자를 욕심쟁이로 묘사하고 없는 자를 피해자로 동정하는 경향이 있다. 가난한 자는 복이 있나니 천국이 그들의 것이요 또는 부자가 천국에 들어 가기가 어쩌구 하는 말씀이 성경에도 있으나 선과 악에 관한 한 있는 자중에 착한 사람과 악한 사람이 있드시 없는 자중에도 착한 사람과 악한 사람이 있다고 나는 믿는다.

술이나 약물 중독자, 강간이나 살인자, 공갈 사기를 일삼는 자는 있는 자 중에도 있고 없는 자 중에도 있다.

있는 자라고 해서 재산을 모두가 권력으로 착취 혹은 강탈하거나 사기 횡령으로 모은 것이 아니요 그 중에는 쓸 것 안쓰고 피땀 흘려 재산을 모은 자도 있을 것이다. 없는 자라고 해서 모두가 남에게 사기, 횡령 그리고 착취 당한 불쌍한 사람만 있는 것도 아니며 그 중에는 스스로 방탕, 도박, 약물 중독 등으로 신세를 망친 사람도 있고 게을러 놀기를 택하고 게으름을 피운 사람도 있을 것이다.

욕심이 많은데 가난한 사람도 있고 욕심이 별로 없는데 부자가 된 사람도 있를 것이다.

있는 자와 없는 자에 관해서 인류가 생각해 낸 세가지 경제 사상을 쉬운 말로 풀이 해 보자.

있는 자로부터 정부가 세금을 많이 거두어 없는 자에게 나누어 주자는 것이 사회주의이고 정부가 소득부터 균등하게 관리하여 있는 자와 없는 자를 없애겠다는 것이 공산주의이겠다. 돈 벌이는 자유로이 하도록 국민에게 맡겨 두고 세금은 적당히 거두어 가능한 한 자기가 번 돈은 자기가 쓰도록 하고 없는 자를 돕는 일은 있는 자의 자비심에 호소하여 종교단체나 자선단체에게 일부 맡기겠다는 것이 자본 주의다.

나는 이 세가지 사상의 장단점을 모두 겪었다. 현실적으로는 정치가들이 이 사상들을 권력을 잡는 도구로 이용하는 일이 더 많았다. 불만에 쌓인 대중을 선동하는데 사상과 사상적 구호는 절대 필요하다. 애초에 사상을 생각해 낸 사상가의 의도와 아무 관련이 없이 야심 있는 정치가들이 사상을 권력 쟁취의 수단으로 쓴다. 그런 줄도 모르고 순진한 젊은이들이 광분하여 정치가 들의 앞잡이가 되어 수수백만이 목숨을 받친 역사를 우리는 잘 기억하고 있다. 일본 천황을, 김일성 수령을, 히틀러 총통을 혹은 스탈린 수상을 위하여 얼마나 많은 젊은이들이 피를 흘렸는지 나는 알고 있다.

어차피 사람은 죽으려고 태어났지만 남의 정권욕을 만족 시키기 위하여 하나밖에 없는 목숨을 버린다는 것은 어리석다.

정권욕이 없는 순진한 애국 지사도 간혹 있다. 그러나 이런 애국자들은 김구 선생처럼 김일성에게 선전용으로 이용만 당하든가 조만식 선생, 안중근 의사처럼 고생만 하다 죽기도 한다. 애국심은 있는데 정권욕과 권모 술수가 없으면서도 성공한 사람은 아마 인도의 간디 정도일 것이다.

내가 경험했던 공산주의 애기를 하겠다. 해방후 부터 육이오 전쟁 중 공산주의자들이 마을을 점령하면 우선 있는 자를 잡아다 인민 재판을 열었다. 죄목은 착취였다. 미리 몇몇이서 짜놓은 각본대로 재판을 진행하고 과거 없는 자의 쌓인 원한을 선동하면 모두가 옳소라고 소리치고 있는 자는 그 자리에서 처형을 당했다. 물론 군경 가족들도 처형당했다.

이렇게 처형당한 반동 분자의 재산은 마을 사람들이 나눠 가졌고 있는 자 한사람의 재산을 마을 여러 사람이 나눠 보았자 얼마가 지나면 동이 났고 없는 자는 여전히 가난 했다. 있는 자가 살던 집은 공산 당원이 차지했다. 집주인만 바뀌었지 착취는 전보다 나아진 것이 없었다

이제는 공산당원이 있는 자가 되고 빈부의 차이는 더 심해졌다. 약속했던 노동자 농민의 낙원은 영원히 오지 않았다. 미국 의료 제도를 개혁 하려는 오바마 대통령의 의료 보험은 사회주의적 좌파의 후원으로 성공할 것 같다.

있는 자[인구의 약 4프로가 해당 된다고 말하고 있다.]에게서 세금을 더 거두어 없는 자 모두를 건강 보험에 들게 하고 앞으로 적자없이 운영을 하겠다고 약속하고 있다. 머리가 둔한 나도 이 약속이 거짓말이라는 것을 알 수가 있다. 미국의 의료비는 과거 수년간 년 평균 6.7프로가 증가했다. 그런데 이 새 의료 제도로 보험이 없는 사천 칠백만 명에게 의료 혜택을 다 주고도 있는 자들에게 세금을 조금만 올리면 적자 없이 운영이 가능하다고 한다.

의료비가 오를 수 밖에 없는 이유는 많지만 내가 아는 몇가지만 예를 든다. 엠알아이와 같은 진단 기계로부터 체온계까지 해마다 개량된 의료 기구가 나올 때마다 기구의 가격은 오른다. 간호사 혼자서 환자 수발서부터 투약과 주사 그리고 환자 운반에다가 의사 조수까지 다 해내던 시절을 나는 기억하고 있다. 그 때는 간호사면 어떠한 환자 봉사도 희생 정신으로 마다 않고 봉사했다.

지금은 발달이라는 이름아래 분화해서 환자 운반조수, 정맥주사 간호사, 소제하는 사람, 환자 씻기고 체온이나 재는 조수 등등 숫자가 엄청나게 늘어나서 인건비가 자꾸만 올라간다. 환자에게 쓰고 난 주사바늘에 누가 찔리기라도 하면 곧바로 고소감이기 때문에 병원에서 나오는 쓰레기 일체의 처리 과정을 엄중하게 감독을 해야 하는데 그것이 바로 돈이다. 의사들의 의료사고 보험료가 어떤 과는 일년에 이십만불이라고 하니 얼마를 벌어야 환자를 계속 보겠는가. 또한 고소를 당할 경우에 변호를 대비하기 위하여 불필요한 검사를 하게 되니 그 비용이 만만치 않다. 환자 기록이 완전하지 못하면 억울한 경우에도

의사를 보호할 수 없다고 해서 모든 상황을 기록하여 보관하는 비용도 막대하다.

2008년도 미국 의료비[Health Care Cost]는 2.3 trillion $로 일인당 7681 $이며 G.D.P.의 십육프로가 넘는다.

그 비용중 의사 비용이 21프로, 병원비가 31프로, 행정 사무비가 7프로, 약값이 10프로, 양로원 비용이 6프로, 치과 비용이 4프로, Home health가 3프로, Other Professional Services비용이 6프로 등으로 세분 된다.

문제는 연방정부가 의료 제도를 맡아서 하면 이 비용들을 줄일 수 있느냐 하는 점이다. 정부가 자랑하는 메디케어도 앞으로 이십년간은 탄탄하다 더니 최근에는 이삼년이면 바닥이 난다고 한다. 어떤 분야에서든지 정부가 개인 기업보다 효율적으로 운영한 예가 역사적으로 없었다.

전국민에게 골고루 의료혜택을 주는 데 있는 자 4%가 세금을 조금만 더 내면 예산이 충분하다는 오바마 대통령의 말은 의도적인 거짓말이 아니면 셈을 모르는 말이다. 그러나 의료제도의 국유화를 목표로 일하고 있는 좌파가 셈을 모르고 딴청을 부리고 있는 것은 절대로 아닐 것이다.

그들의 속셈은 어떤 수단을 쓰던지 의료 제도를 National Health Care 로 바꾸고자 하는데 있다. 일단 바꾼 다음에는 비용이 아무리 오르고 따라서 세금이 올라도 국민은 따를 수밖에 없다. 새 제도를 위하여 거대한 관료적 기구가 생기면 수십만의 관리가 그 기관에서 일하게 되고 다시 옛 제도로 환원한다는 것은 불가능 하다. 그것이 정부의 생리이고 좌파들이 노리는 점이다.

의료비를 절약하는 방법이 여러가지가 있지만 한 예를 든다.

가장 비용이 많이 드는 수술 즉 심장 수술이나 인공 관절 대치 수술 등을 제한하는 것이다.

가령 예를 든다면 몇살 이상의 노인은 살 만큼 살았으니 이런 수술 등은 못하게 규정을 만든다면 의료비는 그만큼 절약 될 것이다.

그런 제한은 정부의 권한이 아니면 시행할 수 없다.

Socialzed Medicine은 미국 자본주의의 종말의 시작이고 사회주의의 출발이다. 없는 자의 건강을 있는 자가 돈을 내어 보살핀다는 생각은 윤리 도덕상 아무런 하자가 없다. 세금을 더 거두어 있는 자와 없는 자를 다 함께 잘 살게 하겠다고 하는 생각도 윤리 도덕상 아무런 하자가 없다.

없는 자를 돕자는 데 착한 개인이나 종교가 반대 할 수 있겠는가. 재산이란 하나님의 것이라거나 정부의 것이니 모두 바치라고 해도 할 말이 없을지도 모른다. 재산 재분배를 정당화 하기 위하여 있는 자의 재산은 없는 자의 것을 착취한 것이라는 경제 이론을 납득 시키는 일이 그다지 어렵지 않을 것이다.

문제는 얼마 안가서 아무도 있는 자가 되려고 노력하는 사람이 없는 사회가 되면 나눠 먹을것이 없어진다는 것이다. 있는 자가 되려고 개인이 노력한다는 것 또는 시장 경제는 인간의 탐욕을 전재로 한다는 것은 다 알려진 사실이다. 있는 자가 세금을 덜 내려고 하고 공짜로 정부 혜택을 더 받으려고 하는 모든 행위도 다 인간의 탐욕 때문이다. 탐욕 자체는 선악이 없고 탐욕이 밖으로 행위로 나타날 때 그 행위가 다른 사람에게 해가 될 때 악이 된다.

따라서 있는 자와 없는 자 간에 이권 싸움에서 서로의 이권을 이성적 판단으로 보호하는 것이 정부의 책임이다.

의료 제도 개혁에 대한 국민의 반대가 심해도 상하원을 장악하고 있는 민주당이 밀어붙이면 법은 통과하고 말 것이다.

나는 미국의 장래에 대하여 비관적인 편이다. 그래서 나는 이렇게나 자신을 위로하고 있다. 나는 한국에서 평균 소득 백불밖에 안되던 시절에도 산 경험이 있고 1960년대에 미국에 와서 인심이 좋고 의사가 대접을 받던 시절에 의사로 일하는 영예도 누렸으며 의료 사고로 법정에 불려 다니는 고통도 맛보았다.

또 일본 군국주의하에서 학교 수업 대신 소나무 뿌리를 매일 캐러 다니기도 했고 공산군 치하에서 토굴 생활도 해 보았으며 미국의 자본주의 전성기에도 살아 보았으니 미국이 사회주의 국가가 된다고 해서 산전수전 다 겪은 내가 겁날 것은 없다.

세금이 올라 가겠고 의료 혜택을 받으려면 긴 줄을 서서 기다려야 하며 세상 인심이 살벌해지고 의학의 발전이 느려지는 등을 상상하기가 어렵지 않다.

그러나 나는 이미 과거에 최악과 최선의 의료제도를 경험했고 정치의 위선, 기만, 폭력, 음모, 독재 등을 다 겪어 본 노병인지라 미국 사회가 어떻게 변하더라도 견딜 수 있다고 스스로 위로하고 있다.

나도 현재 미국의 의료제도에 대한 불평 불만이 많은 사람이다. 의료비 청구에 따르는 사기만 해도 복마전 같다는 인상을 받고있다.

그러나 있는 자와 없는 자의 논리로 미국 의료 제도를 개혁하려 한다는 것은 출발점부터 잘못된 것이다.

선무당이 사람을 잡는다고 의료계를 잘 알지도 못하는 사람들이 통계 자료등만 가지고 개혁을 할 때마다 미국의 의료제도는 나아지지는 않고 나빠졌다. 표면적으로 통계 수치는 좋아졌는지 몰라도 속으로 곪아 가고 있다. 나는 분명히 예언할 수 있다. 미국의 의료 제도는 확실히 악화할 것이다. 못살바엔 다같이 못살기를 바라는 막가파 주의자도 있을 것이고 내가 좋은 의료 혜택을 받지 못할 바에는 소련이나 중국의 국민의료 제도에서처럼 모두가 균등하게 열악한 의료 혜택을 받기를 원하는 사람도 있을 것이다.

못 먹는 감 찔러나 보자는 사람은 어느 사회든지 있다.

고래로 의술은 인술이라고 했고 그 때문에 의사가 존경도 받아 왔는데 현재의 의료 제도가 가는 방향을 보면 의술이 상술이 되고 있다. 국가의 감시와 감독 그리고 임금을 받는 의사나 목사에게 무엇을 기대하겠는가 생각해 보라.

내가 의사라는 사실이 점점 부끄러워지고 있는 것이다.

탈리반 | 07

2001년 삼월 탈리반이 다이나마이트와 로켓포 등으로 수주간에 걸쳐 아프가니스탄 간다하라에 있는 Bamyan valley에서 세계에서 제일 키가 높은 두 불상을 포함하여 수많은 불상과 불교 유적을 폭파하여 완전히 파괴하였다.

옛날 Silk Road선상에 있는 이 지방은 한 때 무역과 문물의 중심지였고 현장을 위시하여 중국의 고승들의 여행기에 이들 불상들의 예기가 기록되어 있어 일찍부터 유명해진 문화재다.

제일 높은 불상은 높이가 55미터로 서기 554년에 완성되었고 그 다음 불상은 37미터로 서기 507년에 완공 되었으며 기원전 334년에 알렉산더 대왕이 인도를 침공한 이후에 생긴 Greco-Buddhism에 속한 Gandahara예술의 꽃이요 UNESCO와 World Heritage Site에 등록이 되어있는 세계적 문화 유산이다.

Greco-Buddhism이란 알렉산더 대왕이 인도를 침공한 기원전 삼세기부터 팔백년간 계속된 희랍과 불교의 합작 문화로 아직 학자들의 연구가 미치지 못한 영역이다. 앞으로 희랍-불교 문화의 연구가 시작되면 귀중한 재료가 될 유적들을 대포로 수주일간을 두고 먼지로 만든 탈리반의 만행은 역사와 문화에 관심이 있는 사람이면 소름이 끼칠 일이다.

아무리 종교적 광란에 미친 폭도라 해도 나는 탈리반의 문화 파괴를 용서할 수가 없다. 불교가 자기가 믿는 종교가 아니라고 미워하는 것까지는 이해할 수 있다고 치자. 그렇다고 해인사 팔만 대장경을 불태우는 미친 행위를 용서할 수 있겠는가. 자기가 기독교인이 아니라고 바티칸 궁을 폭파하는 광인을 용서하겠는가.

탈리반[Taliban,Taleban등 여러 이름으로 불린다.]은 수니교도들의 정치 운동으로 시작해서 1996년부터 2001년 사이에 아프간의 정권을 잡기도 하였다. 탈리반이란 학생이란 뜻이다. 지금은 알카이다

와 손을 잡고 미군과 나토군을 상대로 게릴라전을 벌려 미국을 군사적으로 또 정치적으로 곤경에 몰아 넣고 있다.

2009년도 미국의 중동전 비용이 천삼백구십억불이라고 Brookings Institution이 추산하고 있는데 아무리 부강한 미국이지만 이런 방대한 소모전을 계속한다면 오래 나라를 지탱 할 수 없다.

탈리반은 Pashtun족이고 동쪽 이란語족이며 수는 약 사천이백만 명인데 주로 아프가니스탄과 파키스탄에 살고 있고 일부 인도에도 살고 있다.

아프가니스탄에 천사백만으로 인구의 42%, 파키스탄에 이천팔백만으로 인구의 15%정도가 살고 있다. Pushtun족에는 육십여 큰 부족이 있고 그 안에서 사백여 작은 부족으로 나뉘어 진다. 이 부족들의 기원에 대하여 알려진 바가 별로 없지만 대충 기원전 이천년 경부터 그들의 존재가 알려졌다.

역사적으로 끊임없이 외세의 침입을 받았는데 그 이름을 열거하면 인도이란족, 인도아리안족, Mauryas, Kushans, 희랍민족, Arabs, 몽고족, 영국, 러시아, 그리고 현재 미국과 NATO등이다.

미국은 일관된 외교 정책의 결여로 인하여 국제 정치사상 많은 실책을 범하였다.

비근한 예를 들면 이차대전이 끝나고 한국에 있던 일본군의 무장해제를 하는데 소련군을 불러들여 38도선 이북을 소련군이 일본군을 무장 해제 하도록 한 순진한 미국의 결정 때문에 한국이 분단되고 육이오 전쟁이 났으며 지금도 수천만 한국 민족이 고통속에 산다.

이라크와 이란의 전쟁중에 미국은 처음에 이라크를 도왔다.

다음에는 이라크와 적이 되여 결국에는 이라크를 침공하였고 이라크가 망하여 이란이 혼자 남아 패권을 잡았다. 지금은 이란이 미국을 괴롭히고 기승을 부려도 그것을 대항할 이라크와 같은 역할을 할 세력이 없다.

1951년 이란의Mosaddeq수상이 영국 석유 회사를 국유화 한 후 미국은 씨아이에이를 동원하여 혁명을 이르켰고 Mosaddeq수상을 몰아내고 Pahlavi왕을 앉혔다. 다음엔 미국이 팔레비왕을 버리고

Ayatolah Khoneni의 이슬람 혁명을 도왔다.

팔레비왕을 버린 이유는 그의 인권 탄압이 구실인데 왕이 정치범 백여명을 처형한데 비하여 Khomeni는 1988년 이란 대학살 때만도 수천명을 처형했다.

결과적으로 코메니의 이란이 팔레비의 이란보다 낫다고 할 수 있는가라고 나는 묻고 싶다.

아프가니스탄에서도 소련 침략군을 대항하여 싸우는 아프간 전사를 돕기 위하여 미국은 메년 육만오천톤의 무기를 1987년까지 아프간에 보냈는데 바로 그무기들이 지금 미군을 향해 불을 뿜는다. 알 카이다도 처음에는 미국의 원조를 받았다. 미국의 외교적 실책에 대해서는 달리 취급할 기회가 있겠지만 탈리반이 범한 문화 유산의 파괴에 대하여 몇 마디 더 하고 싶다.

이천여년전 중국에서도 진시황이라는 폭군이 있어 책을 태우고 학자들을 묻는 큰 사건이 있었다. 이 분서갱유 때문에 중국의 고대 역사를 체계적으로 연구할 자료가 태부족이고 공자를 위시하여 고대 사상 문화의 기록도 극히 일부만이 남아 있을 뿐이다. 유태인의 구약에 비해서 중국의 고대사가 빈약해 보이는 원인이 문화 유적의 파괴 때문이니 유적 파괴의 죄는 필설로 다할 수가 없다.

백제 문화의 윤곽을 일본에서 찾을 수 밖에 없는 비극도 백제가 망할 때의 문화재 파괴 때문이고 고구려의 경우도 마찬가지이다.

신앙이나 사상이 다르다고 해서 문화 유산을 파괴하는 행위는 살인보다 더 극악한 행위라고 나는 생각하는데 인류의 역사 즉 자기의 뿌리를 뽑아 버리는 행위다. 내가 불교에 관심이 있거나 회교와 라이벌인 교회에 다니기 때문에 탈리반을 미워하는 것은 결코 아니다. 인류의 문화 유적인 불교 유적을 파괴한 행위가 미운 것이다.

일본이 점령기 동안에 수많은 역사적 유물을 약탈해 갔어도 팔만대장경이나 석굴암을 폭파하지는 않았으니 탈리반 보다는 일본이 백배 낫다.

육이오 동란중 공비들의 소굴이었던 해인사 폭격을 거부한 한국 파일럿이나, 중국 문화 혁명 때 수 많은 문화재의 파괴를 막은 주은래

등 양식을 가진 사람이 있어 다행히 역사는 일부 보존되고 있다.

여자는 학교 교육을 금하고 도둑의 손을 자르고 간통죄는 돌로 쳐 죽이고 하는 탈리반의 행위까지는 부족들의 풍습이나 전통이라는 명목으로 나는 이해해 줄 수 있다. 왜냐하면 백여년전 이조시대에는 우리 민족도 그와 비슷한 짓을 했기 때문이다.

세계 정세에 어둡고 교리적으로 나가다 보면 이성적으로는 상상할 수 없는 행위를 예사로 할 수 있는 것이 인간이다.

중세기에 종교 재판에 의한 수만명의 처형과 1692년 93년도에 미국 살렘에서 일어났던 Witch Hunt재판후 열아홉명이 처형 당한 일등은 그런 인간 행위의 역사적 증거다.

한국도 십구세기 대원군 집권시에 대동강에서 미국 상선 셔만호를 불사르고 환호성을 올렸고 수많은 천주교 신부와 신자들을 처형하였다. 지금의 탈리반과 대원군 시대의 한민족과 얼마나 다를까.

아프간과 이라크에 발목이 잡혀 미국은 매년 천기백억이라는 천문학적 돈을 쳐다 붓고 있다. 현재 미국의 빚의 이자만 하루에 오억불이 넘은지 오래다. 이 엄청난 빚을 자식 손자들에게 지우고 미국이 얻는 것이 무엇인가 묻고 싶다. 잘 되봐야 Karzai정부와 같은 부패한 정권을 뒷바라지 하는 골치거리 하나 더 만드는 것일 것이다.

사담 훗세인이 못된 짓을 많이 하고 대량 살상 무기를 가지고 있다기에 이라크 침공을 지지했던 나의 판단을 두고두고 후회하고 있다. 아프간 전쟁도 될수록 빨리 손을 빼는 것이 상책이라고 나는 믿는다.

전쟁을 하려면 인도주의의 탈은 벗고 이차 대전 때의 일본군처럼 무자비 하든가 무한한 군사력과 무한한 경제력으로 점령 국민을 먹여 살리든가 양자 택일이다. 전쟁 자체가 인도주의와는 거리가 먼 것이다.

단 구백만의 인구를 가진 아이티의 지진 구호도 할 경제적 능력이 없는 미국이 무슨 수로 사천이백만의 광신적이고 주로 무식한 산악지대의 부족들을 다스린단 말인가. 이슬람 근본주의에다 아편장사로 먹고사는 종족인데다가 부패할대로 부패한 정부를 먹여 살린다고 개과 천선하여 미국의 우방이 될 것이라고 믿는다면 참으로 꿈도 야무지다.

이상과 현실의 차이를 미국의 지도자들이 바로 깨닫지 못하면 미국은 이등 국가로 전락하는 운명을 면치 못할 것이다.

전 세계에 자랑하여야 할 자기들의 문화 유산을 자기들이 코란을 믿는다 해서 스스로 파괴하는 부족들을 어느 하세월에 인간을 만들어 민주주의의 꽃을 만들려 하는지 답답하기만 하다.

08 | 미국 소고기

미국 소고기 수입을 반대하는 촛불 시위가 한달째 계속 되고 있다. 1967년 내가 미국에 온 후로 사십여년간 미국 소고기를 먹고도 나는 아무 탈 없이 살았다. 그래서 미국 소고기 수입 반대라면 이해가 가지만 광우병[狂牛病]을 빙자한 수입 반대 데모는 납득하기 어렵다. 누가 보아도 억지를 쓰는 것이다.

삼억의 미국 인구 중에 보고된 광우병 환자는 한 사 람이었고 그 마저도 영국에 살다가 온 사람이었다. 영국은 소 사료에 죽은 소의 뼈 가루나 몸의 일부를 사료에 섞어 먹였기 때문에 광우병에 걸린 소[십팔만마리 이상]나 사람[백칠십명]등이 세계에서 제일 많았고 영국에서 살다가 온 사람의 광우병은 영국 소고기 탓으로 간주한다. 미국안에 산 사람중에 광우병에 걸렸다는 보고는 없다.

한국은 수출로 경제를 지탱하는 나라인데 미국에 자동차와 전자 제품을 팔면서 농산물 소고기는 수입을 반대하는 데에는 명분이 없다. 만일 소고기 수입으로 인하여 한국 축산업자들의 경제적 타격이 있다면 당연히 정부가 보상과 지원을 할 의무가 있다. 이 점은 어느 국가이건 마찬가지다.

한국 시장에서 한국산 소고기가 미국 소고기 보다 서너배 정도 더 비싸기 때문에 값싼 미국 소고기를 수입하여 가난한 시민들도 소고기를 먹을 수 있도록 정부가 수입을 자유화 하는 것은 당연하다.

또한 돈이 있는 사람이 미국 소고기가 위험하다고 생각하고 한국 소고기만 사 먹겠다고 고집한다면 그의 자유를 누가 말리겠는가.

광우병에 관한 통계나 연구 결과를 믿지않겠다고 한다면 그것도 자유이니 말릴 이유가 없다. 설마 다른 사람들이 미국 소고기를 먹고 광우병에 걸릴까 걱정이 되어 촛불 시위에 기를 쓰고 거리에 나오는 것은 아닐 것이고 분명히 속에 딴 마음을 품고 있을 것이다.

그 속 마음을 분석해 본다.

첫째로 김대중 노무현 두 정권의 집권 십년 간 자라난 주사파 종북파 자생 공산주의자등을 합쳐 대한민국이 넘어지기를 바라는 인구가 삼십프로가 된다는 사실을 명심해야 한다. 십년간 정부 요소 요소 뿐만이 아니고 방송계, 법조계, 전교조, 종교계, 언론계, 예술계 등에 뿌리 깊이 자리를 잡고 있는 이들은 평소에는 애국 애족을 가장하고 애국자 탈을 쓰고 있다가 기회만 있으면 정부 타도에 수단을 가리지 않는다.

물론 그 정체를 인식하지 못하고 그들의 선전에 속아 그들의 뒤를 받쳐주고 있는 순진한 사람들도 많이 있다.

이들 좌파 세력이 보수적인 이명박 대통령의 당선으로 자기들의 입지에 불안을 느꼈고 미국 소고기를 빌미로 만회를 노리는 것이다.

둘째로 그동안 전교조등을 통하여 자라나는 어린 세대에게 반미 사상을 심는데 성공한 결과가 촛불 시위에 원동력이 된것이다. 반미 사상의 근원적 원천은 육십여년간 일사분란하게 해온 김일성과 김정일 정권의 세뇌공작 이다. 그 기간중 미국의 안보 보장만 믿고 남한의 사상 무장을 게을리 한 역대 남한 보수 정권의 책임도 있다.

일단 붉게 세뇌를 당한 사람들은 자기 생각이 틀렸다는 것을 알아도 정서적으로 반미감정은 그대로 남아 있고 정치적 기반 때문에 자기 입장을 바꾸지도 못한다. 또 좌파중에는 자신의 부모 형제등 친족이 공산당으로 몰려 학살이나 탄압을 받아 대한민국을 원수로 생각하는 한이 맺힌 사람들이 있다. 보통 이런 한은 이론으로 풀리지 않는 적개심을 일생동안 품게 한다.

공산당에게 같은 피해를 입은 북한 동포는 출신 성분이 나쁘다 하여 숙청되거나 정치수용소에서 죽어가거나 사회에서 소외 당하므로 아무런 정치 활동을 하지 못하니 북한은 정치적으로 조용하다. 북한처럼 철저한 연루죄를 시행했더라면 대한민국도 조용했을 것이다. 연루죄가 없어진 남한 사회에서는 공산당으로 몰려 사형 당한 아들이든 사위든 대통령도 될 수있고 장관도 될 수 있기 때문에 좌파의 정치 활동도 가능하고 촛불 시위로 나라가 흔들리기도 하는 것이다.

북한의 허위 선전을 깨닫고 주체사상의 허구에서 깨어나도 학생 시절 미국을 미워하던 정서는 그대로 남아 있는 경우가 많은데 미웠던 사람이 미워할 오해가 풀려도 서먹한 감정이 오랫동안 풀리지 않는 것과 같은 이치다. 얼마간의 반미 감정은 이해할 수있다.

국민학교서부터 영어를 배우는 우리 처지에 대한 열등감, 미국 유학을 가는 사회적 유행에 대한 유학을 못가본 사람들의 적대감, 오십년이 넘는 미군 주둔에 의지하는 안보에 대한 좌절감, 외교상 미국정부나 관리들의 우위적 위치나 태도 등등 얼마든지 있다. 따라서 반미정서 자체가 나쁜 것은 아니다. 그 밖에도 한국의 언어, 문화등이 미국을 위시한 서구문화의 오염으로 밀리는 현상을 보면서 느끼는 민족주의적 감정은 당연하고 정당하다.

문제는 반미감정을 정치적으로 이용하여 대한민국을 타도하려는 김정일의 정책을 따라 대한민국의 기반을 흔든다는 것이다.

맥아더장군의 동상을 파괴하려던 자, 미군 철수 대모의 주동자, 미군 기지의 평택 이동을 결사 반대하던 자,그리고 교통 사고로 미군 장갑차에 친 여학생을 반미 운동으로 교묘하게 유도하여 촛불시위를 주도한 자들의 속셈은 단순히 미군 철수가 목표가 아니고 대한민국의 전복이다.

미국 소고기 파동은 과학적 이성적인 판단과 관계 없이 정치적 선동으로 벌어진 정치운동이고 거기에 놀아난 대한민국 국민이 딱하다. 엠비시[M.B.C.]의 허위 선전 방송에 국가가 흔들리다니 부끄럽기 짝이 없다.

한국은 백여년전 지정학적 이유로 수백년 간 중국의 속국 노릇을 하다가 한발 앞서 서구화한 일본에게 나라를 빼앗기는 수모를 당했는데 지금의 한국 정세도 그때와 닮았다. 되풀이하는 역사의 순환에 놀라움을 금치 못한다,

한국이 불처럼 일어나는 중국의 손아귀를 벗어 나려면 외교적으로 강대국 미국의 힘을 빌리지 않을 수 없다는 것이 내 생각이다. 중국과 미국의 틈바귀에서 줄 타기외에 작은 한국이 살아 남을 길이 없다. 반미 정서가 있더라도 미국을 버리고 중국과 줄을 같이 설 수는 없다.

셋째로 이명박 정부가 초장에 국민의 인기를 잃었다. 그 원인이 된

한나라당 공천과 친박 연대에 관해서 한마디 할까 한다. 국회의원 후보 공천을 각 지역구에서 뽑지 않고 중앙 당에서 지명하는 것은 제도상 잘못된 것이다. 예를 들면 당내 파벌 싸움움 때문에 당선될 가능성이 강한 후보자가 중앙 공천에서 탈락되는 경우가 많이 생겨서는 아니된다.

공천에 빠진 친박 후보자들이 무소속으로 출마하고 당선되자 친박 연대를 만들고 복당 운동을 서둘은 것도 좀 무리였다.

그리하여 한나라 당이 집권 하자마자 서로 치고 받는 싸움을 벌렸고 이것을 본 국민의 마음은 돌아섰다. 한번 돌아선 마음을 되돌려 놓기란 쉬운 일이 아니다.

불 난데 부채질 하는 한국 미디어의 책임도 있다. 예를 들면 미국에서도 정권이 바뀌면 정부 고위 인사가 바뀌는 것은 당연하고 대통령이 바뀌면 의례 삼사천명의 고위급 인사가 바뀐다. 선거 자금을 많이 낸 사람을 대사직을 주어 보내는 일도 흔히 있다. 한국에서는 그러한 인사를 언론에서 큰 비리처럼 대서특필하여 정부를 공격하고 민중에게 저희들끼리 해 먹는다는 인상을 줘서 선동한다. 그렇게 임명된 신임 인사가 소임을 다하지 못할 때에 가서 비판하는 것은 좋으나 임명 자체를 너무 문제 삼는 것은 옳지 않다.

미국 소고기가 싫으면 사먹지 않으면 된다.

미국 소고기를 먹느니 청산가리를 먹겠다는 말을 실천할 생각이 전혀 없으면서 선동용으로 말하는 것은 그 저의가 악질이다.

자기 양심이 명하는대로 미국 소고기를 사먹지 않는 사람을 뭐라고 할 사람은 아무도 없다

미국 소고기를 수입한다고 정부여 물러나라고 외치는 미친듯한 데모 군중을 보고 내가 한국을 떠난 것을 다행으로 여겼다.

국가 원수간에 맺은 계약을 촛불 시위로 번복하려는 이면에는 현 정부의 권위를 실추 시키려는 의도도 있다. 나라를 뒤집어 보자는 심산으로 앞장서서 시위를 해서 성공하면 정권을 도적질하고 실패하면 슬그머니 국회로 돌아가 언제 내가 그랬느냐고 시침을 떼고.

대중이 기억력이 짧은 것을 이용하여 이런 정치 노름을 끝 없이 되

푸리 하다가 한번 정권을 잡으면 팔자를 고치려는 정치인들이 설치는 한 한국의 정치는 이조 당파 싸움 수준을 면할 수가 넚다. 아무런 근거도 없는 정치적 모략을 하다가 발각되면 아니면 그만 두고 하는 식의 정치로 정권을 잡으려는 정권 모리배가 판을 치는 한 한국의 정치는 궤도에 올라설 수가 없다.

바람처럼 지나가는 것이 여론이지만 때로는 걷잡을 수없는 폭풍이 되어 집이 송두리채 날라갈 수도 있다. 나라가 날라간 뒤에 역사가들이 그원인을 분석하고 그 어리석음을 지적한들 무슨 소용이 있겠는가.

빈대가 미워도 초가 삼칸을 태울 수는 없다던 건국 초기에 조병옥씨 같은 큰 정치인이 그립다.

무고한 미국 소고기로 나라를 뒤집으려 하고 성사가 안되면 슬그머니 국회로 돌아가 내가 언제 그랬느냐는 태도로 다음 기회를 노리는 한심한 정치는 국민이 건망증이 심한 한 계속 될 것이다.